여러분의 합격을 응원하는
해커스소방 [illegible] 혜택!

FREE 소방관계법규 **특강**

해커스소방(fire.Hackers.com) 접속 후 로그인 ▶ 상단의 [무료강좌 → 소방 무료강의] 클릭하여 이용

해커스소방 온라인 단과강의 **20% 할인쿠폰**

626D5FBE322D48HE

해커스소방(fire.Hackers.com) 접속 후 로그인 ▶ 상단의 [내강의실] 클릭 ▶
좌측의 [인강 → 결제관리 → 쿠폰 확인] 클릭 ▶ 위 쿠폰번호 입력 후 이용

*등록 후 7일간 사용 가능(ID 당 1회에 한해 등록 가능)

 해커스소방 무제한 수강상품[패스] **5만원 할인쿠폰**

F33D65EF4FAA625W

해커스소방(fire.Hackers.com) 접속 후 로그인 ▶ 상단의 [내강의실] 클릭 ▶
좌측의 [인강 → 결제관리 → 쿠폰 확인] 클릭 ▶ 위 쿠폰번호 입력 후 이용

*등록 후 7일간 사용 가능(ID 당 1회에 한해 등록 가능)
*특별 할인상품 적용 불가

쿠폰 이용 관련 문의 **1588-4055**

단기 합격을 위한
해커스 커리큘럼

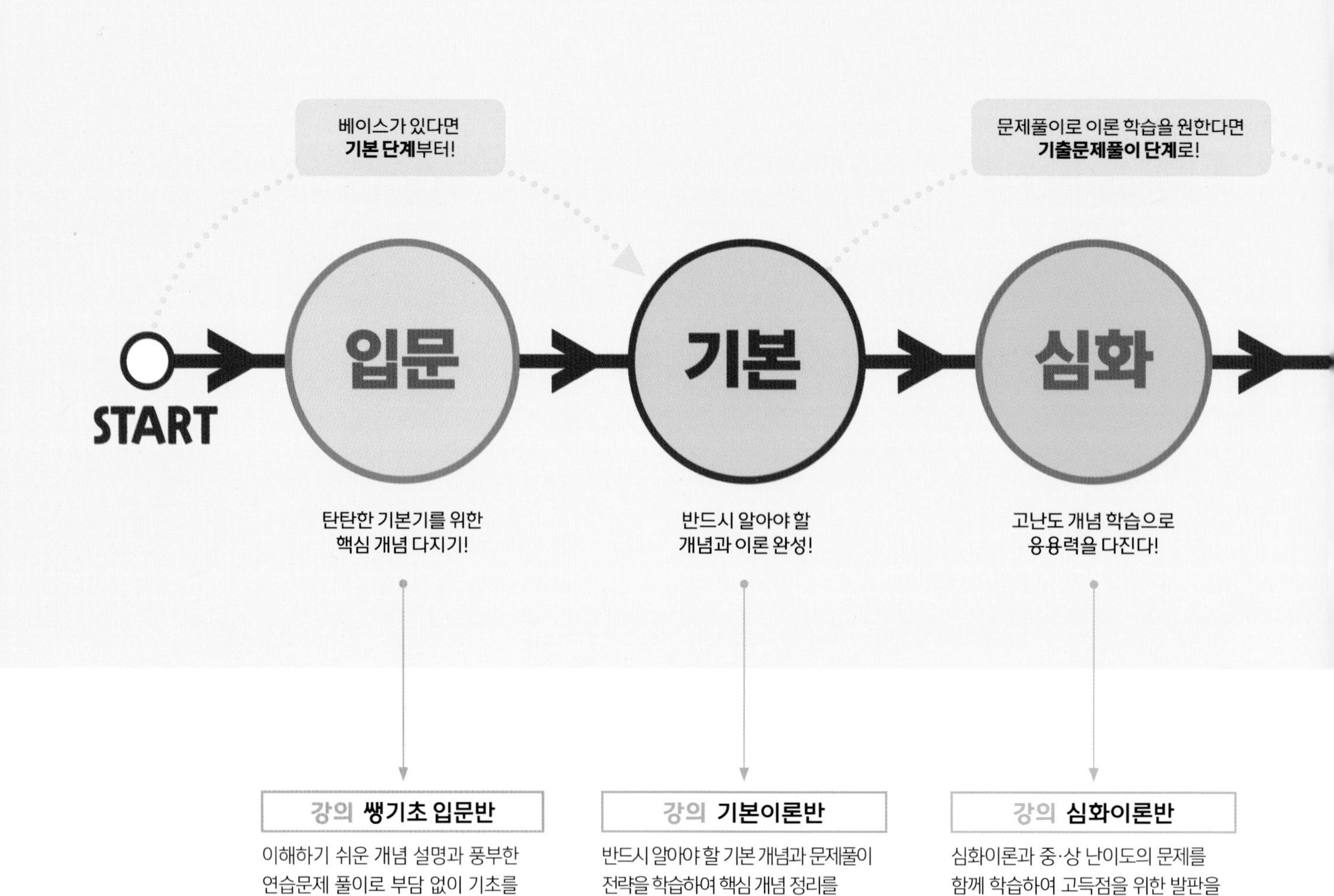

단계별 교재 확인 및
수강신청은 여기서!

fire.Hackers.com

* 커리큘럼은 과목별·선생님별로 상이할 수 있으며, 자세한 내용은 해커스소방 사이트에서 확인하세요.

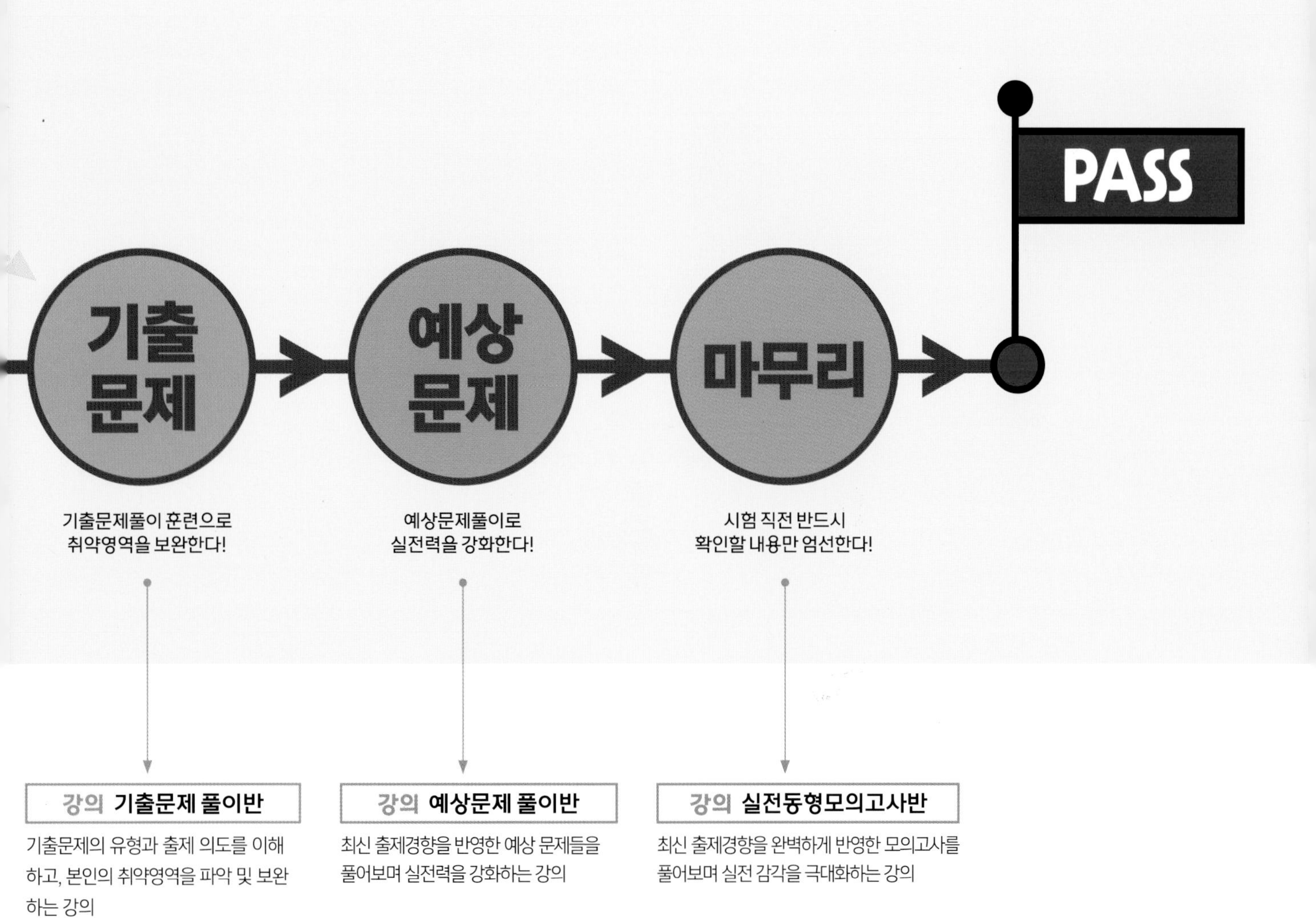

기출문제풀이 훈련으로
취약영역을 보완한다!

예상문제풀이로
실전력을 강화한다!

시험 직전 반드시
확인할 내용만 엄선한다!

강의 기출문제 풀이반

기출문제의 유형과 출제 의도를 이해하고, 본인의 취약영역을 파악 및 보완하는 강의

강의 예상문제 풀이반

최신 출제경향을 반영한 예상 문제들을 풀어보며 실전력을 강화하는 강의

강의 실전동형모의고사반

최신 출제경향을 완벽하게 반영한 모의고사를 풀어보며 실전 감각을 극대화하는 강의

강의 봉투모의고사반

시험 직전에 실제 시험과 동일한 형태의 모의고사를 풀어보며 실전력을 완성하는 강의

목표 점수 단번에 달성,

지텔프도 역시 해커스!

해커스 지텔프 교재 시리즈

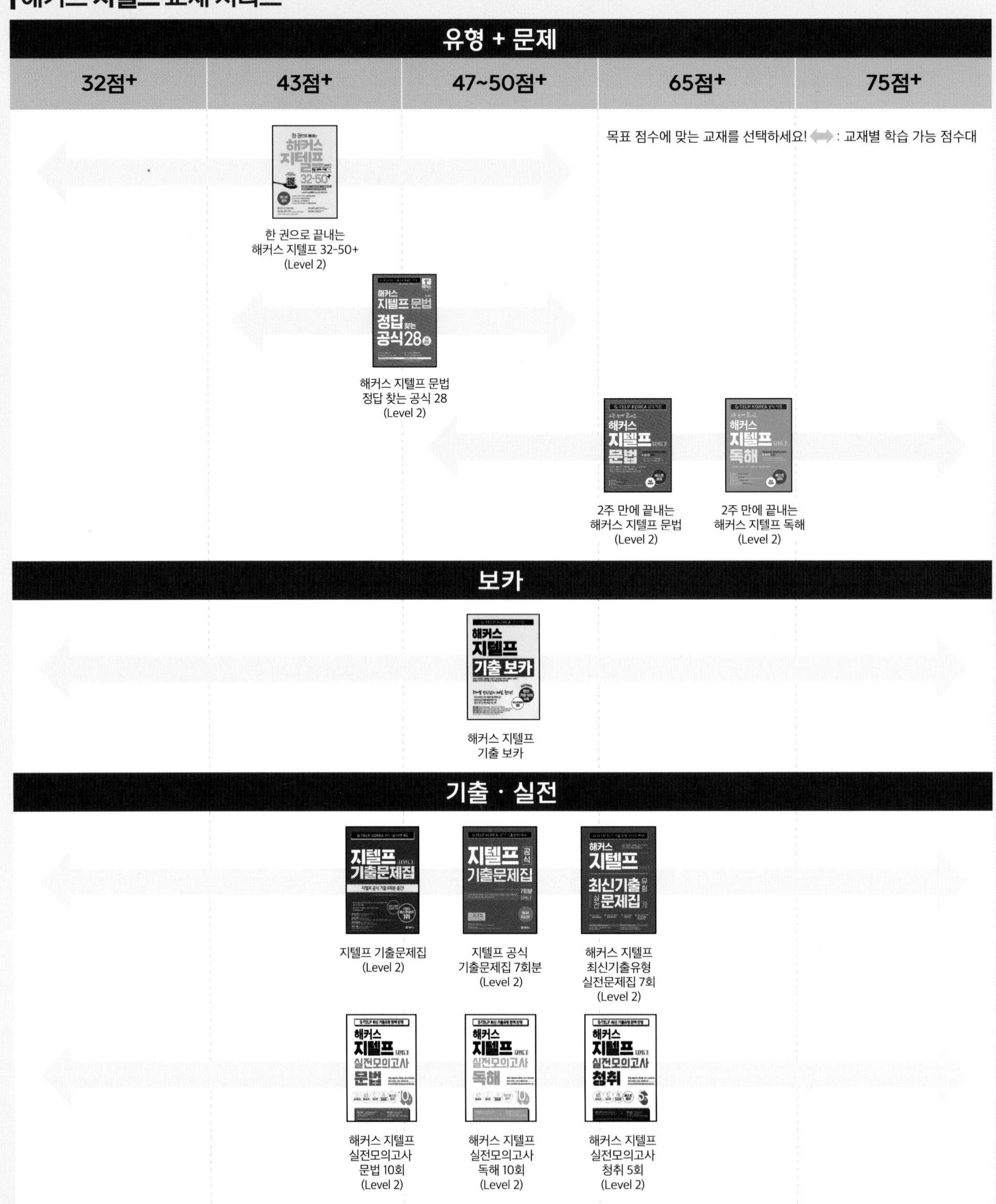

해커스소방
이영철
소방관계법규

기본서 | 2권

해커스소방

서문

"이영철과 함께한 여러분은 이미 소방관입니다."

1973년 2월 8일 지방소방공무원법이 제정되어 국가직과 지방직으로 이원화된 지 47년이 지나서야 2020년 4월 1일 국가직 소방공무원으로 전환되었습니다. 그동안 많은 인명피해와 재산피해의 발생으로 국가재난관리체계에 대한 개선과 국민의 안전보장에 대한 사회적 요구가 반영된 것으로 보입니다. 소방공무원은 국민의 생명과 재산을 구호함을 목적으로 매년 치열한 경쟁률을 보이고 있는 직렬로, 앞으로도 그 위상은 더욱 높아질 것이고, 복지 또한 크게 개선될 것으로 예상됩니다.

소방관계법규는 소방기본법, 소방의 화재조사에 관한 법률, 화재의 예방 및 안전관리에 관한 법률, 소방시설 설치 및 관리에 관한 법률, 위험물안전관리법, 소방시설공사업법으로 구성되며(6분법), 소방공무원 시험, 2차 면접시험, 소방학교 교육 등에서 초석이 되는 필수과목입니다.

또한, 2023년 소방공무원 시험에서 영어와 한국사가 능력검정시험으로 대체됨에 따라 소방관계법규의 중요성이 더욱 높아졌으며, 난이도 또한 상승하였습니다. 따라서 기본에 충실한 개념 이해 + 암기 + 반복을 통한 학습을 꼭 해야만 합니다. 다년간의 강의 경험이 담긴 이 기본서를 통해 전문과목의 중요도가 높아진 2025년 소방공무원 시험을 완벽하게 대비할 수 있을 것입니다.

어떻게 학습해야 할까요?

많은 수험생 여러분들이 익숙하지 않은 소방 및 법 용어, 구성에 대해 두려움을 느끼곤 합니다. 하지만 <해커스소방 이영철 소방관계법규 기본서>를 아래의 활용법대로 학습하신다면, 수험생 여러분이 원하는 결과를 얻을 것이라 확신합니다!

첫째, 법조문, 시행령, 시행규칙을 연결하여 학습하기

본 교재만으로도 법조문, 시행령, 시행규칙을 유기적으로 연결하여 학습할 수 있도록 구성하였습니다. 전반적인 큰 틀에서 법조문을 먼저 학습한 후, 관련 시행령, 시행규칙 및 별표를 함께 학습한다면, 효율적인 학습이 가능할 것입니다.

둘째, 다양한 학습 장치를 통해 이론 완성하기

1회독 때에는 전체적인 내용을 이해한다는 생각으로 본문 내용과 선생님의 설명을 담은 '영철쌤TIP', 핵심 내용을 요약하여 제시한 '핵심정리'를 통해 내용을 익히도록 합니다. 2~3회독 때에는 1회독 때 확실히 학습하지 못한 부분을 다시 학습하고, 강조 표시한 부분을 확인하며 중요한 내용 위주로 확인합니다. 이렇게 학습한다면 소방관계법규의 내용을 빈틈없이 완성할 수 있을 것입니다.

셋째, 사진과 그림을 통해 이미지메이킹하기

기본서에 수록된 사진과 그림을 적극 활용한다면, 처음 접하고 어려운 소방관계법규 이론을 쉽게 이해할 수 있습니다. 또한, 소방관이 된 후에 소방현장에 빠르게 적응하는 데 도움이 될 것입니다.

넷째, 기출문제로 출제유형 확인하기

시험은 기출문제의 반복이자 변형입니다. 따라서 전체적으로 본문을 학습한 후 '문제로 완성하기'를 통해 학습한 이론을 문제로 확인해보세요. 문제를 풀어보면서 출제의도 및 경향을 파악하고, 소방관계법규의 내용을 문제로 복습·완성할 수 있습니다.

저자 이영철

목차

2권

1권

해커스소방 **이영철 소방관계법규** 기본서

PART 5

위험물안전관리법

법[시행 2025.2.21.] [법률 제20315호, 2024.2.20., 일부개정]
시행령 [시행 2023.7.4.] [대통령령 제33579호, 2023.6.27., 일부개정]
시행규칙 [시행 2023.6.29.] [행정안전부령 제409호, 2023.6.29., 일부개정]

CHAPTER 1 총칙

제1조(목적)

이 법은 위험물의 저장 · 취급 및 운반과 이에 따른 안전관리에 관한 사항을 규정함으로 위험물로 인한 위해를 방지하여 공공의 안전을 확보함을 목적으로 한다.

제2조(정의)

① 이 법에서 사용하는 용어의 정의는 다음과 같다.

1. "위험물"이라 함은 인화성 또는 발화성 등의 성질을 가지는 것으로서 대통령령이 정하는 물품을 말한다.
2. "지정수량"이라 함은 위험물의 종류별로 위험성을 고려하여 대통령령이 정하는 수량으로서 제조소등의 설치허가 등에 있어서 최저의 기준이 되는 수량을 말한다.
3. "제조소"라 함은 위험물을 제조할 목적으로 지정수량 이상의 위험물을 취급하기 위하여 허가를 받은 장소를 말한다.
4. "저장소"라 함은 지정수량 이상의 위험물을 저장하기 위한 대통령령이 정하는 장소로서 허가를 받은 장소를 말한다.
5. "취급소"라 함은 지정수량 이상의 위험물을 제조외의 목적으로 취급하기 위한 대통령령이 정하는 장소로서 허가를 받은 장소를 말한다.
6. "제조소등"이라 함은 제조소 · 저장소 및 취급소를 말한다.

영철쌤 tip

저장소	· 옥내저장소(용기에 저장) · 옥외저장소(용기에 저장) · 옥내탱크저장소(탱크에 저장) · 지하탱크저장소(탱크에 저장) · 간이탱크저장소(탱크에 저장): 3드럼통(600ℓ) 이하 · 이동탱크저장소(탱크에 저장): 차량(탱크로리) · 암반탱크저장소(탱크에 저장): 동굴
취급소	· 주유취급소(주유소) · 판매취급소(용기에 판매): 지정수량 40배 이하 · 이송취급소(배관으로 이송) · 일반취급소

위험물은 탱크 또는 용기(대형드럼통)에 저장한다.

시행령 제2조(위험물) 위험물안전관리법에서 "대통령령이 정하는 물품"이라 함은 별표 1에 규정된 위험물을 말한다.

제3조(위험물의 지정수량) 법에서 "대통령령이 정하는 수량"이라 함은 별표 1의 위험물별로 지정수량 란에 규정된 수량을 말한다

별표 1. 위험물 및 지정수량

위험물				지정수량
유별	성질	등급	품명	
제1류	산화성 고체	I	1. 아염소산 염류($MClO_2$)	50kg
			2. 염소산 염류($MClO_3$)	
			3. 과염소산 염류($MClO_4$)	
			4. 무기 과산화물(M_2O_2, MO_2) (알칼리금속의 과산화물, 알칼리토금속의 과산화물)	

제1류	산화성 고체	Ⅱ	5. 브롬산 염류($MBrO_3$)	300kg
			6. 질산 염류(MNO_3)	
			7. 요오드산 염류(MIO_3)	
		Ⅲ	8. 과망간산 염류($MMnO_3$)	1,000kg
			9. 중크롬산 염류(MCr_2O_7)	
			10. 그 밖에 행정안전부령으로 정하는 것(규칙, 제3조)(차아염소산염류, 아질산염류, 과요오드산, 과요오드산염류, 염소화이소시아눌산, 크롬·납·요오드의 산화물, 퍼옥소붕산염류, 퍼옥소이황산염류) 11. 제1호 내지 제10호의 1에 해당하는 어느 하나 이상을 함유한 것	50kg, 300kg 또는 1,000kg
제2류	가연성 고체	Ⅱ	1. 황화린(P_4S_3, P_2S_5, P_4S_7)	100kg
			2. 적린(P)	
			3. 유황(S)	
		Ⅲ	4. 철분(Fe)	500kg
			5. 금속분(Al, Ti, Zr, Cr, Mn, W, Zn 등)	
			6. 마그네슘(Mg)	
			7. 그 밖에 행정안전부령으로 정하는 것 8. 제1호 내지 제7호의 1에 해당하는 어느 하나 이상을 함유한 것	100kg 또는 500kg
		Ⅲ	9. 인화성고체(고형알코올, 래커퍼티, 메타알데히드 등)	1,000kg
제3류	자연 발화성 물질 및 금수성 물질	Ⅰ	1. 칼륨(K)	10kg
			2. 나트륨(Na)	
			3. 알킬알루미늄(R_3Al)	
			4. 알킬리튬(R_3Li)	
			5. 황린(P_4)	20kg
		Ⅱ	6. 알칼리금속 [Na 및 K을 제외, 즉 알칼리금속(Li, Rb, Cs, Fr) 및 알칼리토금속(Be, Mg, Ca, Sr, Ba, Ra)]	50kg
			7. 유기금속화합물(R_3Al 및 R_3Li을 제외한다)	
		Ⅲ	8. 금속의 수소화물(LiH, NaH, CaH_2)	300kg
			9. 금속의 인화물(Ca_3P_2)	
			10. 칼슘(CaC_2) 또는 알루미늄의 탄화물(Al_4C_3)	
			11. 그 밖에 행정안전부령으로 정하는 것(규칙, 제3조)(염소화규소화합물) 12. 제1호 내지 제11호의 1에 해당하는 어느 하나 이상을 함유한 것	10kg, 20kg, 50kg 또는 300kg

위험물					지정수량
유별	성질	등급	품명		
제4류	인화성 액체	Ⅰ	1. 특수인화물(이황화탄소, 디에틸에테르)		50ℓ
		Ⅱ	2. 제1석유류(아세톤, 휘발유)	비수용성액체	200ℓ
				수용성액체	400ℓ
			3. 알코올류(메틸, 에틸, 프로필, 변성알코올), C_1~C_3		400ℓ
		Ⅲ	4. 제2석유류(등유, 경유)	비수용성액체	1,000ℓ
				수용성액체	2,000ℓ
			5. 제3석유류(중유, 클레오소트유)	비수용성액체	2,000ℓ
				수용성액체	4,000ℓ
			6. 제4석유류(윤활유, 가소제, 방청유, 절삭유)		6,000ℓ
			7. 동·식물유류(건성유, 반건성유, 불건성유)		10,000ℓ
제5류	자기 반응성 물질	Ⅰ	1. 유기 과산화물(-O-O-)		10kg
			2. 질산 에스테르류($R-ONO_2$)		
		Ⅱ	3. 니트로 화합물($R-NO_2$)		200kg
			4. 니트로소 화합물(R-NO)		
			5. 아조 화합물(-N=N-)		
			6. 디아조 화합물(-N≡N)		
			7. 히드라진 유도체(H_3NO, 히드라진 등)		
			8. 히드록실 아민(H_3NO)		100kg
			9. 히드록실 아민염류($H_8N_2O_6S$ 등)		
			10. 그 밖에 행정안전부령으로 정하는 것(규칙, 제3조)(금속의 아지화합물, 질산구아니딘) 11. 제1호 내지 제10호의 1에 해당하는 어느 하나 이상을 함유한 것		10kg 100kg 또는 200kg
제6류	산화성 액체	Ⅰ	1. 과염소산($HClO_4$)		300kg
			2. 과산화수소(H_2O_2)		
			3. 질산(HNO_3)		
			4. 그 밖에 행정안전부령으로 정하는 것(규칙, 제3조)(할로겐간 화합물)		
			5. 제1호 내지 제4호의 1에 해당하는 어느 하나 이상을 함유한 것		

비고

1. "산화성고체"라 함은 고체[액체(1기압 및 섭씨 20도에서 액상인 것 또는 섭씨 20도 초과 섭씨 40도 이하에서 액상인 것을 말한다. 이하 같다)또는 기체(1기압 및 섭씨 20도에서 기상인 것을 말한다) 외의 것을 말한다. 이하 같다]로서 산화력의 잠재적인 위험성 또는 충격에 대한 민감성을 판단하기 위하여 소방청장이 정하여 고시(이하 "고시"라 한다)하는 시험에서 고시로 정하는 성질과 상태를 나타내는 것을 말한다. 이 경우 "액상"이라 함은 수직으로 된 시험관(안지름 30밀리미터, 높이 120밀리미터의 원통형유리관을 말한다)에 시료를 55밀리미터까지 채운 다음 당해 시험관을 수평으로 하였을 때 시료액면의 선단이 30밀리미터를 이동하는데 걸리는 시간이 90초 이내에 있는 것을 말한다.
2. "가연성고체"라 함은 고체로서 화염에 의한 발화의 위험성 또는 인화의 위험성을 판단하기 위하여 고시로 정하는 시험에서 고시로 정하는 성질과 상태를 나타내는 것을 말한다.
3. 유황은 순도가 60중량퍼센트 이상인 것을 말한다. 이 경우 순도측정에 있어서 불순물은 활석 등 불연성물질과 수분에 한한다.
4. "철분"이라 함은 철의 분말로서 53마이크로미터의 표준체를 통과하는 것이 50중량퍼센트 미만인 것은 제외한다.
5. "금속분"이라 함은 알칼리금속 · 알칼리토류금속 · 철 및 마그네슘외의 금속의 분말을 말하고, 구리분 · 니켈분 및 150마이크로미터의 체를 통과하는 것이 50중량퍼센트 미만인 것은 제외한다.
6. 마그네슘 및 제2류 제8호의 물품중 마그네슘을 함유한 것에 있어서는 다음 각 목의 1에 해당하는 것은 제외한다.
   가. 2밀리미터의 체를 통과하지 아니하는 덩어리 상태의 것
   나. 지름 2밀리미터 이상의 막대 모양의 것
7. 황화린 · 적린 · 유황 및 철분은 제2호의 규정에 의한 성질과 상태가 있는 것으로 본다.
8. "인화성고체"라 함은 고형알코올 그 밖에 1기압에서 인화점이 섭씨 40도 미만인 고체를 말한다.
9. "자연발화성물질 및 금수성물질"이라 함은 고체 또는 액체로서 공기 중에서 발화의 위험성이 있거나 물과 접촉하여 발화하거나 가연성가스를 발생하는 위험성이 있는 것을 말한다.
10. 칼륨 · 나트륨 · 알킬알루미늄 · 알킬리튬 및 황린은 제9호의 규정에 의한 성상이 있는 것으로 본다.
11. "인화성액체"라 함은 액체(제3석유류, 제4석유류 및 동식물유류의 경우 1기압과 섭씨 20도에서 액체인 것만 해당한다)로서 인화의 위험성이 있는 것을 말한다. 다만, 다음 각 목의 어느 하나에 해당하는 것을 법 제20조 제1항의 중요기준과 세부기준에 따른 운반용기를 사용하여 운반하거나 저장(진열 및 판매를 포함한다)하는 경우는 제외한다.
    가. 화장품법 제2조 제1호에 따른 화장품 중 인화성액체를 포함하고 있는 것
    나. 약사법 제2조 제4호에 따른 의약품 중 인화성액체를 포함하고 있는 것
    다. 약사법 제2조 제7호에 따른 의약외품(알코올류에 해당하는 것은 제외한다) 중 수용성인 인화성액체를 50부피퍼센트 이하로 포함하고 있는 것
    라. 의료기기법에 따른 체외진단용 의료기기 중 인화성액체를 포함하고 있는 것
    마. 생활화학제품 및 살생물제의 안전관리에 관한 법률 제3조 제4호에 따른 안전확인대상 생활화학제품(알코올류에 해당하는 것은 제외한다) 중 수용성인 인화성액체를 50부피퍼센트 이하로 포함하고 있는 것
12. "특수인화물"이라 함은 이황화탄소, 디에틸에테르 그 밖에 1기압에서 발화점이 섭씨 100도 이하인 것 또는 인화점이 섭씨 영하 20도 이하이고 비점이 섭씨 40도 이하인 것을 말한다.
13. "제1석유류"라 함은 아세톤, 휘발유 그 밖에 1기압에서 인화점이 섭씨 21도 미만인 것을 말한다.

14. “알코올류”라 함은 1분자를 구성하는 탄소원자의 수가 1개부터 3개까지인 포화1가 알코올(변성알코올을 포함한다)을 말한다. 다만, 다음 각 목의 1에 해당하는 것은 제외한다.
    가. 1분자를 구성하는 탄소원자의 수가 1개 내지 3개의 포화1가 알코올의 함유량이 60중량퍼센트 미만인 수용액
    나. 가연성액체량이 60중량퍼센트 미만이고 인화점 및 연소점(태그개방식인화점측정기에 의한 연소점을 말한다. 이하 같다)이 에틸알코올 60중량퍼센트 수용액의 인화점 및 연소점을 초과하는 것
15. “제2석유류”라 함은 등유, 경유 그 밖에 1기압에서 인화점이 섭씨 21도 이상 70도 미만인 것을 말한다. 다만, 도료류 그 밖의 물품에 있어서 가연성 액체량이 40중량퍼센트 이하이면서 인화점이 섭씨 40도 이상인 동시에 연소점이 섭씨 60도 이상인 것은 제외한다.
16. “제3석유류”라 함은 중유, 클레오소트유 그 밖에 1기압에서 인화점이 섭씨 70도 이상 섭씨 200도 미만인 것을 말한다. 다만, 도료류 그 밖의 물품은 가연성 액체량이 40중량퍼센트 이하인 것은 제외한다.
17. “제4석유류”라 함은 기어유, 실린더유 그 밖에 1기압에서 인화점이 섭씨 200도 이상 섭씨 250도 미만의 것을 말한다. 다만 도료류 그 밖의 물품은 가연성 액체량이 40중량퍼센트 이하인 것은 제외한다.
18. “동식물유류”라 함은 동물의 지육(枝肉: 머리, 내장, 다리를 잘라 내고 아직 부위별로 나누지 않은 고기를 말한다) 등 또는 식물의 종자나 과육으로부터 추출한 것으로서 1기압에서 인화점이 섭씨 250도 미만인 것을 말한다. 다만, 법 제20조 제1항의 규정에 의하여 행정안전부령으로 정하는 용기기준과 수납 · 저장기준에 따라 수납되어 저장 · 보관되고 용기의 외부에 물품의 통칭명, 수량 및 화기엄금(화기엄금과 동일한 의미를 갖는 표시를 포함한다)의 표시가 있는 경우를 제외한다.
19. “자기반응성물질”이라 함은 고체 또는 액체로서 폭발의 위험성 또는 가열분해의 격렬함을 판단하기 위하여 고시로 정하는 시험에서 고시로 정하는 성질과 상태를 나타내는 것을 말한다.
20. 제5류 제11호의 물품에 있어서는 유기과산화물을 함유하는 것 중에서 불활성고체를 함유하는 것으로서 다음 각 목의 1에 해당하는 것은 제외한다.
    가. 과산화벤조일의 함유량이 35.5중량퍼센트 미만인 것으로서 전분가루, 황산칼슘2수화물 또는 인산1수소칼슘2수화물과의 혼합물
    나. 비스(4클로로벤조일)퍼옥사이드의 함유량이 30중량퍼센트 미만인 것으로서 불활성고체와의 혼합물
    다. 과산화지크밀의 함유량이 40중량퍼센트 미만인 것으로서 불활성고체와의 혼합물
    라. 1 · 4비스(2-터셔리부틸퍼옥시이소프로필)벤젠의 함유량이 40중량퍼센트 미만인 것으로서 불활성고체와의 혼합물
    마. 시크로헥사놀퍼옥사이드의 함유량이 30중량퍼센트 미만인 것으로서 불활성고체와의 혼합물
21. “산화성액체”라 함은 액체로서 산화력의 잠재적인 위험성을 판단하기 위하여 고시로 정하는 시험에서 고시로 정하는 성질과 상태를 나타내는 것을 말한다.
22. 과산화수소는 그 농도가 36중량퍼센트 이상인 것에 한하며, 제21호의 성상이 있는 것으로 본다.
23. 질산은 그 비중이 1.49 이상인 것에 한하며, 제21호의 성상이 있는 것으로 본다.
24. 위 표의 성질란에 규정된 성상을 2가지 이상 포함하는 물품(이하 이 호에서 “복수성상물품”이라 한다)이 속하는 품명은 다음 각 목의 1에 의한다.
    가. 복수성상물품이 산화성고체의 성상 및 가연성고체의 성상을 가지는 경우: 제2류 제8호의 규정에 의한 품명

일반적인 위험물의 위험도
화재위험성, 확대위험성, 소화곤란성 등을 고려하여 제3 · 5류 위험물 > 제4류 위험물 > 제2류 위험물 > 제1 · 6류 위험물 순이다.

나. 복수성상물품이 산화성고체의 성상 및 자기반응성물질의 성상을 가지는 경우: 제5류 제11호의 규정에 의한 품명
다. 복수성상물품이 가연성고체의 성상과 자연발화성물질의 성상 및 금수성물질의 성상을 가지는 경우: 제3류 제12호의 규정에 의한 품명
라. 복수성상물품이 자연발화성물질의 성상, 금수성물질의 성상 및 인화성액체의 성상을 가지는 경우: 제3류 제12호의 규정에 의한 품명
마. 복수성상물품이 인화성액체의 성상 및 자기반응성물질의 성상을 가지는 경우: 제5류 제11호의 규정에 의한 품명

25. 위 표의 지정수량란에 정하는 수량이 복수로 있는 품명에 있어서는 당해 품명이 속하는 유(類)의 품명 가운데 위험성의 정도가 가장 유사한 품명의 지정수량란에 정하는 수량과 같은 수량을 당해 품명의 지정수량으로 한다. 이 경우 위험물의 위험성을 실험·비교하기 위한 기준은 고시로 정할 수 있다.
26. 위 표의 기준에 따라 위험물을 판정하고 지정수량을 결정하기 위하여 필요한 실험은 국가표준기본법 제23조에 따라 인정을 받은 시험·검사기관, 소방산업의 진흥에 관한 법률 제14조에 따른 한국소방산업기술원, 중앙소방학교 또는 소방청장이 지정하는 기관에서 실시할 수 있다. 이 경우 실험 결과에는 실험한 위험물에 해당하는 품명과 지정수량이 포함되어야 한다.

제4조(위험물을 저장하기 위한 장소 등) 법(저장소)에 의한 지정수량 이상의 위험물을 저장하기 위한 장소와 그에 따른 저장소의 구분은 별표 2와 같다.

별표2. 지정수량 이상의 위험물을 저장하기 위한 장소와 그에 따른 저장소의 구분
법(저장소)에 의한 지정수량 이상의 위험물을 저장하기 위한 장소와 그에 따른 저장소의 구분은 별표 2와 같다.

지정수량 이상의 위험물을 저장하기 위한 장소	저장소의 구분
1. 옥내(지붕과 기둥 또는 벽 등에 의하여 둘러싸인 곳을 말한다)에 저장(위험물을 저장하는데 따르는 취급을 포함한다)하는 장소. 다만, 옥내탱크 저장소의 장소를 제외한다.	옥내저장소
2. 옥외에 있는 탱크(지하, 간이, 암반 탱크를 제외한다)에 위험물을 저장하는 장소	옥외탱크저장소
3. 옥내에 있는 탱크(지하, 간이, 암반 탱크를 제외한다)에 위험물을 저장하는 장소	옥내탱크저장소
4. 지하에 매설한 탱크에 위험물을 저장하는 장소	지하탱크저장소
5. 간이탱크에 위험물을 저장하는 장소	간이탱크저장소
6. 차량(피견인자동차에 있어서는 앞 차축을 갖지 아니하는 것으로서 당해 피견인자동차의 일부가 견인자동차에 적재되고 당해 피견인자동차와 그 적재물의 중량의 상당부분이 견인자동차에 의하여 지탱되는 구조의 것에 한한다)에 고정된 탱크에 위험물을 저장하는 장소	이동탱크저장소
7. 옥외에 다음 각 목의 위험물을 저장하는 장소. 다만, 옥외탱크저장소를 제외한다. 가. 제2류 위험물 중 유황 또는 인화성고체(인화점이 섭씨 0도 이상인 것에 한한다) 나. 제4류 위험물 중 제1석유류(인화점이 섭씨 0도 이상인 것에 한한다)·알코올류·제2석유류·제3석유류·제4석유류 및 동·식물유류	옥외저장소

1. 8개의 저장소, 4개의 취급소
2. 간이탱크저장소: 600ℓ 이하(3드럼)
3. 1드럼: 200ℓ

지정수량 이상의 위험물을 저장하기 위한 장소	저장소의 구분
다. 제6류 위험물 라. 제2류 위험물 및 제4류 위험물 중 특별시·광역시 또는 도의 조례에서 정하는 위험물 마. 국제해사기구에 관한 협약에 의하여 설치된 국제해사기구가 채택한 국제해상위험물규칙(IMDG Code)에 적합한 용기에 수납된 위험물	옥외저장소
8. 암반 내의 공간을 이용한 탱크에 액체의 위험물을 저장하는 장소	암반탱크저장소

제5조(위험물을 취급하기 위한 장소 등) 법(취급소)에 의한 지정수량 이상의 위험물을 제조 외의 목적으로 취급하기 위한 장소와 그에 따른 취급소의 구분은 별표 3과 같다.

별표3. 위험물을 제조외의 목적으로 취급하기 위한 장소와 그에 따른 취급소의 구분

위험물을 제조외의 목적으로 취급하기 위한 장소	취급소의 구분
1. 고정된 주유설비(항공기에 주유하는 경우에는 차량에 설치된 주유설비를 포함한다)에 의하여 자동차·항공기 또는 선박 등의 연료탱크에 직접 주유하기 위하여 위험물(「석유 및 석유대체연료 사업법」 제29조의 규정에 의한 가짜석유제품에 해당하는 물품을 제외한다. 이하 제2호에서 같다)을 취급하는 장소(위험물을 용기에 옮겨 담거나 차량에 고정된 5천리터 이하의 탱크에 주입하기 위하여 고정된 급유설비를 병설한 장소를 포함한다)	주유취급소
2. 점포에서 위험물을 용기에 담아 판매하기 위하여 지정수량의 40배 이하의 위험물을 취급하는 장소	판매취급소
3. 배관 및 이에 부속된 설비에 의하여 위험물을 이송하는 장소. 다만, 다음 각 목의 1에 해당하는 경우의 장소를 제외한다. 가. 송유관 안전관리법에 의한 송유관에 의하여 위험물을 이송하는 경우 나. 제조소등에 관계된 시설(배관을 제외한다) 및 그 부지가 같은 사업소 안에 있고 당해 사업소 안에서만 위험물을 이송하는 경우 다. 사업소와 사업소의 사이에 도로(폭 2미터 이상의 일반교통에 이용되는 도로로서 자동차의 통행이 가능한 것을 말한다)만 있고 사업소와 사업소 사이의 이송배관이 그 도로를 횡단하는 경우 라. 사업소와 사업소 사이의 이송배관이 제3자(당해 사업소와 관련이 있거나 유사한 사업을 하는 자에 한한다)의 토지만을 통과하는 경우로서 당해 배관의 길이가 100미터 이하인 경우 마. 해상구조물에 설치된 배관(이송되는 위험물이 별표 1의 제4류 위험물중 제1석유류인 경우에는 배관의 안지름이 30센티미터 미만인 것에 한한다)으로서 해당 해상구조물에 설치된 배관이 길이가 30미터 이하인 경우 바. 사업소와 사업소 사이의 이송배관이 다목 내지 마목의 규정에 의한 경우 중 2 이상에 해당하는 경우 사. 농어촌 전기공급사업 촉진법에 따라 설치된 자가발전시설에 사용되는 위험물을 이송하는 경우	이송취급소
4. 제1호 내지 제3호 외의 장소(석유 및 석유대체연료 사업법 제29조의 규정에 의한 가짜석유제품에 해당하는 위험물을 취급하는 경우의 장소를 제외한다)	일반취급소

시행규칙 제2조(정의) 이 규칙에서 사용하는 용어의 뜻은 다음과 같다.

1. "고속국도"란 도로법 제10조 제1호에 따른 고속국도를 말한다.
2. "도로"란 다음 각 목의 어느 하나에 해당하는 것을 말한다.
   가. 도로법 제2조 제1호에 따른 도로
   나. 항만법 제2조 제5호에 따른 항만시설 중 임항교통시설에 해당하는 도로
   다. 사도법 제2조의 규정에 의한 사도
   라. 그 밖에 일반교통에 이용되는 너비 2미터 이상의 도로로서 자동차의 통행이 가능한 것
3. "하천"이란 하천법 제2조 제1호에 따른 하천을 말한다.
4. "내화구조"란 건축법 시행령 제2조 제7호에 따른 내화구조를 말한다.
5. "불연재료"란 건축법 시행령 제2조 제10호에 따른 불연재료 중 유리 외의 것을 말한다.

제3조(위험물 품명의 지정) ① 위험물안전관리법 시행령(이하 "영"이라 한다) 별표 1 **제1류의 품명**란 제10호에서 **"행정안전부령으로 정하는 것"**이라 함은 다음 각 호의 1에 해당하는 것을 말한다.

1. 과요오드산염류
2. 과요오드산
3. 크롬, 납 또는 요오드의 산화물
4. 아질산염류
5. 차아염소산염류
6. 염소화이소시아눌산
7. 퍼옥소이황산염류
8. 퍼옥소붕산염류

② 영 별표 1 **제3류의 품명**란 제11호에서 "행정안전부령으로 정하는 것"이라 함은 **염소화규소화합물**을 말한다.

③ 영 별표 1 **제5류의 품명**란 제10호에서 "행정안전부령으로 정하는 것"이라 함은 다음 각호의 1에 해당하는 것을 말한다.

1. **금속의 아지화합물**
2. **질산구아니딘**

④ 영 별표 1 **제6류의 품명**란 제4호에서 "행정안전부령으로 정하는 것"이라 함은 **할로겐간화합물**을 말한다.

제4조(위험물의 품명) ① 제3조 제1항 및 제3항 각호의 1에 해당하는 위험물은 각각 다른 품명의 위험물로 본다.

② 영 별표 1 제1류의 품명란 제11호, 동표 제2류의 품명란 제8호, 동표 제3류의 품명란 제12호, 동표 제5류의 품명란 제11호 또는 동표 제6류의 품명란 제5호의 위험물로서 당해 위험물에 함유된 위험물의 품명이 다른 것은 각각 다른 품명의 위험물로 본다.

행정안전부령으로 정하는 위험물

제3류	염소화규소화합물
제5류	금속아지드화합물, 질산구아니딘
제6류	할로겐간화합물

1. 행정안전부령으로 정하는 위험물 중 제2류, 제4류 위험물은 없다.
2. 할로겐간화합물은 할로겐원소조합을 의미한다. 삼불화브롬, 오불화브롬, 오불화요오드 등이 있으며 일반적으로 불안정하나 연소(폭발)하지 않는다.

영철쌤 tip

1. 탱크용적 = 탱크내용적 - 탱크공간용적
2. 공간용적: 탱크용적의 100분의 5 이상 100분의 10 이하의 용적을 말한다.

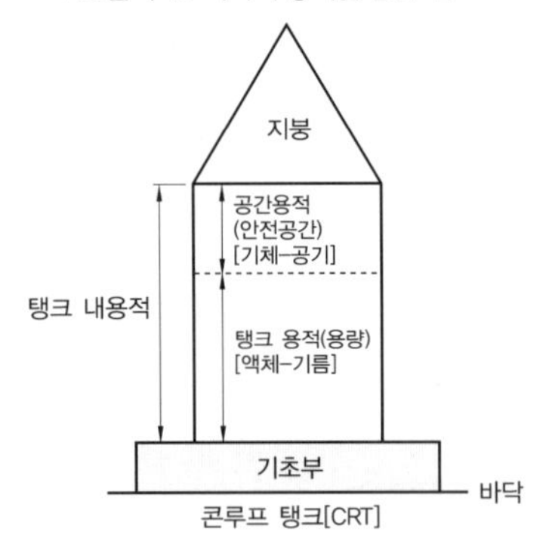

제5조(탱크 용적의 산정기준) ① 위험물을 저장 또는 취급하는 탱크의 용량은 해당 탱크의 내용적에서 공간용적을 뺀 용적으로 한다. 이 경우 위험물을 저장 또는 취급하는 영 별표 2 제6호에 따른 차량에 고정된 탱크(이하 "이동저장탱크"라 한다)의 용량은 자동차 및 자동차부품의 성능과 기준에 관한 규칙에 따른 최대적재량 이하로 하여야 한다.

② 제1항의 규정에 의한 탱크의 내용적 및 공간용적의 계산방법은 소방청장이 정하여 고시한다.

③ 제1항의 규정에 불구하고 제조소 또는 일반취급소의 위험물을 취급하는 탱크 중 특수한 구조 또는 설비를 이용함에 따라 당해 탱크 내의 위험물의 최대량이 제1항의 규정에 의한 용량 이하인 경우에는 당해 최대량을 용량으로 한다.

저장소의 종류
1. 옥내저장소
2. 옥외저장소
3. 옥내탱크저장소
4. 옥외탱크저장소
5. 지하탱크저장소
6. 간이탱크저장소
7. 이동탱크저장소
8. 암반탱크저장소

취급소의 종류
1. 주유취급소(고정된 주유설비)
2. 판매취급소(지정수량 40배 이하)
3. 이송취급소(이동취급소 ×)
4. 일반취급소(주유취급소, 판매취급소, 이송취급소 외의 목적)

핵심정리 위험물의 종류 및 지정수량

위험물				지정수량
유별	성질	품명		
제1류	산화성 고체	아염소산염류, 염소산염류, 과염소산염류, 무기과산화물		50kg
		브롬산염류, 질산염류, 요오드산염류		300kg
		과망간산염류, 중크롬산염류		1,000kg
제2류	가연성 고체	황화린, 적린, 유황		100kg
		철분, 금속분, 마그네슘		500kg
		인화성고체		1,000kg
제3류	자연발화 및 금수성 물질	칼륨, 나트륨, 알킬알루미늄, 알킬리튬		10kg
		황린		20kg
		알칼리금속(칼륨 및 나트륨을 제외) 및 알칼리토금속 유기금속화합물(알킬알루미늄 및 알킬리튬을 제외)		50kg
		금속의 수소화물, 금속의 인화물, 칼슘 또는 알루미늄의 탄화물		300kg
제4류	인화성 액체	특수인화물		50ℓ
		제1석유류	비수용성액체	200ℓ
			수용성액체	400ℓ
		알코올류		400ℓ
		제2석유류	비수용성액체	1,000ℓ
			수용성액체	2,000ℓ
		제3석유류	비수용성액체	2,000ℓ
			수용성액체	4,000ℓ
		제4석유류		6,000ℓ
		동·식물유류		10,000ℓ

제5류	자기 반응성 물질	유기과산화물, 질산에스테르류	10kg
		니트로화합물, 니트로소화합물, 아조화합물, 디아조화합물, 히드라진 유도체	200kg
		히드록실아민, 히드록실아민염류	100kg
제6류	산화성 액체	과염소산, 과산화수소, 질산	300kg

비고

1. **유황**: 순도 60중량퍼센트 이상
2. **철분**: 철의 분말로서 53마이크로미터의 표준체를 통과하는 것이 50중량퍼센트 미만인 것은 제외
3. **금속분**: 알칼리금속·알칼리토류금속·철 및 마그네슘 외의 금속의 분말을 말하고, 구리분·니켈분 및 150마이크로미터의 체를 통과하는 것이 50중량퍼센트 미만인 것은 제외
4. 마그네슘 및 제2류 제8호의 물품 중 마그네슘을 함유한 것에 있어서는 다음의 1에 해당하는 것은 제외
   ① 2밀리미터의 체를 통과하지 아니하는 덩어리 상태의 것
   ② 직경 2밀리미터 이상의 막대 모양의 것
5. **인화성고체**: 고형알코올 그 밖에 1기압에서 인화점이 섭씨 40도 미만인 고체
6. **과산화수소**: 농도가 36중량퍼센트 이상
7. **질산**: 비중 1.49 이상
8. 제4류 위험물의 인화점 분류

구분	대표물질	온도
특수인화물	이황화탄소, 디에틸에테르	· **발화점**: 섭씨 100도 이하 또는 · **인화점**: 영하 20도 이하이고 비점 40도 이하
제1석유류	아세톤, 휘발유	인화점 섭씨 21도 미만
제2석유류	등유, 경유	인화점 섭씨 21도 이상 70도 미만
제3석유류	중유, 클레오소트유	인화점 섭씨 70도 이상 200도 미만
제4석유류	기어유, 실린더유	인화점 섭씨 200도 이상 250도 미만
동식물유류	야자유, 참기름, 들기름 등	인화점 섭씨 250도 미만

제3조(적용제외)

이 법은 항공기·선박·철도 및 궤도에 의한 위험물의 저장·취급 및 운반에 있어서는 이를 적용하지 아니한다.

영철쌤 tip

항공기·선박·철도 및 궤도의 경우에는 이들과 관련된 법률에서 위험물에 대한 안전을 규제하고 있으므로 위험물안전관리법에서 이를 규제하는 것은 중복 규제이기 때문에 이를 제외하는 것이다.

영철쌤 tip

지정수량 미만인 위험물의 저장 · 취급기준은 시 · 도의 조례로 정한다.

제3조의2(국가의 책무)

① 국가는 위험물에 의한 사고를 예방하기 위하여 다음 각 호의 사항을 포함하는 시책을 수립 · 시행하여야 한다.
1. 위험물의 유통실태 분석
2. 위험물에 의한 사고 유형의 분석
3. 사고 예방을 위한 안전기술 개발
4. 전문인력 양성
5. 그 밖에 사고 예방을 위하여 필요한 사항

② 국가는 지방자치단체가 위험물에 의한 사고의 예방 · 대비 및 대응을 위한 시책을 추진하는 데에 필요한 행정적 · 재정적 지원을 하여야 한다.

제4조(지정수량 미만인 위험물의 저장 · 취급)

지정수량 미만인 위험물의 저장 또는 취급에 관한 기술상의 기준은 특별시 · 광역시 · 특별자치시 · 도 및 특별자치도(이하 "시 · 도"라 한다)의 조례로 정한다.

제5조(위험물의 저장 및 취급의 제한)

① 지정수량 이상의 위험물을 저장소가 아닌 장소에서 저장하거나 제조소등이 아닌 장소에서 취급하여서는 아니 된다.

② 제1항의 규정에 불구하고 다음 각 호의 1에 해당하는 경우에는 제조소등이 아닌 장소에서 지정수량 이상의 위험물을 취급할 수 있다. 이 경우, 임시로 저장 또는 취급하는 장소에서의 저장 또는 취급의 기준과 임시로 저장 또는 취급하는 장소의 위치 · 구조 및 설비의 기준은 시 · 도의 조례로 정한다.
1. 시 · 도의 조례가 정하는 바에 따라 관할소방서장의 승인을 받아 지정수량 이상의 위험물을 90일 이내의 기간 동안 임시로 저장 또는 취급하는 경우
2. 군부대가 지정수량 이상의 위험물을 군사목적으로 임시로 저장 또는 취급하는 경우

③ 제조소등에서의 위험물의 저장 또는 취급에 관하여는 다음 각 호의 중요기준 및 세부기준에 따라야 한다.
1. 중요기준: 화재 등 위해의 예방과 응급조치에 있어서 큰 영향을 미치거나 그 기준을 위반하는 경우 직접적으로 화재를 일으킬 가능성이 큰 기준으로서 행정안전부령이 정하는 기준
2. 세부기준: 화재 등 위해의 예방과 응급조치에 있어서 중요기준보다 상대적으로 적은 영향을 미치거나 그 기준을 위반하는 경우 간접적으로 화재를 일으킬 수있는 기준 및 위험물의 안전관리에 필요한 표시와 서류 · 기구 등의 비치에 관한 기준으로서 행정안전부령이 정하는 기준

④ 제1항의 규정에 따른 제조소등의 위치 · 구조 및 설비의 기술기준은 행정안전부령으로 정한다.

⑤ 둘 이상의 위험물을 같은 장소에서 저장 또는 취급하는 경우에 있어서 당해 장소에서 저장 또는 취급하는 각 위험물의 수량을 그 위험물의 지정수량으로 각각 나누어 얻은 수의 합계가 1 이상인 경우 당해 위험물은 지정수량 이상의 위험물로 본다.

핵심정리 위험물의 저장 및 취급 제한

1. **지정수량 이상의 위험물:** 제조소등에서만 저장 또는 취급
2. 제조소등이 아닌 장소에 저장또는 취급하는 경우(시 · 도조례)
   ① 시 · 도조례가 정하는 바에 따라 관할소방서장의 승인을 받아 지정수량 이상의 위험물을 90일 이내 기간 동안 임시로 저장 또는 취급하는 경우
   ② 군부대가 군사목적으로 임시로 저장 또는 취급하는 경우

둘 이상의 위험물을 같은 장소에서 저장 또는 취급하는 경우

$$\text{지정수량} = \frac{\text{A품목(저장 · 취급)수량}}{\text{A품목지정수량}} + \frac{\text{B품목(저장 · 취급)수량}}{\text{B품목지정수량}} + \cdots$$

= 1 이상이면 지정수량 이상이다.

문제로 완성하기

01 위험물안전관리법의 목적에서 괄호 속 내용이 옳은 것은? 17. 하반기 공채

> 이 법은 위험물 (　　)·(　　) 및 (　　)과 안전관리사항을 규정함으로써 위험물로 인한 위해를 방지하여 공공의 안전을 확보함을 목적으로 한다.

① 제조, 취급, 운반
② 제조, 취급, 이송
③ 저장, 제조, 운송
④ 저장, 취급, 운반

02 위험물안전관리법상 용어의 정의에 관한 내용으로 옳지 않은 것은? 20. 공채

① "취급소"라 함은 지정수량 이상의 위험물을 제조 외의 목적으로 취급하기 위한 대통령령이 정하는 장소로서 위험물안전관리법에 따른 허가를 받은 장소를 말한다.
② "지정수량"이라 함은 위험물의 종류별로 위험성을 고려하여 대통령령이 정하는 수량으로서 제조소등의 설치허가 등에 있어서 최대의 기준이 되는 수량을 말한다.
③ "제조소등"이라 함은 제조소·저장소 및 취급소를 말한다.
④ "저장소"라 함은 지정수량 이상의 위험물을 저장하기 위하여 대통령령이 정하는 장소로서 위험물안전관리법에 따른 허가를 받은 장소를 말한다.

03 위험물안전관리법상 위험물에 대한 정의이다. (　) 안에 들어갈 용어로 옳은 것은? 21. 공채

> "위험물"이라 함은 (가) 또는 (나) 등의 성질을 가지는 것으로서 (다)이 정하는 물품을 말한다.

	(가)	(나)	(다)
①	인화성	가연성	대통령령
②	인화성	발화성	대통령령
③	휘발성	가연성	행정안전부령
④	인화성	휘발성	행정안전부령

04 위험물안전관리법 시행령 및 같은 법 시행규칙상 위험물의 성질과 품명이 옳지 않은 것은? 21. 공채

① 가연성 고체: 적린, 금속분

② 산화성 액체: 과염소산, 질산

③ 산화성 고체: 요오드산염류, 과요오드산

④ 자연발화성 및 금수성 물질: 황린, 아조화합물

05 위험물안전관리법 시행령상 위험물의 지정수량이 가장 큰 것은? 19. 공채

① 브롬산염류

② 아염소산염류

③ 과염소산염류

④ 중크롬산염류

정답 및 해설

01 목적

이 법은 위험물 (저장) · (취급) 및 (운반)과 안전관리사항을 규정함으로써 위험물로 인한 위해를 방지하여 공공의 안전을 확보함을 목적으로 한다.

02 용어의 정의

"지정수량"이라 함은 위험물의 종류별로 위험성을 고려하여 대통령령이 정하는 수량으로서 제조소등의 설치허가 등에 있어서 최저의 기준이 되는 수량을 말한다.

03 위험물

"위험물"이라 함은 (인화성) 또는 (발화성) 등의 성질을 가지는 것으로서 (대통령령)이 정하는 물품을 말한다.

04 위험물의 성질과 품명

· 황린: 자연발화성 및 금수성물질

· 아조화합물: 자기반응성 물질

05 위험물의 지정수량

① 300kg

②, ③ 50kg

④ 1,000kg

정답 01 ④ 02 ② 03 ② 04 ④ 05 ④

06 **위험물안전관리법 시행령상 용어에 대한 설명으로 옳지 않은 것은?** 18. 하반기 공채

① 특수인화물: 이황화탄소, 디에틸에테르 그 밖에 1기압에서 발화점이 섭씨 100도 이하인 것 또는 인화점이 섭씨 영하 20도 이하이고 비점이 섭씨 40도 이하인 것

② 제1석유류: 아세톤, 휘발유 그 밖에 1기압에서 인화점이 섭씨 70도 미만인 것

③ 제3석유류: 중유, 클레오소트유 그 밖에 1기압에서 인화점이 섭씨 70도 이상 섭씨 200도 미만인 것

④ 동식물유류: 동물의 지육 등 또는 식물의 종자나 과육으로부터 추출한 것으로서 1기압에서 인화점이 섭씨 250도 미만인 것

07 **위험물안전관리법 시행령 별표 1에서 규정한 내용으로 옳지 않은 것은?** 22. 공채

① 유황: 순도가 60중량퍼센트 이상인 것을 말한다.

② 인화성고체: 고형알코올 그 밖에 1기압에서 인화점이 섭씨 40도 미만인 고체를 말한다.

③ 철분: 철의 분말로서 53마이크로미터의 표준체를 통과하는 것이 50중량퍼센트 미만인 것을 말한다.

④ 가연성고체: 고체로서 화염에 의한 발화의 위험성 또는 인화의 위험성을 판단하기 위하여 고시로 정하는 시험에서 고시로 정하는 성질과 상태를 나타내는 것을 말한다.

08 **다음 중 위험물의 기준으로 옳지 않은 것은?** 15. 공채

① 유황은 순도가 60중량% 이상인 것을 말한다.

② 마그네슘은 2mm의 체를 통과하지 아니하는 덩어리 상태의 것을 포함한다.

③ 철분은 철의 분말로서 53마이크로미터의 표준체를 통과하는 것이 50중량% 미만인 것은 제외한다.

④ 알코올은 1분자를 구성하는 탄소원자의 수가 1개부터 3개까지의 포화1가 알코올(변성알코올 포함)을 말한다.

09 위험물안전관리법 시행령상 지정수량 이상의 위험물을 옥외저장소에 저장할 수 있는 것으로 옳지 않은 것은? [다만, 국제해사기구에 관한 협약에 의하여 설치된 국제해사기구가 채택한 국제해상위험물규칙(IMDG Code)에 적합한 용기에 수납된 위험물은 제외한다] 23. 경채

① 제1류 위험물 중 염소산염류

② 제2류 위험물 중 유황

③ 제4류 위험물 중 알코올류

④ 제6류 위험물

10 위험물안전관리법 시행령상 제1류 위험물의 품명으로 옳은 것은? 23. 경채

① 질산 ② 과염소산

③ 과산화수소 ④ 과염소산염류

정답 및 해설

06 용어의 정의
제1석유류: 아세톤, 휘발유 그 밖에 1기압에서 인화점이 섭씨 21도 미만인 것

07 철분
철분: 철의 분말로서 53마이크로미터의 표준체를 통과하는 것이 50중량퍼센트 미만인 것을 제외한다.

08 위험물의 기준
마그네슘은 2mm의 체를 통과하지 아니하는 덩어리 상태의 것을 제외한다.

09 위험물
위험물을 옥외저장소에 저장: 제2류, 제4류, 제6류

10 제1류 위험물
질산, 과염소산, 과산화수소는 제6류 위험물이며, 과염소산염류는 제1류 위험물에 해당된다.

정답 06 ② 07 ③ 08 ② 09 ① 10 ④

11 위험물안전관리법 시행규칙상 위험등급 II의 위험물에 해당하는 것은? 23. 경채

① 제3류 위험물 중 칼륨

② 제2류 위험물 중 적린

③ 제4류 위험물 중 특수인화물

④ 제1류 위험물 중 무기과산화물

12 위험물안전관리법 시행령상 위험물 지정수량으로 옳은 것은? 23. 경채

① 유기과산화물: 10kg

② 아염소산염류: 20kg

③ 황린: 30kg

④ 유황: 50kg

정답 및 해설

11 위험물

① 제3류 위험물 중 칼륨: 위험 I 등급

③ 제4류 위험물 중 특수인화물: 위험 I 등급

④ 제1류 위험물 중 무기과산화물: 위험 I 등급

12 위험물 지정수량

② 아염소산염류: 50kg

③ 황린: 20kg

④ 유황: 100kg

정답 11 ② 12 ①

CHAPTER 2 위험물시설의 설치 및 변경

제6조(위험물시설의 설치 및 변경 등)

① 제조소등을 설치하고자 하는 자는 대통령령이 정하는 바에 따라 그 설치장소를 관할하는 특별시장 · 광역시장 · 특별자치시장 · 도지사 또는 특별자치도지사(이하 "시 · 도지사"라 한다)의 허가[1]를 받아야 한다. 제조소등의 위치 · 구조 또는 설비 가운데 행정안전부령이 정하는 사항을 변경하고자 하는 때에도 허가를 받아야 한다.

② 제조소등의 위치 · 구조 또는 설비의 변경 없이 당해 제조소등에서 저장하거나 취급하는 위험물의 품명 · 수량 또는 지정수량의 배수를 변경하고자 하는 자는 변경하고자 하는 날의 1일 전까지 행정안전부령이 정하는 바에 따라 시 · 도지사에게 신고하여야 한다.

③ 제1항 및 제2항의 규정에 불구하고 다음 각 호의 1에 해당하는 제조소등의 경우에는 허가를 받지 아니하고 당해 제조소등을 설치하거나 그 위치 · 구조 또는 설비를 변경할 수 있으며, 신고를 하지 아니하고 위험물의 품명 · 수량 또는 지정수량의 배수를 변경할 수 있다.

1. 주택의 난방시설(공동주택의 중앙난방시설[2]을 제외한다)을 위한 저장소 또는 취급소
2. 농예용 · 축산용 또는 수산용으로 필요한 난방시설 또는 건조시설을 위한 지정수량 20배 이하의 저장소

시행령 제6조(제조소등의 설치 및 변경의 허가) ① 법 제6조 제1항에 따라 제조소등의 설치허가 또는 변경허가를 받으려는 자는 설치허가 또는 변경허가신청서에 행정안전부령으로 정하는 서류를 첨부하여 특별시장 · 광역시장 · 특별자치시장 · 도지사 또는 특별자치도지사(이하 "시 · 도지사"라 한다)에게 제출하여야 한다.

② 시 · 도지사는 제1항에 따른 제조소등의 설치허가 또는 변경허가 신청 내용이 다음 각 호의 기준에 적합하다고 인정하는 경우에는 허가를 하여야 한다.

1. 제조소등의 위치 · 구조 및 설비가 법 제5조 제4항의 규정에 의한 기술기준에 적합할 것
2. 제조소등에서의 위험물의 저장 또는 취급이 공공의 안전유지 또는 재해의 발생방지에 지장을 줄 우려가 없다고 인정될 것
3. 다음 각 목의 제조소등은 해당 목에서 정한 사항에 대하여 소방산업의 진흥에 관한 법률 제14조에 따른 한국소방산업기술원(이하 "기술원"이라 한다)의 기술검토를 받고 그 결과가 행정안전부령으로 정하는 기준에 적합한 것으로 인정될 것. 다만, 보수 등을 위한 부분적인 변경으로서 소방청장이 정하여 고시하는 사항에 대해서는 기술원의 기술검토를 받지 않을 수 있으나 행정안전부령으로 정하는 기준에는 적합해야 한다.
   가. 지정수량의 1천배 이상의 위험물을 취급하는 제조소 또는 일반취급소: 구조 · 설비에 관한 사항

용어사전

[1] 허가: 법령에 의하여 일반적으로 금지되어 있는 행위를 행정 기관이 특정한 경우에 해제하여 이를 행할 수 있게 하는 일

[2] 중앙난방시설: 아파트 단지 내에 설치된 대형보일러로 물을 데워 각 가정에 공급하는 방식이다.

위험물시설의 변경

변경허가 대상	위치, 구조, 설비 변경
변경신고 대상	품명, 수량, 지정수량, 배수 변경(변경 1일 전까지 신고)

1. 허가를 받을 필요 없는 경우: 소화기 변경사유, 위험물 옮길 때 사용하는 펌프설비 변경사유
2. 허가를 받지 않고 제조소등 설치할 경우: 5년 이하의 징역 또는 1억 원 이하의 벌금

나. 옥외탱크저장소(저장용량이 50만리터 이상인 것만 해당한다) 또는 암반탱크 저장소: 위험물탱크의 기초 · 지반, 탱크본체 및 소화설비에 관한 사항

③ 제2항 제3호 각 목의 어느 하나에 해당하는 제조소등에 관한 설치허가 또는 변경허가를 신청하는 자는 그 시설의 설치계획에 관하여 미리 기술원의 기술검토를 받아 그 결과를 설치허가 또는 변경허가신청서류와 함께 제출할 수 있다.

시행규칙 제6조(제조소등의 설치허가의 신청) 위험물안전관리법(이하 "법"이라 한다) 제6조 제1항 전단 및 영 제6조 제1항에 따라 제조소등의 설치허가를 받으려는 자는 별지 제1호서식 또는 별지 제2호서식의 신청서(전자문서로 된 신청서를 포함한다)에 다음 각 호의 서류(전자문서를 포함한다)를 첨부하여 특별시장 · 광역시장 · 특별자치시장 · 도지사 또는 특별자치도지사(이하 "시 · 도지사"라 한다)나 소방서장에게 제출하여야 한다. 다만, 전자정부법 제36조 제1항에 따른 행정정보의 공동이용을 통하여 첨부서류에 대한 정보를 확인할 수 있는 경우에는 그 확인으로 첨부서류에 갈음할 수 있다.

1. 다음 각 목의 사항을 기재한 제조소등의 위치 · 구조 및 설비에 관한 도면
   가. 당해 제조소등을 포함하는 사업소 안 및 주위의 주요 건축물과 공작물의 배치
   나. 당해 제조소등이 설치된 건축물 안에 제조소등의 용도로 사용되지 아니하는 부분이 있는 경우 그 부분의 배치 및 구조
   다 당해 제조소등을 구성하는 건축물, 공작물 및 기계 · 기구 그 밖의 설비의 배치(제조소 또는 일반취급소의 경우에는 공정의 개요를 포함한다)
   라. 당해 제조소등에서 위험물을 저장 또는 취급하는 건축물, 공작물 및 기계 · 기구 그 밖의 설비의 구조(주유취급소의 경우에는 별표 13 V 제1호 각 목의 규정에 의한 건축물 및 공작물의 구조를 포함한다)
   마. 당해 제조소등에 설치하는 전기설비, 피뢰설비, 소화설비, 경보설비 및 피난설비의 개요
   바. 압력안전장치 · 누설점검장치 및 긴급차단밸브 등 긴급대책에 관계된 설비를 설치하는 제조소등의 경우에는 당해 설비의 개요
2. 당해 제조소등에 해당하는 별지 제3호서식 내지 별지 제15호서식에 의한 구조설비명세표
3. 소화설비(소화기구를 제외한다)를 설치하는 제조소등의 경우에는 당해 설비의 설계도서
4. 화재탐지설비를 설치하는 제조소등의 경우에는 당해 설비의 설계도서
5. 50만리터 이상의 옥외탱크저장소의 경우에는 당해 옥외탱크저장소의 탱크(이하 "옥외저장탱크"라 한다)의 기초 · 지반 및 탱크본체의 설계도서, 공사계획서, 공사공정표, 지질조사자료 등 기초 · 지반에 관하여 필요한 자료와 용접부에 관한 설명서 등 탱크에 관한 자료
6. 암반탱크저장소의 경우에는 당해 암반탱크의 탱크본체 · 갱도(坑道) 및 배관 그 밖의 설비의 설계도서, 공사계획서, 공사공정표 및 지질 · 수리(水理)조사서
7. 옥외저장탱크가 지중탱크(저부가 지반면 아래에 있고 상부가 지반면 이상에 있으며 탱크 내 위험물의 최고액면이 지반면 아래에 있는 원통종형식의 위험물탱크를 말한다. 이하 같다)인 경우에는 당해 지중탱크의 지반 및 탱크본체의 설계도서, 공사계획서, 공사공정표 및 지질조사자료 등 지반에 관한 자료

8. 옥외저장탱크가 해상탱크[해상의 동일장소에 정치(定置)되어 육상에 설치된 설비와 배관 등에 의하여 접속된 위험물탱크를 말한다. 이하 같다]인 경우에는 당해 해상탱크의 탱크본체 · 정치설비(해상탱크를 동일장소에 정치하기 위한 설비를 말한다. 이하 같다) 그 밖의 설비의 설계도서, 공사계획서 및 공사공정표
9. 이송취급소의 경우에는 공사계획서, 공사공정표 및 별표 1의 규정에 의한 서류
10. 소방산업의 진흥에 관한 법률 제14조에 따른 한국소방산업기술원(이하 "기술원"라 한다)이 발급한 기술검토서(영 제6조 제3항의 규정에 의하여 기술원의 기술검토를 미리 받은 경우에 한한다)

제7조(제조소등의 변경허가의 신청) 법 제6조 제1항 후단 및 영 제6조 제1항에 따라 제조소등의 위치 · 구조 또는 설비의 변경허가를 받으려는 자는 별지 제16호서식 또는 별지 제17호서식의 신청서(전자문서로 된 신청서를 포함한다)에 다음 각 호의 서류(전자문서를 포함한다)를 첨부하여 설치허가를 한 시 · 도지사 또는 소방서장에게 제출해야 한다. 다만, 전자정부법 제36조 제1항에 따른 행정정보의 공동이용을 통하여 첨부서류에 대한 정보를 확인할 수 있는 경우에는 그 확인으로 첨부서류를 갈음할 수 있다.
1. 제조소등의 완공검사합격확인증
2. 제6조 제1호의 규정에 의한 서류(라목 내지 바목의 서류는 변경에 관계된 것에 한한다)
3. 제6조 제2호 내지 제10호의 규정에 의한 서류 중 변경에 관계된 서류
4. 법 제9조 제1항 단서의 규정에 의한 화재예방에 관한 조치사항을 기재한 서류(변경공사와 관계가 없는 부분을 완공검사 전에 사용하고자 하는 경우에 한한다)

제8조(제조소등의 변경허가를 받아야 하는 경우) 법 제6조 제1항 후단에서 "행정안전부령이 정하는 사항"이라 함은 별표 1의2에 따른 사항을 말한다.

별표 1의2. 제조소등의 변경허가를 받아야 하는 경우

제조소등의 구분	변경허가를 받아야 하는 경우
1. 제조소 또는 일반취급소	가. 제조소 또는 일반취급소의 위치를 이전하는 경우 나. 건축물의 벽 · 기둥 · 바닥 · 보 또는 지붕을 증설 또는 철거하는 경우 다. 배출설비를 신설하는 경우 라. 위험물취급탱크를 신설 · 교체 · 철거 또는 보수(탱크의 본체를 절개하는 경우에 한한다)하는 경우 마. 위험물취급탱크의 노즐 또는 맨홀을 신설하는 경우(노즐 또는 맨홀의 직경이 250mm를 초과하는 경우에 한한다) 바. 위험물취급탱크의 방유제의 높이 또는 방유제 내의 면적을 변경하는 경우 사. 위험물취급탱크의 탱크전용실을 증설 또는 교체하는 경우 아. 300m(지상에 설치하지 아니하는 배관의 경우에는 30m)를 초과하는 위험물배관을 신설 · 교체 · 철거 또는 보수(배관을 절개하는 경우에 한한다)하는 경우 자. 불활성기체의 봉입장치를 신설하는 경우 차. 별표 4 Ⅻ 제2호 가목에 따른 누설범위를 국한하기 위한 설비를 신설하는 경우 카. 별표 4 Ⅻ 제3호 다목에 따른 냉각장치 또는 보냉장치를 신설하는 경우 타. 별표 4 Ⅻ 제3호 마목에 따른 탱크전용실을 증설 또는 교체하는 경우 파. 별표 4 Ⅻ 제4호 나목에 따른 담 또는 토제를 신설 · 철거 또는 이설하는 경우

제조소등의 구분	변경허가를 받아야 하는 경우
1. 제조소 또는 일반취급소	하. 별표 4 XII 제4호 다목에 따른 온도 및 농도의 상승에 의한 위험한 반응을 방지하기 위한 설비를 신설하는 경우 거. 별표 4 XII 제4호 라목에 따른 철이온 등의 혼입에 의한 위험한 반응을 방지하기 위한 설비를 신설하는 경우 너. 방화상 유효한 담을 신설·철거 또는 이설하는 경우 더. 위험물의 제조설비 또는 취급설비(펌프설비를 제외한다)를 증설하는 경우 러. 옥내소화전설비·옥외소화전설비·스프링클러설비·물분무등소화설비를 신설·교체(배관·밸브·압력계·소화전본체·소화약제탱크·포헤드·포방출구 등의 교체는 제외한다) 또는 철거하는 경우 머. 자동화재탐지설비를 신설 또는 철거하는 경우
2. 옥내저장소	가. 건축물의 벽·기둥·바닥·보 또는 지붕을 증설 또는 철거하는 경우 나. 배출설비를 신설하는 경우 다. 별표 5 VIII 제3호 가목에 따른 누설범위를 국한하기 위한 설비를 신설하는 경우 라. 별표 5 VIII 제4호에 따른 온도의 상승에 의한 위험한 반응을 방지하기 위한 설비를 신설하는 경우 마. 별표 5 부표 1 비고 제1호 또는 같은 별표 부표 2 비고 제1호에 따른 담 또는 토제를 신설·철거 또는 이설하는 경우 바. 옥외소화전설비·스프링클러설비·물분무등소화설비를 신설·교체(배관·밸브·압력계·소화전본체·소화약제탱크·포헤드·포방출구 등의 교체는 제외한다) 또는 철거하는 경우 사. 자동화재탐지설비를 신설 또는 철거하는 경우
3. 옥외탱크 저장소	가. 옥외저장탱크의 위치를 이전하는 경우 나. 옥외탱크저장소의 기초·지반을 정비하는 경우 다. 별표 6 II 제5호에 따른 물분무설비를 신설 또는 철거하는 경우 라. 주입구의 위치를 이전하거나 신설하는 경우 마. 300m(지상에 설치하지 아니하는 배관의 경우에는 30m)를 초과하는 위험물배관을 신설·교체·철거 또는 보수(배관을 절개하는 경우에 한한다)하는 경우 바. 별표 6 VI 제20호에 따른 수조를 교체하는 경우 사. 방유제(간막이 둑을 포함한다)의 높이 또는 방유제 내의 면적을 변경하는 경우 아. 옥외저장탱크의 밑판 또는 옆판을 교체하는 경우 자. 옥외저장탱크의 노즐 또는 맨홀을 신설하는 경우(노즐 또는 맨홀의 직경이 250mm를 초과하는 경우에 한한다) 차. 옥외저장탱크의 밑판 또는 옆판의 표면적의 20%를 초과하는 겹침보수공사 또는 육성보수공사를 하는 경우 카. 옥외저장탱크의 에뉼러판의 겹침보수공사 또는 육성보수공사를 하는 경우 타. 옥외저장탱크의 에뉼러판 또는 밑판이 옆판과 접하는 용접이음부의 겹침보수공사 또는 육성보수공사를 하는 경우(용접길이가 300mm를 초과하는 경우에 한한다) 파. 옥외저장탱크의 옆판 또는 밑판(에뉼러판을 포함한다) 용접부의 절개보수공사를 하는 경우 하. 옥외저장탱크의 지붕판 표면적 30% 이상을 교체하거나 구조·재질 또는 두께를 변경하는 경우

3. 옥외탱크 저장소	거. 별표 6 XI 제1호 가목에 따른 누설범위를 국한하기 위한 설비를 신설하는 경우 너. 별표 6 XI 제2호 나목에 따른 냉각장치 또는 보냉장치를 신설하는 경우 더. 별표 6 XI 제3호 가목에 따른 온도의 상승에 의한 위험한 반응을 방지하기 위한 설비를 신설하는 경우 러. 별표 6 XI 제3호 나목에 따른 철이온 등의 혼입에 의한 위험한 반응을 방지하기 위한 설비를 신설하는 경우 머. 불활성기체의 봉입장치를 신설하는 경우 버. 지중탱크의 누액방지판을 교체하는 경우 서. 해상탱크의 정치설비를 교체하는 경우 어. 물분무등소화설비를 신설·교체(배관·밸브·압력계·소화전본체·소화약제탱크·포헤드·포방출구 등의 교체는 제외한다) 또는 철거하는 경우 저. 자동화재탐지설비를 신설 또는 철거하는 경우
4. 옥내탱크 저장소	가. 옥내저장탱크의 위치를 이전하는 경우 나. 주입구의 위치를 이전하거나 신설하는 경우 다. 300m(지상에 설치하지 아니하는 배관의 경우에는 30m)를 초과하는 위험물배관을 신설·교체·철거 또는 보수(배관을 절개하는 경우에 한한다)하는 경우 라. 옥내저장탱크를 신설·교체 또는 철거하는 경우 마. 옥내저장탱크를 보수(탱크본체를 절개하는 경우에 한한다)하는 경우 바. 옥내저장탱크의 노즐 또는 맨홀을 신설하는 경우(노즐 또는 맨홀의 직경이 250mm를 초과하는 경우에 한한다) 사. 건축물의 벽·기둥·바닥·보 또는 지붕을 증설 또는 철거하는 경우 아. 배출설비를 신설하는 경우 자. 별표 7 II에 따른 누설범위를 국한하기 위한 설비·냉각장치·보냉장치·온도의 상승에 의한 위험한 반응을 방지하기 위한 설비 또는 철이온 등의 혼입에 의한 위험한 반응을 방지하기 위한 설비를 신설하는 경우 차. 불활성기체의 봉입장치를 신설하는 경우 카. 물분무등소화설비를 신설·교체(배관·밸브·압력계·소화전본체·소화약제탱크·포헤드·포방출구 등의 교체는 제외한다) 또는 철거하는 경우 타. 자동화재탐지설비를 신설 또는 철거하는 경우
5. 지하탱크 저장소	가. 지하저장탱크의 위치를 이전하는 경우 나. 탱크전용실을 증설 또는 교체하는 경우 다. 지하저장탱크를 신설·교체 또는 철거하는 경우 라. 지하저장탱크를 보수(탱크본체를 절개하는 경우에 한한다)하는 경우 마. 지하저장탱크의 노즐 또는 맨홀을 신설하는 경우(노즐 또는 맨홀의 직경이 250mm를 초과하는 경우에 한한다) 바. 주입구의 위치를 이전하거나 신설하는 경우 사. 300m(지상에 설치하지 아니하는 배관의 경우에는 30m)를 초과하는 위험물배관을 신설·교체·철거 또는 보수(배관을 절개하는 경우에 한한다)하는 경우 아. 특수누설방지구조를 보수하는 경우 자. 별표 8 IV 제2호 나목 및 같은 항 제3호에 따른 냉각장치·보냉장치·온도의 상승에 의한 위험한 반응을 방지하기 위한 설비 또는 철이온 등의 혼입에 의한 위험한 반응을 방지하기 위한 설비를 신설하는 경우 차. 불활성기체의 봉입장치를 신설하는 경우 카. 자동화재탐지설비를 신설 또는 철거하는 경우 타. 지하저장탱크의 내부에 탱크를 추가로 설치하거나 철판 등을 이용하여 탱크 내부를 구획하는 경우

제조소등의 구분	변경허가를 받아야 하는 경우
6. 간이탱크 저장소	가. 간이저장탱크의 위치를 이전하는 경우 나. 건축물의 벽·기둥·바닥·보 또는 지붕을 증설 또는 철거하는 경우 다. 간이저장탱크를 신설·교체 또는 철거하는 경우 라. 간이저장탱크를 보수(탱크본체를 절개하는 경우에 한한다)하는 경우 마. 간이저장탱크의 노즐 또는 맨홀을 신설하는 경우(노즐 또는 맨홀의 직경이 250mm를 초과하는 경우에 한한다)
7. 이동탱크 저장소	가. 상치장소의 위치를 이전하는 경우(같은 사업장 또는 같은 울 안에서 이전하는 경우는 제외한다) 나. 이동저장탱크를 보수(탱크본체를 절개하는 경우에 한한다)하는 경우 다. 이동저장탱크의 노즐 또는 맨홀을 신설하는 경우(노즐 또는 맨홀의 직경이 250mm를 초과하는 경우에 한한다) 라. 이동저장탱크의 내용적을 변경하기 위하여 구조를 변경하는 경우 마. 별표 10 Ⅳ 제3호에 따른 주입설비를 설치 또는 철거하는 경우 바. 펌프설비를 신설하는 경우
8. 옥외저장소	가. 옥외저장소의 면적을 변경하는 경우 나. 별표 11 Ⅲ 제1호에 따른 살수설비 등을 신설 또는 철거하는 경우 다. 옥외소화전설비·스프링클러설비·물분무등소화설비를 신설·교체(배관·밸브·압력계·소화전본체·소화약제탱크·포헤드·포방출구 등의 교체는 제외한다) 또는 철거하는 경우
9. 암반탱크 저장소	가. 암반탱크저장소의 내용적을 변경하는 경우 나. 암반탱크의 내벽을 정비하는 경우 다. 배수시설·압력계 또는 안전장치를 신설하는 경우 라. 주입구의 위치를 이전하거나 신설하는 경우 마. 300m(지상에 설치하지 아니하는 배관의 경우에는 30m)를 초과하는 위험물배관을 신설·교체·철거 또는 보수(배관을 절개하는 경우에 한한다)하는 경우 바. 물분무등소화설비를 신설·교체(배관·밸브·압력계·소화전본체·소화약제탱크·포헤드·포방출구 등의 교체는 제외한다) 또는 철거하는 경우 사. 자동화재탐지설비를 신설 또는 철거하는 경우
10. 주유취급소	가. 지하에 매설하는 탱크의 변경 중 다음의 어느 하나에 해당하는 경우 1) 탱크의 위치를 이전하는 경우 2) 탱크전용실을 보수하는 경우 3) 탱크를 신설·교체 또는 철거하는 경우 4) 탱크를 보수(탱크본체를 절개하는 경우에 한한다)하는 경우 5) 탱크의 노즐 또는 맨홀을 신설하는 경우(노즐 또는 맨홀의 직경이 250mm를 초과하는 경우에 한한다) 6) 특수누설방지구조를 보수하는 경우 나. 옥내에 설치하는 탱크의 변경 중 다음의 어느 하나에 해당하는 경우 1) 탱크의 위치를 이전하는 경우 2) 탱크를 신설·교체 또는 철거하는 경우 3) 탱크를 보수(탱크본체를 절개하는 경우에 한한다)하는 경우 4) 탱크의 노즐 또는 맨홀을 신설하는 경우(노즐 또는 맨홀의 직경이 250mm를 초과하는 경우에 한한다) 다. 고정주유설비 또는 고정급유설비를 신설 또는 철거하는 경우 라. 고정주유설비 또는 고정급유설비의 위치를 이전하는 경우 마. 건축물의 벽·기둥·바닥·보 또는 지붕을 증설 또는 철거하는 경우

10. 주유취급소	바. 담 또는 캐노피를 신설 또는 철거(유리를 부착하기 위하여 담의 일부를 철거하는 경우를 포함한다)하는 경우 사. 주입구의 위치를 이전하거나 신설하는 경우 아. 별표 13 Ⅴ 제1호 각 목에 따른 시설과 관계된 공작물(바닥면적이 4m^2 이상인 것에 한한다)을 신설 또는 증축하는 경우 자. 별표 13 ⅩⅥ에 따른 개질장치(改質裝置), 압축기(壓縮機), 충전설비, 축압기(蓄壓器) 또는 수입설비(受入設備)를 신설하는 경우 차. 자동화재탐지설비를 신설 또는 철거하는 경우 카. 셀프용이 아닌 고정주유설비를 셀프용 고정주유설비로 변경하는 경우 타. 주유취급소 부지의 면적 또는 위치를 변경하는 경우 파. 300m(지상에 설치하지 않는 배관의 경우에는 30m)를 초과하는 위험물의 배관을 신설·교체·철거 또는 보수(배관을 자르는 경우만 해당한다)하는 경우 하. 탱크의 내부에 탱크를 추가로 설치하거나 철판 등을 이용하여 탱크 내부를 구획하는 경우
11. 판매취급소	가. 건축물의 벽·기둥·바닥·보 또는 지붕을 증설 또는 철거하는 경우 나. 자동화재탐지설비를 신설 또는 철거하는 경우
12. 이송취급소	가. 이송취급소의 위치를 이전하는 경우 나. 300m(지상에 설치하지 아니하는 배관의 경우에는 30m)를 초과하는 위험물배관을 신설·교체·철거 또는 보수(배관을 절개하는 경우에 한한다)하는 경우 다. 방호구조물을 신설 또는 철거하는 경우 라. 누설확산방지조치·운전상태의 감시장치·안전제어장치·압력안전장치·누설검지장치를 신설하는 경우 마. 주입구·토출구 또는 펌프설비의 위치를 이전하거나 신설하는 경우 바. 옥내소화전설비·옥외소화전설비·스프링클러설비·물분무등소화설비를 신설·교체(배관·밸브·압력계·소화전본체·소화약제탱크·포헤드·포방출구 등의 교체는 제외한다) 또는 철거하는 경우 사. 자동화재탐지설비를 신설 또는 철거하는 경우

제9조(기술검토의 신청 등) ① 영 제6조 제3항에 따라 기술검토를 미리 받으려는 자는 다음 각 호의 구분에 따른 신청서(전자문서로 된 신청서를 포함한다)와 서류(전자문서를 포함한다)를 기술원에 제출하여야 한다. 다만, 전자정부법 제36조 제1항에 따른 행정정보의 공동이용을 통하여 제출하여야 하는 서류에 대한 정보를 확인할 수 있는 경우에는 그 확인으로 서류의 제출을 갈음할 수 있다.

1. 영 제6조 제2항 제3호 가목의 사항에 대한 기술검토 신청: 별지 제17호의2서식의 신청서와 제6조 제1호(가목은 제외한다)부터 제4호까지의 서류 중 해당 서류(변경허가와 관련된 경우에는 변경에 관계된 서류로 한정한다)
2. 영 제6조 제2항 제3호 나목의 사항에 대한 기술검토 신청: 별지 제18호서식의 신청서와 제6조 제3호 및 같은 조 제5호부터 제8호까지의 서류 중 해당 서류(변경허가와 관련된 경우에는 변경에 관계된 서류로 한정한다)

② 기술원은 제1항에 따른 신청의 내용이 다음 각 호의 구분에 따른 기준에 적합하다고 인정되는 경우에는 기술검토서를 교부하고, 적합하지 아니하다고 인정되는 경우에는 신청인에게 서면으로 그 사유를 통보하고 보완을 요구하여야 한다.

1. 영 제6조 제2항 제3호 가목의 사항에 대한 기술검토 신청: 별표 4 Ⅳ부터 ⅩⅡ까지의 기준, 별표 16 Ⅰ·Ⅵ·ⅩⅠ·ⅩⅡ의 기준 및 별표 17의 관련 규정

2. 영 제6조 제2항 제3호 나목의 사항에 대한 기술검토 신청: 별표 6 Ⅳ부터 Ⅷ까지, ⅩⅡ 및 ⅩⅢ의 기준과 별표 12 및 별표 17 Ⅰ. 소화설비의 관련 규정

제10조(품명 등의 변경신고서) 법 제6조 제2항에 따라 저장 또는 취급하는 위험물의 품명·수량 또는 지정수량의 배수에 관한 변경신고를 하려는 자는 별지 제19호서식의 신고서(전자문서로 된 신고서를 포함한다)에 제조소등의 완공검사합격확인증을 첨부하여 시·도지사 또는 소방서장에게 제출해야 한다.

핵심정리 위험물시설의 설치 및 변경

1. **제조소등의 설치허가 및 변경허가:** 시·도지사
2. **제조소등의 위치·구조 또는 설비 변경 없이 위험물의 품명·수량 또는 지정수량의 배수를 변경하고자 하는 자:** 1일 전 시·도지사에게 신고
3. 1., 2.의 허가나 신고 없이 변경할 수 있는 경우
   ① 주택 난방시설(공동주택 중앙난방시설 제외)을 위한 저장소 또는 취급소
   ② 농예용·축산용·수산용으로 난방시설 또는 건조시설을 위한 지정수량 20배 이하의 저장소

제7조(군용위험물시설의 설치 및 변경에 대한 특례)

① 군사목적 또는 군부대시설을 위한 제조소등을 설치하거나 그 위치·구조 또는 설비를 변경하고자 하는 군부대의 장은 대통령령이 정하는 바에 따라 미리 제조소등의 소재지를 관할하는 시·도지사와 협의하여야 한다.

② 군부대의 장이 제조소등의 소재지를 관할하는 시·도지사와 협의한 경우에는 허가를 받은 것으로 본다.

③ 군부대의 장은 협의한 제조소등에 대하여는 탱크안전성능검사와 완공검사를 자체적으로 실시할 수 있다. 이 경우, 완공검사를 자체적으로 실시한 군부대의 장은 지체 없이 행정안전부령이 정하는 사항을 시·도지사에게 통보하여야 한다.

시행령 제7조(군용위험물시설의 설치 및 변경에 대한 특례) ① 군부대의 장은 법 제7조 제1항의 규정에 의하여 군사목적 또는 군부대시설을 위한 제조소등을 설치하거나 그 위치·구조 또는 설비를 변경하고자 하는 경우에는 당해 제조소등의 설치공사 또는 변경공사를 착수하기 전에 그 공사의 설계도서와 행정안전부령이 정하는 서류를 시·도지사에게 제출하여야 한다. 다만, 국가안보상 중요하거나 국가기밀에 속하는 제조소등을 설치 또는 변경하는 경우에는 당해 공사의 설계도서의 제출을 생략할 수 있다.

② 시·도지사는 제1항의 규정에 의하여 제출받은 설계도서와 관계서류를 검토한 후 그 결과를 당해 군부대의 장에게 통지하여야 한다. 이 경우 시·도지사는 검토결과를 통지하기 전에 설계도서와 관계서류의 보완요청을 할 수 있고, 보완요청을 받은 군부대의 장은 특별한 사유가 없는 한 이에 응하여야 한다.

영철쌤 tip

1. 군부대시설 등에 제조소 등을 설치·변경 → 시·도지사와 협의(협의한 경우 허가로 본다)
2. 군부대시설 등에 제조소 등을 설치·변경할 경우 탱크안전성검사 및 완공검사를 받아야 한다. → 시·도지사가 아닌 군부대의 장이 자체적으로 실시한다. → 군부대의 장이 시·도지사에게 통보한다.

시행규칙 제11조(군용위험물시설의 설치 등에 관한 서류 등) ① 영 제7조 제1항 본문에서 "행정안전부령이 정하는 서류"라 함은 군사목적 또는 군부대시설을 위한 제조소등의 설치공사 또는 변경공사에 관한 제6조 또는 제7조의 규정에 의한 서류를 말한다.

② 법 제7조 제3항 후단에서 "행정안전부령이 정하는 사항"이라 함은 다음 각 호의 사항을 말한다.

1. 제조소등의 완공일 및 사용개시일
2. 탱크안전성능검사의 결과(영 제8조 제1항의 규정에 의한 탱크안전성능검사의 대상이 되는 위험물탱크가 있는 경우에 한한다)
3. 완공검사의 결과
4. 안전관리자 선임계획
5. 예방규정(영 제15조 각 호의 1에 해당하는 제조소등의 경우에 한한다)

제8조(탱크안전성능검사)

① 위험물을 저장 또는 취급하는 탱크로서 대통령령이 정하는 위험물탱크가 있는 제조소등의 설치 또는 그 위치 · 구조 또는 설비의 변경에 관하여 허가를 받은 자가 위험물탱크의 설치 또는 그 위치 · 구조 또는 설비의 변경공사를 하는 때에는 완공검사를 받기 전에 기술기준에 적합한지의 여부를 확인하기 위하여 시 · 도지사가 실시하는 탱크안전성능검사를 받아야 한다. 이 경우, 시 · 도지사는 허가를 받은 자가 탱크안전성능시험자 또는 한국소방산업기술원(이하 "기술원"이라 한다)로부터 탱크안전성능시험을 받은 경우에는 대통령령이 정하는 바에 따라 당해 탱크안전성능검사의 전부 또는 일부를 면제할 수 있다.

② 탱크안전성능검사의 내용은 대통령령으로 정하고, 탱크안전성능검사의 실시 등에 관하여 필요한 사항은 행정안전부령으로 정한다.

시행령 제8조(탱크안전성능검사의 대상이 되는 탱크 등) ① 법 제8조 제1항 전단에 따라 탱크안전성능검사를 받아야 하는 위험물탱크는 제2항에 따른 탱크안전성능검사별로 다음 각 호의 어느 하나에 해당하는 탱크로 한다.

1. 기초 · 지반검사: 옥외탱크저장소의 액체위험물탱크 중 그 용량이 100만ℓ 이상인 탱크
2. 충수(充水) · 수압검사: 액체위험물을 저장 또는 취급하는 탱크. 다만, 다음 각 목의 1에 해당하는 탱크를 제외한다.
   가. 제조소 또는 일반취급소에 설치된 탱크로서 용량이 지정수량 미만인 것
   나. 고압가스 안전관리법 제17조 제1항에 따른 특정설비에 관한 검사에 합격한 탱크
   다. 산업안전보건법 제84조 제1항에 따른 안전인증을 받은 탱크
3. 용접부검사: 제1호에 따른 탱크. 다만, 탱크의 저부에 관계된 변경공사(탱크의 옆판과 관련되는 공사를 포함하는 것을 제외한다) 시에 행하여진 법 제18조 제3항에 따른 정기검사에 의하여 용접부에 관한 사항이 행정안전부령으로 정하는 기준에 적합하다고 인정된 탱크를 제외한다.
4. 암반탱크검사: 액체위험물을 저장 또는 취급하는 암반 내의 공간을 이용한 탱크

위험물탱크가 있는 제조소등의 설치 · 변경
1. 시 · 도지사에게 허가를 받아야 한다.
2. 허가를 받은 자가 완공검사 받기 전에 시 · 도지사가 실시하는 탱크안전성능검사를 받아야 한다.

탱크안전성능검사

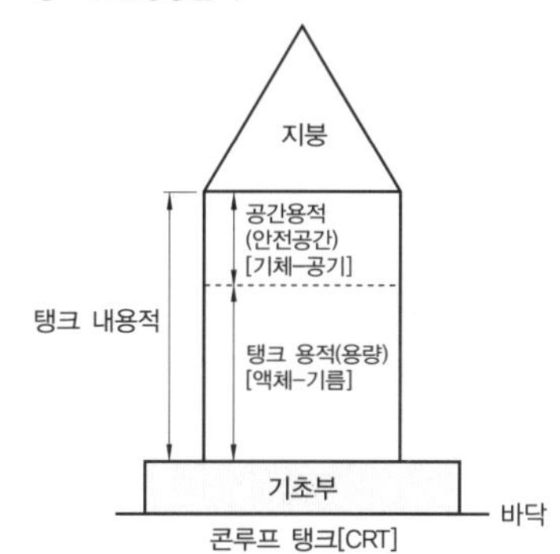

1. 용접부 검사
2. 기초 · 지반 검사
3. 액체위험물 저장일 경우: 충수(물을 채운다)검사, 수압검사

② 법 제8조 제1항에 따른 탱크안전성능검사는 기초 · 지반검사, 충수 · 수압검사, 용접부검사 및 암반탱크검사로 구분하되, 그 내용은 별표 4와 같다.

별표 4. 탱크안전성능검사의 내용

구분	검사내용
1. 기초 · 지반 검사	가. 제8조 제1항 제1호의 규정에 의한 탱크 중 나목 외의 탱크: 탱크의 기초 및 지반에 관한 공사에 있어서 당해 탱크의 기초 및 지반이 행정안전부령으로 정하는 기준에 적합한지 여부를 확인함
	나. 제8조 제1항 제1호의 규정에 의한 탱크 중 행정안전부령으로 정하는 탱크: 탱크의 기초 및 지반에 관한 공사에 상당한 것으로서 행정안전부령으로 정하는 공사에 있어서 당해 탱크의 기초 및 지반에 상당하는 부분이 행정안전부령으로 정하는 기준에 적합한지 여부를 확인함
2. 충수 · 수압 검사	탱크에 배관 그 밖의 부속설비를 부착하기 전에 당해 탱크 본체의 누설 및 변형에 대한 안전성이 행정안전부령으로 정하는 기준에 적합한지 여부를 확인함
3. 용접부검사	탱크의 배관 그 밖의 부속설비를 부착하기 전에 행하는 당해 탱크의 본체에 관한 공사에 있어서 탱크의 용접부가 행정안전부령으로 정하는 기준에 적합한지 여부를 확인함
4. 암반탱크 검사	탱크의 본체에 관한 공사에 있어서 탱크의 구조가 행정안전부령으로 정하는 기준에 적합한지 여부를 확인함

제9조(탱크안전성능검사의 면제) ① 법 제8조 제1항 후단의 규정에 의하여 시 · 도지사가 면제할 수 있는 탱크안전성능검사는 제8조 제2항 및 별표 4의 규정에 의한 충수 · 수압검사로 한다.

② 위험물탱크에 대한 충수 · 수압검사를 면제받고자 하는 자는 위험물탱크안전성능시험자(이하 "탱크시험자"라 한다) 또는 기술원으로부터 충수 · 수압검사에 관한 탱크안전성능시험을 받아 법 제9조 제1항에 따른 완공검사를 받기 전(지하에 매설하는 위험물탱크에 있어서는 지하에 매설하기 전)에 해당 시험에 합격하였음을 증명하는 서류(이하 "탱크시험합격확인증"이라 한다)를 시 · 도지사에게 제출해야 한다.

③ 시 · 도지사는 제2항에 따라 제출받은 탱크시험합격확인증과 해당 위험물탱크를 확인한 결과 법 제5조 제4항에 따른 기술기준에 적합하다고 인정되는 때에는 해당 충수 · 수압검사를 면제한다.

시행규칙 제12조(기초 · 지반검사에 관한 기준 등) ① 영 별표 4 제1호 가목에서 "행정안전부령으로 정하는 기준"이라 함은 당해 위험물탱크의 구조 및 설비에 관한 사항 중 별표 6 Ⅳ 및 Ⅴ의 규정에 의한 기초 및 지반에 관한 기준을 말한다.

② 영 별표 4 제1호 나목에서 "행정안전부령으로 정하는 탱크"라 함은 지중탱크 및 해상탱크(이하 "특수액체위험물탱크"라 한다)를 말한다.

③ 영 별표 4 제1호 나목에서 "행정안전부령으로 정하는 공사"라 함은 지중탱크의 경우에는 지반에 관한 공사를 말하고, 해상탱크의 경우에는 정치설비의 지반에 관한 공사를 말한다.

④ 영 별표 4 제1호 나목에서 "행정안전부령으로 정하는 기준"이라 함은 지중탱크의 경우에는 별표 6 XII 제2호 라목의 규정에 의한 기준을 말하고, 해상탱크의 경우에는 별표 6 XIII 제3호 라목의 규정에 의한 기준을 말한다.

⑤ 법 제8조 제2항에 따라 기술원은 100만리터 이상 옥외탱크저장소의 기초·지반검사를 엔지니어링산업 진흥법에 따른 엔지니어링사업자가 실시하는 기초·지반에 관한 시험의 과정 및 결과를 확인하는 방법으로 할 수 있다.

제13조(충수·수압검사에 관한 기준 등) ① 영 별표 4 제2호에서 "행정안전부령으로 정하는 기준"이라 함은 다음 각 호의 1에 해당하는 기준을 말한다.

1. 100만리터 이상의 액체위험물탱크의 경우
   별표 6 VI 제1호의 규정에 의한 기준[충수시험(물 외의 적당한 액체를 채워서 실시하는 시험을 포함한다. 이하 같다) 또는 수압시험에 관한 부분에 한한다]
2. 100만리터 미만의 액체위험물탱크의 경우
   별표 4 IX 제1호 가목, 별표 6 VI 제1호, 별표 7 I 제1호 마목, 별표 8 I 제6호·II 제1호·제4호·제6호·III, 별표 9 제6호, 별표 10 II 제1호·X제1호 가목, 별표 13 III 제3호, 별표 16 I 제1호의 규정에 의한 기준(충수시험·수압시험 및 그 밖의 탱크의 누설·변형에 대한 안전성에 관련된 탱크안전성능시험의 부분에 한한다)

② 법 제8조 제2항의 규정에 의하여 기술원은 제18조 제6항의 규정에 의한 이중벽탱크에 대하여 제1항 제2호의 규정에 의한 수압검사를 법 제16조 제1항의 규정에 의한 탱크안전성능시험자(이하 "탱크시험자"라 한다)가 실시하는 수압시험의 과정 및 결과를 확인하는 방법으로 할 수 있다.

제14조(용접부검사에 관한 기준 등) ① 영 별표 4 제3호에서 "행정안전부령으로 정하는 기준"이라 함은 다음 각 호의 1에 해당하는 기준을 말한다.

1. 특수액체위험물탱크 외의 위험물탱크의 경우: 별표 6 VI 제2호의 규정에 의한 기준
2. 지중탱크의 경우: 별표 6 XII 제2호 마목 4) 라)의 규정에 의한 기준(용접부에 관련된 부분에 한한다)

② 법 제8조 제2항의 규정에 의하여 기술원은 용접부검사를 탱크시험자가 실시하는 용접부에 관한 시험의 과정 및 결과를 확인하는 방법으로 할 수 있다.

제15조(암반탱크검사에 관한 기준 등) ① 영 별표 4 제4호에서 "행정안전부령으로 정하는 기준"이라 함은 별표 12 I 의 규정에 의한 기준을 말한다.

② 법 제8조 제2항에 따라 기술원은 암반탱크검사를 엔지니어링산업 진흥법에 따른 엔지니어링사업자가 실시하는 암반탱크에 관한 시험의 과정 및 결과를 확인하는 방법으로 할 수 있다.

제16조(탱크안전성능검사에 관한 세부기준 등) 13조부터 제15조까지에서 정한 사항 외에 탱크안전성능검사의 세부기준·방법·절차 및 탱크시험자 또는 엔지니어링사업자가 실시하는 탱크안전성능시험에 대한 기술원의 확인 등에 관하여 필요한 사항은 소방청장이 정하여 고시한다.

제17조(용접부검사의 제외기준) ① 삭제

② 영 제8조 제1항 제3호 단서의 규정에 의하여 용접부검사 대상에서 제외되는 탱크로 인정되기 위한 기준은 별표 6 VI 제2호의 규정에 의한 기준으로 한다.

제18조(탱크안전성능검사의 신청 등) ① 법 제8조 제1항에 따라 탱크안전성능검사를 받아야 하는 자는 별지 제20호서식의 신청서(전자문서로 된 신청서를 포함한다)를 해당 위험물탱크의 설치장소를 관할하는 소방서장 또는 기술원에 제출하여야 한다. 다만, 설치장소에서 제작하지 아니하는 위험물탱크에 대한 탱크안전성능검사(충수·수압검사에 한한다)의 경우에는 별지 제20호서식의 신청서(전자문서로 된 신청서를 포함한다)에 해당 위험물탱크의 구조명세서 1부를 첨부하여 해당 위험물탱크의 제작지를 관할하는 소방서장에게 신청할 수 있다.

② 법 제8조 제1항 후단에 따른 탱크안전성능시험을 받고자 하는 자는 별지 제20호서식의 신청서에 해당 위험물탱크의 구조명세서 1부를 첨부하여 기술원 또는 탱크시험자에게 신청할 수 있다.

③ 영 제9조 제2항의 규정에 의하여 충수·수압검사를 면제받고자 하는 자는 별지 제21호서식의 탱크시험필증에 탱크시험성적서를 첨부하여 소방서장에게 제출하여야 한다.

④ 제1항의 규정에 의한 탱크안전성능검사의 신청시기는 다음 각 호의 구분에 의한다.

1. 기초·지반검사: 위험물탱크의 기초 및 지반에 관한 공사의 개시 전
2. 충수·수압검사: 위험물을 저장 또는 취급하는 탱크에 배관 그 밖의 부속설비를 부착하기 전
3. 용접부검사: 탱크본체에 관한 공사의 개시 전
4. 암반탱크검사: 암반탱크의 본체에 관한 공사의 개시 전

⑤ 소방서장 또는 기술원은 탱크안전성능검사를 실시한 결과 제12조 제1항·제4항, 제13조 제1항, 제14조 제1항 및 제15조 제1항의 규정에 의한 기준에 적합하다고 인정되는 때에는 당해 탱크안전성능검사를 신청한 자에게 별지 제21호서식의 탱크검사필증을 교부하고, 적합하지 아니하다고 인정되는 때에는 신청인에게 서면으로 그 사유를 통보하여야 한다.

⑥ 영 제22조 제1항 제1호 다목에서 "행정안전부령이 정하는 액체위험물탱크"라 함은 별표 8 Ⅱ의 규정에 의한 이중벽탱크를 말한다.

핵심정리 탱크안전성능검사

1. **탱크안전성능검사의 실시:** 시·도지사(신청은 소방서장 또는 기술원에 신청서 제출)
2. **실시대상:** 위험물을 저장 또는 취급하는 탱크
3. **탱크안전성능검사의 내용**

구분	대상	비고
1. 기초·지반 검사	옥외탱크저장소의 액체 위험물탱크 중 용량이 100만리터 이상인 탱크	위험물탱크 기초 및 지반에 관한 공사개시 전 실시
2. 충수·수압 검사	액체위험물을 저장 또는 취급	· 배관이나 그밖의 부속설비를 부착하기 전 · 면제 가능 시험(탱크시험자나 기술원으로부터 받은 서류를 시·도지사에게 제출)

3. 용접부검사	옥외탱크저장소의 액체 위험물탱크 중 용량이 100만리터 이상인 탱크	탱크 본체에 관한 공사 개시 전
4. 암반탱크 검사	암반 내의 공간 이용한 탱크	암반탱크의 본체에 관한 공사의 개시 전

제9조(완공검사)

① 제6조 제1항의 규정에 따른 허가를 받은 자가 제조소등의 설치를 마쳤거나 그 위치 · 구조 또는 설비의 변경을 마친 때에는 당해 제조소등마다 시 · 도지사가 행하는 완공검사를 받아 제5조 제4항의 규정에 따른 기술기준에 적합하다고 인정받은 후가 아니면 이를 사용하여서는 아니된다. 다만, 제조소등의 위치 · 구조 또는 설비를 변경함에 있어서 제6조 제1항 후단의 규정에 따른 변경허가를 신청하는 때에 화재예방에 관한 조치사항을 기재한 서류를 제출하는 경우에는 당해 변경공사와 관계가 없는 부분은 완공검사를 받기 전에 미리 사용할 수 있다.

② 제1항 본문의 규정에 따른 완공검사를 받고자 하는 자가 제조소등의 일부에 대한 설치 또는 변경을 마친 후 그 일부를 미리 사용하고자 하는 경우에는 당해 제조소등의 일부에 대하여 완공검사를 받을 수 있다.

시행령 제10조(완공검사의 신청 등) ① 법 제9조의 규정에 의한 제조소등에 대한 완공검사를 받고자 하는 자는 이를 시 · 도지사에게 신청하여야 한다.

② 제1항에 따른 신청을 받은 시 · 도지사는 제조소등에 대하여 완공검사를 실시하고, 완공검사를 실시한 결과 해당 제조소등이 법 제5조 제4항에 따른 기술기준(탱크안전성능검사에 관련된 것을 제외한다)에 적합하다고 인정하는 때에는 완공검사합격확인증을 교부해야 한다.

③ 제2항의 완공검사합격확인증을 교부받은 자는 완공검사합격확인증을 잃어버리거나 멸실 · 훼손 또는 파손한 경우에는 이를 교부한 시 · 도지사에게 재교부를 신청할 수 있다.

④ 완공검사합격확인증을 훼손 또는 파손하여 제3항에 따른 신청을 하는 경우에는 신청서에 해당 완공검사합격확인증을 첨부하여 제출해야 한다.

⑤ 제2항의 완공검사합격확인증을 잃어버려 재교부를 받은 자는 잃어버린 완공검사합격확인증을 발견하는 경우에는 이를 10일 이내에 완공검사합격확인증을 재교부한 시 · 도지사에게 제출해야 한다.

시행규칙 제19조(완공검사의 신청 등) ① 법 제9조에 따라 제조소등에 대한 완공검사를 받으려는 자는 별지 제22호서식 또는 별지 제23호서식의 신청서(전자문서로 된 신청서를 포함한다)에 다음 각 호의 서류(전자문서를 포함한다)를 첨부하여 시·도지사 또는 소방서장(영 제22조 제1항 제2호에 따라 완공검사를 기술원에 위탁하는 제조소등의 경우에는 기술원)에게 제출해야 한다. 다만, 첨부서류는 완공검사를 실시할 때까지 제출할 수 있되, 전자정부법 제36조 제1항에 따른 행정정보의 공동이용을 통하여 첨부서류에 대한 정보를 확인할 수 있는 경우에는 그 확인으로 첨부서류를 갈음할 수 있다.

1. 배관에 관한 내압시험, 비파괴시험 등에 합격하였음을 증명하는 서류(내압시험 등을 하여야 하는 배관이 있는 경우에 한한다)
2. 소방서장, 기술원 또는 탱크시험자가 교부한 탱크검사합격확인증 또는 탱크시험합격확인증(해당 위험물탱크의 완공검사를 실시하는 소방서장 또는 기술원이 그 위험물탱크의 탱크안전성능검사를 실시한 경우는 제외한다)
3. 재료의 성능을 증명하는 서류(이중벽탱크에 한한다)

② 영 제22조 제1항 제2호의 규정에 의하여 기술원은 완공검사를 실시한 경우에는 완공검사결과서를 소방서장에게 송부하고, 검사대상명·접수일시·검사일·검사번호·검사자·검사결과 및 검사결과서 발송일 등을 기재한 완공검사업무대장을 작성하여 10년간 보관하여야 한다.

③ 영 제10조 제2항의 완공검사합격확인증은 별지 제24호서식 또는 별지 제25호서식에 의한다.

④ 영 제10조 제3항의 규정에 의한 완공검사합격확인증의 재교부신청은 별지 제26호서식의 신청서에 의한다.

제20조(완공검사의 신청시기) 법 제9조 제1항의 규정에 의한 제조소등의 완공검사 신청시기는 다음 각 호의 구분에 의한다.

1. 지하탱크가 있는 제조소등의 경우: 당해 지하탱크를 매설하기 전
2. 이동탱크저장소의 경우: 이동저장탱크를 완공하고 상시 설치 장소(이하"상치장소"라 한다)를 확보한 후
3. 이송취급소의 경우: 이송배관 공사의 전체 또는 일부를 완료한 후. 다만, 지하·하천 등에 매설하는 이송배관의 공사의 경우에는 이송배관을 매설하기 전
4. 전체 공사가 완료된 후에는 완공검사를 실시하기 곤란한 경우: 다음 각 목에서 정하는 시기
   가. 위험물설비 또는 배관의 설치가 완료되어 기밀시험 또는 내압시험을 실시하는 시기
   나. 배관을 지하에 설치하는 경우에는 시·도지사, 소방서장 또는 기술원이 지정하는 부분을 매몰하기 직전
   다. 기술원이 지정하는 부분의 비파괴시험을 실시하는 시기
5. 제1호 내지 제4호에 해당하지 아니하는 제조소등의 경우: 제조소등의 공사를 완료한 후

제21조(변경공사 중 가사용의 신청) 법 제9조 제1항 단서의 규정에 의하여 제조소등의 변경공사 중에 변경공사와 관계없는 부분을 사용하고자 하는 자는 별지 제16호서식 또는 별지 제17호서식의 신청서(전자문서로 된 신청서를 포함한다) 또는 별지 제27호서식의 신청서(전자문서로 된 신청서를 포함한다)에 변경공사에 따른 화재예방에 관한 조치사항을 기재한 서류(전자문서를 포함한다)를 첨부하여 시·도지사 또는 소방서장에게 신청하여야 한다.

핵심정리 완공검사

1. 완공검사의 신청: 시 · 도지사(서류제출 시 · 도지사 또는 소방서장) → 적합 시 완공검사필증 교부
2. 완공검사필증의 재교부(분실 · 멸실 · 훼손): 시 · 도지사 → 다시 발견 시 10일 이내 시 · 도지사에게 반납
3. 완공검사의 신청시기

구분	신청시기
지하탱크가 있는 제조소등	지하탱크 매설 전
이동탱크저장소	이동저장탱크 완공하고 상시설치장소(상치장소) 확보 후
이송취급소	이송배관 공사 전체 또는 일부 완료 후 (매설하는 이송배관 시 이송배관 매설 전)
전체공사완료 후 완공검사 실시 곤란한 경우	· 위험물설비 또는 배관 설치가 완료되어 기밀시험 또는 내압시험 실시시기 · 배관 지하 설치시 시 · 도지사, 소방서장 또는 기술원이 지정하는 부분 매몰 직전 · 기술원 지정부분 비파괴시험 실시시기
그 외	제조소등 공사를 완료한 후

제10조(제조소등 설치자의 지위승계)

① 제조소등의 설치자(제6조 제1항의 규정에 따라 허가를 받아 제조소등을 설치한 자를 말한다. 이하 같다)가 사망하거나 그 제조소등을 양도 · 인도한 때 또는 법인인 제조소등의 설치자의 합병이 있는 때에는 그 상속인, 제조소등을 양수 · 인수한 자 또는 합병후 존속하는 법인이나 합병에 의하여 설립되는 법인은 그 설치자의 지위를 승계한다.

② 민사집행법에 의한 경매, 채무자 회생 및 파산에 관한 법률에 의한 환가, 국세징수법 · 관세법 또는 지방세징수법에 따른 압류재산의 매각과 그 밖에 이에 준하는 절차에 따라 제조소등의 시설의 전부를 인수한 자는 그 설치자의 지위를 승계한다.

③ 제1항 또는 제2항의 규정에 따라 제조소등의 설치자의 지위를 승계한 자는 행정안전부령이 정하는 바에 따라 승계한 날부터 30일 이내에 시 · 도지사에게 그 사실을 신고하여야 한다.

시행규칙 제22조(지위승계의 신고) 법 제10조 제3항에 따라 제조소등의 설치자의 지위승계를 신고하려는 자는 별지 제28호서식의 신고서(전자문서로 된 신고서를 포함한다)에 제조소등의 완공검사합격확인증과 지위승계를 증명하는 서류(전자문서를 포함한다)를 첨부하여 시 · 도지사 또는 소방서장에게 제출해야 한다.

지위승계

승계대상	· 사망, 양도, 인도, 법인의 합병 · 경매, 환가, 압류재산의 매각, 전부 인수
승계절차	승계한 날로부터 30일 이내 시 · 도지사에게 신고

영철쌤 tip

1. 업종은 폐업, 시설물은 폐지라고 한다.
2. 제조소등을 방치하면 화재 및 폭발할 수 있으므로 폐지신고를 의무화 한다.
3. 제조소등의 폐지

대상	제조소등의 용도 폐지 시
폐지절차	폐지한 날로부터 14일 이내 시 · 도지사에게 신고

4. 제조소등 사용을 중지 및 재개: 중지하려는 날 또는 재개하려는 날의 14일 전까지 시 · 도지사에게 신고

제11조(제조소등의 폐지)

제조소등의 관계인(소유자 · 점유자 또는 관리자를 말한다. 이하 같다)은 당해 제조소등의 용도를 폐지(장래에 대하여 위험물시설로서의 기능을 완전히 상실시키는 것을 말한다)한 때에는 행정안전부령이 정하는 바에 따라 제조소등의 용도를 폐지한 날부터 14일 이내에 시 · 도지사에게 신고하여야 한다.

시행규칙 제23조(용도폐지의 신고) ① 법 제11조에 따라 제조소등의 용도폐지신고를 하려는 자는 별지 제29호서식의 신고서(전자문서로 된 신고서를 포함한다)에 제조소등의 완공검사합격확인증을 첨부하여 시 · 도지사 또는 소방서장에게 제출해야 한다.
② 제1항의 규정에 의한 신고서를 접수한 시 · 도지사 또는 소방서장은 당해 제조소등을 확인하여 위험물시설의 철거 등 용도폐지에 필요한 안전조치를 한 것으로 인정하는 경우에는 당해 신고서의 사본에 수리사실을 표시하여 용도폐지신고를 한 자에게 통보하여야 한다.

제11조의2(제조소등의 사용 중지 등)

① 제조소등의 관계인은 제조소등의 사용을 중지(경영상 형편, 대규모 공사 등의 사유로 3개월 이상 위험물을 저장하지 아니하거나 취급하지 아니하는 것을 말한다. 이하 같다)하려는 경우에는 위험물의 제거 및 제조소등에의 출입통제 등 행정안전부령으로 정하는 안전조치를 하여야 한다. 다만, 제조소등의 사용을 중지하는 기간에도 제15조 제1항 본문에 따른 위험물안전관리자가 계속하여 직무를 수행하는 경우에는 안전조치를 아니할 수 있다.

② 제조소등의 관계인은 제조소등의 사용을 중지하거나 중지한 제조소등의 사용을 재개하려는 경우에는 해당 제조소등의 사용을 중지하려는 날 또는 재개하려는 날의 14일 전까지 행정안전부령으로 정하는 바에 따라 제조소등의 사용 중지 또는 재개를 시 · 도지사에게 신고하여야 한다.

③ 시 · 도지사는 제2항에 따라 신고를 받으면 제조소등의 관계인이 제1항 본문에 따른 안전조치를 적합하게 하였는지 또는 제15조 제1항 본문에 따른 위험물안전관리자가 직무를 적합하게 수행하는지를 확인하고 위해 방지를 위하여 필요한 안전조치의 이행을 명할 수 있다.

④ 제조소등의 관계인은 제2항의 사용 중지신고에 따라 제조소등의 사용을 중지하는 기간 동안에는 제15조 제1항 본문에도 불구하고 위험물안전관리자를 선임하지 아니할 수 있다.

시행규칙 제23조의2(사용 중지신고 또는 재개신고 등) ① 법 제11조의2 제1항에서 "위험물의 제거 및 제조소등에의 출입통제 등 행정안전부령으로 정하는 안전조치"란 다음 각 호의 조치를 말한다.

1. 탱크·배관 등 위험물을 저장 또는 취급하는 설비에서 위험물 및 가연성 증기 등의 제거
2. 관계인이 아닌 사람에 대한 해당 제조소등에의 출입금지 조치
3. 해당 제조소등의 사용중지 사실의 게시
4. 그 밖에 위험물의 사고 예방에 필요한 조치

② 법 제11조의2 제2항에 따라 제조소등의 사용 중지신고 또는 재개신고를 하려는 자는 별지 제29호의2서식의 신고서(전자문서로 된 신고서를 포함한다)에 해당 제조소등의 완공검사합격확인증을 첨부하여 시·도지사 또는 소방서장에게 제출해야 한다.

③ 제2항에 따라 사용중지 신고서를 접수한 시·도지사 또는 소방서장은 해당 제조소등에 대한 법 제11조의2 제1항 본문에 따른 안전조치 또는 같은 항 단서에 따른 위험물안전관리자의 직무수행이 적합하다고 인정되면 해당 신고서의 사본에 수리사실을 표시하여 신고를 한 자에게 통보해야 한다.

제12조(제조소등 설치허가의 취소와 사용정지 등)

시·도지사는 제조소등의 관계인이 다음 각 호의 어느 하나에 해당하는 때에는 행정안전부령이 정하는 바에 따라 제6조 제1항에 따른 **허가를 취소**하거나 **6월 이내의 기간을 정하여 제조소등의 전부 또는 일부의 사용정지**를 명할 수 있다.

1. 제6조 제1항 후단의 규정에 따른 변경허가를 받지 아니하고 제조소등의 위치·구조 또는 설비를 변경한 때
2. 제9조의 규정에 따른 완공검사를 받지 아니하고 제조소등을 사용한 때

2의2. 제11조의2 제3항에 따른 안전조치 이행명령을 따르지 아니한 때

3. 제14조 제2항의 규정에 따른 수리·개조 또는 이전의 명령을 위반한 때
4. 제15조 제1항 및 제2항의 규정에 따른 위험물안전관리자를 선임하지 아니한 때
5. 제15조 제5항을 위반하여 대리자를 지정하지 아니한 때
6. 제18조 제1항의 규정에 따른 정기점검을 하지 아니한 때
7. 제18조 제3항에 따른 정기검사를 받지 아니한 때
8. 제26조의 규정에 따른 저장·취급기준 준수명령을 위반한 때

제조소등에 대한 행정처분기준 1차에 취소 없다.

시행규칙 제25조(허가취소 등의 처분기준) 법 제12조의 규정에 의한 제조소등에 대한 허가취소 및 사용정지의 처분기준은 별표 2와 같다.

별표 2. 행정처분기준

1. 일반기준

가. 위반행위가 2 이상인 때에는 그 중 중한 처분기준(중한 처분기준이 동일한 때에는 그 중 하나의 처분기준을 말한다. 이하 이 호에서 같다)에 의하되, 2 이상의 처분기준이 동일한 사용정지이거나 업무정지인 경우에는 중한 처분의 2분의 1까지 가중처분할 수 있다.

나. 사용정지 또는 업무정지의 처분기간 중에 사용정지 또는 업무정지에 해당하는 새로운 위반행위가 있는 때에는 종전의 처분기간 만료일의 다음 날부터 새로운 위반행위에 따른 사용정지 또는 업무정지의 행정처분을 한다.

다. 위반행위의 횟수에 따른 행정처분기준은 최근 2년간 같은 위반행위로 행정처분을 받은 경우에 적용한다. 이 경우 기간의 계산은 위반행위에 대하여 행정처분을 받은 날과 그 처분 후 다시 같은 위반행위를 하여 적발된 날을 기준으로 한다.

라. 다목에 따라 가중된 행정처분을 하는 경우 가중처분의 적용 차수는 그 위반행위 전 행정처분 차수(다목에 따른 기간 내에 행정처분이 둘 이상 있었던 경우에는 높은 차수를 말한다)의 다음 차수로 한다.

마. 사용정지 또는 업무정지의 처분기간이 완료될 때까지 위반행위가 계속되는 경우에는 사용정지 또는 업무정지의 행정처분을 다시 한다.

바. 처분권자는 다음의 사항을 고려하여 제2호의 개별기준에 따른 처분을 감경할 수 있다. 이 경우 그 처분이 사용정지 또는 업무정지인 경우에는 그 처분기준의 2분의 1 범위에서 처분기간을 감경할 수 있고, 그 처분이 지정취소(제58조 제1항 제1호부터 제3호까지에 해당하는 경우는 제외한다) 또는 등록취소(법 제16조 제5항 제1호부터 제3호까지에 해당하는 경우는 제외한다)인 경우에는 6개월의 업무정지 처분으로 감경할 수 있다.

1) 위반행위의 동기 · 내용 · 횟수 또는 그 결과 등을 고려할 때 제2호 각 목의 기준을 적용하는 것이 불합리하다고 인정되는 경우

2) 고의 또는 중과실이 없는 위반행위자가 소상공인기본법 제2조에 따른 소상공인인 경우로서 해당 행정처분으로 위반행위자가 더 이상 영업을 영위하기 어렵다고 객관적으로 인정되는지 여부, 경제위기 등으로 위반행위자가 속한 시장 · 산업 여건이 현저하게 변동되거나 지속적으로 악화된 상태인지 여부 등을 종합적으로 고려할 때 행정처분을 감경할 필요가 있다고 인정되는 경우

2. 개별기준

가. 제조소등에 대한 행정처분기준

위반행위	근거 법조문	행정처분기준		
		1차	2차	3차
(1) 법 제6조 제1항의 후단에 따른 변경허가를 받지 않고, 제조소등의 위치·구조 또는 설비를 변경한 경우	법 제12조 제1호	경고 또는 사용정지 15일	사용정지 60일	허가취소
(2) 법 제9조에 따른 완공검사를 받지 않고 제조소등을 사용한 경우	법 제12조 제2호	사용정지 15일	사용정지 60일	허가취소
(3) 법 제11조의2 제3항에 따른 안전조치 이행명령을 따르지 않은 경우	법 제12조 제2호의2	경고	허가취소	-
(4) 법 제14조 제2항에 따른 수리·개조 또는 이전의 명령을 위반한 경우	법 제12조 제3호	사용정지 30일	사용정지 90일	허가취소
(5) 법 제15조 제1항 및 제2항에 따른 위험물안전관리자를 선임하지 않은 경우	법 제12조 제4호	사용정지 15일	사용정지 60일	허가취소
(6) 법 제15조 제5항을 위반하여 대리자를 지정하지 않은 경우	법 제12조 제5호	사용정지 10일	사용정지 30일	허가취소
(7) 법 제18조 제1항에 따른 정기점검을 하지 않은 경우	법 제12조 제6호	사용정지 10일	사용정지 30일	허가취소
(8) 법 제18조 제3항에 따른 정기검사를 받지 않은 경우	법 제12조 제7호	사용정지 10일	사용정지 30일	허가취소
(9) 법 제26조에 따른 저장·취급기준 준수명령을 위반한 경우	법 제12조 제8호	사용정지 30일	사용정지 60일	허가취소

나. 안전관리대행기관에 대한 행정처분기준

위반사항	근거법규	행정처분기준		
		1차	2차	3차
(1) 허위 그 밖의 부정한 방법으로 등록을 한 때	제58조	지정취소		
(2) 탱크시험자의 등록 또는 다른 법령에 의한 안전관리업무대행기관의 지정·승인 등이 취소된 때	제58조	지정취소		
(3) 다른 사람에게 지정서를 대여한 때	제58조	지정취소		
(4) 별표 22의 규정에 의한 안전관리대행기관의 지정기준에 미달되는 때	제58조	업무정지 30일	업무정지 60일	지정취소
(5) 제57조 제4항의 규정에 의한 소방청장의 지도·감독에 정당한 이유 없이 따르지 아니한 때	제58조	업무정지 30일	업무정지 60일	지정취소
(6) 제57조 제5항의 규정에 의한 변경 등의 신고를 연간 2회 이상 하지 아니한 때	제58조	경고 또는 업무정지 30일	업무정지 90일	지정취소
(7) 안전관리대행기관의 기술인력이 제59조의 규정에 의한 안전관리업무를 성실하게 수행하지 아니한 때	제58조	경고	업무정지 90일	지정취소

제13조(과징금[1] 처분)

① 시·도지사는 제12조 각 호의 어느 하나에 해당하는 경우로서 제조소등에 대한 사용의 정지가 그 이용자에게 심한 불편을 주거나 그 밖에 공익을 해칠 우려가 있는 때에는 **사용정지처분에 갈음하여 2억 원 이하의 과징금을 부과할 수 있다.**

② 제1항의 규정에 따른 과징금을 부과하는 위반행위의 종별·정도 등에 따른 과징금의 금액 그 밖의 필요한 사항은 행정안전부령으로 정한다.

③ 시·도지사는 제1항의 규정에 따른 과징금을 납부하여야 하는 자가 납부기한까지 이를 납부하지 아니한 때에는 지방행정제재·부과금의 징수 등에 관한 법률에 따라 징수한다.

시행규칙 제26조(과징금의 금액) 법 제13조 제1항에 따라 과징금을 부과하는 위반행위의 종류와 위반 정도 등에 따른 과징금의 금액은 다음 각 호의 구분에 따른 기준에 따라 산정한다.

1. 2016년 2월 1일부터 2018년 12월 31일까지의 기간 중에 위반행위를 한 경우: 별표 3
2. 2019년 1월 1일 이후에 위반행위를 한 경우: 별표 3의2

제27조(과징금 징수절차) 법 제13조 제2항에 따른 과징금의 징수절차에 관하여는 국고금 관리법 시행규칙을 준용한다.

핵심정리 제조소등

1. 제조소등의 설치자의 지위를 승계한 자는 승계한 날부터 30일 이내에 시·도지사에게 그 사실을 신고
2. 제조소등의 용도를 폐지한 날부터 14일 이내에 시·도지사에게 신고
3. 제조소등의 관계인은 제조소등의 사용을 중지하거나 중지한 제조소등의 사용을 재개하려는 경우에는 해당 제조소등의 사용을 중지하려는 날 또는 재개하려는 날의 14일 전까지 제조소등의 사용 중지 또는 재개를 시·도지사에게 신고
4. 시·도지사는 제조소등에 대한 사용의 정지가 그 이용자에게 심한 불편을 주거나 그 밖에 공익을 해칠 우려가 있는 때에는 사용정지처분에 갈음하여 2억 원 이하의 과징금을 부과

용어사전

❶ 과징금: 행정법상의 의무이행을 강제하기 위한 목적으로 의무위반자에 대하여 부과·징수하는 금전적 제재를 말한다.

1. 일반적으로 과징금의 기준은 2억 원 이하이다(관리업은 3천만 원 이하).
2. 위험물 제조소등의 사용정지 처분으로 업체의 존립불가 또는 관계인 등에게 피해를 줄 우려가 있으므로 과징금제도를 도입하였다.
3. 과징금액 = 연 매출액 대비 1일 과징금 × 영업정지일수. 단, 2억 원 이상 시, 2억 원을 초과할 수 없다.

문제로 완성하기

01 위험물안전관리법상 신고를 하지 아니하고 위험물의 품명 · 수량 또는 지정수량의 배수를 변경할 수 있는 경우로 옳은 것은?

19. 공채

① 농예용으로 필요한 건조시설을 위한 지정수량 20배 이하의 취급소

② 축산용으로 필요한 난방시설을 위한 지정수량 20배 이하의 저장소

③ 수산용으로 필요한 건조시설을 위한 지정수량 30배 이하의 저장소

④ 공동주택의 중앙난방시설을 위한 지정수량 30배 이하의 취급소

02 다음 중 위험물의 설치 및 변경과 관련하여 옳지 않은 것은? 18. 상반기 공채

① 제조소등을 설치하고자 하는 자는 시 · 도지사의 허가를 받아야 한다.

② 제조소등의 위치, 구조, 설비 중 변경하고자 하는 때는 시 · 도지사에게 신고하여야 한다.

③ 위험물의 품명, 수량, 지정수량의 배수를 변경하고자 할 때에는 시 · 도지사에게 신고를 하여야 한다.

④ 수산용의 난방시설을 위한 지정수량 10배의 저장소는 신고를 하지 않을 수 있다.

03 다음 중 완공검사의 신청시기로 옳지 않은 것은? 18. 상반기 공채

① 지하탱크가 있는 제조소의 경우, 당해 지하탱크를 매설하기 전

② 이동탱크저장소의 경우, 이동저장탱크를 완공하고 상치장소를 확보하기 전

③ 이송취급소의 경우, 이송배관 공사의 전체 또는 일부를 완료한 후. 다만 지하, 하천 등에 매설하는 이송배관의 공사의 경우에는 이송배관을 매설하기 전

④ 전체공사가 완료된 후에 실시하기 곤란한 경우에는 위험물설비 또는 배관의 설치가 완료되어 기밀시험 또는 내압시험을 실시하는 시기

정답 및 해설

01 위험물

① 농예용으로 필요한 건조시설을 위한 지정수량 20배 이하의 취급소 → 저장소만 해당

③ 수산용으로 필요한 건조시설을 위한 지정수량 30배 이하의 저장소 → 20배 이하만 해당

④ 공동주택의 중앙난방시설을 위한 지정수량 30배 이하의 취급소 → 중앙난방시설은 제외

02 위험물의 설치 및 변경

제조소등의 위치, 구조, 설비 중 변경하고자 하는 때는 시 · 도지사에게 신고하여야 한다. → 시 · 도지사에게 변경허가를 받아야 한다.

03 완공검사

이동탱크저장소의 경우, 이동저장탱크를 완공하고 상치장소를 확보하기 전 → 확보한 후로 하여야 한다.

정답 01 ② 02 ② 03 ②

CHAPTER 3 위험물시설의 안전관리

제14조(위험물시설의 유지·관리)

① 제조소등의 관계인은 당해 제조소등의 위치·구조 및 설비가 제5조 제4항의 규정에 따른 기술기준에 적합하도록 유지·관리하여야 한다.

② 시·도지사, 소방본부장 또는 소방서장은 제1항의 규정에 따른 유지·관리의 상황이 제5조 제4항의 규정에 따른 기술기준에 부적합하다고 인정하는 때에는 그 기술기준에 적합하도록 제조소등의 위치·구조 및 설비의 수리·개조 또는 이전을 명할 수 있다.

제15조(위험물안전관리자)

① 제조소등[제6조 제3항의 규정에 따라 허가를 받지 아니하는 제조소등과 이동탱크저장소(차량에 고정된 탱크에 위험물을 저장 또는 취급하는 저장소를 말한다)를 제외한다. 이하 이 조에서 같다]의 관계인은 위험물의 안전관리에 관한 직무를 수행하게 하기 위하여 제조소등마다 대통령령이 정하는 위험물의 취급에 관한 자격이 있는 자(이하 "위험물취급자격자"라 한다)를 위험물안전관리자(이하 "안전관리자"라 한다)로 선임하여야 한다. 다만, 제조소등에서 저장·취급하는 위험물이 화학물질관리법에 따른 유독물질에 해당하는 경우 등 대통령령이 정하는 경우에는 당해 제조소등을 설치한 자는 다른 법률에 의하여 안전관리업무를 하는 자로 선임된 자 가운데 대통령령이 정하는 자를 안전관리자로 선임할 수 있다.

② 제1항의 규정에 따라 안전관리자를 선임한 제조소등의 관계인은 그 안전관리자를 해임하거나 안전관리자가 퇴직한 때에는 해임하거나 퇴직한 날부터 30일 이내에 다시 안전관리자를 선임하여야 한다.

③ 제조소등의 관계인은 제1항 및 제2항에 따라 안전관리자를 선임한 경우에는 선임한 날부터 14일 이내에 행정안전부령으로 정하는 바에 따라 소방본부장 또는 소방서장에게 신고하여야 한다.

④ 제조소등의 관계인이 안전관리자를 해임하거나 안전관리자가 퇴직한 경우 그 관계인 또는 안전관리자는 소방본부장이나 소방서장에게 그 사실을 알려 해임되거나 퇴직한 사실을 확인받을 수 있다.

⑤ 제1항의 규정에 따라 안전관리자를 선임한 제조소등의 관계인은 안전관리자가 여행·질병 그 밖의 사유로 인하여 일시적으로 직무를 수행할 수 없거나 안전관리자의 해임 또는 퇴직과 동시에 다른 안전관리자를 선임하지 못하는 경우에는 국가기술자격법에 따른 위험물의 취급에 관한 자격취득자 또는 위험물안전에 관한 기본지식과 경험이 있는 자로서 행정안전부령이 정하는 자를 대리자(代理者)로 지정하여 그 직무를 대행하게 하여야 한다. 이 경우 대리자가 안전관리자의 직무를 대행하는 기간은 30일을 초과할 수 없다.

1. 소방시설: 화재안전기준에 따라 유지·관리한다.
2. 위험물시설: 제조소등의 위치·구조 및 설비의 기술기준에 유지·관리한다.

위험물 취급자
1. 위험물분야 국가기술자격자(위험물기능장, 위험물산업기사, 위험물기능사): 모든 위험물(제1류~제6류) 취급
2. 위험물 안전관리교육 수료자(한국소방안전원에서 교육함): 제4류 위험물만 취급
3. 소방공무원(3년 이상): 제4류 위험물만 취급

제6조 제3항의 규정에 따라 허가를 받지 아니하는 제조소등
1. 주택의 난방시설(공동주택의 중앙난방시설을 제외한다)을 위한 저장소 또는 취급소
2. 농예용·축산용 또는 수산용으로 필요한 난방시설 또는 건조시설을 위한 지정수량 20배 이하의 저장소

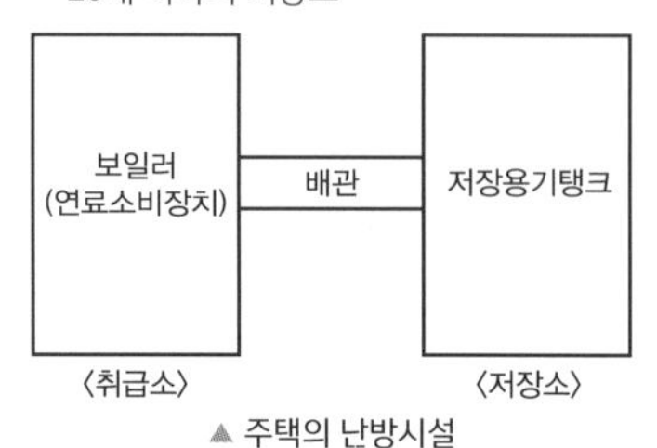

▲ 주택의 난방시설

이동탱크저장소
이동적인 특성으로 보아 안전관리자 선임에 실효성이 없어 선임대상에서 제외한다.
1. 위험물 안전관리자 해임, 퇴직: 30일 이내 선임 → 14일 이내 소방본부장, 소방서장 신고
2. 30일 이내 선임하지 못할 경우: 행정안전부령으로 정하는 자 → 대리자로 지정(30일을 초과할 수 없음)
3. 1인 위험물안전관리자 중복선임: 다수의 제조소등을 동일인이 설치한 경우

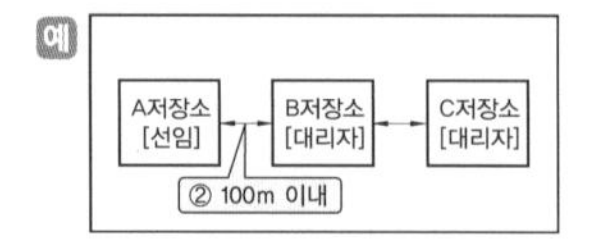

⑥ 안전관리자는 위험물을 취급하는 작업을 하는 때에는 작업자에게 안전관리에 관한 필요한 지시를 하는 등 행정안전부령이 정하는 바에 따라 위험물의 취급에 관한 안전관리와 감독을 하여야 하고, 제조소등의 관계인과 그 종사자는 안전관리자의 위험물 안전관리에 관한 의견을 존중하고 그 권고에 따라야 한다.

⑦ 제조소등에 있어서 위험물취급자격자가 아닌 자는 안전관리자 또는 제5항에 따른 대리자가 참여한 상태에서 위험물을 취급하여야 한다.

⑧ 다수의 제조소등을 동일인이 설치한 경우에는 제1항의 규정에 불구하고 관계인은 대통령령이 정하는 바에 따라 1인의 안전관리자를 중복하여 선임할 수 있다. 이 경우 대통령령이 정하는 제조소등의 관계인은 제5항에 따른 대리자의 자격이 있는 자를 각 제조소등별로 지정하여 안전관리자를 보조하게 하여야 한다.

⑨ 제조소등의 종류 및 규모에 따라 선임하여야 하는 안전관리자의 자격은 대통령령으로 정한다.

시행령 제11조(위험물 안전관리자로 선임할 수 있는 위험물 취급자격자 등) ① 법 제15조 제1항 본문에서 "대통령령이 정하는 위험물의 취급에 관한 자격이 있는 자"라 함은 별표 5에 규정된 자를 말한다.

② 법 제15조 제1항 단서에서 "대통령령이 정하는 경우"란 다음 각 호의 어느 하나에 해당하는 경우를 말한다.

1. 제조소등에서 저장 · 취급하는 위험물이 화학물질관리법 제2조 제2호에 따른 유독물질에 해당하는 경우
2. 소방시설 설치 및 관리에 관한 법률 제2조 제1항 제3호에 따른 특정소방대상물의 난방 · 비상발전 또는 자가발전에 필요한 위험물을 저장 · 취급하기 위하여 설치된 저장소 또는 일반취급소가 해당 특정소방대상물 안에 있거나 인접하여 있는 경우

③ 법 제15조 제1항 단서에서 "대통령령이 정하는 자"란 다음 각 호의 어느 하나에 해당하는 자를 말한다.

1. 제2항 제1호의 경우: 화학물질관리법 제32조 제1항에 따라 해당 제조소등의 유해화학물질관리자로 선임된 자로서 법 제28조 또는 화학물질관리법 제33조에 따라 유해화학물질 안전교육을 받은 자
2. 제2항 제2호의 경우: 화재의 예방 및 안전관리에 관한 법률 제24조 제1항 또는 공공기관의 소방안전관리에 관한 규정 제5조에 따라 소방안전관리자

별표 5. 위험물취급자격자의 자격

위험물취급자격자의 구분	취급할 수 있는 위험물
1. 국가기술자격법에 따라 위험물기능장, 위험물산업기사, 위험물기능사의 자격을 취득한 사람	별표 1의 모든 위험물
2. 안전관리자교육이수자(법 제28조 제1항에 따라 소방청장이 실시하는 안전관리자교육을 이수한 자를 말한다. 이하 별표 6에서 같다)	별표 1의 위험물 중 제4류 위험물
3. 소방공무원 경력자(소방공무원으로 근무한 경력이 3년 이상인 자를 말한다. 이하 별표 6에서 같다)	별표 1의 위험물 중 제4류 위험물

제12조(1인의 안전관리자를 중복하여 선임할 수 있는 경우 등) ① 법 제15조 제8항 전단에 따라 다수의 제조소등을 설치한 자가 1인의 안전관리자를 중복하여 선임할 수 있는 경우는 다음 각 호의 어느 하나와 같다.

1. 보일러 · 버너 또는 이와 비슷한 것으로서 위험물을 소비하는 장치로 이루어진 7개 이하의 일반취급소와 그 일반취급소에 공급하기 위한 위험물을 저장하는 저장소[일반취급소 및 저장소가 모두 동일구내(같은 건물 안 또는 같은 울 안을 말한다. 이하 같다)에 있는 경우에 한한다. 이하 제2호에서 같다]를 동일인이 설치한 경우
2. 위험물을 차량에 고정된 탱크 또는 운반용기에 옮겨 담기 위한 5개 이하의 일반취급소[일반취급소 간의 거리(보행거리를 말한다. 제3호 및 제4호에서 같다)가 300미터 이내인 경우에 한한다]와 그 일반취급소에 공급하기 위한 위험물을 저장하는 저장소를 동일인이 설치한 경우
3. 동일구내에 있거나 상호 100미터 이내의 거리에 있는 저장소로서 저장소의 규모, 저장하는 위험물의 종류 등을 고려하여 행정안전부령이 정하는 저장소를 동일인이 설치한 경우
4. 다음 각 목의 기준에 모두 적합한 5개 이하의 제조소등을 동일인이 설치한 경우
   가. 각 제조소등이 동일구내에 위치하거나 상호 100미터 이내의 거리에 있을 것
   나. 각 제조소등에서 저장 또는 취급하는 위험물의 최대수량이 지정수량의 3천배 미만일 것. 다만, 저장소의 경우에는 그러하지 아니하다.
5. 그 밖에 제1호 또는 제2호의 규정에 의한 제조소등과 비슷한 것으로서 행정안전부령이 정하는 제조소등을 동일인이 설치한 경우

② 법 제15조 제8항 후단에서 "대통령령이 정하는 제조소등"이란 다음 각 호의 어느 하나에 해당하는 제조소등을 말한다.

1. 제조소
2. 이송취급소
3. 일반취급소. 다만, 인화점이 38도 이상인 제4류 위험물만을 지정수량의 30배 이하로 취급하는 일반취급소로서 다음 각 목의 1에 해당하는 일반취급소를 제외한다.
   가. 보일러 · 버너 또는 이와 비슷한 것으로서 위험물을 소비하는 장치로 이루어진 일반취급소
   나. 위험물을 용기에 옮겨 담거나 차량에 고정된 탱크에 주입하는 일반취급소

제13조(위험물안전관리자의 자격) 법 제15조 제9항에 따라 제조소등의 종류 및 규모에 따라 선임하여야 하는 안전관리자의 자격은 별표 6과 같다.

별표6. 제조소등의 종류 및 규모에 따라 선임하여야 하는 안전관리자의 자격

법 제15조 제9항에 따라 제조소등의 종류 및 규모에 따라 선임하여야 하는 안전관리자의 자격은 별표 6과 같다.

제조소등의 종류 및 규모		안전관리자의 자격
제조소	1. 제4류 위험물만을 취급하는 것으로서 지정수량 5배 이하의 것	위험물기능장, 위험물산업기사, 위험물기능사, 안전관리자교육이수자 또는 소방공무원경력자
	2. 제1호에 해당하지 아니하는 것	위험물기능장, 위험물산업기사 또는 2년 이상의 실무경력이 있는 위험물기능사

<table>
<tr><td rowspan="13">저장소</td><td rowspan="2">1. 옥내 저장소</td><td>제4류 위험물 중 알코올류·제2석유류·제3석유류·제4석유류·동식물유류만을 저장하는 것으로서 지정수량 40배 이하의 것</td><td rowspan="12">위험물기능장, 위험물산업기사, 위험물기능사, 안전관리자교육이수자 또는 소방공무원경력자</td></tr>
<tr><td>제4류 위험물만을 저장하는 것으로서 지정수량 5배 이하의 것</td></tr>
<tr><td rowspan="2">2. 옥외탱크 저장소</td><td>제4류 위험물 중 제2석유류·제3석유류·제4석유류·동식물유류만을 저장하는 것으로서 지정수량 40배 이하의 것</td></tr>
<tr><td>제4류 위험물만 저장하는 것으로서 지정수량 5배 이하의 것</td></tr>
<tr><td rowspan="2">3. 옥내탱크 저장소</td><td>제4류 위험물 중 제2석유류·제3석유류·제4석유류·동식물유류만을 저장하는 것</td></tr>
<tr><td>제4류 위험물만을 저장하는 것으로서 지정수량 5배 이하의 것</td></tr>
<tr><td rowspan="2">4. 지하탱크 저장소</td><td>제4류 위험물 중 제1석유류·알코올류·제2석유류·제3석유류·제4석유류·동식물유류만을 저장하는 것으로서 지정수량 250배 이하의 것</td></tr>
<tr><td>제4류 위험물만을 저장하는 것으로서 지정수량 40배 이하의 것</td></tr>
<tr><td colspan="2">5. 간이탱크저장소로서 제4류 위험물만을 저장하는 것</td></tr>
<tr><td colspan="2">6. 옥외저장소 중 제4류 위험물만을 저장하는 것으로서 지정수량의 40배 이하의 것</td></tr>
<tr><td colspan="2">7. 보일러, 버너 그 밖에 이와 유사한 장치에 공급하기 위한 위험물을 저장하는 탱크저장소</td></tr>
<tr><td colspan="2">8. 선박주유취급소, 철도주유취급소 또는 항공기주유취급소의 고정주유설비에 공급하기 위한 위험물을 저장하는 탱크저장소로서 지정수량의 250배(제1석유류의 경우에는 지정수량의 100배)이하의 것</td></tr>
<tr><td colspan="2">9. 제1호 내지 제8호에 해당하지 아니하는 저장소</td><td>위험물기능장, 위험물산업기사 또는 2년 이상의 실무경력이 있는 위험물기능사</td></tr>
<tr><td rowspan="4">취급소</td><td colspan="2">1. 주유취급소</td><td rowspan="4">위험물기능장, 위험물산업기사, 위험물기능사, 안전관리자교육이수자 또는 소방공무원경력자</td></tr>
<tr><td rowspan="2">2. 판매 취급소</td><td>제4류 위험물만을 취급하는 것으로서 지정수량 5배 이하의 것</td></tr>
<tr><td>제4류 위험물 중 제1석유류·알코올류·제2석유류·제3석유류·제4석유류·동식물유류만을 취급하는 것</td></tr>
<tr><td></td><td></td></tr>
</table>

제조소등의 종류 및 규모		안전관리자의 자격
취급소	3. 제4류 위험물 중 제1류 석유류·알코올류·제2석유류·제3석유류·제4석유류·동식물유류만을 지정수량 50배 이하로 취급하는 일반취급소(제1석유류·알코올류의 취급량이 지정수량의 10배 이하인 경우에 한한다)로서 다음 각 목의 어느 하나에 해당하는 것 가. 보일러, 버너 그 밖에 이와 유사한 장치에 의하여 위험물을 소비하는 것 나. 위험물을 용기 또는 차량에 고정된 탱크에 주입하는 것	위험물기능장, 위험물산업기사, 위험물기능사, 안전관리자교육이수자 또는 소방공무원경력자
	4. 제4류 위험물만을 취급하는 일반취급소로서 지정수량 10배 이하의 것	
	5. 제4류 위험물 중 제2석유류·제3석유류·제4석유류·동식물유류만을 취급하는 일반취급소로서 지정수량 20배 이하의 것	
	6. 농어촌 전기공급사업 촉진법에 따라 설치된 자가발전시설에 사용되는 위험물을 취급하는 일반취급소	
	7. 제1호 내지 제6호에 해당하지 아니하는 취급소	위험물기능장, 위험물산업기사 또는 2년 이상의 실무경력이 있는 위험물기능사

비고

1. 왼쪽란의 제조소등의 종류 및 규모에 따라 오른쪽란에 규정된 안전관리자의 자격이 있는 위험물취급자격자는 별표 5에 따라 해당 제조소등에서 저장 또는 취급하는 위험물을 취급할 수 있는 자격이 있어야 한다.
2. 위험물기능사의 실무경력 기간은 위험물기능사 자격을 취득한 이후 위험물안전관리법 제15조에 따른 위험물안전관리자로 선임된 기간 또는 위험물안전관리자를 보조한 기간을 말한다.

시행규칙 제53조(안전관리자의 선임신고 등) ① 제조소 등의 관계인은 법 제15조 제3항에 따라 안전관리자(「기업활동 규제완화에 관한 특별조치법 제29조 제1항·제3항 및 제32조 제1항에 따른 안전관리자와 제57조 제1항에 따른 안전관리대행기관을 포함한다)의 선임을 신고하려는 경우에는 별지 제32호서식의 신고서(전자문서로 된 신고서를 포함한다)에 다음 각 호의 해당 서류(전자문서를 포함한다)를 첨부하여 소방본부장 또는 소방서장에게 제출하여야 한다.

1. 위험물안전관리업무대행계약서(제57조 제1항에 따른 안전관리대행기관에 한한다)
2. 위험물안전관리교육 수료증(제78조 제1항 및 별표 24에 따른 안전관리자 강습교육을 받은 자에 한한다)
3. 위험물안전관리자를 겸직할 수 있는 관련 안전관리자로 선임된 사실을 증명할 수 있는 서류(「기업활동 규제완화에 관한 특별조치법 제29조 제1항 제1호부터 제3호까지 및 제3항에 해당하는 안전관리자 또는 영 제11조 제3항 각 호의 어느 하나에 해당하는 사람으로서 위험물의 취급에 관한 국가기술자격자가 아닌 사람으로 한정한다)
4. 소방공무원 경력증명서(소방공무원 경력자에 한한다)

② 제1항에 따라 신고를 받은 담당 공무원은 전자정부법 제36조 제1항에 따른 행정정보의 공동이용을 통하여 다음 각 호의 행정정보를 확인하여야 한다. 다만, 신고인이 확인에 동의하지 아니하는 경우에는 그 서류(국가기술자격증의 경우에는 그 사본을 말한다)를 제출하도록 하여야한다.

1. 국가기술자격증(위험물의 취급에 관한 국가기술자격자에 한한다)
2. 국가기술자격증(「기업활동 규제완화에 관한 특별조치법 제29조 제1항 및 제3항에 해당하는 자로서 국가기술자격자에 한한다)

제54조(안전관리자의 대리자) 법 제15조 제5항 전단에서 "행정안전부령이 정하는 자"란 다음 각 호의 어느 하나에 해당하는 사람을 말한다.

1. 법 제28조 제1항에 따른 안전교육을 받은 자
2. 삭제
3. 제조소등의 위험물 안전관리업무에 있어서 안전관리자를 지휘·감독하는 직위에 있는 자

제55조(안전관리자의 책무) 법 제15조 제6항에 따라 안전관리자는 위험물의 취급에 관한 안전관리와 감독에 관한 다음 각 호의 업무를 성실하게 수행하여야 한다.

1. 위험물의 취급작업에 참여하여 당해 작업이 법 제5조 제3항의 규정에 의한 저장 또는 취급에 관한 기술기준과 법 제17조의 규정에 의한 예방규정에 적합하도록 해당 작업자(당해 작업에 참여하는 위험물취급자격자를 포함한다)에 대하여 지시 및 감독하는 업무
2. 화재 등의 재난이 발생한 경우 응급조치 및 소방관서 등에 대한 연락업무
3. 위험물시설의 안전을 담당하는 자를 따로 두는 제조소등의 경우에는 그 담당자에게 다음 각 목의 규정에 의한 업무의 지시, 그 밖의 제조소등의 경우에는 다음 각 목의 규정에 의한 업무
   가. 제조소등의 위치·구조 및 설비를 법 제5조 제4항의 기술기준에 적합하도록 유지하기 위한 점검과 점검상황의 기록·보존
   나. 제조소등의 구조 또는 설비의 이상을 발견한 경우 관계자에 대한 연락 및 응급조치
   다. 화재가 발생하거나 화재발생의 위험성이 현저한 경우 소방관서 등에 대한 연락 및 응급조치
   라. 제조소등의 계측장치·제어장치 및 안전장치 등의 적정한 유지·관리
   마. 제조소등의 위치·구조 및 설비에 관한 설계도서 등의 정비·보존 및 제조소등의 구조 및 설비의 안전에 관한 사무의 관리
4. 화재 등의 재해의 방지와 응급조치에 관하여 인접하는 제조소등과 그 밖의 관련되는 시설의 관계자와 협조체제의 유지
5. 위험물의 취급에 관한 일지의 작성·기록
6. 그 밖에 위험물을 수납한 용기를 차량에 적재하는 작업, 위험물설비를 보수하는 작업 등 위험물의 취급과 관련된 작업의 안전에 관하여 필요한 감독의 수행

제56조(1인의 안전관리자를 중복하여 선임할 수 있는 저장소 등) ① 영 제12조 제1항 제3호에서 "행정안전부령이 정하는 저장소"라 함은 다음 각 호의 1에 해당하는 저장소를 말한다.

1. 10개 이하의 옥내저장소
2. 30개 이하의 옥외탱크저장소
3. 옥내탱크저장소

중복선임 저장소(1인 안전관리자)

대상	동일인이 다수의 제조소등을 설치한 경우
10개 이하	나머지(옥내·옥외저장소, 암반탱크저장소)
30개 이하	옥외탱크저장소
개수 무관	옥내탱크, 지하탱크, 간이탱크저장소

4. 지하탱크저장소
5. 간이탱크저장소
6. 10개 이하의 옥외저장소
7. 10개 이하의 암반탱크저장소
② 영 제12조 제1항 제5호에서 "행정안전부령이 정하는 제조소등"이라 함은 선박주유취급소의 고정주유설비에 공급하기 위한 위험물을 저장하는 저장소와 당해 선박주유취급소를 말한다.

제57조(안전관리대행기관의 지정 등) ① 기업활동 규제완화에 관한 특별조치법 제40조 제1항 제3호의 규정에 의하여 위험물안전관리자의 업무를 위탁받아 수행할 수 있는 관리대행기관(이하 "안전관리대행기관"이라 한다)은 다음 각 호의 1에 해당하는 기관으로서 별표 22의 안전관리대행기관의 지정기준을 갖추어 소방청장의 지정을 받아야 한다.
1. 법 제16조 제2항의 규정에 의한 탱크시험자로 등록한 법인
2. 다른 법령에 의하여 안전관리업무를 대행하는 기관으로 지정 · 승인 등을 받은 법인
② 안전관리대행기관으로 지정받고자 하는 자는 별지 제33호서식의 신청서(전자문서로 된 신청서를 포함한다)에 다음 각 호의 서류(전자문서를 포함한다)를 첨부하여 소방청장에게 제출하여야 한다.
1. 삭제
2. 기술인력 연명부 및 기술자격증
3. 사무실의 확보를 증명할 수 있는 서류
4. 장비보유명세서
③ 제2항의 규정에 의한 지정신청을 받은 소방청장은 자격요건 · 기술인력 및 시설 · 장비보유현황 등을 검토하여 적합하다고 인정하는 때에는 별지 제34호서식의 위험물안전관리대행기관지정서를 발급하고, 제2항 제2호의 규정에 의하여 제출된 기술인력의 기술자격증에는 그 자격자가 안전관리대행기관의 기술인력자임을 기재하여 교부하여야 한다.
④ 소방청장은 안전관리대행기관에 대하여 필요한 지도 · 감독을 하여야 한다.
⑤ 안전관리대행기관은 지정받은 사항의 변경이 있는 때에는 그 사유가 있는 날부터 14일 이내에, 휴업 · 재개업 또는 폐업을 하고자 하는 때에는 휴업 · 재개업 또는 폐업하고자 하는 날의 14일 전에 별지 제35호서식의 신고서(전자문서로 된 신고서를 포함한다)에 다음 각 호의 구분에 의한 해당 서류(전자문서를 포함한다)를 첨부하여 소방청장에게 제출하여야 한다.
1. 영업소의 소재지, 법인명칭 또는 대표자를 변경하는 경우
   가. 삭제
   나. 위험물안전관리대행기관지정서
2. 기술인력을 변경하는 경우
   가. 기술인력자의 연명부
   나. 변경된 기술인력자의 기술자격증
3. 휴업 · 재개업 또는 폐업을 하는 경우: 위험물안전관리대행기관지정서
⑥ 제2항에 따른 신청서 또는 제5항 제1호에 따른 신고서를 제출받은 경우에 담당 공무원은 법인 등기사항증명서를 제출받는 것에 갈음하여 그 내용을 전자정부법 제36조 제1항에 따른 행정정보의 공동이용을 통하여 확인하여야 한다.

별표 22. 안전관리대행기관의 지정기준

기술인력	1. 위험물기능장 또는 위험물산업기사 1인 이상 2. 위험물산업기사 또는 위험물기능사 2인 이상 3. 기계분야 및 전기분야의 소방설비기사 1인 이상
시설	전용사무실을 갖출 것
장비	1. 절연저항계 2. 접지저항측정기(최소눈금 0.1Ω 이하) 3. 가스농도측정기(탄화수소계 가스의 농도측정이 가능할 것) 4. 정전기 전위측정기 5. 토크렌치 6. 진동시험기 7. 삭제 8. 표면온도계(-10℃ ~ 300℃) 9. 두께측정기(1.5mm ~ 99.9mm) 10. 삭제 11. 안전용구(안전모, 안전화, 손전등, 안전로프 등) 12. 소화설비점검기구(소화전밸브압력계, 방수압력측정계, 포콜렉터, 헤드렌치, 포콘테이너

비고 기술인력란의 각 호에 정한 2 이상의 기술인력을 동일인이 겸할 수 없다.

제58조(안전관리대행기관의 지정취소 등) ① 기업활동 규제완화에 관한 특별조치법 제40조 제3항의 규정에 의하여 소방청장은 안전관리대행기관이 다음 각 호의 1에 해당하는 때에는 별표 2의 기준에 따라 그 지정을 취소하거나 6월 이내의 기간을 정하여 그 업무의 정지를 명하거나 시정하게 할 수 있다. 다만, 제1호 내지 제3호의 1에 해당하는 때에는 그 지정을 취소하여야 한다.

1. 허위 그 밖의 부정한 방법으로 지정을 받은 때
2. 탱크시험자의 등록 또는 다른 법령에 의하여 안전관리업무를 대행하는 기관의 지정 · 승인 등이 취소된 때
3. 다른 사람에게 지정서를 대여한 때
4. 별표 22의 안전관리대행기관의 지정기준에 미달되는 때
5. 제57조 제4항의 규정에 의한 소방청장의 지도 · 감독에 정당한 이유 없이 따르지 아니하는 때
6. 제57조 제5항의 규정에 의한 변경 · 휴업 또는 재개업의 신고를 연간 2회 이상 하지 아니한 때
7. 안전관리대행기관의 기술인력이 제59조의 규정에 의한 안전관리업무를 성실하게 수행하지 아니한 때

② 소방청장은 안전관리대행기관의 지정 · 업무정지 또는 지정취소를 한 때에는 이를 관보에 공고하여야 한다.

③ 안전관리대행기관의 지정을 취소한 때에는 지정서를 회수하여야 한다.

제59조(안전관리대행기관의 업무수행) ① 안전관리대행기관은 안전관리자의 업무를 위탁받는 경우에는 영 제13조 및 영 별표 6의 규정에 적합한 기술인력을 당해 제조소등의 안전관리자로 지정하여 안전관리자의 업무를 하게 하여야 한다.

② 안전관리대행기관은 제1항의 규정에 의하여 기술인력을 안전관리자로 지정함에 있어서 1인의 기술인력을 다수의 제조소등의 안전관리자로 중복하여 지정하는 경우에는 영 제12조 제1항 및 이 규칙 제56조의 규정에 적합하게 지정하거나 안전관

리자의 업무를 성실히 대행할 수 있는 범위 내에서 관리하는 제조소등의 수가 25를 초과하지 아니하도록 지정하여야 한다. 이 경우 각 제조소등(지정수량의 20배 이하를 저장하는 저장소는 제외한다)의 관계인은 당해 제조소등마다 위험물의 취급에 관한 국가기술자격자 또는 법 제28조 제1항에 따른 안전교육을 받은 자를 안전관리원으로 지정하여 대행기관이 지정한 안전관리자의 업무를 보조하게 하여야 한다.
③ 제1항에 따라 안전관리자로 지정된 안전관리대행기관의 기술인력(이하 이항에서 "기술인력"이라 한다) 또는 제2항에 따라 안전관리원으로 지정된 자는 위험물의 취급작업에 참여하여 법 제15조 및 이 규칙 제55조에 따른 안전관리자의 책무를 성실히 수행하여야 하며, 기술인력이 위험물의 취급작업에 참여하지 아니하는 경우에 기술인력은 제55조 제3호 가목에 따른 점검 및 동조 제6호에 따른 감독을 매월 4회(저장소의 경우에는 매월 2회) 이상 실시하여야 한다.
④ 안전관리대행기관은 제1항의 규정에 의하여 안전관리자로 지정된 안전관리대행기관의 기술인력이 여행·질병 그 밖의 사유로 인하여 일시적으로 직무를 수행할 수 없는 경우에는 안전관리대행기관에 소속된 다른 기술인력을 안전관리자로 지정하여 안전관리자의 책무를 계속 수행하게 하여야 한다.

핵심정리 위험물안전관리자

1. **위험물안전관리자의 선임:** 관계인
2. **재선임:** 해임하거나 퇴직한 날로부터 30일 이내(안전관리자 직무대행 30일 이내)
3. **선임신고:** 14일 이내 소방본부장 또는 소방서장에게 신고
4. **위험물 취급자격자의 자격**
   ① **위험물기능장, 위험물산업기사, 위험물 기능사:** 모든 위험물
   ② **안전관리교육이수자, 소방공무원 3년 이상:** 제4류 위험물
5. **1인의 안전관리자를 중복하여 선임할수 있는 경우**
   ① 보일러·버너 이와 비슷한 장치로 이루어진 7개 이하의 일반취급소 + 일반취급소에 공급하기 위한 위험물을 저장하는 저장소(일반취급소 및 저장소가 모두 동일구내에 있는 경우)를 동일인이 설치한 경우
   ② 위험물 차량에 고정된 탱크 또는 운반용기에 옮겨 담기 위한 5개 이하의 일반취급소(일반취급소 간의 거리 보행거리 300미터 이내인 경우) + 일반취급소에 공급하기 위한 위험물을 저장하는 저장소를 동일인이 설치한 경우
   ③ **동일구내에 있거나 상호 100미터 이내의 거리에 있는 저장소로서 아래의 저장소를 동일인이 설치한 경우**
      ㉠ 10개 이하의 옥내저장소, 옥외저장소, 암반탱크저장소
      ㉡ 30개 이하의 옥외탱크저장소
      ㉢ 옥내탱크저장소
      ㉣ 지하탱크저장소
      ㉤ 간이탱크저장소
   ④ 다음의 기준에 모두 적합한 5개 이하의 제조소등을 동일인이 설치한 경우
      ㉠ 각 제조소등이 동일구내에 위치하거나 상호 100미터 이내의 거리에 있을 것
      ㉡ 각 제조소등에서 저장 또는 취급하는 위험물의 최대수량이 지정수량의 3천배 미만일 것. 다만, 저장소는 제외
   ⑤ 선박주유취급소의 고정주유설비에 공급하기 위한 위험물을 저장하는 저장소와 당해 선박주유취급소

제16조(탱크시험자의 등록 등)

① 시·도지사 또는 제조소등의 관계인은 안전관리업무를 전문적이고 효율적으로 수행하기 위하여 탱크안전성능시험자(이하 "탱크시험자"라 한다)로 하여금 이 법에 의한 검사 또는 점검의 일부를 실시하게 할 수 있다.

② 탱크시험자가 되고자 하는 자는 대통령령이 정하는 기술능력·시설 및 장비를 갖추어 시·도지사에게 등록하여야 한다.

③ 제2항의 규정에 따라 등록한 사항 가운데 행정안전부령이 정하는 중요사항을 변경한 경우에는 그 날부터 30일 이내에 시·도지사에게 변경신고를 하여야 한다.

④ 다음 각 호의 어느 하나에 해당하는 자는 탱크시험자로 등록하거나 탱크시험자의 업무에 종사할 수 없다.

1. 피성년후견인
2. 삭제
3. 이 법, 소방기본법, 화재의 예방 및 안전관리에 관한 법률, 소방시설 설치 및 관리에 관한 법률 또는 소방시설공사업법에 따른 금고 이상의 실형의 선고를 받고 그 집행이 종료(집행이 종료된 것으로 보는 경우를 포함한다)되거나 집행이 면제된 날부터 2년이 지나지 아니한 자
4. 이 법, 소방기본법, 화재의 예방 및 안전관리에 관한 법률, 소방시설 설치 및 관리에 관한 법률 또는 소방시설공사업법에 따른 금고 이상의 형의 집행유예 선고를 받고 그 유예기간 중에 있는 자
5. 제5항의 규정에 따라 탱크시험자의 등록이 취소(제1호에 해당하여 자격이 취소된 경우는 제외한다)된 날부터 2년이 지나지 아니한 자
6. 법인으로서 그 대표자가 제1호 내지 제5호의 1에 해당하는 경우

⑤ 시·도지사는 탱크시험자가 다음 각 호의 어느 하나에 해당하는 경우에는 행정안전부령으로 정하는 바에 따라 그 등록을 취소하거나 6월 이내의 기간을 정하여 업무의 정지를 명할 수 있다. 다만, 제1호 내지 제3호에 해당하는 경우에는 그 등록을 취소하여야 한다.

1. 허위 그 밖의 부정한 방법으로 등록을 한 경우
2. 제4항 각 호의 어느 하나의 등록의 결격사유에 해당하게 된 경우
3. 등록증을 다른 자에게 빌려준 경우
4. 제2항의 규정에 따른 등록기준에 미달하게 된 경우
5. 탱크안전성능시험 또는 점검을 허위로 하거나 이 법에 의한 기준에 맞지 아니하게 탱크안전성능시험 또는 점검을 실시하는 경우 등 탱크시험자로서 적합하지 아니하다고 인정하는 경우

⑥ 탱크시험자는 이 법 또는 이 법에 의한 명령에 따라 탱크안전성능시험 또는 점검에 관한 업무를 성실히 수행하여야 한다.

일반적으로 위험물 탱크등 → 권한위탁 → 한국소방산업기술원
1. 기술능력: 필수인력, 필요인력
2. 시설: 전용사무실 등
3. 장비: 초음파 시험기 등

시행령 제14조(탱크시험자의 등록기준 등) ① 법 제16조 제2항의 규정에 의하여 탱크시험자가 갖추어야 하는 기술능력 · 시설 및 장비는 별표 7과 같다.

② 탱크시험자로 등록하고자 하는 자는 등록신청서에 행정안전부령이 정하는 서류를 첨부하여 시 · 도지사에게 제출하여야 한다.

③ 시 · 도지사는 제2항에 따른 등록신청을 접수한 경우에 다음 각 호의 어느 하나에 해당하는 경우를 제외하고는 등록을 해 주어야 한다.

1. 제1항에 따른 기술능력 · 시설 및 장비 기준을 갖추지 못한 경우
2. 등록을 신청한 자가 법 제16조 제4항 각 호의 어느 하나에 해당하는 경우
3. 그 밖에 법, 이 영 또는 다른 법령에 따른 제한에 위반되는 경우

별표 7. 탱크시험자의 기술능력 · 시설 및 장비

1. 기술능력
   가. 필수인력
      1) 위험물기능장 · 위험물산업기사 또는 위험물기능사 중 1명 이상
      2) 비파괴검사기술사 1명 이상 또는 초음파비파괴검사 · 자기비파괴검사 및 침투비파괴검사별로 기사 또는 산업기사 각 1명 이상
   나. 필요한 경우에 두는 인력
      1) 충 · 수압시험, 진공시험, 기밀시험 또는 내압시험의 경우: 누설비파괴검사 기사, 산업기사 또는 기능사
      2) 수직 · 수평도시험의 경우: 측량 및 지형공간정보 기술사, 기사, 산업기사 또는 측량기능사
      3) 방사선투과시험의 경우: 방사선비파괴검사 기사 또는 산업기사
      4) 필수 인력의 보조: 방사선비파괴검사 · 초음파비파괴검사 · 자기비파괴검사 또는 침투비파괴검사 기능사
2. 시설: 전용사무실
3. 장비
   가. 필수장비: 자기탐상시험기, 초음파두께측정기 및 다음 1) 또는 2) 중 어느 하나
      1) 영상초음파시험기
      2) 방사선투과시험기 및 초음파시험기
   나. 필요한 경우에 두는 장비
      1) 충 · 수압시험, 진공시험, 기밀시험 또는 내압시험의 경우
         가) 진공능력 53KPa 이상의 진공누설시험기
         나) 기밀시험장치(안전장치가 부착된 것으로서 가압능력 200KPa 이상, 감압의 경우에는 감압능력 10KPa 이상 · 감도 10Pa 이하의 것으로서 각각의 압력 변화를 스스로 기록할 수 있는 것)
      2) 수직 · 수평도 시험의 경우: 수직 · 수평도 측정기

비고

둘 이상의 기능을 함께 가지고 있는 장비를 갖춘 경우에는 각각의 장비를 갖춘 것으로 본다.

시행규칙 제60조(탱크시험자의 등록신청 등) ① 법 제16조 제2항에 따라 탱크시험자로 등록하려는 자는 별지 제36호서식의 신청서(전자문서로 된 신청서를 포함한다)에 다음 각 호의 서류(전자문서를 포함한다)를 첨부하여 시 · 도지사에게 제출하여야 한다.

1. 삭제
2. 기술능력자 연명부 및 기술자격증
3. 안전성능시험장비의 명세서
4. 보유장비 및 시험방법에 대한 기술검토를 기술원으로부터 받은 경우에는 그에 대한 자료
5. 원자력안전법에 따른 방사성동위원소이동사용허가증 또는 방사선발생장치이동사용허가증의 사본 1부
6. 사무실의 확보를 증명할 수 있는 서류

② 제1항에 따른 신청서를 제출받은 경우에 담당공무원은 법인 등기사항증명서를 제출받는 것에 갈음하여 그 내용을 전자정부법 제36조 제1항에 따른 행정정보의 공동이용을 통하여 확인하여야 한다.

③ 시 · 도지사는 제1항의 신청서를 접수한 때에는 15일 이내에 그 신청이 영 제14조 제1항의 규정에 의한 등록기준에 적합하다고 인정하는 때에는 별지 제37호서식의 위험물탱크안전성능시험자등록증을 교부하고, 제1항의 규정에 의하여 제출된 기술인력자의 기술자격증에 그 기술인력자가 당해 탱크시험기관의 기술인력자임을 기재하여 교부하여야 한다.

제61조(변경사항의 신고 등) ① 탱크시험자는 법 제16조 제3항의 규정에 의하여 다음 각 호의 1에 해당하는 중요사항을 변경한 경우에는 별지 제38호서식의 신고서(전자문서로 된 신고서를 포함한다)에 다음 각 호의 구분에 따른 서류(전자문서를 포함한다)를 첨부하여 시 · 도지사에게 제출하여야 한다.

1. 영업소 소재지의 변경: 사무소의 사용을 증명하는 서류와 위험물탱크안전성능시험자등록증
2. 기술능력의 변경: 변경하는 기술인력의 자격증과 위험물탱크안전성능시험자등록증
3. 대표자의 변경: 위험물탱크안전성능시험자등록증
4. 상호 또는 명칭의 변경: 위험물탱크안전성능시험자등록증

② 제1항에 따른 신고서를 제출받은 경우에 담당공무원은 법인 등기사항증명서를 제출받는 것에 갈음하여 그 내용을 전자정부법 제36조 제1항에 따른 행정정보의 공동이용을 통하여 확인하여야 한다.

③ 시 · 도지사는 제1항의 신고서를 수리한 때에는 등록증을 새로 교부하거나 제출된 등록증에 변경사항을 기재하여 교부하고, 기술자격증에는 그 변경된 사항을 기재하여 교부하여야 한다.

제62조(등록의 취소 등) ① 법 제16조 제5항의 규정에 의한 탱크시험자의 등록취소 및 업무정지의 기준은 별표 2와 같다.

② 시 · 도지사는 법 제16조 제2항에 따라 탱크시험자의 등록을 받거나 법 제16조 제5항에 따라 등록의 취소 또는 업무의 정지를 한 때에는 이를 특별시 · 광역시 · 특별자치시 · 도 또는 특별자치도(이하 "시 · 도"라 한다)의 공보에 공고하여야 한다.

③ 시 · 도지사는 탱크시험자의 등록을 취소한 때에는 등록증을 회수하여야 한다.

별표 2. 행정처분기준

1. 일반기준

가. 위반행위가 2 이상인 때에는 그 중 중한 처분기준(중한 처분기준이 동일한 때에는 그 중 하나의 처분기준을 말한다. 이하 이 호에서 같다)에 의하되, 2 이상의 처분기준이 동일한 사용정지이거나 업무정지인 경우에는 중한 처분의 2분의 1까지 가중처분할 수 있다.

나. 사용정지 또는 업무정지의 처분기간 중에 사용정지 또는 업무정지에 해당하는 새로운 위반행위가 있는 때에는 종전의 처분기간 만료일의 다음 날부터 새로운 위반행위에 따른 사용정지 또는 업무정지의 행정처분을 한다.

다. 차수에 따른 행정처분기준은 최근 2년간 같은 위반행위로 행정처분을 받은 경우에 적용한다. 이 경우 기준적용일은 최근의 위반행위에 대한 행정처분일과 그 처분 후에 같은 위반행위를 한 날을 기준으로 한다.

라. 사용정지 또는 업무정지의 처분기간이 완료될 때까지 위반행위가 계속되는 경우에는 사용정지 또는 업무정지의 행정처분을 다시 한다.

마. 사용정지 또는 업무정지에 해당하는 위반행위로서 위반행위의 동기 · 내용 · 횟수 또는 그 결과 등을 고려할 때 제2호 각 목의 기준을 적용하는 것이 불합리하다고 인정되는 경우에는 그 처분기준의 2분의 1 기간까지 경감하여 처분할 수 있다.

2. 개별기준

가. 제조소등에 대한 행정처분기준

위반행위	근거 법조문	행정처분기준		
		1차	2차	3차
(1) 법 제6조 제1항의 후단의 규정에 의한 변경허가를 받지 아니하고, 제조소등의 위치 · 구조 또는 설비를 변경한 때	법 제12조	경고 또는 사용정지 15일	사용정지 60일	허가취소
(2) 법 제9조의 규정에 의한 완공검사를 받지 아니하고 제조소등을 사용한 때	법 제12조	사용정지 15일	사용정지 60일	허가취소
(3) 법 제14조 제2항의 규정에 의한 수리 · 개조 또는 이전의 명령에 위반한 때	법 제12조	사용정지 30일	사용정지 90일	허가취소
(4) 법 제15조 제1항 및 제2항의 규정에 의한 위험물안전관리자를 선임하지 아니한 때	법 제12조	사용정지 15일	사용정지 60일	허가취소
(5) 법 제15조 제5항을 위반하여 대리자를 지정하지 아니한 때	법 제12조	사용정지 10일	사용정지 30일	허가취소
(6) 법 제18조 제1항의 규정에 의한 정기점검을 하지 아니한 때	법 제12조	사용정지 10일	사용정지 30일	허가취소
(7) 법 제18조 제2항의 규정에 의한 정기검사를 받지 아니한 때	법 제12조	사용정지 10일	사용정지 30일	허가취소
(8) 법 제26조의 규정에 의한 저장 · 취급기준 준수명령을 위반한 때	법 제12조	사용정지 30일	사용정지 60일	허가취소

나. 안전관리대행기관에 대한 행정처분기준

위반사항	근거법규	행정처분기준		
		1차	2차	3차
(1) 허위 그 밖의 부정한 방법으로 등록을 한 때	제58조	지정취소		
(2) 탱크시험자의 등록 또는 다른 법령에 의한 안전관리업무대행기관의 지정·승인 등이 취소된 때	제58조	지정취소		
(3) 다른 사람에게 지정서를 대여한 때	제58조	지정취소		
(4) 별표 22의 규정에 의한 안전관리대행기관의 지정기준에 미달되는 때	제58조	업무정지 30일	업무정지 60일	지정취소
(5) 제57조 제4항의 규정에 의한 소방청장의 지도·감독에 정당한 이유없이 따르지 아니한 때	제58조	업무정지 30일	업무정지 60일	지정취소
(6) 제57조 제5항의 규정에 의한 변경 등의 신고를 연간 2회 이상 하지 아니한 때	제58조	경고 또는 업무정지 30일	업무정지 90일	지정취소
(7) 안전관리대행기관의 기술인력이 제59조의 규정에 의한 안전관리업무를 성실하게 수행하지 아니한 때	제58조	경고	업무정지 90일	지정취소

다. 탱크시험자에 대한 행정처분기준

위반사항	근거법규	행정처분기준		
		1차	2차	3차
(1) 허위 그 밖의 부정한 방법으로 등록을 한 경우	법 제16조 제5항	등록취소		
(2) 법 제16조 제4항 각 호의 1의 등록의 결격사유에 해당하게 된 경우	법 제16조 제5항	등록취소		
(3) 다른 자에게 등록증을 빌려준 경우	법 제16조 제5항	등록취소		
(4) 법 제16조 제2항의 규정에 의한 등록기준에 미달하게 된 경우	법 제16조 제5항	업무정지 30일	업무정지 60일	등록취소
(5) 탱크안전성능시험 또는 점검을 허위로 하거나 이 법에 의한 기준에 맞지 아니하게 탱크안전성능시험 또는 점검을 실시하는 경우 등 탱크시험자로서 적합하지 아니하다고 인정되는 경우	법 제16조 제5항	업무정지 30일	업무정지 90일	등록취소

영철쌤 tip

예방규정

1. 예방규정이란 위험물로 인한 화재예방규정을 말한다.
2. 관계인이 예방규정을 정하여 시·도지사에게 제출함으로써 제조소등에서 재해 발생 시 피해를 최소화하려는 것이다.
3. 제출시기: 사용하기 전
4. 예방규정이 기준에 적합하지 않은 경우: 시·도지사가 반려, 변경명령
5. 예방규정 준수 의무자: 관계인 및 종업원

제17조(예방규정)

① **대통령령으로 정하는 제조소등의 관계인**은 해당 제조소등의 화재예방과 화재 등 재해발생시의 비상조치를 위하여 행정안전부령으로 정하는 바에 따라 예방규정을 정하여 해당 **제조소등의 사용을 시작하기 전에 시·도지사에게 제출**하여야 한다. 예방규정을 변경한 때에도 또한 같다.

② 시·도지사는 제1항에 따라 제출한 예방규정이 제5조 제3항에 따른 기준에 적합하지 아니하거나 화재예방이나 재해발생시의 비상조치를 위하여 필요하다고 인정하는 때에는 이를 반려하거나 그 변경을 명할 수 있다.

③ 제1항에 따른 제조소등의 관계인과 그 종업원은 예방규정을 충분히 잘 익히고 준수하여야 한다.

④ 소방청장은 대통령령으로 정하는 제조소등에 대하여 행정안전부령으로 정하는 바에 따라 예방규정의 이행 실태를 정기적으로 평가할 수 있다.

영철쌤 tip

1. 지정수량의 10배 이상: 제조소, 일반취급소
2. 지정수량의 100배 이상: 밖에 설치(옥외저장소)
3. 지정수량의 150배 이상: 안에 설치(옥내저장소)
4. 지정수량의 200배 이상: 밖에 설치(옥외탱크저장소)
5. 그 외(지정수량과 무관): 암반탱크저장소, 이송취급소

시행령 제15조(관계인이 예방규정을 정하여야 하는 제조소등) 법 제17조 제1항에서 "대통령령이 정하는 제조소등"이라 함은 다음 각 호의 1에 해당하는 제조소등을 말한다.

1. 지정수량의 10배 이상의 위험물을 취급하는 제조소
2. 지정수량의 100배 이상의 위험물을 저장하는 옥외저장소
3. 지정수량의 150배 이상의 위험물을 저장하는 옥내저장소
4. 지정수량의 200배 이상의 위험물을 저장하는 옥외탱크저장소
5. 암반탱크저장소
6. 이송취급소
7. 지정수량의 10배 이상의 위험물을 취급하는 일반취급소. 다만, 제4류 위험물(특수인화물을 제외한다)만을 지정수량의 50배 이하로 취급하는 일반취급소(제1석유류·알코올류의 취급량이 지정수량의 10배 이하인 경우에 한한다)로서 다음 각 목의 어느 하나에 해당하는 것을 제외한다.
   가. 보일러·버너 또는 이와 비슷한 것으로서 위험물을 소비하는 장치로 이루어진 일반취급소
   나. 위험물을 용기에 옮겨 담거나 차량에 고정된 탱크에 주입하는 일반취급소

시행규칙 제63조(예방규정의 작성 등) ① 법 제17조 제1항에 따라 영 제15조 각 호의 어느 하나에 해당하는 제조소등의 관계인은 다음 각 호의 사항이 포함된 예방규정을 작성하여야 한다.

1. 위험물의 안전관리업무를 담당하는 자의 직무 및 조직에 관한 사항
2. 안전관리자가 여행·질병 등으로 인하여 그 직무를 수행할 수 없을 경우 그 직무의 대리자에 관한 사항
3. 영 제18조의 규정에 의하여 자체소방대를 설치하여야 하는 경우에는 자체소방대의 편성과 화학소방자동차의 배치에 관한 사항
4. 위험물의 안전에 관계된 작업에 종사하는 자에 대한 안전교육 및 훈련에 관한 사항
5. 위험물시설 및 작업장에 대한 안전순찰에 관한 사항
6. 위험물시설·소방시설 그 밖의 관련시설에 대한 점검 및 정비에 관한 사항

7. 위험물시설의 운전 또는 조작에 관한 사항
8. 위험물 취급작업의 기준에 관한 사항
9. 이송취급소에 있어서는 배관공사 현장책임자의 조건 등 배관공사 현장에 대한 감독체제에 관한 사항과 배관주위에 있는 이송취급소 시설 외의 공사를 하는 경우 배관의 안전확보에 관한 사항
10. 재난 그 밖의 비상시의 경우에 취하여야 하는 조치에 관한 사항
11. 위험물의 안전에 관한 기록에 관한 사항
12. 제조소등의 위치 · 구조 및 설비를 명시한 서류와 도면의 정비에 관한 사항
13. 그 밖에 위험물의 안전관리에 관하여 필요한 사항

② 예방규정은 산업안전보건법 제25조에 따른 안전보건관리규정과 통합하여 작성할 수 있다.

③ 영 제15조 각 호의 어느 하나에 해당하는 제조소등의 관계인은 예방규정을 제정하거나 변경한 경우에는 별지 제39호서식의 예방규정제출서에 제정 또는 변경한 예방규정 1부를 첨부하여 시 · 도지사 또는 소방서장에게 제출하여야 한다.

제18조(정기점검 및 정기검사)

① 대통령령이 정하는 제조소등의 관계인은 그 제조소등에 대하여 행정안전부령이 정하는 바에 따라 제5조 제4항의 규정에 따른 기술기준에 적합한지의 여부를 정기적으로 점검하고 점검결과를 기록하여 보존하여야 한다.

② 제1항에 따라 정기점검을 한 제조소등의 관계인은 점검을 한 날부터 30일 이내에 점검결과를 시 · 도지사에게 제출하여야 한다.

③ 제1항에 따른 정기점검의 대상이 되는 제조소등의 관계인 가운데 대통령령으로 정하는 제조소등의 관계인은 행정안전부령으로 정하는 바에 따라 소방본부장 또는 소방서장으로부터 해당 제조소등이 제5조 제4항에 따른 기술기준에 적합하게 유지되고 있는지의 여부에 대하여 정기적으로 검사를 받아야 한다.

시행령 제16조(정기점검의 대상인 제조소등) 법 제18조 제1항에서 "대통령령이 정하는 제조소등"이라 함은 다음 각 호의 1에 해당하는 제조소등을 말한다.
1. 제15조 각 호의 1에 해당하는 제조소등
2. 지하탱크저장소
3. 이동탱크저장소
4. 위험물을 취급하는 탱크로서 지하에 매설된 탱크가 있는 제조소 · 주유취급소 또는 일반취급소

제17조(정기검사의 대상인 제조소등) 법 제18조 제2항에서 "대통령령이 정하는 제조소등"이라 함은 액체위험물을 저장 또는 취급하는 50만리터 이상의 옥외탱크저장소를 말한다.

1. 정기점검: 관계인
2. 정기검사: 행정기관인 소방본부장, 소방서장
3. 정기점검의 대상이 되는 제조소등: 예방규정 작성대상 + 지하탱크저장소, 이동탱크저장소, 위험물을 취급하는 탱크로서 지하에 매설된 탱크가 있는 제조소 · 주유취급소 또는 일반취급소

시행규칙 제64조(정기점검의 횟수) 법 제18조 제1항의 규정에 의하여 제조소등의 관계인은 당해 제조소등에 대하여 연 1회 이상 정기점검을 실시하여야 한다.

제65조(특정 · 준특정옥외탱크저장소의 정기점검) ① 법 제18조 제1항에 따라 옥외탱크저장소 중 저장 또는 취급하는 액체위험물의 최대수량이 50만리터 이상인 것(이하 "특정 · 준특정옥외탱크저장소"라 한다)에 대해서는 제64조에 따른 정기점검 외에 다음 각 호의 어느 하나에 해당하는 기간 이내에 1회 이상 특정 · 준특정옥외저장탱크(특정 · 준특정옥외탱크저장소의 탱크를 말한다. 이하 같다)의 구조 등에 관한 안전점검(이하 "구조안전점검"이라 한다)을 해야 한다. 다만, 해당 기간 이내에 특정 · 준특정옥외저장탱크의 사용중단 등으로 구조안전점검을 실시하기가 곤란한 경우에는 별지 제39호의2서식에 따라 관할소방서장에게 구조안전점검의 실시기간 연장신청(전자문서에 의한 신청을 포함한다)을 할 수 있으며, 그 신청을 받은 소방서장은 1년(특정 · 준특정옥외저장탱크의 사용을 중지한 경우에는 사용중지기간)의 범위에서 실시기간을 연장할 수 있다.

1. 특정 · 준특정옥외탱크저장소의 설치허가에 따른 완공검사필증을 발급받은 날부터 12년
2. 제70조 제1항 제1호에 따른 최근의 정밀정기검사를 받은 날부터 11년
3. 제2항에 따라 특정 · 준특정옥외저장탱크에 안전조치를 한 후 제71조 제2항에 따라 구조안전점검시기 연장신청을 하여 해당 안전조치가 적정한 것으로 인정받은 경우에는 제70조 제1항 제1호에 따른 최근의 정밀정기검사를 받은 날부터 13년

② 제1항 제3호에 따른 특정 · 준특정옥외저장탱크의 안전조치는 특정 · 준특정옥외저장탱크의 부식 등에 대한 안전성을 확보하는 데 필요한 다음 각 호의 어느 하나의 조치로 한다.

1. 특정 · 준특정옥외저장탱크의 부식방지 등을 위한 다음 각 목의 조치
   가. 특정 · 준특정옥외저장탱크의 내부의 부식을 방지하기 위한 코팅[유리입자(글래스플레이크)코팅 또는 유리섬유강화플라스틱 라이닝에 한한다] 또는 이와 동등 이상의 조치
   나. 특정 · 준특정옥외저장탱크의 에뉼러판 및 밑판 외면의 부식을 방지하는 조치
   다. 특정 · 준특정옥외저장탱크의 에뉼러판 및 밑판의 두께가 적정하게 유지되도록 하는 조치
   라. 특정 · 준특정옥외저장탱크에 구조상의 영향을 줄 우려가 있는 보수를 하지 아니하거나 변형이 없도록 하는 조치
   마. 현저한 부등침하가 없도록 하는 조치
   바. 지반이 충분한 지지력을 확보하는 동시에 침하에 대하여 충분한 안전성을 확보하는 조치
   사. 특정 · 준특정옥외저장탱크의 유지관리체제의 적정 유지
2. 위험물의 저장관리 등에 관한 다음 각 목의 조치
   가. 부식의 발생에 영향을 주는 물 등의 성분의 적절한 관리
   나. 특정 · 준특정옥외저장탱크에 대하여 현저한 부식성이 있는 위험물을 저장하지 아니하도록 하는 조치
   다. 부식의 발생에 현저한 영향을 미치는 저장조건의 변경을 하지 아니하도록 하는 조치
   라. 특정 · 준특정옥외저장탱크의 에뉼러판 및 밑판의 부식율(에뉼러판 및 밑판이 부식에 의하여 감소한 값을 판의 경과연수로 나누어 얻은 값을 말한다)이 연간 0.05밀리미터 이하일 것

마. 특정 · 준특정옥외저장탱크의 에뉼러판 및 밑판 외면의 부식을 방지하는 조치
바. 특정 · 준특정옥외저장탱크의 에뉼러판 및 밑판의 두께가 적정하게 유지되도록 하는 조치
사. 특정 · 준특정옥외저장탱크에 구조상의 영향을 줄 우려가 있는 보수를 하지 아니하거나 변형이 없도록 하는 조치
아. 현저한 부등침하가 없도록 하는 조치
자. 지반이 충분한 지지력을 확보하는 동시에 침하에 대하여 충분한 안전성을 확보하는 조치
차. 특정 · 준특정옥외저장탱크의 유지관리체제의 적정 유지

③ 제1항 제3호의 규정에 의한 신청은 별지 제40호서식 또는 별지 제41호서식의 신청서에 의한다.

제66조(정기점검의 내용 등) 제조소등의 위치 · 구조 및 설비가 법 제5조 제4항의 기술기준에 적합한지를 점검하는데 필요한 정기점검의 내용 · 방법 등에 관한 기술상의 기준과 그 밖의 점검에 관하여 필요한 사항은 소방청장이 정하여 고시한다.

제67조(정기점검의 실시자) ① 제조소등의 관계인은 법 제18조 제1항의 규정에 의하여 당해 제조소등의 정기점검을 안전관리자(제65조의 규정에 의한 정기점검에 있어서는 제66조의 규정에 의하여 소방청장이 정하여 고시하는 점검방법에 관한 지식 및 기능이 있는 자에 한한다) 또는 위험물운송자(이동탱크저장소의 경우에 한한다)로 하여금 실시하도록 하여야 한다. 이 경우 옥외탱크저장소에 대한 구조안전점검을 위험물안전관리자가 직접 실시하는 경우에는 점검에 필요한 영 별표 7의 인력 및 장비를 갖춘 후 이를 실시하여야 한다.

② 제1항에도 불구하고 제조소등의 관계인은 안전관리대행기관(제65조에 따른 특정 · 준특정옥외탱크저장소의 정기점검은 제외한다) 또는 탱크시험자에게 정기점검을 의뢰하여 실시할 수 있다. 이 경우 해당 제조소등의 안전관리자는 안전관리대행기관 또는 탱크시험자의 점검현장에 참관해야 한다.

제68조(정기점검의 기록 · 유지) ① 법 제18조 제1항의 규정에 의하여 제조소등의 관계인은 정기점검 후 다음 각 호의 사항을 기록하여야 한다.

1. 점검을 실시한 제조소등의 명칭
2. 점검의 방법 및 결과
3. 점검연월일
4. 점검을 한 안전관리자 또는 점검을 한 탱크시험자와 점검에 참관한 안전관리자의 성명

② 제1항의 규정에 의한 정기점검기록은 다음 각 호의 구분에 의한 기간 동안 이를 보존하여야 한다.

1. 제65조 제1항의 규정에 의한 옥외저장탱크의 구조안전점검에 관한 기록: 25년(동항 제3호에 규정한 기간의 적용을 받는 경우에는 30년)
2. 제1호에 해당하지 아니하는 정기점검의 기록: 3년

제69조(정기점검의 의뢰 등) ① 제조소등의 관계인은 법 제18조 제1항의 정기점검을 제67조 제2항의 규정에 의하여 탱크시험자에게 실시하게 하는 경우에는 별지 제42호서식의 정기점검의뢰서를 탱크시험자에게 제출하여야 한다.

② 탱크시험자는 정기점검을 실시한 결과 그 탱크 등의 유지관리상황이 적합하다고 인정되는 때에는 점검을 완료한 날부터 10일 이내에 별지 제43호서식의 정기점검결과서에 위험물탱크안전성능시험자등록증 사본 및 시험성적서를 첨부하여 제조소등의 관계인에게 교부하고, 적합하지 아니한 경우에는 개선하여야 하는 사항을 통보하여야 한다.

③ 제2항의 규정에 의하여 개선하여야 하는 사항을 통보 받은 제조소등의 관계인은 이를 개선한 후 다시 점검을 의뢰하여야 한다. 이 경우 탱크시험자는 정기점검결과서에 개선하게 한 사항(탱크시험자가 직접 보수한 경우에는 그 보수한 사항을 포함한다)을 기재하여야 한다.

④ 탱크시험자는 제2항의 규정에 의한 정기점검결과서를 교부한 때에는 그 내용을 정기점검대장에 기록하고 이를 제68조 제2항 각호의 규정에 의한 기간동안 보관하여야 한다.

제9장 정기검사

제70조(정기검사의 시기) ① 법 제18조 제2항에 따른 정기검사(이하 "정기검사"라 한다)를 받아야 하는 특정·준특정옥외탱크저장소의 관계인은 다음 각 호의 구분에 따라 정밀정기검사 및 중간정기검사를 받아야 한다. 다만, 재난 그 밖의 비상사태의 발생, 안전유지상의 필요 또는 사용상황 등의 변경으로 해당 시기에 정기검사를 실시하는 것이 적당하지 않다고 인정되는 때에는 소방서장의 직권 또는 관계인의 신청에 따라 소방서장이 따로 지정하는 시기에 정기검사를 받을 수 있다.

1. 정밀정기검사: 다음 각 목의 어느 하나에 해당하는 기간 내에 1회
   가. 특정·준특정옥외탱크저장소의 설치허가에 따른 완공검사필증을 발급받은 날부터 12년
   나. 최근의 정밀정기검사를 받은 날부터 11년
2. 중간정기검사: 다음 각 목의 어느 하나에 해당하는 기간 내에 1회
   가. 특정·준특정옥외탱크저장소의 설치허가에 따른 완공검사필증을 발급받은 날부터 4년
   나. 최근의 정밀정기검사 또는 중간정기검사를 받은 날부터 4년

② 삭제

③ 제1항 제1호에 따른 정밀정기검사(이하 "정밀정기검사"라 한다)를 받아야 하는 특정·준특정옥외탱크저장소의 관계인은 제1항에도 불구하고 정밀정기검사를 제65조 제1항에 따른 구조안전점검을 실시하는 때에 함께 받을 수 있다.

제71조(정기검사의 신청 등) ① 정기검사를 받아야 하는 특정·준특정옥외탱크저장소의 관계인은 별지 제44호서식의 신청서(전자문서로 된 신청서를 포함한다)에 다음 각 호의 서류(전자문서를 포함한다)를 첨부하여 기술원에 제출하고 별표 25 제8호에 따른 수수료를 기술원에 납부해야 한다. 다만, 제2호 및 제4호의 서류는 정기검사를 실시하는 때에 제출할 수 있다.

1. 별지 제5호서식의 구조설비명세표
2. 제조소등의 위치·구조 및 설비에 관한 도면
3. 완공검사필증
4. 밑판, 옆판, 지붕판 및 개구부의 보수이력에 관한 서류

영철쌤 tip

정기점검과 정기검사

구분	정기점검 - 관계인	정기검사(정밀, 중간) - 소방본부장, 소방서장
대상	· 예방규정 작성 대상 · 지하탱크저장소 · 이동탱크저장소 · 위험물을 취급하는 탱크로서 지하에 매설된 탱크가 있는 제조소·주유취급소 또는 일반취급소 · 액체위험물 저장 또는 취급하는 50만리터 이상의 옥외탱크저장소	액체위험물 저장 또는 취급하는 50만리터 이상의 옥외탱크저장소
횟수	· 연 1회 이상. 단, 액체위험물 저장 또는 취급하는 50만리터 이상의 옥외탱크저장소의 구조안전점검: 정밀정기검사와 비슷함 · 최초정밀정기검사: 완공검사필증을 발급받은 날부터 12년 · 최근의 정밀정기검사를 받은 날로부터 11년 · 연장신청을 인정받은 경우: 최근의 정밀정기검사를 받은 날부터 13년(중간정기검사 없다)	· 기간 내에 1회 · 최초정밀정기검사: 완공검사필증을 발급받은 날부터 12년 · 최근의 정밀정기검사를 받은 날로부터 11년 · 중간정기검사: 완공검사필증을 발급받은 날부터, 최근의 정밀정기검사 또는 중간정기검사를 받은 날부터 4년

1. 정기점검: 보존기간 3년
2. 구조안전점검: 보존기간 25년

구조안전점검과 정기검사는 대상과 절차가 비슷하다.

② 제65조 제1항 제3호에 따른 기간 이내에 구조안전점검을 받으려는 자는 별지 제40호서식 또는 별지 제41호서식의 신청서(전자문서로 된 신청서를 포함한다)를 제1항 각 호 외의 부분 본문에 따라 정기검사를 신청하는 때에 함께 기술원에 제출해야 한다.

③ 제70조 제1항 각 호 외의 부분 단서에 따라 정기검사 시기를 변경하려는 자는 별지 제45호서식의 신청서(전자문서로 된 신청서를 포함한다)에 정기검사 시기의 변경을 필요로 하는 사유를 기재한 서류(전자문서를 포함한다)를 첨부하여 소방서장에게 제출해야 한다.

④ 기술원은 제72조 제4항의 소방청장이 정하여 고시하는 기준에 따라 정기검사를 실시한 결과 다음 각 호의 구분에 따른 사항이 적합하다고 인정되면 검사종료일부터 10일 이내에 별지 제46호서식의 정기검사필증을 관계인에게 발급하고, 그 결과보고서를 작성하여 소방서장에게 제출해야 한다.

1. 정밀정기검사 대상인 경우: 특정 · 준특정옥외저장탱크에 대한 다음 각 목의 사항
   가. 수직도 · 수평도에 관한 사항(지중탱크에 대한 것은 제외한다)
   나. 밑판(지중탱크의 경우에는 누액방지판을 말한다)의 두께에 관한 사항
   다. 용접부에 관한 사항
   라. 구조 · 설비의 외관에 관한 사항
2. 제70조 제1항 제2호에 따른 중간정기검사 대상인 경우: 특정 · 준특정옥외저장탱크의 구조 · 설비의 외관에 관한 사항

⑤ 기술원은 정기검사를 실시한 결과 부적합한 경우에는 개선해야 하는 사항을 신청자에게 통보하고 개선할 사항을 통보받은 관계인은 개선을 완료한 후 별지 제44호서식의 신청서를 기술원에 다시 제출해야 한다.

⑥정기검사를 받은 제조소등의 관계인과 정기검사를 실시한 기술원은 정기검사합격확인증 등 정기검사에 관한 서류를 해당 제조소등에 대한 차기 정기검사시까지 보관해야 한다.

제72조(정기검사의 방법 등) ① 정기검사는 특정 · 준특정옥외탱크저장소의 위치 · 구조 및 설비의 특성을 감안하여 안전성 확인에 적합한 검사방법으로 실시하여야 한다.

② 특정 · 준특정옥외탱크저장소의 관계인이 제65조 제1항에 따른 구조안전점검 시에 제71조 제4항 제1호 각 목에 따른 사항을 미리 점검한 후에 정밀정기검사를 신청하는 때에는 그 사항에 대한 정밀정기검사는 전체의 검사범위 중 임의의 부위를 발췌하여 검사하는 방법으로 실시한다.

③ 특정옥외탱크저장소의 변경허가에 따른 탱크안전성능검사를 하는 때에 정밀정기검사를 같이 실시하는 경우 검사범위가 중복되면 해당 검사범위에 대한 어느 하나의 검사를 생략한다.

④ 제1항부터 제3항까지의 규정에 따른 검사방법과 판정기준 그 밖의 정기검사의 실시에 관하여 필요한 사항은 소방청장이 정하여 고시한다.

핵심정리 예방규정

1. **예방규정 제출 시기:** 제조소등의 관계인이 사용 직전에 시·도지사에게 제출
2. **예방규정을 정하여야 하는 제조소등**
   ① 지정수량 10배 이상의 위험물을 취급하는 제조소 및 일반취급소
   ② 지정수량 100배 이상의 위험물을 저장하는 옥외저장소
   ③ 지정수량 150배 이상의 위험물을 저장하는 옥내저장소
   ④ 지정수량 200배 이상의 위험물을 저장하는 옥외탱크저장소
   ⑤ 암반탱크저장소, 이송취급소

핵심정리 정기점검 및 정기검사

1. **정기점검:** 제조소등의 관계인(연 1회 이상 정기적으로 점검하고 점검결과 기록 보존)
   ① 30일 이내 점검결과 시·도지사에게 제출
   ② 정기점검 대상
      ㉠ 예방규정 대상
      ㉡ 지하탱크저장소
      ㉢ 이동탱크저장소
      ㉣ 위험물취급탱크로 지하매설탱크가 있는 제조소·주유취급소 또는 일반취급소
2. **정기검사:** 제조소등의 관계인
   액체위험물 저장 또는 취급하는 50만리터 이상의 옥외탱크저장소에서 실시

제19조(자체소방대)

다량의 위험물을 저장·취급하는 제조소등으로서 대통령령이 정하는 제조소등이 있는 동일한 사업소에서 대통령령이 정하는 수량 이상의 위험물을 저장 또는 취급하는 경우 당해 사업소의 관계인은 대통령령이 정하는 바에 따라 **당해 사업소에 자체소방대를 설치하여야 한다.**

시행령 제18조(자체소방대를 설치하여야 하는 사업소) ① 법 제19조에서 "대통령령이 정하는 제조소등"이란 다음 각 호의 어느 하나에 해당하는 제조소등을 말한다.
1. 제4류 위험물을 취급하는 제조소 또는 일반취급소. 다만, 보일러로 위험물을 소비하는 일반취급소 등 행정안전부령으로 정하는 일반취급소는 제외한다.
2. 제4류 위험물을 저장하는 옥외탱크저장소

② 법 제19조에서 "대통령령이 정하는 수량 이상"이란 다음 각 호의 구분에 따른 수량을 말한다.
1. 제1항 제1호에 해당하는 경우: **제조소 또는 일반취급소에서 취급하는 제4류 위험물의 최대수량의 합이 지정수량의 3천배 이상**
2. 제1항 제2호에 해당하는 경우: **옥외탱크저장소에 저장하는 제4류 위험물의 최대수량이 지정수량의 50만배 이상**

③ 법 제19조의 규정에 의하여 자체소방대를 설치하는 사업소의 관계인은 별표 8의 규정에 의하여 자체소방대에 화학소방자동차 및 자체소방대원을 두어야 한다. 다만, 화재 그 밖의 재난발생시 다른 사업소 등과 상호응원에 관한 협정을 체결하고 있는 사업소에 있어서는 행정안전부령이 정하는 바에 따라 별표 8의 범위 안에서 화학소방자동차 및 인원의 수를 달리할 수 있다.

영철쌤 tip

자체소방대
1. 자체소방대란 제조소등의 관계인이 당해 제조소등의 화재·폭발 및 유출 등의 각종 위험물의 사고로부터 피해를 최소화하기 위하여 인력과 장비를 갖춘 소방조직이다.
2. 제조소 또는 일반취급소에서 취급하는 제4류 위험물의 최대수량의 합이 지정수량의 3천배 이상, 옥외탱크저장소에 저장하는 제4류 위험물의 최대수량이 지정수량의 50만배 이상인 경우에 자체소방대를 설치하여야 한다.

별표 8. 자체소방대에 두는 화학소방자동차 및 인원

사업소의 구분	화학소방 자동차	자체소방대원의 수
1. 제조소 또는 일반취급소에서 취급하는 제4류 위험물의 최대수량의 합이 지정수량의 3천배 이상 12만배 미만인 사업소	1대	5인
2. 제조소 또는 일반취급소에서 취급하는 제4류 위험물의 최대수량의 합이 지정수량의 12만배 이상 24만배 미만인 사업소	2대	10인
3. 제조소 또는 일반취급소에서 취급하는 제4류 위험물의 최대수량의 합이 지정수량의 24만배 이상 48만배 미만인 사업소	3대	15인
4. 제조소 또는 일반취급소에서 취급하는 제4류 위험물의 최대수량의 합이 지정수량의 48만배 이상인 사업소	4대	20인
5. 옥외탱크저장소에 저장하는 제4류 위험물의 최대수량이 지정수량의 50만배 이상인 사업소	2대	10인

비고

화학소방자동차에는 행정안전부령으로 정하는 소화능력 및 설비를 갖추어야 하고, 소화활동에 필요한 소화약제 및 기구(방열복 등 개인장구를 포함한다)를 비치하여야 한다.

시행규칙 제73조(자체소방대의 설치 제외대상인 일반취급소) 영 제18조 제1항 제1호 단서에서 "행정안전부령으로 정하는 일반취급소"란 다음 각 호의 어느 하나에 해당하는 일반취급소를 말한다.

1. 보일러, 버너 그 밖에 이와 유사한 장치로 위험물을 소비하는 일반취급소
2. 이동저장탱크 그 밖에 이와 유사한 것에 위험물을 주입하는 일반취급소
3. 용기에 위험물을 옮겨 담는 일반취급소
4. 유압장치, 윤활유순환장치 그 밖에 이와 유사한 장치로 위험물을 취급하는 일반취급소
5. 광산안전법의 적용을 받는 일반취급소

제74조(자체소방대 편성의 특례) 영 제18조 제3항 단서의 규정에 의하여 2 이상의 사업소가 상호응원에 관한 협정을 체결하고 있는 경우에는 당해 모든 사업소를 하나의 사업소로 보고 제조소 또는 취급소에서 취급하는 제4류 위험물을 합산한 양을 하나의 사업소에서 취급하는 제4류 위험물의 최대수량으로 간주하여 동항 본문의 규정에 의한 화학소방자동차의 대수 및 자체소방대원을 정할 수 있다. 이 경우 상호응원에 관한 협정을 체결하고 있는 각 사업소의 자체소방대에는 영 제18조 제3항 본문의 규정에 의한 화학소방차 대수의 2분의 1 이상의 대수와 화학소방자동차마다 5인 이상의 자체소방대원을 두어야 한다.

제75조(화학소방차의 기준 등) ① 영 별표 8 비고의 규정에 의하여 화학소방자동차(내폭화학차 및 제독차를 포함한다)에 갖추어야 하는 소화능력 및 설비의 기준은 별표 23과 같다.

② 포수용액을 방사하는 화학소방자동차의 대수는 영 제18조 제3항의 규정에 의한 화학소방자동차의 대수의 3분의 2 이상으로 하여야 한다.

자체소방대의 설치 제외대상인 일반취급소
1. 위험물 소비장치(보일러, 버너)
2. 이동저장탱크에 위험물 주입
3. 용기에 위험물을 옮겨 담음
4. 유압장치, 윤활유순환장치
5. 광산안전법 적용대상

별표 23. 화학소방자동차에 갖추어야 하는 소화능력 및 설비의 기준

화학소방자동차의 구분	소화능력 및 설비의 기준
포수용액 방사차	포수용액의 방사능력이 매분 2,000ℓ 이상일 것
	소화약액탱크 및 소화약액혼합장치를 비치할 것
	10만ℓ 이상의 포수용액을 방사할 수 있는 양의 소화약제를 비치할 것
분말 방사차	분말의 방사능력이 매초 35kg 이상일 것
	분말탱크 및 가압용가스설비를 비치할 것
	1,400kg 이상의 분말을 비치할 것
할로겐화합물 방사차	할로겐화합물의 방사능력이 매초 40kg 이상일 것
	할로겐화합물탱크 및 가압용가스설비를 비치할 것
	1,000kg 이상의 할로겐화합물을 비치할 것
이산화탄소 방사차	이산화탄소의 방사능력이 매초 40kg 이상일 것
	이산화탄소저장용기를 비치할 것
	3,000kg 이상의 이산화탄소를 비치할 것
제독차	가성소오다[1] 및 규조토를 각각 50kg 이상 비치할 것

용어사전

[1] 가성소오다: 수산화나트륨을 의미한다.

핵심정리 자체소방대

1. 설치대상
   ① 제4류 위험물 지정수량 3천배 이상 저장 · 취급하는 제조소 및 일반취급소
   ② 제4류 위험물 옥외탱크저장소로서 지정수량 50만배 이상 저장하는 곳

2. 자체 소방대

사업소의 구분	화학소방자동차	자체소방대원의 수
1. 3천배 이상 12만배 미만	1대	5인
2. 12만배 이상 24만배 미만	2대	10인
3. 24만배 이상 48만배 미만	3대	15인
4. 48만배 이상	4대	20인
5. 옥외탱크저장소 최대수량 50만배 이상	2대	10인

문제로 완성하기

01 위험물안전관리법상 위험물안전관리자의 선임 등에 관한 사항이다. (　) 안에 들어갈 숫자로 옳은 것은? 20. 공채

- 위험물안전관리자를 선임한 제조소등의 관계인은 그 위험물안전관리자를 해임하거나 위험물안전관리자가 퇴직한 때에는 해임하거나 퇴직한 날부터 (가)일 이내에 다시 위험물안전관리자를 선임하여야 한다.
- 제조소등의 관계인은 위험물안전관리자를 선임한 경우에는 선임한 날부터 (나)일 이내에 행정안전부령으로 정하는 바에 따라 소방본부장 또는 소방서장에게 신고하여야 한다.

	(가)	(나)
①	15	14
②	15	30
③	30	14
④	30	30

02 다음 중 위험물안전관리자에 대하여 옳지 않은 것은? 17. 상반기 공채

① 대리자는 경력이 없으면 위험물의 취급에 관한 자격취득자를 선임할 수 없다.

② 대리자는 안전관리자를 선임하지 못할 시에만 지정할 수 있다.

③ 위험물취급자격자가 아닌 자는 안전관리자 또는 대리자가 참여한 상태에서 위험물을 취급하여야 한다.

④ 대리자를 선임 시 소방본부장 또는 소방서장에게 신고를 하지 않아도 된다.

정답 및 해설

01 위험물안전관리자의 선임

- 위험물안전관리자를 선임한 제조소등의 관계인은 그 위험물안전관리자를 해임하거나 위험물안전관리자가 퇴직한 때에는 해임하거나 퇴직한 날부터 (30)일 이내에 다시 위험물안전관리자를 선임하여야 한다.
- 제조소등의 관계인은 위험물안전관리자를 선임한 경우에는 선임한 날부터 (14)일 이내에 행정안전부령으로 정하는 바에 따라 소방본부장 또는 소방서장에게 신고하여야 한다.

02 위험물안전관리자

대리자는 안전관리자를 선임하지 못할 시에만 지정할 수 있다. → 여행, 질병, 출장 등의 사유로도 선임이 가능하다.

정답 01 ③ 02 ②

03 **다수의 제조소등을 설치하는 자가 1인의 안전관리자를 중복선임 할 수 있는 것은?** 18. 상반기 공채

① 보일러, 버너로 되어있는 위험물을 소비하는 장치로 이루어진 5개의 일반취급소

② 동일구내에 있거나 상호 100m 이내에 있는 11개의 옥내저장소

③ 동일구내에 있거나 상호 100m 이내에 있는 11개의 옥외저장소

④ 동일구내에 있거나 상호 100m 이내에 있는 31개의 옥외탱크저장소

04 **소방공무원 5년이면 취급할 수 있는 위험물은?** 17. 하반기 공채

① 제1류 위험물

② 제2류 위험물

③ 제3류 위험물

④ 제4류 위험물

05 **위험물안전관리법 시행규칙상 탱크안전성능시험자가 변경사항을 신고해야 하는 중요사항으로 옳지 않은 것은?** 24. 경채

① 영업소 소재지의 변경

② 기술능력의 변경

③ 보유장비의 변경

④ 상호 또는 명칭의 변경

06 위험물안전관리법 시행규칙상 관계인이 예방규정을 정하여야 하는 제조소등에 대한 기준이다. (   ) 안에 들어갈 내용으로 옳은 것은?

- 지정수량의 (ㄱ)배 이상의 위험물을 취급하는 제조소
- 지정수량의 (ㄴ)배 이상의 위험물을 저장하는 옥내저장소
- 지정수량의 (ㄷ)배 이상의 위험물을 저장하는 옥외저장소
- 지정수량의 (ㄹ)배 이상의 위험물을 저장하는 옥외탱크저장소

	ㄱ	ㄴ	ㄷ	ㄹ
①	10	150	100	200
②	50	150	100	200
③	10	100	150	200
④	50	100	150	250

07 위험물안전관리법 시행령상 관계인이 예방규정을 정하여야 하는 제조소등으로 옳지 않은 것은? 18. 하반기 공채

① 지정수량의 10배 이상의 위험물을 취급하는 제조소
② 지정수량의 50배 이상의 위험물을 저장하는 옥외저장소
③ 지정수량의 150배 이상의 위험물을 저장하는 옥내저장소
④ 암반탱크저장소

정답 및 해설

03 안전관리자
② 동일구내에 있거나 상호 100m 이내에 있는 11개의 옥내저장소 → 10개 이하만 가능
③ 동일구내에 있거나 상호 100m 이내에 있는 11개의 옥외저장소 → 10개 이하만 가능
④ 동일구내에 있거나 상호 100m 이내에 있는 31개의 옥외탱크저장소 → 30개 이하만 가능

04 위험물
소방공무원이 5년 경력이 있으면 제4류 위험물만 취급이 가능하다.

05 탱크안전성능시험자의 변경사항 신고
보유장비의 변경은 해당사항 없다.

06 제조소등
- 지정수량의 (10)배 이상의 위험물을 취급하는 제조소
- 지정수량의 (150)배 이상의 위험물을 저장하는 옥내저장소
- 지정수량의 (100)배 이상의 위험물을 저장하는 옥외저장소
- 지정수량의 (200)배 이상의 위험물을 저장하는 옥외탱크저장소

07 제조소등
지정수량의 100배 이상의 위험물을 저장하는 옥외저장소

정답 03 ① 04 ④ 05 ③ 06 ① 07 ②

08 위험물안전관리법 시행령상 정기점검 대상인 저장소로 옳지 않은 것은? 21. 공채

① 옥내탱크저장소 ② 지하탱크저장소

③ 이동탱크저장소 ④ 암반탱크저장소

09 위험물안전관리법 시행령상 다량의 위험물을 저장 · 취급하는 제조소등에서 자체소방대를 설치하여야 하는 사업소로 옳지 않은 것은? 22. 공채

① 최대수량의 합이 지정수량의 3천배 이상인 제4류 위험물을 취급하는 제조소

② 최대수량의 합이 지정수량의 3천배 이상인 제4류 위험물을 취급하는 일반취급소

③ 최대수량이 지정수량의 50만배 이상인 제4류 위험물을 저장하는 옥내탱크저장소

④ 최대수량이 지정수량의 50만배 이상인 제4류 위험물을 저장하는 옥외탱크저장소

10 다음은 자체소방대에 두는 화학소방자동차와 자체소방대원의 수에 관한 규정이다. 빈칸에 들어갈 숫자가 바르게 짝지어진 것은? 18. 하반기 공채

> 제조소 또는 일반취급소에서 취급하는 제4류 위험물의 최대수량의 합이 지정수량의 24만배 이상 48만배 미만인 사업소에는 화학소방자동차 (㉠)대와 자체소방대원 (㉡)인을 두어야 한다.

	㉠	㉡
①	2	10
②	2	15
③	3	10
④	3	15

11 위험물안전관리법 및 같은 법 시행령상 관계인이 예방규정을 정하여야 하는 제조소등에 해당하지 않는 것은?

23. 공채 · 경채

① 4,000L의 알코올류를 취급하는 제조소

② 30,000kg의 유황을 저장하는 옥외저장소

③ 2,500kg의 질산에스테르류를 저장하는 옥내저장소

④ 150,000L의 경유를 저장하는 옥외탱크저장소

12 위험물안전관리법 시행규칙상 화학소방자동차에 갖추어야 하는 소화능력 또는 설비의 기준으로 옳은 것은?

23. 공채 · 경채

① 포수용액 방사차: 포수용액의 방사능력이 매분 1,000L 이상일 것

② 분말 방사차: 1,000kg 이상의 분말을 비치할 것

③ 할로겐화합물 방사차: 할로겐화합물의 방사능력이 매초 40kg 이상일 것

④ 이산화탄소 방사차: 1,000kg 이상의 이산화탄소를 비치할 것

정답 및 해설

08 정기점검 대상 저장소

옥내탱크저장소는 정기점검 대상이 아니다.

09 자체소방대를 설치하여야 하는 사업소

자체소방대의 설치는 최대수량이 지정수량의 50만배 이상인 제4류 위험물을 저장하는 옥외탱크저장소만 해당한다.

10 자체소방대

제조소 또는 일반취급소에서 취급하는 제4류 위험물의 최대수량의 합이 지정수량의 24만배 이상 48만배 미만인 사업소에는 화학소방자동차 (3)대와 자체소방대원 (15)인을 두어야 한다.

11 제조소등

경유의 지정수량 1,000ℓ이므로 $\frac{150{,}000\ell}{1{,}000\ell}$ = 150배이다. 옥외탱크저장소는 지정수량의 200배 이상이 되어야 한다.

12 화학소방자동차

① 포수용액 방사차: 포수용액의 방사능력이 매분 2,000L 이상일 것

② 분말 방사차: 1,400kg 이상의 분말을 비치할 것

④ 이산화탄소 방사차: 3,000kg 이상의 이산화탄소를 비치할 것

정답 08 ① 09 ③ 10 ④ 11 ④ 12 ③

CHAPTER 4 위험물의 운반 등

제20조(위험물의 운반)

① 위험물의 운반은 그 용기 · 적재방법 및 운반방법에 관한 다음 각 호의 중요기준과 세부기준에 따라 행하여야 한다.

1. 중요기준: 화재 등 위해의 예방과 응급조치에 있어서 큰 영향을 미치거나 그 기준을 위반하는 경우 직접적으로 화재를 일으킬 가능성이 큰 기준으로서 행정안전부령이 정하는 기준
2. 세부기준: 화재 등 위해의 예방과 응급조치에 있어서 중요기준보다 상대적으로 적은 영향을 미치거나 그 기준을 위반하는 경우 간접적으로 화재를 일으킬 수 있는 기준 및 위험물의 안전관리에 필요한 표시와 서류 · 기구 등의 비치에 관한 기준으로서 행정안전부령이 정하는 기준

② 제1항에 따라 운반용기에 수납된 위험물을 지정수량 이상으로 차량에 적재하여 운반하는 차량의 운전자(이하 "위험물운반자"라 한다)는 다음 각 호의 어느 하나에 해당하는 요건을 갖추어야 한다.

1. 국가기술자격법에 따른 위험물 분야의 자격을 취득할 것
2. 제28조 제1항에 따른 교육을 수료할 것

③ 시 · 도지사는 운반용기를 제작하거나 수입한 자 등의 신청에 따라 제1항의 규정에 따른 운반용기를 검사할 수 있다. 다만, 기계에 의하여 하역하는 구조로 된 대형의 운반용기로서 행정안전부령이 정하는 것을 제작하거나 수입한 자 등은 행정안전부령이 정하는 바에 따라 당해 용기를 사용하거나 유통시키기 전에 시 · 도지사가 실시하는 운반용기에 대한 검사를 받아야 한다.

시행규칙 제50조(위험물의 운반기준) 법 제20조 제1항의 규정에 의한 위험물의 운반에 관한 기준은 별표 19와 같다.

별표 19. 위험물의 운반에 관한 기준

Ⅰ. 운반용기

1. 운반용기의 재질은 강판 · 알루미늄판 · 양철판 · 유리 · 금속판 · 종이 · 플라스틱 · 섬유판 · 고무류 · 합성섬유 · 삼 · 짚 또는 나무로 한다.
2. 운반용기는 견고하여 쉽게 파손될 우려가 없고, 그 입구로부터 수납된 위험물이 샐 우려가 없도록 하여야 한다.
3. 운반용기의 구조 및 최대용적은 다음 각 호의 규정에 의한 용기의 구분에 따라 당해 각 목에 정하는 바에 의한다.
   가. 나목의 규정에 의한 용기 외의 용기
   고체의 위험물을 수납하는 것에 있어서는 부표 1 제1호, 액체의 위험물을 수납하는 것에 있어서는 부표 1 제2호에 정하는 기준에 적합할 것. 다만, 운반의 안전상 이러한 기준에 적합한 운반용기와 동등 이상이라고 인정하여 소방청장이 정하여 고시하는 것에 있어서는 그러하지 아니하다.

기준 위반
1. 중요기준 위반: 1천500만 원 이하의 벌금
2. 세부기준 위반: 500만 원 이하의 과태료

기계에 의하여 하역하는 구조로 된 대형의 운반용기
시 · 도지사에게 반드시 검사를 받아야 한다.

위험물의 수납율
1. 고체위험물의 수납율: 운반용기 내용적의 95% 이하로 수납
2. 액체위험물의 수납율: 운반용기 내용적의 98% 이하로 수납
3. 알킬알루미늄, 알킬리튬 등의 수납율: 운반용기 내용적의 90% 이하로 수납

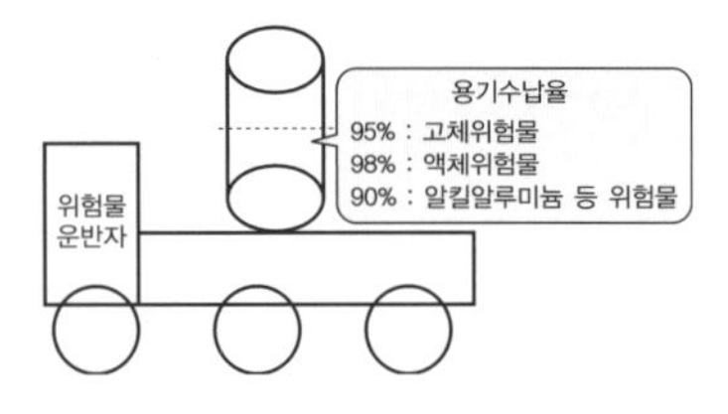

나. 기계에 의하여 하역하는 구조로 된 용기

고체의 위험물을 수납하는 것에 있어서는 별표 20 제1호, 액체의 위험물을 수납하는 것에 있어서는 별표 20 제2호에 정하는 기준 및 1) 내지 6)에 정하는 기준에 적합할 것. 다만, 운반의 안전상 이러한 기준에 적합한 운반용기와 동등 이상이라고 인정하여 소방청장이 정하여 고시하는 것과 UN의 위험물 운송에 관한 권고(RTDG, Recommendations on the Transport of Dangerous Goods)에서 정한 기준에 적합한 것으로 인정된 용기에 있어서는 그러하지 아니하다.

1) 운반용기는 부식 등의 열화에 대하여 적절히 보호될 것
2) 운반용기는 수납하는 위험물의 내압 및 취급시와 운반시의 하중에 의하여 당해 용기에 생기는 응력에 대하여 안전할 것
3) 운반용기의 부속설비에는 수납하는 위험물이 당해 부속설비로부터 누설되지 아니하도록 하는 조치가 강구되어 있을 것
4) 용기본체가 틀로 둘러싸인 운반용기는 다음의 요건에 적합할 것
   가) 용기본체는 항상 틀 내에 보호되어 있을 것
   나) 용기본체는 틀과의 접촉에 의하여 손상을 입을 우려가 없을 것
   다) 운반용기는 용기본체 또는 틀의 신축 등에 의하여 손상이 생기지 아니할 것
5) 하부에 배출구가 있는 운반용기는 다음의 요건에 적합할 것
   가) 배출구에는 개폐위치에 고정할 수 있는 밸브가 설치되어 있을 것
   나) 배출을 위한 배관 및 밸브에는 외부로부터의 충격에 의한 손상을 방지하기 위한 조치가 강구되어 있을 것
   다) 폐지판 등에 의하여 배출구를 이중으로 밀폐할 수 있는 구조일 것. 다만, 고체의 위험물을 수납하는 운반용기에 있어서는 그러하지 아니하다.
6) 1) 내지 5)에 규정하는 것 외의 운반용기의 구조에 관하여 필요한 사항은 소방청장이 정하여 고시한다.

4. 제3호의 규정에 불구하고 승용차량(승용으로 제공하는 차실내에 화물용으로 제공하는 부분이 있는 구조의 것을 포함한다)으로 인화점이 40℃ 미만인 위험물중 소방청장이 정하여 고시하는 것을 운반하는 경우의 운반용기의 구조 및 최대용적의 기준은 소방청장이 정하여 고시한다.
5. 제3호의 규정에 불구하고 운반의 안전상 제한이 필요하다고 인정되는 경우에는 위험물의 종류, 운반용기의 구조 및 최대용적의 기준을 소방청장이 정하여 고시할 수 있다.
6. 제3호 내지 제5호의 운반용기는 다음 각목의 규정에 의한 용기의 구분에 따라 당해 각 목에 정하는 성능이 있어야 한다.

가. 나목의 규정에 의한 용기 외의 용기

소방청장이 정하여 고시하는 낙하시험, 기밀시험, 내압시험 및 겹쳐쌓기시험에서 소방청장이 정하여 고시하는 기준에 적합할 것. 다만, 수납하는 위험물의 품명, 수량, 성질과 상태 등에 따라 소방청장이 정하여 고시하는 용기에 있어서는 그러하지 아니하다.

나. 기계에 의하여 하역하는 구조로 된 용기

소방청장이 정하여 고시하는 낙하시험, 기밀시험, 내압시험, 겹쳐쌓기시험, 아랫부분 인상시험, 윗부분 인상시험, 파열전파시험, 넘어뜨리기시험 및 일으키기시험에서 소방청장이 정하여 고시하는 기준에 적합할 것. 다만, 수납하는 위험물의 품명, 수량, 성질과 상태 등에 따라 소방청장이 정하여 고시하는 용기에 있어서는 그러하지 아니하다.

Ⅱ. 적재방법

1. 위험물은 Ⅰ의 규정에 의한 운반용기에 다음 각 목의 기준에 따라 수납하여 적재하여야 한다. 다만, 덩어리 상태의 유황을 운반하기 위하여 적재하는 경우 또는 위험물을 동일구내에 있는 제조소등의 상호간에 운반하기 위하여 적재하는 경우에는 그러하지 아니하다(중요기준).
   가. 위험물이 온도변화 등에 의하여 누설되지 아니하도록 운반용기를 밀봉하여 수납할 것. 다만, 온도변화 등에 의한 위험물로부터의 가스의 발생으로 운반용기안의 압력이 상승할 우려가 있는 경우(발생한 가스가 독성 또는 인화성을 갖는 등 위험성이 있는 경우를 제외한다)에는 가스의 배출구(위험물의 누설 및 다른 물질의 침투를 방지하는 구조로 된 것에 한한다)를 설치한 운반용기에 수납할 수 있다.
   나. 수납하는 위험물과 위험한 반응을 일으키지 아니하는 등 당해 위험물의 성질에 적합한 재질의 운반용기에 수납할 것
   다. 고체위험물은 운반용기 내용적의 95% 이하의 수납율로 수납할 것
   라. 액체위험물은 운반용기 내용적의 98% 이하의 수납율로 수납하되, 55도의 온도에서 누설되지 아니하도록 충분한 공간용적을 유지하도록 할 것
   마. 하나의 외장용기에는 다른 종류의 위험물을 수납하지 아니할 것
   바. **제3류 위험물은 다음의 기준에 따라 운반용기에 수납할 것**
      1) 자연발화성물질에 있어서는 불활성 기체를 봉입하여 밀봉하는 등 공기와 접하지 아니하도록 할 것
      2) 자연발화성물질외의 물품에 있어서는 파라핀 · 경유 · 등유 등의 보호액으로 채워 밀봉하거나 불활성 기체를 봉입하여 밀봉하는 등 수분과 접하지 아니하도록 할 것
      3) 라목의 규정에 불구하고 자연발화성물질 중 알킬알루미늄등은 운반용기의 내용적의 90% 이하의 수납율로 수납하되, 50℃의 온도에서 5% 이상의 공간용적을 유지하도록 할 것
2. 기계에 의하여 하역하는 구조로 된 운반용기에 대한 수납은 제1호(다목을 제외한다)의 규정을 준용하는 외에 다음 각 목의 기준에 따라야 한다(중요기준).
   가. **다음의 규정에 의한 요건에 적합한 운반용기에 수납할 것**
      1) 부식, 손상 등 이상이 없을 것
      2) **금속제의 운반용기, 경질플라스틱제의 운반용기 또는 플라스틱내용기 부착의 운반용기에 있어서는 다음에 정하는 시험 및 점검에서 누설 등 이상이 없을 것**
         가) 2년 6개월 이내에 실시한 기밀시험(액체의 위험물 또는 10kpa 이상의 압력을 가하여 수납 또는 배출하는 고체의 위험물을 수납하는 운반용기에 한한다)
         나) 2년 6개월 이내에 실시한 운반용기의 외부의 점검 · 부속설비의 기능점검 및 5년 이내의 사이에 실시한 운반용기의 내부의 점검
   나. 복수의 폐쇄장치가 연속하여 설치되어 있는 운반용기에 위험물을 수납하는 경우에는 용기본체에 가까운 폐쇄장치를 먼저 폐쇄할 것
   다. 휘발유, 벤젠 그 밖의 정전기에 의한 재해가 발생할 우려가 있는 액체의 위험물을 운반용기에 수납 또는 배출할 때에는 당해 재해의 발생을 방지하기 위한 조치를 강구할 것

라. 온도변화 등에 의하여 액상이 되는 고체의 위험물은 액상으로 되었을 때 당해 위험물이 새지 아니하는 운반용기에 수납할 것

마. 액체위험물을 수납하는 경우에는 55℃의 온도에서의 증기압이 130㎪ 이하가 되도록 수납할 것

바. 경질플라스틱제의 운반용기 또는 플라스틱내용기 부착의 운반용기에 액체위험물을 수납하는 경우에는 당해 운반용기는 제조된 때로부터 5년 이내의 것으로 할 것

사. 가목 내지 바목에 규정하는 것 외에 운반용기에의 수납에 관하여 필요한 사항은 소방청장이 정하여 고시한다.

3. 위험물은 당해 위험물이 전락(轉落)하거나 위험물을 수납한 운반용기가 전도·낙하 또는 파손되지 아니하도록 적재하여야 한다(중요기준).
4. 운반용기는 수납구를 위로 향하게 하여 적재하여야 한다(중요기준).
5. 적재하는 위험물의 성질에 따라 일광의 직사 또는 빗물의 침투를 방지하기 위하여 유효하게 피복하는 등 다음 각 목에 정하는 기준에 따른 조치를 하여야 한다(중요기준).

가. 제1류 위험물, 제3류 위험물 중 자연발화성물질, 제4류 위험물 중 특수인화물, 제5류 위험물 또는 제6류 위험물은 차광성이 있는 피복으로 가릴 것

나. 제1류 위험물 중 알칼리금속의 과산화물 또는 이를 함유한 것, 제2류 위험물 중 철분·금속분·마그네슘 또는 이들 중 어느 하나 이상을 함유한 것 또는 제3류 위험물 중 금수성물질은 방수성이 있는 피복으로 덮을 것

다. 제5류 위험물 중 55℃ 이하의 온도에서 분해될 우려가 있는 것은 보냉 컨테이너에 수납하는 등 적정한 온도관리를 할 것

라. 액체위험물 또는 위험등급Ⅱ의 고체위험물을 기계에 의하여 하역하는 구조로 된 운반용기에 수납하여 적재하는 경우에는 당해 용기에 대한 충격등을 방지하기 위한 조치를 강구할 것. 다만, 위험등급Ⅱ의 고체위험물을 플렉서블(flexible)의 운반용기, 파이버판제의 운반용기 및 목제의 운반용기 외의 운반용기에 수납하여 적재하는 경우에는 그러하지 아니하다.

6. 위험물은 다음 각 목의 규정에 의한 바에 따라 종류를 달리하는 그 밖의 위험물 또는 재해를 발생시킬 우려가 있는 물품과 함께 적재하지 아니하여야 한다(중요기준).

가. 부표 2의 규정에서 혼재가 금지되고 있는 위험물

나. 고압가스 안전관리법에 의한 고압가스(소방청장이 정하여 고시하는 것을 제외한다)

7. 위험물을 수납한 운반용기를 겹쳐 쌓는 경우에는 그 높이를 3m 이하로 하고, 용기의 상부에 걸리는 하중은 당해 용기 위에 당해 용기와 동종의 용기를 겹쳐 쌓아 3m의 높이로 하였을 때에 걸리는 하중 이하로 하여야 한다(중요기준).
8. 위험물은 그 운반용기의 외부에 다음 각 목에 정하는 바에 따라 위험물의 품명, 수량 등을 표시하여 적재하여야 한다. 다만, UN의 위험물 운송에 관한 권고(RTDG, Recom mendations on the Transport of Dangerous Goods)에서 정한 기준 또는 소방청장이 정하여 고시하는 기준에 적합한 표시를 한 경우에는 그러하지 아니하다.

가. 위험물의 품명·위험등급·화학명 및 수용성("수용성" 표시는 제4류 위험물로서 수용성인 것에 한한다)

나. 위험물의 수량

다. 수납하는 위험물에 따라 다음의 규정에 의한 주의사항
 1) 제1류 위험물 중 알칼리금속의 과산화물 또는 이를 함유한 것에 있어서는 "화기 · 충격주의", "물기엄금" 및 "가연물접촉주의", 그 밖의 것에 있어서는 "화기 · 충격주의" 및 "가연물접촉주의"
 2) 제2류 위험물 중 철분 · 금속분 · 마그네슘 또는 이들 중 어느 하나 이상을 함유한 것에 있어서는 "화기주의" 및 "물기엄금", 인화성고체에 있어서는 "화기엄금", 그 밖의 것에 있어서는 "화기주의"
 3) 제3류 위험물 중 자연발화성물질에 있어서는 "화기엄금" 및 "공기접촉엄금", 금수성물질에 있어서는 "물기엄금"
 4) 제4류 위험물에 있어서는 "화기엄금"
 5) 제5류 위험물에 있어서는 "화기엄금" 및 "충격주의"
 6) 제6류 위험물에 있어서는 "가연물접촉주의"

9. 제8호의 규정에 불구하고 제1류 · 제2류 또는 제4류 위험물(위험등급 I 의 위험물을 제외한다)의 운반용기로서 최대용적이 1ℓ 이하인 운반용기의 품명 및 주의사항은 위험물의 통칭명 및 당해 주의사항과 동일한 의미가 있는 다른 표시로 대신할 수 있다.

10. 제8호 및 제9호의 규정에 불구하고 제4류 위험물에 해당하는 화장품(에어졸을 제외한다)의 운반용기중 최대용적이 150mℓ 이하인 것에 대하여는 제8호 가목 및 다목의 규정에 의한 표시를 하지 아니할 수 있고, 최대용적이 150mℓ 초과 300mℓ 이하의 것에 대하여는 제8호 가목의 규정에 의한 표시를 하지 아니할 수 있으며, 동호 다목의 규정에 의한 주의사항을 당해 주의사항과 동일한 의미가 있는 다른 표시로 대신할 수 있다.

11. 제8호 및 제9호의 규정에 불구하고 제4류 위험물에 해당하는 에어졸의 운반용기로서 최대용적이 300mℓ 이하의 것에 대하여는 제8호 가목의 규정에 의한 표시를 하지 아니할 수 있으며, 동호 다목의 규정에 의한 주의사항을 당해 주의사항과 동일한 의미가 있는 다른 표시로 대신할 수 있다.

12. 제8호 및 제9호의 규정에 불구하고 제4류 위험물 중 동식물유류의 운반용기로서 최대용적이 3ℓ 이하인 것에 대하여는 제8호 가목 및 다목의 표시에 대하여 각각 위험물의 통칭명 및 동호의 규정에 의한 표시와 동일한 의미가 있는 다른 표시로 대신할 수 있다.

13. 기계에 의하여 하역하는 구조로 된 운반용기의 외부에 행하는 표시는 제8호 각 목의 규정에 의하는 외에 다음 각 목의 사항을 포함하여야 한다. 다만, UN의 위험물 운송에 관한 권고(RTDG, Recommendations on the Transport of Dangerous Goods)에서 정한 기준 또는 소방청장이 정하여 고시하는 기준에 적합한 표시를 한 경우에는 그러하지 아니하다.
 가. 운반용기의 제조년월 및 제조자의 명칭
 나. 겹쳐쌓기시험하중
 다. 운반용기의 종류에 따라 다음의 규정에 의한 중량
  1) 플렉서블 외의 운반용기: 최대총중량(최대수용중량의 위험물을 수납하였을 경우의 운반용기의 전중량을 말한다)
  2) 플렉서블 운반용기: 최대수용중량
 라. 가목 내지 다목에 규정하는 것 외에 운반용기의 외부에 행하는 표시에 관하여 필요한 사항으로서 소방청장이 정하여 고시하는 것

Ⅲ. 운반방법

1. 위험물 또는 위험물을 수납한 운반용기가 현저하게 마찰 또는 동요를 일으키지 아니하도록 운반하여야 한다(중요기준).
2. 지정수량 이상의 위험물을 차량으로 운반하는 경우에는 해당 차량에 국민안전처장관이 정하여 고시하는 바에 따라 운반하는 위험물의 위험성을 알리는 표지를 설치하여야 한다.
3. 지정수량 이상의 위험물을 차량으로 운반하는 경우에 있어서 다른 차량에 바꾸어 싣거나 휴식 · 고장 등으로 차량을 일시 정차시킬 때에는 안전한 장소를 택하고 운반하는 위험물의 안전확보에 주의하여야 한다.
4. 지정수량 이상의 위험물을 차량으로 운반하는 경우에는 당해 위험물에 적응성이 있는 소형수동식소화기를 당해 위험물의 소요단위에 상응하는 능력단위 이상 갖추어야 한다.
5. 위험물의 운반도중 위험물이 현저하게 새는 등 재난발생의 우려가 있는 경우에는 응급조치를 강구하는 동시에 가까운 소방관서 그 밖의 관계기관에 통보하여야 한다.
6. 제1호 내지 제5호의 적용에 있어서 품명 또는 지정수량을 달리하는 2 이상의 위험물을 운반하는 경우에 있어서 운반하는 각각의 위험물의 수량을 당해 위험물의 지정수량으로 나누어 얻은 수의 합이 1 이상인 때에는 지정수량 이상의 위험물을 운반하는 것으로 본다.

Ⅳ. 법 제20조제1항의 규정에 의한 중요기준 및 세부기준은 다음 각 호의 구분에 의한다.

1. 중요기준: Ⅰ 내지 Ⅲ의 운반기준 중 "중요기준"이라 표기한 것
2. 세부기준: 중요기준 외의 것

Ⅴ. 위험물의 위험등급

별표 18 Ⅴ, 이 표 Ⅰ 및 Ⅱ에 있어서 위험물의 위험등급은 위험등급Ⅰ · 위험등급Ⅱ 및 위험등급Ⅲ으로 구분하며, 각 위험등급에 해당하는 위험물은 다음 각 호와 같다.

1. 위험등급 Ⅰ의 위험물
   가. 제1류 위험물 중 아염소산염류, 염소산염류, 과염소산염류, 무기과산화물 그 밖에 지정수량이 50kg인 위험물
   나. 제3류 위험물 중 칼륨, 나트륨, 알킬알루미늄, 알킬리튬, 황린 그 밖에 지정수량이 10kg 또는 20kg인 위험물
   다. 제4류 위험물 중 특수인화물
   라. 제5류 위험물 중 유기과산화물, 질산에스테르류 그 밖에 지정수량이 10kg인 위험물
   마. 제6류 위험물
2. 위험등급 Ⅱ의 위험물
   가. 제1류 위험물 중 브롬산염류, 질산염류, 요오드산염류 그 밖에 지정수량이 300kg인 위험물
   나. 제2류 위험물 중 황화린, 적린, 유황 그 밖에 지정수량이 100kg인 위험물
   다. 제3류 위험물 중 알칼리금속(칼륨 및 나트륨을 제외한다) 및 알칼리토금속, 유기금속화합물(알킬알루미늄 및 알킬리튬을 제외한다) 그 밖에 지정수량이 50kg인 위험물
   라. 제4류 위험물 중 제1석유류 및 알코올류
   마. 제5류 위험물 중 제1호 라목에 정하는 위험물 외의 것

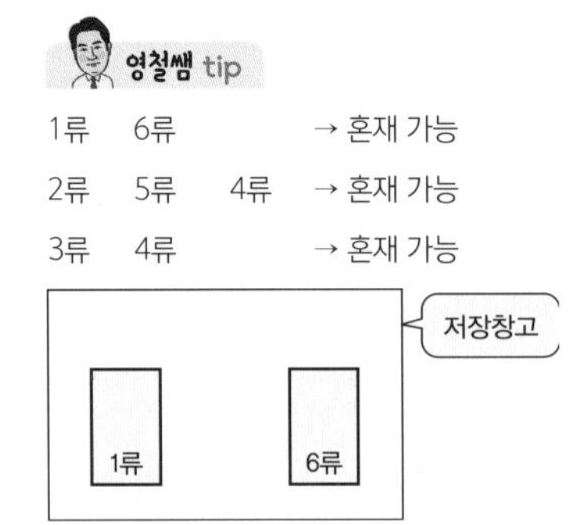

3. 위험등급Ⅲ의 위험물: 제1호 및 제2호에 정하지 아니한 위험물

부표 2. 유별을 달리하는 위험물의 혼재기준

위험물의 구분	제1류	제2류	제3류	제4류	제5류	제6류
제1류		×	×	×	×	○
제2류	×		×	○	○	×
제3류	×	×		○	×	×
제4류	×	○	○		○	×
제5류	×	○	×	○		×
제6류	○	×	×	×	×	

비고
1. "×"표시는 혼재할 수 없음을 표시한다.
2. "○"표시는 혼재할 수 있음을 표시한다.
3. 이 표는 지정수량의 1/10 이하의 위험물에 대하여는 적용하지 아니한다.

제51조(운반용기의 검사) ① 법 제20조 제3항 단서에서 "행정안전부령이 정하는 것"이란 별표 20에 따른 운반용기를 말한다.

② 법 제20조 제3항의 규정에 의하여 운반용기의 검사를 받고자 하는 자는 별지 제30호서식의 신청서(전자문서로 된 신청서를 포함한다)에 용기의 설계도면과 재료에 관한 설명서를 첨부하여 기술원에 제출하여야 한다. 다만, UN의 위험물 운송에 관한 권고(RTDG, Recommendations on the Transport of Dangerous Goods)에서 정한 기준에 따라 관련 검사기관으로부터 검사를 받은 때에는 그러하지 아니하다.

③ 기술원은 제2항에 따른 검사신청을 한 운반용기가 별표 19 Ⅰ에 따른 기준에 적합하고 위험물의 운반상 지장이 없다고 인정되는 때에는 별지 제31호서식의 용기검사합격확인증을 교부해야 한다.

④ 기술원의 원장은 운반용기 검사업무의 처리절차와 방법을 정하여 운용하여야 한다.

⑤ 기술원의 원장은 전년도의 운반용기 검사업무 처리결과를 매년 1월 31일까지 시·도지사에게 보고하여야 하고, 시·도지사는 기술원으로부터 보고받은 운반용기 검사업무 처리결과를 매년 2월 말까지 소방청장에게 제출하여야 한다.

별표 20. 기계에 의하여 하역하는 구조로 된 운반용기의 최대용적

1. 고체위험물

운반용기		수납위험물의 종류									
종류	최대용적	제1류			제2류		제3류			제5류	
		Ⅰ	Ⅱ	Ⅲ	Ⅱ	Ⅲ	Ⅰ	Ⅱ	Ⅲ	Ⅰ	Ⅱ
금속제	3,000ℓ	○	○	○	○	○	○	○	○		○
플렉시블(flexible) 합성수지제	3,000ℓ		○	○	○	○		○	○		○
플렉시블(flexible) 플라스틱필름제	3,000ℓ		○	○	○	○		○	○		○
플렉시블(flexible) 섬유제	3,000ℓ		○	○	○	○		○	○		○
플렉시블(flexible) 종이제(여러겹의 것)	3,000ℓ		○	○	○	○		○	○		○
경질플라스틱제	1,500ℓ	○	○	○	○	○		○	○		○
	3,000ℓ		○	○	○	○		○	○		○
플라스틱 내용기 부착	1,500ℓ	○	○	○	○	○		○	○		○
	3,000ℓ		○	○	○	○		○	○		○
파이버판제	3,000ℓ		○	○	○	○		○	○		○
목제(라이닝부착)	3,000ℓ		○	○	○	○		○	○		○

비고

1. "O"표시는 수납위험물의 종류별 각 란에 정한 위험물에 대하여 해당 각 란에 정한 운반용기가 적응성이 있음을 표시한다.
2. 플렉시블제, 파이버판제 및 목제의 운반용기에 있어서는 수납 및 배출방법을 중력에 의한 것에 한한다.

2. 액체위험물

운반용기		수납위험물의 종류								
종류	최대용적	제3류			제4류			제5류		제6류
		Ⅰ	Ⅱ	Ⅲ	Ⅰ	Ⅱ	Ⅲ	Ⅰ	Ⅲ	Ⅰ
금속제	3,000ℓ		○	○		○	○		○	
경질플라스틱제	3,000ℓ		○	○		○	○		○	
플라스틱 내용기부착	3,000ℓ		○	○		○	○		○	

비고

"O"표시는 수납위험물의 종류별 각 란에 정한 위험물에 대하여 해당 각 란에 정한 운반용기가 적응성이 있음을 표시한다.

위험물운반자
지정수량 이상을 차량에 적재하여 운반하는 차량운전자

위험물운송자
1. 운송책임자 및 이동탱크저장소운전자
2. 알킬알루미늄, 알킬리튬 등의 이동탱크저장소운전자 등은 운송책임자의 감독·지원을 받아야 한다.

위험물운반자 및 이동탱크저장소의 위험물을 운송하는 운전자(이동탱크저장소운전자)
1. 자격요건: 위험물에 관한 국가기술자격자. 또는 한국소방안전원의 위험물운송에 관한 교육을 받은 자
2. 의무사항: 위험물 운송 시 자격증 및 교육수료증을 휴대할 것

위험물운송책임자의 자격 요건
1. 위험물에 관한 국가기술자격자 + 1년 경력
2. 한국소방안전원의 위험물운송에 관한 교육수료 + 2년 경력

제21조(위험물의 운송)

① 이동탱크저장소에 의하여 위험물을 운송하는 자(운송책임자 및 이동탱크저장소운전자를 말하며, 이하 "위험물운송자"라 한다)는 제20조 제2항 각 호의 어느 하나에 해당하는 요건을 갖추어야 한다.

② 대통령령이 정하는 위험물의 운송에 있어서는 운송책임자(위험물 운송의 감독 또는 지원을 하는 자를 말한다. 이하 같다)의 감독 또는 지원을 받아 이를 운송하여야 한다. 운송책임자의 범위, 감독 또는 지원의 방법 등에 관한 구체적인 기준은 행정안전부령으로 정한다.

③ 위험물운송자는 이동탱크저장소에 의하여 위험물을 운송하는 때에는 행정안전부령으로 정하는 기준을 준수하는 등 당해 위험물의 안전확보를 위하여 세심한 주의를 기울여야 한다.

시행령 제19조(운송책임자의 감독·지원을 받아 운송하여야 하는 위험물) 법 제21조 제2항에서 "대통령령이 정하는 위험물"이라 함은 다음 각 호의 1에 해당하는 위험물을 말한다.
1. 알킬알루미늄
2. 알킬리튬
3. 제1호 또는 제2호의 물질을 함유하는 위험물

시행규칙 제52조(위험물의 운송기준) ① 법 제21조 제2항의 규정에 의한 위험물 운송책임자는 다음 각 호의 1에 해당하는 자로 한다.
1. 당해 위험물의 취급에 관한 국가기술자격을 취득하고 관련 업무에 1년 이상 종사한 경력이 있는 자
2. 법 제28조 제1항의 규정에 의한 위험물의 운송에 관한 안전교육을 수료하고 관련 업무에 2년 이상 종사한 경력이 있는 자

② 법 제21조 제2항의 규정에 의한 위험물 운송책임자의 감독 또는 지원의 방법과 법 제21조 제3항의 규정에 의한 위험물의 운송시에 준수하여야 하는 사항은 별표 21과 같다.

별표21. 위험물 운송책임자의 감독 또는 지원의 방법과 위험물의 운송시에 준수하여야 하는 사항

1. 운송책임자의 감독 또는 지원의 방법은 다음 각 목의 1과 같다.
   가. 운송책임자가 이동탱크저장소에 동승하여 운송 중인 위험물의 안전확보에 관하여 운전자에게 필요한 감독 또는 지원을 하는 방법. 다만, 운전자가 운송책임자의 자격이 있는 경우에는 운송책임자의 자격이 없는 자가 동승할 수 있다.
   나. 운송의 감독 또는 지원을 위하여 마련한 별도의 사무실에 운송책임자가 대기하면서 다음의 사항을 이행하는 방법
      1) 운송경로를 미리 파악하고 관할소방관서 또는 관련업체(비상대응에 관한 협력을 얻을 수 있는 업체를 말한다)에 대한 연락체계를 갖추는 것
      2) 이동탱크저장소의 운전자에 대하여 수시로 안전확보 상황을 확인하는 것
      3) 비상시의 응급처치에 관하여 조언을 하는 것
      4) 그 밖에 위험물의 운송중 안전확보에 관하여 필요한 정보를 제공하고 감독 또는 지원하는 것

2. 이동탱크저장소에 의한 위험물의 운송시에 준수하여야 하는 기준은 다음 각 목과 같다.
가. 위험물운송자는 운송의 개시 전에 이동저장탱크의 배출밸브 등의 밸브와 폐쇄장치, 맨홀 및 주입구의 뚜껑, 소화기 등의 점검을 충분히 실시할 것
나. 위험물운송자는 장거리(고속국도에 있어서는 340㎞ 이상, 그 밖의 도로에 있어서는 200㎞ 이상을 말한다)에 걸치는 운송을 하는 때에는 2명 이상의 운전자로 할 것. 다만, 다음의 1에 해당하는 경우에는 그러하지 아니하다.
1) 제1호 가목의 규정에 의하여 운송책임자를 동승시킨 경우
2) 운송하는 위험물이 제2류 위험물 · 제3류 위험물(칼슘 또는 알루미늄의 탄화물과 이것만을 함유한 것에 한한다)또는 제4류 위험물(특수인화물을 제외)인 경우
3) 운송도중에 2시간 이내마다 20분 이상씩 휴식하는 경우
다. 위험물운송자는 이동탱크저장소를 휴식 · 고장 등으로 일시 정차시킬 때에는 안전한 장소를 택하고 당해 이동탱크저장소의 안전을 위한 감시를 할 수 있는 위치에 있는 등 운송하는 위험물의 안전확보에 주의할 것
라. 위험물운송자는 이동저장탱크로부터 위험물이 현저하게 새는 등 재해발생의 우려가 있는 경우에는 재난을 방지하기 위한 응급조치를 강구하는 동시에 소방관서 그 밖의 관계기관에 통보할 것
마. 위험물(제4류 위험물은 특수인화물 및 제1석유류에 한한다)을 운송하게 하는 자는 별지 제48호서식의 위험물안전카드를 위험물운송자로 하여금 휴대하게 할 것
바. 위험물운송자는 위험물안전카드를 휴대하고 당해 카드에 기재된 내용에 따를 것. 다만, 재난 그 밖의 불가피한 이유가 있는 경우에는 당해 기재된 내용에 따르지 아니할 수 있다.

핵심정리 위험물의 운반 및 운송

1. 운송책임자를 두어야하는 위험물
① 알킬알루미늄
② 알킬리튬
③ 알킬알루미늄, 알킬리튬 물질 함유 위험물

2. 운송책임자의 자격 조건
① 국가기술자격 취득하고 1년 이상 경력자
② 안전교육을 수료하고 2년 이상 경력자

3. 위험물용기에 표시하는 주의사항
① 제1류 위험물
㉠ 알칼리금속의 과산화물 또는 이를 함유: "화기 · 충격주의", "물기엄금" 및 "가연물접촉주의"
㉡ 그 밖: "화기 · 충격주의" 및 "가연물접촉주의"
② 제2류 위험물
㉠ 철분 · 금속분 · 마그네슘 또는 이들 중 어느 하나 이상을 함유: "화기주의" 및 "물기엄금"
㉡ 인화성고체: "화기엄금"
㉢ 그 밖: "화기주의"
③ 제3류 위험물
㉠ 자연발화성물질: "화기엄금" 및 "공기접촉엄금"
㉡ 금수성물질: "물기엄금"
④ 제4류 위험물: "화기엄금"
⑤ 제5류 위험물: "화기엄금" 및 "충격주의"
⑥ 제6류 위험물: "가연물접촉주의"

문제로 완성하기

01 수납하는 위험물에 따라 규정에 의한 주의사항으로 옳지 않은 것은? 15. 공채

① 제4류 위험물에 있어서는 “화기주의”

② 제3류 위험물 중 금수성물질에 있어서는 “물기엄금”

③ 제2류 위험물에 있어서는 “화기주의”, 인화성고체에 있어서는 “화기엄금”

④ 제5류 위험물에 있어서는 “화기엄금” 및 “충격주의”

02 위험물안전관리법 시행규칙상 위험물제조소에 저장 또는 취급하는 위험물에 따라 설치해야 하는 주의사항을 표시한 게시판의 내용으로 옳지 않은 것은? 24. 공채·경채

① 제1류 위험물 중 알칼리금속의 과산화물 — 물기주의

② 제2류 위험물(인화성고체 제외) — 화기주의

③ 제3류 위험물 중 자연발화성물질 — 화기엄금

④ 제5류 위험물 — 화기엄금

03 위험물안전관리법 시행령상 운송책임자의 감독 또는 지원을 받아 운송하여야 하는 위험물로 옳은 것은? 18. 하반기 공채

① 알킬알루미늄, 알킬리튬

② 마그네슘, 염소류

③ 적린, 금속분

④ 유황, 황산

04 운송책임자의 감독 · 지원을 받아 운송하여야 하는 위험물로서 옳은 것은? 15. 공채

① 알칼리금속
② 알킬알루미늄
③ 알칼리토금속
④ 유기금속화합물

05 위험물안전관리법 및 같은 법 시행령상 운송책임자의 감독 및 지원을 받아 운송해야 하는 위험물로 옳은 것은? 24. 공채 · 경채

① 아세트알데히드
② 유기과산화물
③ 알킬리튬
④ 질산염류

정답 및 해설

01 주의사항
제4류 위험물에 있어서는 "화기엄금"을 표시한다.

02 주의사항
제1류 위험물 중 알칼리금속의 과산화물 – 물기엄금

03 운송책임자
운송책임자의 감독 또는 지원을 받아 운송하는 위험물에는 알킬알루미늄과 알킬리튬이 있다.

04 운송책임자
운송책임자의 감독 또는 지원을 받아 운송하는 위험물에는 알킬알루미늄과 알킬리튬이 있다.

05 운송책임자의 감독 · 지원을 받아 운송하여야 하는 위험물
법 제21조 제2항에서 "대통령령이 정하는 위험물"이라 함은 다음의 하나에 해당하는 위험물을 말한다.
1. 알킬알루미늄
2. 알킬리튬
3. 제1호 또는 제2호의 물질을 함유하는 위험물

정답 01 ① 02 ① 03 ① 04 ② 05 ③

CHAPTER 5 감독 및 조치명령

출입·검사자
소방청장, 시·도지사, 소방본부장, 소방서장

제22조(출입·검사 등)

① 소방청장(중앙119구조본부장 및 그 소속 기관의 장을 포함한다. 이하 제22조의2에서 같다), 시·도지사, 소방본부장 또는 소방서장은 위험물의 저장 또는 취급에 따른 화재의 예방 또는 진압대책을 위하여 필요한 때에는 위험물을 저장 또는 취급하고 있다고 인정되는 장소의 관계인에 대하여 필요한 보고 또는 자료제출을 명할 수 있으며, 관계공무원으로 하여금 당해 장소에 출입하여 그 장소의 위치·구조·설비 및 위험물의 저장·취급상황에 대하여 검사하게 하거나 관계인에게 질문하게 하고 시험에 필요한 최소한의 위험물 또는 위험물로 의심되는 물품을 수거하게 할 수 있다. 다만, 개인의 주거는 관계인의 승낙을 얻은 경우 또는 화재발생의 우려가 커서 긴급한 필요가 있는 경우가 아니면 출입할 수 없다.

② 소방공무원 또는 국가경찰공무원은 위험물운반자 또는 위험물운송자의 요건을 확인하기 위하여 필요하다고 인정하는 경우에는 주행 중인 위험물 운반 차량 또는 이동탱크저장소를 정지시켜 해당 위험물운반자 또는 위험물운송자에게 그 자격을 증명할 수 있는 국가기술자격증 또는 교육수료증의 제시를 요구할 수 있으며, 이를 제시하지 아니한 경우에는 주민등록증, 여권, 운전면허증 등 신원확인을 위한 증명서를 제시할 것을 요구하거나 신원확인을 위한 질문을 할 수 있다. 이 직무를 수행하는 경우에 있어서 소방공무원과 국가경찰공무원은 긴밀히 협력하여야 한다.

③ 제1항의 규정에 따른 출입·검사 등은 그 장소의 공개시간이나 근무시간 내 또는 해가 뜬 후부터 해가 지기 전까지의 시간 내에 행하여야 한다. 다만, 건축물 그 밖의 공작물의 관계인의 승낙을 얻은 경우 또는 화재발생의 우려가 커서 긴급한 필요가 있는 경우에는 그러하지 아니하다.

일출
해가 뜬다.

일몰
해가 진다.

공무원이 알게 된 비밀 누설
1. 일반적으로 300만 원 이하 벌금
2. 화재안전조사 업무: 1년 이하 징역 또는 1천만 원 이하 벌금
3. 위험물: 1천5백만 원 이하 벌금

④ 제1항 및 제2항의 규정에 의하여 출입·검사 등을 행하는 관계공무원은 관계인의 정당한 업무를 방해하거나 출입·검사 등을 수행하면서 알게 된 비밀을 다른 자에게 누설하여서는 아니된다.

⑤ 시·도지사, 소방본부장 또는 소방서장은 탱크시험자에게 탱크시험자의 등록 또는 그 업무에 관하여 필요한 보고 또는 자료제출을 명하거나 관계공무원으로 하여금 당해 사무소에 출입하여 업무의 상황·시험기구·장부·서류와 그 밖의 물건을 검사하게 하거나 관계인에게 질문하게 할 수 있다.

⑥ 제1항·제2항 및 제5항의 규정에 따라 출입·검사 등을 하는 관계공무원은 그 권한을 표시하는 증표를 지니고 관계인에게 이를 내보여야 한다.

제22조의2(위험물 누출 등의 사고 조사)

① 소방청장, 소방본부장 또는 소방서장은 위험물의 누출·화재·폭발 등의 사고가 발생한 경우 사고의 원인 및 피해 등을 조사하여야 한다.

② 제1항에 따른 조사에 관하여는 제22조 제1항·제3항·제4항 및 제6항을 준용한다.

③ 소방청장, 소방본부장 또는 소방서장은 제1항에 따른 사고 조사에 필요한 경우 자문을 하기 위하여 관련 분야에 전문지식이 있는 사람으로 구성된 사고조사위원회를 둘 수 있다.

④ 제3항에 따른 사고조사위원회의 구성과 운영 등에 필요한 사항은 대통령령으로 정한다.

시행령 제19조의2(사고조사위원회의 구성 등) ① 법 제22조의2 제3항에 따른 사고조사위원회(이하 이 조에서 "위원회"라 한다)는 위원장 1명을 포함하여 7명 이내의 위원으로 구성한다.

② 위원회의 위원은 다음 각 호의 어느 하나에 해당하는 사람 중에서 소방청장, 소방본부장 또는 소방서장이 임명하거나 위촉하고, 위원장은 위원 중에서 소방청장, 소방본부장 또는 소방서장이 임명하거나 위촉한다.

1. 소속 소방공무원
2. 기술원의 임직원 중 위험물 안전관리 관련 업무에 5년 이상 종사한 사람
3. 소방기본법 제40조에 따른 한국소방안전원(이하 "안전원"이라 한다)의 임직원 중 위험물 안전관리 관련 업무에 5년 이상 종사한 사람
4. 위험물로 인한 사고의 원인·피해 조사 및 위험물 안전관리 관련 업무 등에 관한 학식과 경험이 풍부한 사람

③ 제2항 제2호부터 제4호까지의 규정에 따라 위촉되는 민간위원의 임기는 2년으로 하며, 한 차례만 연임할 수 있다.

④ 위원회에 출석한 위원에게는 예산의 범위에서 수당, 여비, 그 밖에 필요한 경비를 지급할 수 있다. 다만, 공무원인 위원이 그 소관 업무와 직접적으로 관련되어 위원회에 출석하는 경우에는 지급하지 않는다.

⑤ 제1항부터 제4항까지에서 규정한 사항 외에 위원회의 구성 및 운영에 필요한 사항은 소방청장이 정하여 고시할 수 있다.

사고조사위원회의 위원
자격증, 학력에 대한 조건 없다.

제23조(탱크시험자에 대한 명령)

시·도지사, 소방본부장 또는 소방서장은 탱크시험자에 대하여 당해 업무를 적정하게 실시하게 하기 위하여 필요하다고 인정하는 때에는 감독상 필요한 명령을 할 수 있다.

제24조(무허가장소의 위험물에 대한 조치명령)

시·도지사, 소방본부장 또는 소방서장은 위험물에 의한 재해를 방지하기 위하여 제6조 제1항의 규정에 따른 허가를 받지 아니하고 지정수량 이상의 위험물을 저장 또는 취급하는 자(제6조 제3항의 규정에 따라 허가를 받지 아니하는 자를 제외한다)에 대하여 그 위험물 및 시설의 제거 등 필요한 조치를 명할 수 있다.

제25조(제조소등에 대한 긴급 사용정지명령 등)

시·도지사, 소방본부장 또는 소방서장은 공공의 안전을 유지하거나 재해의 발생을 방지하기 위하여 긴급한 필요가 있다고 인정하는 때에는 제조소등의 관계인에 대하여 당해 제조소등의 사용을 일시정지하거나 그 사용을 제한할 것을 명할 수 있다.

제26조(저장·취급기준 준수명령 등)

① 시·도지사, 소방본부장 또는 소방서장은 제조소등에서의 위험물의 저장 또는 취급이 제5조 제3항의 규정에 위반된다고 인정하는 때에는 당해 제조소등의 관계인에 대하여 동항의 기준에 따라 위험물을 저장 또는 취급하도록 명할 수 있다.

② 시·도지사, 소방본부장 또는 소방서장은 관할하는 구역에 있는 이동탱크저장소에서의 위험물의 저장 또는 취급이 제5조 제3항의 규정에 위반된다고 인정하는 때에는 당해 이동탱크저장소의 관계인에 대하여 동항의 기준에 따라 위험물을 저장 또는 취급하도록 명할 수 있다.

③ 시·도지사, 소방본부장 또는 소방서장은 제2항의 규정에 따라 이동탱크저장소의 관계인에 대하여 명령을 한 경우에는 행정안전부령이 정하는 바에 따라 제6조 제1항의 규정에 따라 당해 이동탱크저장소의 허가를 한 시·도지사, 소방본부장 또는 소방서장에게 신속히 그 취지를 통지하여야 한다.

시행규칙 제77조(이동탱크저장소에 관한 통보사항) 시·도지사, 소방본부장 또는 소방서장은 법 제26조 제3항의 규정에 의하여 이동탱크저장소의 관계인에 대하여 위험물의 저장 또는 취급기준 준수명령을 한 때에는 다음 각 호의 사항을 당해 이동탱크저장소의 허가를 한 소방서장에게 통보하여야 한다.

1. 명령을 한 시·도지사, 소방본부장 또는 소방서장
2. 명령을 받은 자의 성명·명칭 및 주소
3. 명령에 관계된 이동탱크저장소의 설치자, 상치장소 및 설치 또는 변경의 허가번호
4. 위반내용
5. 명령의 내용 및 그 이행사항
6. 그 밖에 명령을 한 시·도지사, 소방본부장 또는 소방서장이 통보할 필요가 있다고 인정하는 사항

제27조(응급조치 · 통보 및 조치명령)

① 제조소등의 관계인은 당해 제조소등에서 위험물의 유출 그 밖의 사고가 발생한 때에는 즉시 그리고 지속적으로 위험물의 유출 및 확산의 방지, 유출된 위험물의 제거 그 밖에 재해의 발생방지를 위한 응급조치를 강구하여야 한다.

② 제1항의 사태를 발견한 자는 즉시 그 사실을 소방서, 경찰서 또는 그 밖의 관계기관에 통보하여야 한다.

③ 소방본부장 또는 소방서장은 제조소등의 관계인이 제1항의 응급조치를 강구하지 아니하였다고 인정하는 때에는 제1항의 응급조치를 강구하도록 명할 수 있다.

④ 소방본부장 또는 소방서장은 그 관할하는 구역에 있는 이동탱크저장소의 관계인에 대하여 제3항의 규정의 예에 따라 제1항의 응급조치를 강구하도록 명할 수 있다.

핵심정리 감독 및 조치명령

명령 내용	권한
출입 · 검사 등	소방청장(119구조본부장 및 그소속기관의 장), 시 · 도지사, 소방본부장 또는 소방서장
위험물 누출 등의 사고 조사	소방청장, 소방본부장 또는 소방서장
탱크시험자에 대한 명령	시 · 도지사, 소방본부장 또는 소방서장
무허가장소의 위험물에 대한 조치명령	시 · 도지사, 소방본부장 또는 소방서장
제조소등에 대한 긴급 사용정지명령 등	시 · 도지사, 소방본부장 또는 소방서장
저장 · 취급기준 준수명령 등	시 · 도지사, 소방본부장 또는 소방서장
응급조치 강구 명령	소방본부장 또는 소방서장

1. 탱크시험자에 대한 명령, 무허가장소의 위험물에 대한 조치명령, 제조소등에 대한 긴급 사용정지명령 등, 저장 · 취급기준 준수명령 등 명령권자: 시 · 도지사, 소방본부장 또는 소방서장[소방청장(중앙119구조본부장 및 그 소속 기관의 장을 포함한다) 없음].
2. 응급조치 · 통보 및 조치명령권자: 소방본부장 또는 소방서장

01 위험물의 누출 · 화재 · 폭발 등의 사고가 발생한 경우 사고의 원인 및 피해 등을 조사하여야 하는 자로 옳지 않은 것은?

18. 하반기 공채

① 시 · 도지사

② 소방청장

③ 소방본부장

④ 소방서장

정답 및 해설

01 사고의 원인 및 피해 조사

위험물의 누출 · 화재 · 폭발 등의 사고가 발생한 경우 사고의 원인 및 피해 등을 조사하여야 하는 자는 소방청장, 소방본부장, 소방서장이다.

정답 01 ①

CHAPTER 6 보칙

제28조(안전교육)

① 안전관리자 · 탱크시험자 · 위험물운반자 · 위험물운송자 등 위험물의 안전관리와 관련된 업무를 수행하는 자로서 대통령령이 정하는 자는 해당 업무에 관한 능력의 습득 또는 향상을 위하여 소방청장이 실시하는 교육을 받아야 한다.

② 제조소등의 관계인은 제1항의 규정에 따른 교육대상자에 대하여 필요한 안전교육을 받게 하여야 한다.

③ 제1항의 규정에 따른 교육의 과정 및 기간과 그 밖에 교육의 실시에 관하여 필요한 사항은 행정안전부령으로 정한다.

④ 시 · 도지사, 소방본부장 또는 소방서장은 제1항의 규정에 따른 교육대상자가 교육을 받지 아니한 때에는 그 교육대상자가 교육을 받을 때까지 이 법의 규정에 따라 그 자격으로 행하는 행위를 제한할 수 있다.

시행령 제20조(안전교육대상자) 법 제28조 제1항에서 "대통령령이 정하는 자"라 함은 다음 각 호의 1에 해당하는 자를 말한다.

1. 안전관리자로 선임된 자
2. 탱크시험자의 기술인력으로 종사하는 자
3. 위험물운송자로 종사하는 자

시행규칙 제78조(안전교육) ① 법 제28조 제3항의 규정에 의하여 소방청장은 안전교육을 강습교육과 실무교육으로 구분하여 실시한다.

② 법 제28조 제3항의 규정에 의한 안전교육의 과정 · 기간과 그 밖의 교육의 실시에 관한 사항은 별표 24와 같다.

③ 기술원 또는 소방기본법 제40조에 따른 한국소방안전원(이하 "안전원"이라 한다)은 매년 교육실시계획을 수립하여 교육을 실시하는 해의 전년도 말까지 소방청장의 승인을 받아야 하고, 해당 연도 교육실시결과를 교육을 실시한 해의 다음 연도 1월 31일까지 소방청장에게 보고하여야 한다.

④ 소방본부장은 매년 10월 말까지 관할구역 안의 실무교육대상자 현황을 안전원에 통보하고 관할구역 안에서 안전원이 실시하는 안전교육에 관하여 지도 · 감독하여야 한다.

1. 안전교육: 강습교육, 실무교육
2. 능력의 습득은 강습교육, 능력의 향상은 실무교육을 의미한다.
3. 안전관리자 · 위험물운반자 · 위험물운송자 등 교육을 권한 · 위탁: 한국소방안전원
4. 탱크시험자등 교육을 권한 · 위탁: 한국소방산업기술원

안전관리자, 탱크시험자 기술인력	· 선임(등록)된 날로부터 6개월 이내 · 교육을 받은 후 2년마다 1회
위험물운반자, 위험물운송자	· 종사한 날로부터 6개월 이내 · 교육을 받은 후 3년 이내 1회

1. 소방안전관리자가 실무교육을 받지 않음: 100만 원 이하의 과태료
2. 위험물등에 대한 실무교육을 받지 않음: 기준 없음

법에 형평성 및 공정성이 없다.

별표 24. 안전교육의 과정·기간과 그 밖의 교육의 실시에 관한 사항 등

1. 교육과정·교육대상자·교육시간·교육시기 및 교육기관

교육과정	교육대상자	교육시간	교육시기	교육기관
강습교육	안전관리자가 되려는 사람	24시간	최초 선임되기 전	안전원
실무교육	안전관리자	8시간 이내	가. 제조소등의 안전관리자로 선임된 날부터 6개월 이내 나. 가목에 따른 교육을 받은 후 2년마다 1회	안전원
	위험물운반자	4시간	가. 위험물운반자로 종사한 날부터 6개월 이내 나. 가목에 따른 교육을 받은 후 3년마다 1회	안전원
	위험물운송자	8시간 이내	가. 이동탱크저장소의 위험물 운송자로 종사한 날부터 6개월 이내 나. 가목에 따른 교육을 받은 후 3년마다 1회	안전원
	탱크시험자의 기술인력	8시간 이내	가. 탱크시험자의 기술인력으로 등록한 날부터 6개월 이내 나. 가목에 따른 교육을 받은 후 2년마다 1회	기술원

비고

1. 안전관리자, 위험물운반자 및 위험물운송자 강습교육의 공통과목에 대하여 어느 하나의 강습교육 과정에서 교육을 받은 경우에는 나머지 강습교육 과정에서도 교육을 받은 것으로 본다.
2. 안전관리자, 위험물운반자 및 위험물운송자 실무교육의 공통과목에 대하여 어느 하나의 실무교육 과정에서 교육을 받은 경우에는 나머지 실무교육 과정에서도 교육을 받은 것으로 본다.
3. 안전관리자 및 위험물운송자의 실무교육 시간 중 일부(4시간 이내)를 사이버교육의 방법으로 실시할 수 있다. 다만, 교육대상자가 사이버교육의 방법으로 수강하는 것에 동의하는 경우에 한정한다.

2. 교육계획의 공고 등

가. 안전원의 원장은 강습교육을 하고자 하는 때에는 매년 1월 5일까지 일시, 장소, 그 밖에 강습의 실시에 관한 사항을 공고할 것

나. 기술원 또는 안전원은 실무교육을 하고자 하는 때에는 교육실시 10일 전까지 교육대상자에게 그 내용을 통보할 것

3. 교육신청

가. 강습교육을 받고자 하는 자는 안전원이 지정하는 교육일정 전에 교육수강을 신청할 것

나. 실무교육 대상자는 교육일정 전까지 교육수강을 신청할 것

4. 교육일시 통보

기술원 또는 안전원은 제3호에 따라 교육신청이 있는 때에는 교육실시 전까지 교육대상자에게 교육장소와 교육일시를 통보하여야 한다.

5. 기타

기술원 또는 안전원은 교육대상자별 교육의 과목 · 시간 · 실습 및 평가, 강사의 자격, 교육의 신청, 교육수료증의 교부 · 재교부, 교육수료증의 기재사항, 교육수료자명부의 작성 · 보관 등 교육의 실시에 관하여 필요한 세부사항을 정하여 소방청장의 승인을 받아야 한다. 이 경우 안전관리자, 위험물운반자 및 위험물운송자 강습교육의 과목에는 각 강습교육별로 다음 표에 정한 사항을 포함하여야 한다.

교육과정	교육내용	
안전관리자 강습교육	제4류 위험물의 품명별 일반성질, 화재예방 및 소화의 방법	· 연소 및 소화에 관한 기초이론 · 모든 위험물의 유별 공통성질과 화재예방 및 소화의 방법 · 위험물안전관리법령 및 위험물의 안전관리에 관계된 법령
위험물운반자 강습교육	위험물운반에 관한 안전기준	
위험물운송자 강습교육	· 이동탱크저장소의 구조 및 설비작동법 · 위험물운송에 관한 안전기준	

제29조(청문)

시 · 도지사, 소방본부장 또는 소방서장은 다음 각 호의 어느 하나에 해당하는 처분을 하고자 하는 경우에는 청문을 실시하여야 한다.

1. 제12조의 규정에 따른 제조소등 설치허가의 취소
2. 제16조 제5항의 규정에 따른 탱크시험자의 등록취소

영철쌤 tip

청문은 일반적으로 정지, 취소이다. 그러나 위험물은 취소밖에 없다. 법에 형평성 및 공정성이 없다.

제29조의2(위험물 안전관리에 관한 협회)

① 제조소등의 관계인, 위험물운송자, 탱크시험자 및 안전관리자의 업무를 위탁받아 수행할 수 있는 안전관리대행기관으로 소방청장의 지정을 받은 자는 위험물의 안전관리, 사고 예방을 위한 안전기술 개발, 그 밖에 위험물 안전관리의 건전한 발전을 도모하기 위하여 위험물 안전관리에 관한 협회(이하 "협회"라 한다)를 설립할 수 있다.

② 협회는 법인으로 한다.

③ 협회는 소방청장의 인가를 받아 주된 사무소의 소재지에 설립등기를 함으로써 성립한다.

④ 협회의 설립인가 절차 및 정관의 기재사항 등에 관하여 필요한 사항은 대통령령으로 정한다.

⑤ 협회의 업무는 정관으로 정한다.

⑥ 협회에 관하여 이 법에서 규정한 것 외에는 민법 중 사단법인에 관한 규정을 준용한다.

제30조(권한의 위임 · 위탁)

① 소방청장 또는 시 · 도지사는 이 법에 따른 권한의 일부를 대통령령이 정하는 바에 따라 시 · 도지사, 소방본부장 또는 소방서장에게 위임할 수 있다.

② 소방청장, 시 · 도지사, 소방본부장 또는 소방서장은 이 법에 따른 업무의 일부를 대통령령이 정하는 바에 따라 소방기본법 제40조의 규정에 의한 한국소방안전원(이하 "안전원"이라 한다) 또는 기술원에 위탁할 수 있다.

시행령 제21조(권한의 위임) 법 제30조 제1항의 규정에 의하여 다음 각 호의 1에 해당하는 시 · 도지사의 권한은 이를 소방서장에게 위임한다. 다만, 동일한 시 · 도에 있는 2 이상 소방서장의 관할구역에 걸쳐 설치되는 이송취급소에 관련된 권한을 제외한다.

1. 법 제6조 제1항의 규정에 의한 제조소등의 설치허가 또는 변경허가
2. 법 제6조 제2항의 규정에 의한 위험물의 품명 · 수량 또는 지정수량의 배수의 변경신고의 수리
3. 법 제7조 제1항의 규정에 의하여 군사목적 또는 군부대시설을 위한 제조소등을 설치하거나 그 위치 · 구조 또는 설비의 변경에 관한 군부대의 장과의 협의
4. 법 제8조 제1항에 따른 탱크안전성능검사(제22조 제2항 제1호에 따라 기술원에 위탁하는 것을 제외한다)
5. 법 제9조에 따른 완공검사(제22조 제2항 제2호에 따라 기술원에 위탁하는 것을 제외한다)
6. 법 제10조 제3항의 규정에 의한 제조소등의 설치자의 지위승계신고의 수리
7. 법 제11조의 규정에 의한 제조소등의 용도폐지신고의 수리

7의2. 법 제11조의2 제2항에 따른 제조소등의 사용 중지신고 또는 재개신고의 수리

7의3. 법 제11조의2 제3항에 따른 안전조치의 이행명령

8. 법 제12조의 규정에 의한 제조소등의 설치허가의 취소와 사용정지
9. 법 제13조의 규정에 의한 과징금처분
10. 법 제17조의 규정에 의한 예방규정의 수리 · 반려 및 변경명령
11. 법 제18조 제2항에 따른 정기점검 결과의 수리

제22조(업무의 위탁) ① 법 제30조 제2항에 따라 다음 각 호의 어느 하나에 해당하는 업무는 기술원에 위탁한다.

1. 법 제8조 제1항의 규정에 의한 시 · 도지사의 탱크안전성능검사 중 다음 각 목의 1에 해당하는 탱크에 대한 탱크안전성능검사
   가. 용량이 100만리터 이상인 액체위험물을 저장하는 탱크
   나. 암반탱크
   다. 지하탱크저장소의 위험물탱크 중 행정안전부령이 정하는 액체위험물탱크
2. 법 제9조 제1항에 따른 시 · 도지사의 완공검사에 관한 권한 중 다음 각 목의 어느 하나에 해당하는 완공검사
   가. 지정수량의 3천배 이상의 위험물을 취급하는 제조소 또는 일반취급소의 설치 또는 변경(사용 중인 제조소 또는 일반취급소의 보수 또는 부분적인 증설은 제외한다)에 따른 완공검사
   나. 옥외탱크저장소(저장용량이 50만리터 이상인 것만 해당한다) 또는 암반탱크저장소의 설치 또는 변경에 따른 완공검사
3. 법 제18조 제2항의 규정에 의한 소방본부장 또는 소방서장의 정기검사

4. 법 제20조 제2항에 따른 시 · 도지사의 운반용기 검사
5. 법 제28조 제1항의 규정에 의한 소방청장의 안전교육에 관한 권한 중 제20조 제2호에 해당하는 자에 대한 안전교육

② 법 제30조 제2항의 규정에 의하여 법 제28조 제1항의 규정에 의한 소방청장의 안전교육 중 제20조 제1호 및 제3호의 1에 해당하는 자에 대한 안전교육(별표 5의 안전관리자교육이수자 및 위험물운송자를 위한 안전교육을 포함한다)은 소방기본법 제40조의 규정에 의한 한국소방안전원에 위탁한다.

제22조의2(고유식별정보의 처리) 소방청장(법 제30조에 따라 소방청장의 권한 또는 업무를 위임 또는 위탁받은 자를 포함한다), 시 · 도지사(해당 권한이 위임 · 위탁된 경우에는 그 권한을 위임 · 위탁받은 자를 포함한다), 소방본부장 또는 소방서장은 다음 각 호의 사무를 수행하기 위하여 불가피한 경우 개인정보 보호법 시행령 제19조 제1호 또는 제4호에 따른 주민등록번호 또는 외국인등록번호가 포함된 자료를 처리할 수 있다.

1. 법 제12조에 따른 제조소등 설치허가의 취소와 사용정지등에 관한 사무
2. 법 제13조에 따른 과징금 처분에 관한 사무
3. 법 제15조에 따른 위험물안전관리자의 선임신고 등에 관한 사무
4. 법 제16조에 따른 탱크시험자 등록등에 관한 사무
5. 법 제22조에 따른 출입 · 검사 등의 사무
6. 법 제23조에 따른 탱크시험자 명령에 관한 사무
7. 법 제24조에 따른 무허가장소의 위험물에 대한 조치명령에 관한 사무
8. 법 제25조에 따른 제조소등에 대한 긴급 사용정지명령에 관한 사무
9. 법 제26조에 따른 저장 · 취급기준 준수명령에 관한 사무
10. 법 제27조에 따른 응급조치 · 통보 및 조치명령에 관한 사무
11. 법 제28조에 따른 안전관리자 등에 대한 교육에 관한 사무

제31조(수수료 등)

다음 각 호의 어느 하나에 해당하는 승인 · 허가 · 검사 또는 교육 등을 받으려는 자나 등록 또는 신고를 하려는 자는 행정안전부령으로 정하는 바에 따라 수수료 또는 교육비를 납부하여야 한다.

1. 제5조 제2항 제1호의 규정에 따른 임시저장 · 취급의 승인
2. 제6조 제1항의 규정에 따른 제조소등의 설치 또는 변경의 허가
3. 제8조의 규정에 따른 제조소등의 탱크안전성능검사
4. 제9조의 규정에 따른 제조소등의 완공검사
5. 제10조 제3항의 규정에 따른 설치자의 지위승계신고
6. 제16조 제2항의 규정에 따른 탱크시험자의 등록
7. 제16조 제3항의 규정에 따른 탱크시험자의 등록사항 변경신고
8. 제18조 제3항에 따른 정기검사
9. 제20조 제3항에 따른 운반용기의 검사
10. 제28조의 규정에 따른 안전교육

영철쌤 tip

수수료 또는 교육비를 납부
승인, 허가, 검사, 신고, 교육 등

시행규칙 제79조(수수료 등) ① 법 제31조의 규정에 의한 수수료 및 교육비는 별표 25와 같다.

② 제1항의 규정에 의한 수수료 또는 교육비는 당해 허가 등의 신청 또는 신고시에 당해 허가 등의 업무를 직접 행하는 기관에 납부하되, 시 · 도지사 또는 소방서장에게 납부하는 수수료는 당해 시 · 도의 수입증지로 납부하여야 한다. 다만, 시 · 도지사 또는 소방서장은 정보통신망을 이용하여 전자화폐 · 전자결제 등의 방법으로 이를 납부하게 할 수 있다.

별표 25. 수수료 및 교육비 "생략"

제32조(벌칙적용에 있어서의 공무원 의제)

다음 각 호의 자는 형법 제129조 내지 제132조의 적용에 있어서는 이를 공무원으로 본다.

1. 제8조 제1항 후단의 규정에 따른 검사업무에 종사하는 기술원의 담당 임원 및 직원
2. 제16조 제1항의 규정에 따른 탱크시험자의 업무에 종사하는 자
3. 제30조 제2항의 규정에 따라 위탁받은 업무에 종사하는 안전원 및 기술원의 담당 임원 및 직원

CHAPTER 7 벌칙

제33조(벌칙)

① 제조소등 또는 제6조 제1항에 따른 허가를 받지 않고 지정수량 이상의 위험물을 저장 또는 취급하는 장소에서 위험물을 유출·방출 또는 확산시켜 사람의 생명·신체 또는 재산에 대하여 위험을 발생시킨 자는 1년 이상 10년 이하의 징역에 처한다.

② 제1항의 규정에 따른 죄를 범하여 사람을 상해(傷害)에 이르게 한 때에는 무기 또는 3년 이상의 징역에 처하며, 사망에 이르게 한 때에는 무기 또는 5년 이상의 징역에 처한다.

벌칙등
1. 허가 받지 않고 위험 발생: 1년 이상, 10년 이하
2. 허가 받지 않고 상해: 3년 이상, 무기
3. 허가 받지 않고 사망: 5년 이상, 무기
4. 업무상 과실로 인한 위험 발생: 7년 이상 금고, 또는 7천만 원 이하 벌금
5. 업무상 과실로 인한 사상: 10년 이하 금고 또는 징역, 또는 1억 원 이하 벌금

제34조(벌칙)

① 업무상 과실로 제33조 제1항의 죄를 범한 자는 7년 이하의 금고 또는 7천만 원 이하의 벌금에 처한다.

② 제1항의 죄를 범하여 사람을 사상(死傷)에 이르게 한 자는 10년 이하의 징역 또는 금고나 1억 원 이하의 벌금에 처한다.

제34조의2(벌칙)

제6조 제1항 전단을 위반하여 제조소등의 설치허가를 받지 아니하고 제조소등을 설치한 자는 5년 이하의 징역 또는 1억 원 이하의 벌금에 처한다.

제34조의3(벌칙)

제5조 제1항을 위반하여 저장소 또는 제조소등이 아닌 장소에서 지정수량 이상의 위험물을 저장 또는 취급한 자는 3년 이하의 징역 또는 3천만 원 이하의 벌금에 처한다.

제35조(벌칙)

다음 각 호의 어느 하나에 해당하는 자는 1년 이하의 징역 또는 1천만 원 이하의 벌금에 처한다.

1. 삭제
2. 삭제
3. 제16조 제2항의 규정에 따른 탱크시험자로 등록하지 아니하고 탱크시험자의 업무를 한 자

4. 제18조 제1항의 규정을 위반하여 정기점검을 하지 아니하거나 점검기록을 허위로 작성한 관계인으로서 제6조 제1항의 규정에 따른 허가(제6조 제3항의 규정에 따라 허가가 면제된 경우 및 제7조 제2항의 규정에 따라 협의로써 허가를 받은 것으로 보는 경우를 포함한다. 이하 제5호 · 제6호, 제36조 제6호 · 제7호 · 제10호 및 제37조 제3호에서 같다)를 받은 자
5. 제18조 제3항을 위반하여 정기검사를 받지 아니한 관계인으로서 제6조 제1항에 따른 허가를 받은 자
6. 제19조의 규정을 위반하여 자체소방대를 두지 아니한 관계인으로서 제6조 제1항의 규정에 따른 허가를 받은 자
7. 제20조 제3항 단서를 위반하여 운반용기에 대한 검사를 받지 아니하고 운반용기를 사용하거나 유통시킨 자
8. 제22조 제1항(제22조의2 제2항에서 준용하는 경우를 포함한다)의 규정에 따른 명령을 위반하여 보고 또는 자료제출을 하지 아니하거나 허위의 보고 또는 자료제출을 한 자 또는 관계공무원의 출입 · 검사 또는 수거를 거부 · 방해 또는 기피한 자
9. 제25조의 규정에 따른 제조소등에 대한 긴급 사용정지 · 제한명령을 위반한 자

제22조(출입 · 검사 등) ① 소방청장(중앙119구조본부장 및 그 소속 기관의 장을 포함한다. 이하 제22조의2에서 같다), 시 · 도지사, 소방본부장 또는 소방서장은 위험물의 저장 또는 취급에 따른 화재의 예방 또는 진압대책을 위하여 필요한 때에는 위험물을 저장 또는 취급하고 있다고 인정되는 장소의 관계인에 대하여 필요한 보고 또는 자료제출을 명할 수 있으며, 관계공무원으로 하여금 당해 장소에 출입하여 그 장소의 위치 · 구조 · 설비 및 위험물의 저장 · 취급상황에 대하여 검사하게 하거나 관계인에게 질문하게 하고 시험에 필요한 최소한의 위험물 또는 위험물로 의심되는 물품을 수거하게 할 수 있다. 다만, 개인의 주거는 관계인의 승낙을 얻은 경우 또는 화재발생의 우려가 커서 긴급한 필요가 있는 경우가 아니면 출입할 수 없다.

제36조(벌칙)

다음 각 호의 어느 하나에 해당하는 자는 1천500만 원 이하의 벌금에 처한다.

1. 제5조 제3항 제1호의 규정에 따른 위험물의 저장 또는 취급에 관한 중요기준에 따르지 아니한 자
2. 제6조 제1항 후단의 규정을 위반하여 변경허가를 받지 아니하고 제조소등을 변경한 자
3. 제9조 제1항의 규정을 위반하여 제조소등의 완공검사를 받지 아니하고 위험물을 저장 · 취급한 자

3의2. 제11조의2 제3항에 따른 안전조치 이행명령을 따르지 아니한 자

4. 제12조의 규정에 따른 제조소등의 사용정지명령을 위반한 자
5. 제14조 제2항의 규정에 따른 수리 · 개조 또는 이전의 명령에 따르지 아니한 자
6. 제15조 제1항 또는 제2항의 규정을 위반하여 안전관리자를 선임하지 아니한 관계인으로서 제6조 제1항의 규정에 따른 허가를 받은 자
7. 제15조 제5항을 위반하여 대리자를 지정하지 아니한 관계인으로서 제6조 제1항의 규정에 따른 허가를 받은 자
8. 제16조 제5항의 규정에 따른 업무정지명령을 위반한 자
9. 제16조 제6항의 규정을 위반하여 탱크안전성능시험 또는 점검에 관한 업무를 허위로 하거나 그 결과를 증명하는 서류를 허위로 교부한 자
10. 제17조 제1항 전단의 규정을 위반하여 예방규정을 제출하지 아니하거나 동조 제2항의 규정에 따른 변경명령을 위반한 관계인으로서 제6조 제1항의 규정에 따른 허가를 받은 자
11. 제22조 제2항에 따른 정지지시를 거부하거나 국가기술자격증, 교육수료증 · 신원확인을 위한 증명서의 제시 요구 또는 신원확인을 위한 질문에 응하지 아니한 사람

12. 제22조 제5항의 규정에 따른 명령을 위반하여 보고 또는 자료제출을 하지 아니하거나 허위의 보고 또는 자료제출을 한 자 및 관계공무원의 출입 또는 조사·검사를 거부·방해 또는 기피한 자
13. 제23조의 규정에 따른 탱크시험자에 대한 감독상 명령에 따르지 아니한 자
14. 제24조의 규정에 따른 무허가장소의 위험물에 대한 조치명령에 따르지 아니한 자
15. 제26조 제1항·제2항 또는 제27조의 규정에 따른 저장·취급기준 준수명령 또는 응급조치명령을 위반한 자

제22조(출입·검사 등) ⑤ 시·도지사, 소방본부장 또는 소방서장은 탱크시험자에게 탱크시험자의 등록 또는 그 업무에 관하여 필요한 보고 또는 자료제출을 명하거나 관계공무원으로 하여금 당해 사무소에 출입하여 업무의 상황·시험기구·장부·서류와 그 밖의 물건을 검사하게 하거나 관계인에게 질문하게 할 수 있다.

제37조(벌칙)

다음 각 호의 어느 하나에 해당하는 자는 1천만 원 이하의 벌금에 처한다.

1. 제15조 제6항을 위반하여 위험물의 취급에 관한 안전관리와 감독을 하지 아니한 자
2. 제15조 제7항을 위반하여 안전관리자 또는 그 대리자가 참여하지 아니한 상태에서 위험물을 취급한 자
3. 제17조 제1항 후단의 규정을 위반하여 변경한 예방규정을 제출하지 아니한 관계인으로서 제6조 제1항의 규정에 따른 허가를 받은 자
4. 제20조 제1항 제1호의 규정을 위반하여 위험물의 운반에 관한 중요기준에 따르지 아니한 자

4의2. 제20조 제2항을 위반하여 요건을 갖추지 아니한 위험물운반자

5. 제21조 제1항 또는 제2항의 규정을 위반한 위험물운송자
6. 제22조 제4항(제22조의2 제2항에서 준용하는 경우를 포함한다)의 규정을 위반하여 관계인의 정당한 업무를 방해하거나 출입·검사 등을 수행하면서 알게 된 비밀을 누설한 자

제38조(양벌규정)

① 법인의 대표자나 법인 또는 개인의 대리인, 사용인, 그 밖의 종업원이 그 법인 또는 개인의 업무에 관하여 제33조 제1항(위험물을 유출·방출 또는 확산시켜 위험을 발생)의 위반행위를 하면 그 행위자를 벌하는 외에 그 법인 또는 개인을 5천만 원 이하의 벌금에 처하고, 같은 조 제2항(위험물을 유출·방출 또는 확산시켜 사상을 발생)의 위반행위를 하면 그 행위자를 벌하는 외에 그 법인 또는 개인을 1억 원 이하의 벌금에 처한다. 다만, 법인 또는 개인이 그 위반행위를 방지하기 위하여 해당 업무에 관하여 상당한 주의와 감독을 게을리하지 아니한 경우에는 그러하지 아니하다.

② 법인의 대표자나 법인 또는 개인의 대리인, 사용인, 그 밖의 종업원이 그 법인 또는 개인의 업무에 관하여 제34조부터 제37조까지의 어느 하나에 해당하는 위반행위를 하면 그 행위자를 벌하는 외에 그 법인 또는 개인에게도 해당 조문의 벌금형을 과(科)한다. 다만, 법인 또는 개인이 그 위반행위를 방지하기 위하여 해당 업무에 관하여 상당한 주의와 감독을 게을리하지 아니한 경우에는 그러하지 아니하다.

제39조(과태료)

① 다음 각 호의 어느 하나에 해당하는 자에게는 500만 원 이하의 과태료를 부과한다.

1. 제5조 제2항 제1호의 규정에 따른 승인을 받지 아니한 자
2. 제5조 제3항 제2호의 규정에 따른 위험물의 저장 또는 취급에 관한 세부기준을 위반한 자
3. 제6조 제2항의 규정에 따른 품명 등의 변경신고를 기간 이내에 하지 아니하거나 허위로 한 자
4. 제10조 제3항의 규정에 따른 지위승계신고를 기간 이내에 하지 아니하거나 허위로 한 자
5. 제11조의 규정에 따른 제조소등의 폐지신고 또는 제15조 제3항의 규정에 따른 안전관리자의 선임신고를 기간 이내에 하지 아니하거나 허위로 한 자

5의2. 제11조의2 제2항을 위반하여 사용 중지신고 또는 재개신고를 기간 이내에 하지 아니하거나 거짓으로 한 자

6. 제16조 제3항의 규정을 위반하여 등록사항의 변경신고를 기간 이내에 하지 아니하거나 허위로 한 자

6의2. 제17조 제3항을 위반하여 예방규정을 준수하지 아니한 자

7. 제18조 제1항의 규정을 위반하여 점검결과를 기록·보존하지 아니한 자

7의2. 제18조 제2항을 위반하여 기간 이내에 점검결과를 제출하지 아니한 자

8. 제20조 제1항 제2호의 규정에 따른 위험물의 운반에 관한 세부기준을 위반한 자
9. 제21조 제3항의 규정을 위반하여 위험물의 운송에 관한 기준을 따르지 아니한 자

② 제1항의 규정에 따른 과태료는 대통령령이 정하는 바에 따라 시·도지사, 소방본부장 또는 소방서장(이하 "부과권자"라 한다)이 부과·징수한다.

③ 삭제

④ 삭제

⑤ 삭제

⑥ 제4조 및 제5조 제2항 각 호 외의 부분 후단의 규정에 따른 조례에는 200만 원 이하의 과태료를 정할 수 있다. 이 경우 과태료는 부과권자가 부과·징수한다.

⑦ 삭제

시행령 제23조(과태료 부과기준) 법 제39조 제1항에 따른 과태료의 부과기준은 별표 9와 같다.

별표 9. 과태료의 부과기준

1. 일반기준
   가. 과태료 부과권자는 다음의 어느 하나에 해당하는 경우에는 제2호의 개별기준에 따른 과태료 금액의 2분의 1까지 그 금액을 줄일 수 있다. 다만, 과태료를 체납하고 있는 위반행위자에 대해서는 그러하지 아니하다.
      1) 위반행위자가 질서위반행위규제법 시행령 제2조의2 제1항 각 호의 어느 하나에 해당하는 경우
      2) 위반행위자가 처음 위반행위를 한 경우로서 3년 이상 해당 업종을 모범적으로 경영한 사실이 인정되는 경우

3) 위반행위가 사소한 부주의나 오류 등 과실로 인한 것으로 인정되는 경우
4) 위반행위자가 같은 위반행위로 다른 법률에 따라 과태료 · 벌금 · 영업정지 등의 처분을 받은 경우
5) 위반행위자가 위법행위로 인한 결과를 시정하거나 해소한 경우
6) 그 밖에 위반행위의 정도, 위반행위의 동기와 그 결과 등을 고려하여 과태료를 줄일 필요가 있다고 인정되는 경우

나. 위반행위의 횟수에 따른 과태료의 부과기준은 최근 1년간 같은 위반행위로 과태료 부과처분을 받은 경우에 적용한다. 이 경우 위반횟수는 과태료 부과처분을 한 날과 다시 같은 위반행위를 적발한 날을 각각 기준으로 하여 계산한다.

2. 개별기준

(단위: 만 원)

위반행위	해당 법조문	과태료 금액
가. 법 제5조 제2항 제1호의 규정에 의한 승인을 받지 아니한 자	법 제39조 제1항 제1호	
(1) 승인기한(임시저장 또는 취급개시일의 전날)의 다음날을 기산일로 하여 30일 이내에 승인을 신청한 자		50
(2) 승인기한(임시저장 또는 취급개시일의 전날)의 다음날을 기산일로 하여 31일 이후에 승인을 신청한 자		100
(3) 승인을 받지 아니한 자		200
나. 법 제5조 제3항 제2호의 규정에 의한 위험물의 저장 또는 취급에 관한 세부기준을 위반한 자	법 제39조 제1항 제2호	
(1) 1차 위반 시		50
(2) 2차 위반 시		100
(3) 3차 이상 위반 시		200
다. 법 제6조 제2항에 따른 품명 등의 변경신고를 기간 이내에 하지 아니하거나 허위로 한 자	법 제39조 제1항 제3호	
(1) 신고기한(변경하려는 날의 1일 전날)의 다음날을 기산일로 하여 30일 이내에 신고한 자		30
(2) 신고기한(변경하려는 날의 1일 전날)의 다음날을 기산일로 하여 31일 이후에 신고한 자		70
(3) 허위로 신고한 자		200
(4) 신고를 하지 아니한 자		200
라. 법 제10조 제3항에 따른 지위승계신고를 기간 이내에 하지 아니하거나 허위로 한 자	법 제39조 제1항 제4호	
(1) 신고기한(지위승계일의 다음날을 기산일로 하여 30일이 되는 날)의 다음날을 기산일로 하여 30일 이내에 신고한 자		30
(2) 신고기한(지위승계일의 다음날을 기산일로 하여 30일이 되는 날)의 다음날을 기산일로 하여 31일 이후에 신고한 자		70
(3) 허위로 신고한 자		200
(4) 신고를 하지 아니한 자		200

위반행위	해당 법조문	과태료 금액
마. 법 제11조의 규정에 의한 폐지신고를 기간 이내에 하지 아니하거나 허위로 한 자	법 제39조 제1항 제5호	
(1) 신고기한(폐지일의 다음날을 기산일로 하여 14일이 되는 날)의 다음날을 기산일로 하여 30일 이내에 신고한 자		30
(2) 신고기한(폐지일의 다음날을 기산일로 하여 14일이 되는 날)의 다음날을 기산일로 하여 31일 이후에 신고한 자		70
(3) 허위로 신고한 자		200
(4) 신고를 하지 아니한 자		200
바. 법 제15조 제3항에 따른 안전관리자의 선임신고를 기간 이내에 하지 아니하거나 허위로 한 자	법 제39조 제1항 제5호	
(1) 신고기한(선임한 날의 다음날을 기산일로 하여 14일이 되는 날)의 다음날을 기산일로 하여 30일 이내에 신고한 자		30
(2) 신고기한(선임한 날의 다음날을 기산일로 하여 14일이 되는 날)의 다음날을 기산일로 하여 31일 이후에 신고한 자		70
(3) 허위로 신고한 자		200
(4) 신고를 하지 아니한 자		200
사. 법 제16조 제3항을 위반하여 등록사항의 변경신고를 기간 이내에 하지 아니하거나 허위로 한 자	법 제39조 제1항 제6호	
(1) 신고기한(변경일의 다음날을 기산일로 하여 30일이 되는 날)의 다음날을 기산일로 하여 30일 이내에 신고한 자		30
(2) 신고기한(변경일의 다음날을 기산일로 하여 30일이 되는 날)의 다음날을 기산일로 하여 31일 이후에 신고한 자		70
(3) 허위로 신고한 자		200
(4) 신고를 하지 아니한 자		200
아. 법 제18조 제1항을 위반하여 점검 결과를 기록하지 않거나 보존하지 않은 경우	법 제39조 제1항 제7호	
(1) 1차 위반 시		50
(2) 2차 위반 시		100
(3) 3차 이상 위반 시		200
자. 법 제20조 제1항 제2호의 규정에 의한 위험물의 운반에 관한 세부기준을 위반한 자	법 제39조 제1항 제8호	
(1) 1차 위반 시		50
(2) 2차 위반 시		100
(3) 3차 이상 위반 시		200
차. 삭제		
카. 법 제21조 제3항의 규정을 위반하여 위험물의 운송에 관한 기준을 따르지 아니한 자	법 제39조 제1항 제9호	
(1) 1차 위반 시		50
(2) 2차 위반 시		100
(3) 3차 이상 위반 시		200

문제로 완성하기

01 위험물안전관리법상 벌칙 기준이 다른 것은? 20. 공채

① 제조소등의 사용정지명령을 위반한 자

② 변경허가를 받지 아니하고 제조소등을 변경한 자

③ 위험물의 저장 또는 취급에 관한 중요기준에 따르지 아니한 자

④ 위험물안전관리자 또는 그 대리자가 참여하지 아니한 상태에서 위험물을 취급한 자

정답 및 해설

01 벌칙

①, ②, ③ 1,500만 원 이하의 벌금

④ 1,000만 원 이하의 벌금

정답 01 ④

CHAPTER 8 시행규칙 별표 4 ~ 별표 25

1 [별표 4] 제조소의 위치 · 구조 및 설비의 기준

시행규칙 제28조(제조소의 기준) 법 제5조 제4항의 규정에 의한 제조소등의 위치 · 구조 및 설비의 기준 중 제조소에 관한 것은 별표 4와 같다.

Ⅰ. 안전거리

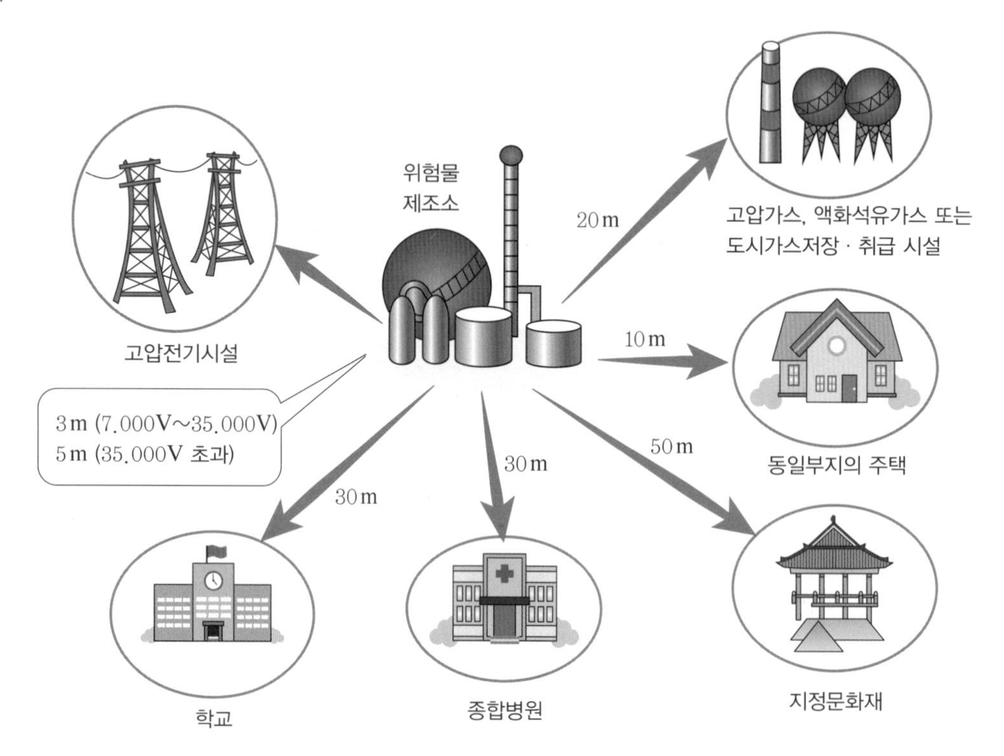

1. 제조소(제6류 위험물을 취급하는 제조소를 제외한다)는 다음 각 목의 규정에 의한 건축물의 외벽 또는 이에 상당하는 공작물의 외측으로부터 당해 제조소의 외벽 또는 이에 상당하는 공작물의 외측까지의 사이에 다음 각 목의 규정에 의한 수평거리(이하 "안전거리"라 한다)를 두어야 한다.
   가. 나목 내지 라목의 규정에 의한 것 외의 건축물 그 밖의 공작물로서 주거용으로 사용되는 것(제조소가 설치된 부지내에 있는 것을 제외한다)에 있어서는 10m 이상
   나. 학교 · 병원 · 극장 그 밖에 다수인을 수용하는 시설로서 다음의 1에 해당하는 것에 있어서는 30m 이상
      1) 초 · 중등교육법 제2조 및 고등교육법 제2조에 정하는 학교
      2) 의료법 제3조 제2항 제3호에 따른 병원급 의료기관
      3) 공연법 제2조 제4호에 따른 공연장, 영화 및 비디오물의 진흥에 관한 법률 제2조 제10호에 따른 영화상영관 및 그 밖에 이와 유사한 시설로서 3백명 이상의 인원을 수용할 수 있는 것

4) 아동복지법 제3조 제10호에 따른 아동복지시설, 노인복지법 제31조 제1호부터 제3호까지에 해당하는 노인복지시설, 장애인복지법 제58조 제1항에 따른 장애인복지시설, 한부모가족지원법 제19조 제1항에 따른 한부모가족복지시설, 영유아보육법 제2조 제3호에 따른 어린이집, 성매매방지 및 피해자보호 등에 관한 법률 제5조 제1항에 따른 성매매피해자등을 위한 지원시설, 정신보건법 제3조 제2호에 따른 정신보건시설, 가정폭력방지 및 피해자보호 등에 관한 법률 제7조의2 제1항에 따른 보호시설 및 그 밖에 이와 유사한 시설로서 20명 이상의 인원을 수용할 수 있는 것

다. 문화재보호법의 규정에 의한 유형문화재와 기념물 중 지정문화재에 있어서는 50m 이상

라. 고압가스, 액화석유가스 또는 도시가스를 저장 또는 취급하는 시설로서 다음의 1에 해당하는 것에 있어서는 20m 이상. 다만, 당해 시설의 배관 중 제조소가 설치된 부지 내에 있는 것은 제외한다.

1) 고압가스 안전관리법의 규정에 의하여 허가를 받거나 신고를 하여야 하는 고압가스제조시설(용기에 충전하는 것을 포함한다) 또는 고압가스 사용시설로서 1일 30㎥ 이상의 용적을 취급하는 시설이 있는 것

2) 고압가스 안전관리법의 규정에 의하여 허가를 받거나 신고를 하여야 하는 고압가스저장시설

3) 고압가스 안전관리법의 규정에 의하여 허가를 받거나 신고를 하여야 하는 액화산소를 소비하는 시설

4) 액화석유가스의 안전관리 및 사업법의 규정에 의하여 허가를 받아야 하는 액화석유가스제조시설 및 액화석유가스저장시설

5) 도시가스사업법 제2조 제5호의 규정에 의한 가스공급시설

마. 사용전압이 7,000V 초과 35,000V 이하의 특고압가공전선에 있어서는 3m 이상

바. 사용전압이 35,000V를 초과하는 특고압가공전선에 있어서는 5m 이상

2. 제1호 가목 내지 다목의 규정에 의한 건축물 등은 부표의 기준에 의하여 불연재료로 된 방화상 유효한 담 또는 벽을 설치하는 경우에는 동표의 기준에 의하여 안전거리를 단축할 수 있다.

참고

1. 7,000V = 7KV, 35,000V = 35KV이다.
2. 특고압은 7,000V = 7KV 초과를 말한다.

안전거리

1. **3m 이상:** 특고압 7,000V 초과 35,000V 이하
2. **5m 이상:** 특고압 35,000V 초과
3. **10m 이상:** 주거용(주택)
4. **20m 이상:** 가스
5. **30m 이상:** 다중이용업소(학교, 의료기관, 극장, 아동복지시설 등)
6. **50m 이상:** 문화재

Ⅱ. 보유공지

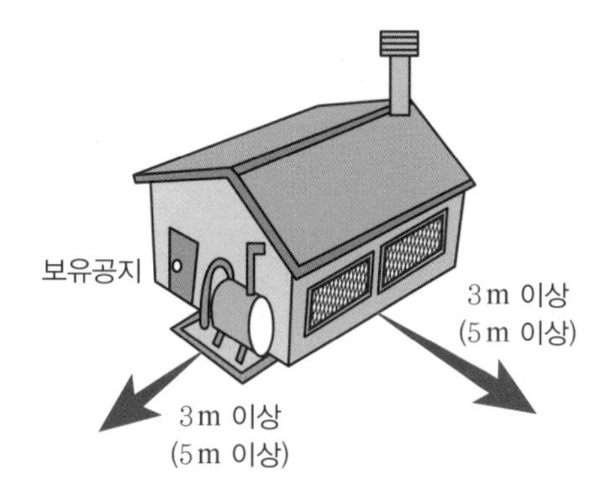

1. 위험물을 취급하는 건축물 그 밖의 시설(위험물을 이송하기 위한 배관 그 밖에 이와 유사한 시설을 제외한다)의 주위에는 그 취급하는 위험물의 최대수량에 따라 다음 표에 의한 너비의 공지를 보유하여야 한다.

취급하는 위험물의 최대수량	공지의 너비
지정수량의 10배 이하	3m 이상
지정수량의 10배 초과	5m 이상

2. 제조소의 작업공정이 다른 작업장의 작업공정과 연속되어 있어, 제조소의 건축물 그 밖의 공작물의 주위에 공지를 두게 되면 그 제조소의 작업에 현저한 지장이 생길 우려가 있는 경우 당해 제조소와 다른 작업장 사이에 다음 각 목의 기준에 따라 방화상 유효한 격벽을 설치한 때에는 당해 제조소와 다른 작업장 사이에 제1호의 규정에 의한 공지를 보유하지 아니할 수 있다.
   가. 방화벽은 내화구조로 할 것, 다만 취급하는 위험물이 제6류 위험물인 경우에는 불연재료로 할 수 있다.
   나. 방화벽에 설치하는 출입구 및 창 등의 개구부는 가능한 한 최소로 하고, 출입구 및 창에는 자동폐쇄식의 갑종방화문을 설치할 것
   다. 방화벽의 양단 및 상단이 외벽 또는 지붕으로부터 50cm 이상 돌출하도록 할 것

참고

1. **공지:** 빈터를 말한다.
2. **보유공지를 하는 이유:** 화재확대방지, 피난공간
3. **보유공지**

3×1 = 3m	제조소 적용(지정수량의 10배 이하)	옥외탱크저장소 적용(지정수량의 500배 미만)
3×2 = 6m, 5m로 함	제조소 적용(지정수량의 20배 이하)	옥외탱크저장소 적용(지정수량의 1,000배 미만)
3×3 = 9m		옥외탱크저장소 적용(지정수량의 2,000배 미만)
3×4 = 12m		옥외탱크저장소 적용(지정수량의 3,000배 미만)
3×5 = 15m		옥외탱크저장소 적용(지정수량의 4,000배 미만)

4. **옥외탱크저장소 적용(지정수량의 4,000배 이상):** 옥외탱크저장소 지름 또는 높이 중 큰 것으로 보유공지 한다(최소 15m 이상 최대 30m 이하).

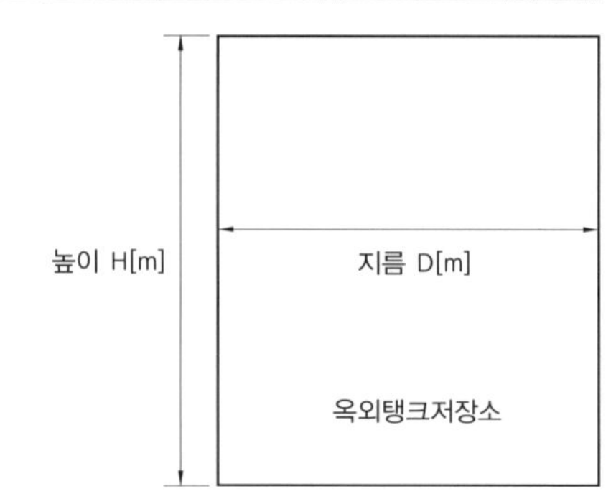

예

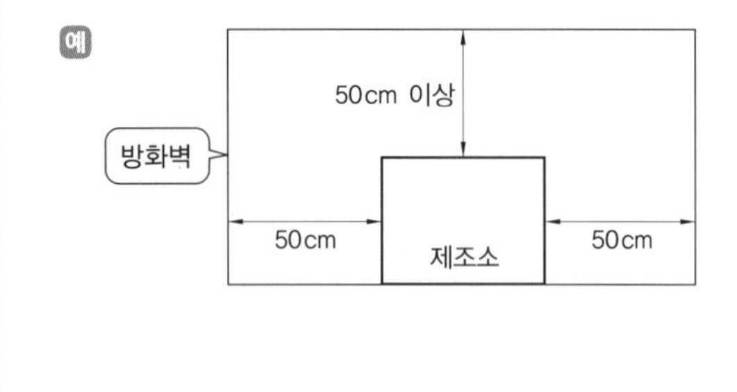

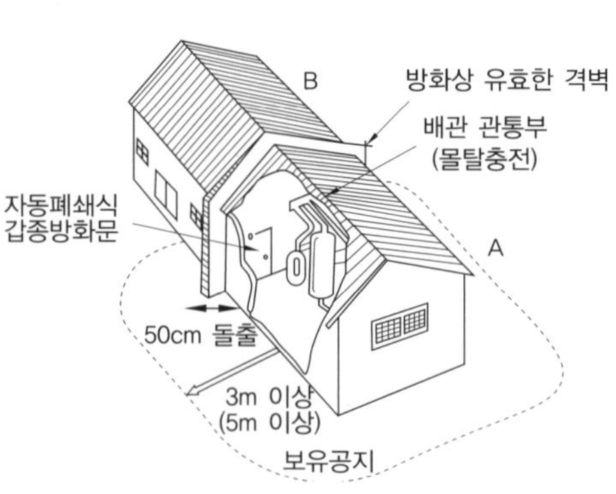

Ⅲ. 표지 및 게시판

위험물제조소	화기엄금

1. 제조소에는 보기 쉬운 곳에 다음 각 목의 기준에 따라 "위험물 제조소"라는 표시를 한 표지를 설치하여야 한다.
   가. 표지는 한변의 길이가 0.3m 이상, 다른 한변의 길이가 0.6m 이상인 직사각형으로 할 것
   나. 표지의 바탕은 백색으로, 문자는 흑색으로 할 것
2. 제조소에는 보기 쉬운 곳에 다음 각 목의 기준에 따라 방화에 관하여 필요한 사항을 게시한 게시판을 설치하여야 한다.
   가. 게시판은 한변의 길이가 0.3m 이상, 다른 한변의 길이가 0.6m 이상인 직사각형으로 할 것
   나. 게시판에는 저장 또는 취급하는 위험물의 유별 · 품명 및 저장최대수량 또는 취급최대수량, 지정수량의 배수 및 안전관리자의 성명 또는 직명을 기재할 것
   다. 나목의 게시판의 바탕은 백색으로, 문자는 흑색으로 할 것
   라. 나목의 게시판 외에 저장 또는 취급하는 위험물에 따라 다음의 규정에 의한 주의사항을 표시한 게시판을 설치할 것
      1) 제1류 위험물 중 알칼리금속의 과산화물과 이를 함유한 것 또는 제3류 위험물 중 금수성물질에 있어서는 "물기엄금"
      2) 제2류 위험물(인화성고체를 제외한다)에 있어서는 "화기주의"
      3) 제2류 위험물 중 인화성고체, 제3류 위험물 중 자연발화성물질, 제4류 위험물 또는 제5류 위험물에 있어서는 "화기엄금"
   마. 라목의 게시판의 색은 "물기엄금"을 표시하는 것에 있어서는 청색바탕에 백색문자로, "화기주의" 또는 "화기엄금"을 표시하는 것에 있어서는 적색바탕에 백색문자로 할 것

참고

1. **표지:** 위험물 제조소라는 표지를 의미한다(바탕은 백색, 문자는 흑색).
2. **게시판:** 위험물의 유별, 품명, 지정수량, 안전관리자 성명 등 게시(바탕은 백색, 문자는 흑색)
3. **주의게시판:** 화기주의, 화기엄금, 물기엄금 등 게시[바탕은 적색(청색), 문자는 백색]

Ⅳ. 건축물의 구조

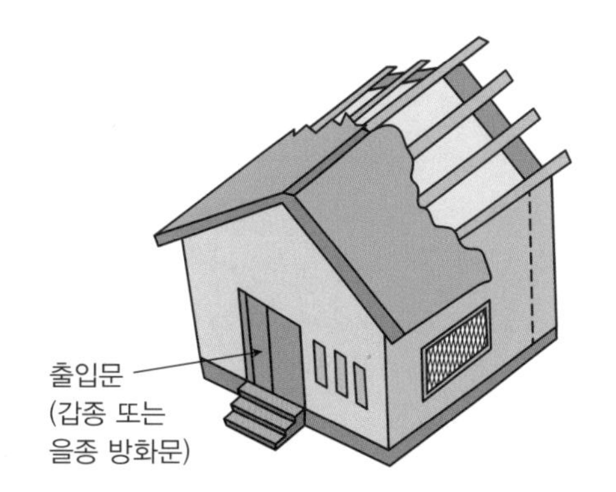

위험물을 취급하는 건축물의 구조는 다음 각 호의 기준에 의하여야 한다.

1. **지하층이 없도록 하여야 한다.** 다만, 위험물을 취급하지 아니하는 지하층으로서 위험물의 취급장소에서 새어나온 위험물 또는 가연성의 증기가 흘러 들어갈 우려가 없는 구조로 된 경우에는 그러하지 아니하다.
2. **벽·기둥·바닥·보·서까래 및 계단을 불연재료로** 하고, **연소(延燒)의 우려가 있는 외벽(소방청장이 정하여 고시하는 것에 한한다. 이하 같다)은 출입구 외의 개구부가 없는 내화구조의 벽으로** 하여야 한다. 이 경우 제6류 위험물을 취급하는 건축물에 있어서 위험물이 스며들 우려가 있는 부분에 대하여는 아스팔트 그 밖에 부식되지 아니하는 재료로 피복하여야 한다.
3. 지붕(작업공정상 제조기계시설 등이 2층 이상에 연결되어 설치된 경우에는 최상층의 지붕을 말한다)은 **폭발력이 위로 방출될 정도의 가벼운 불연재료로 덮어야 한다.** 다만, 위험물을 취급하는 건축물이 다음 각 목의 1에 해당하는 경우에는 그 지붕을 내화구조로 할 수 있다.
   가. **제2류 위험물**(분상의 것과 인화성고체를 제외한다), 제4류 위험물 중 **제4석유류·동식물유류 또는 제6류 위험물을 취급하는** 건축물인 경우
   나. 다음의 기준에 적합한 **밀폐형 구조의 건축물인 경우**
      1) 발생할 수 있는 내부의 과압(過壓) 또는 부압(負壓)에 견딜 수 있는 철근콘크리트조일 것
      2) 외부화재에 90분 이상 견딜 수 있는 구조일 것
4. 출입구와 산업안전보건기준에 관한 규칙 제17조에 따라 설치하여야 하는 **비상구에는 갑종방화문 또는 을종방화문을 설치하되**, 연소의 우려가 있는 외벽에 설치하는 출입구에는 수시로 열 수 있는 자동폐쇄식의 **갑종방화문을 설치하여야** 한다.
5. **위험물을 취급하는 건축물의 창 및 출입구에 유리를 이용하는 경우에는 망입유리로** 하여야 한다.
6. 액체의 위험물을 취급하는 건축물의 바닥은 **위험물이 스며들지 못하는 재료를 사용하고, 적당한 경사를 두어 그 최저부에 집유설비를** 하여야 한다.

참고

1. **망입유리:** 금속망 유리를 말한다.

2. **집유설비:** 기름을 모으는 곳이다.

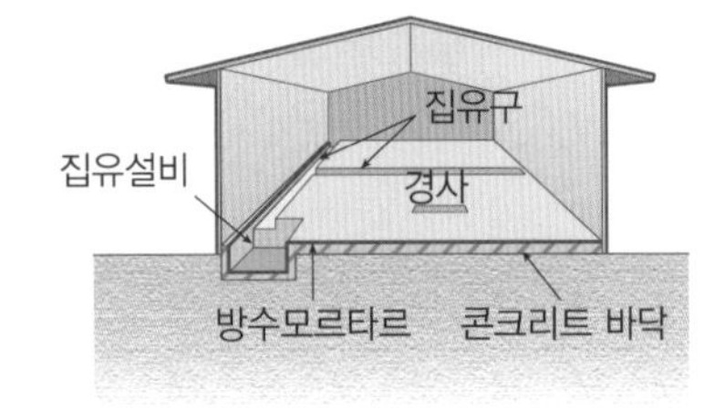

3. **유분리장치:** 기름과 물을 분리하는 장치이다.

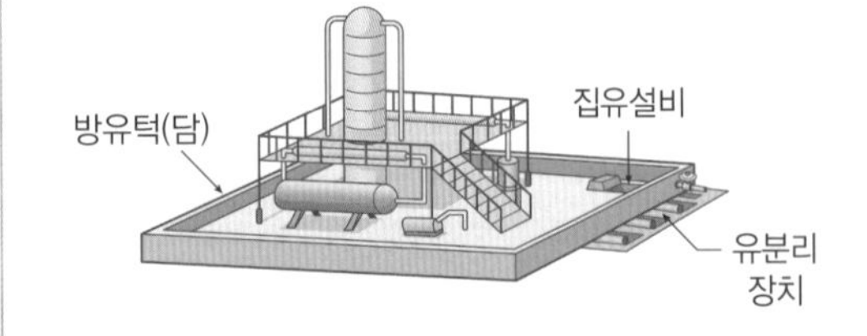

V. 채광 · 조명 및 환기설비

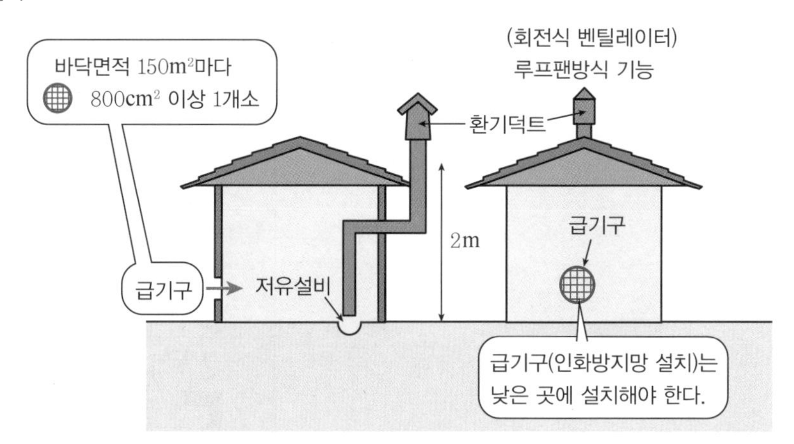

참고

1. 채광이 안되면 조명설비를 설치한다.
2. 환기설비가 안되면 배출설비를 설치한다.
3. 급기구만 인화방지망을 설치한다. 배기구는 인화방지망을 설치하지 않는다.

1. 위험물을 취급하는 건축물에는 다음 각 목의 기준에 의하여 위험물을 취급하는데 필요한 채광 · 조명 및 환기의 설비를 설치하여야 한다.
   가. 채광설비는 불연재료로 하고, 연소의 우려가 없는 장소에 설치하되 채광면적을 최소로 할 것
   나. 조명설비는 다음의 기준에 적합하게 설치할 것
      1) 가연성가스 등이 체류할 우려가 있는 장소의 조명등은 방폭등으로 할 것
      2) 전선은 내화 · 내열전선으로 할 것
      3) 점멸스위치는 출입구 바깥부분에 설치할 것. 다만, 스위치의 스파크로 인한 화재 · 폭발의 우려가 없을 경우에는 그러하지 아니하다.
   다. 환기설비는 다음의 기준에 의할 것
      1) 환기는 자연배기방식으로 할 것
      2) 급기구는 당해 급기구가 설치된 실의 바닥면적 150m²마다 1개 이상으로 하되, 급기구의 크기는 800cm² 이상으로 할 것. 다만 바닥면적이 150m² 미만인 경우에는 다음의 크기로 하여야 한다.

바닥면적	급기구의 면적
60m² 미만	150㎠ 이상
60m² 이상 90m² 미만	300㎠ 이상
90m² 이상 120m² 미만	450㎠ 이상
120m² 이상 150m² 미만	600㎠ 이상

      3) 급기구는 낮은 곳에 설치하고 가는 눈의 구리망 등으로 인화방지망을 설치할 것
      4) 환기구는 지붕위 또는 지상 2m 이상의 높이에 회전식 고정벤티레이터 또는 루푸팬방식으로 설치할 것
2. 배출설비가 설치되어 유효하게 환기가 되는 건축물에는 환기설비를 하지 아니 할 수 있고, 조명설비가 설치되어 유효하게 조도가 확보되는 건축물에는 채광설비를 하지 아니할 수 있다.

VI. 배출설비

배출설비가 잘되어 있어야 안전하다.

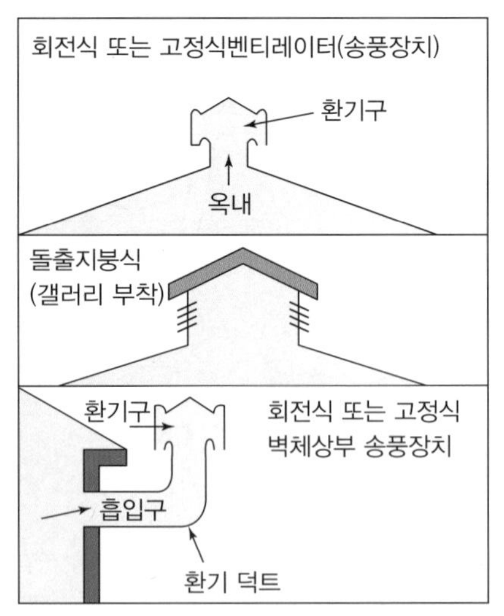

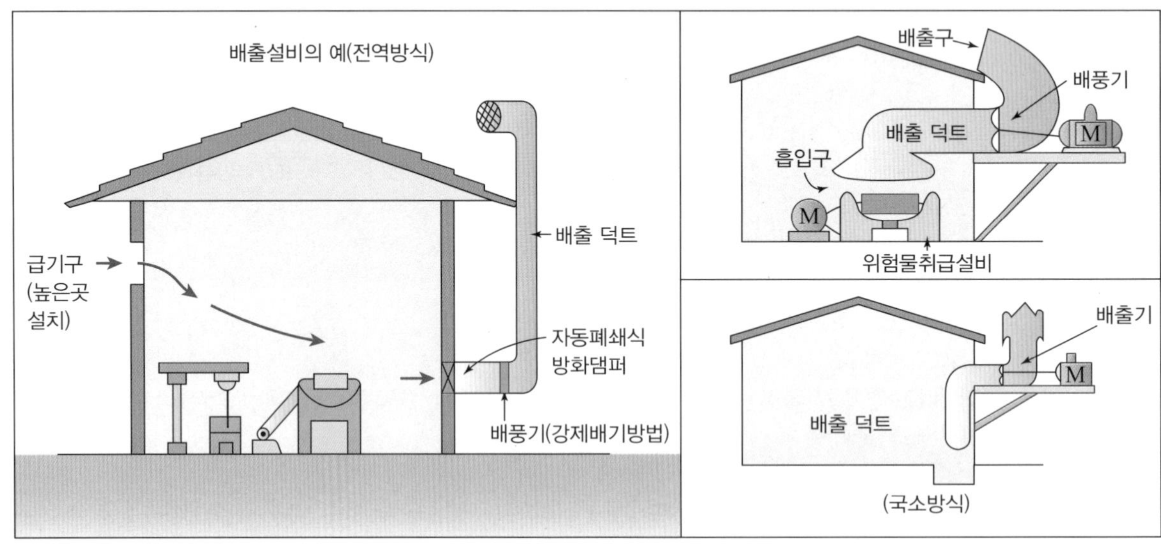

가연성의 증기 또는 미분이 체류할 우려가 있는 건축물에는 그 증기 또는 미분을 옥외의 높은 곳으로 배출할 수 있도록 다음 각호의 기준에 의하여 배출설비를 설치하여야 한다.

1. 배출설비는 국소방식으로 하여야 한다. 다만, 다음 각 목의 1에 해당하는 경우에는 전역방식으로 할 수 있다.
   가. 위험물취급설비가 배관이음 등으로만 된 경우
   나. 건축물의 구조 · 작업장소의 분포 등의 조건에 의하여 전역방식이 유효한 경우
2. 배출설비는 배풍기 · 배출닥트 · 후드 등을 이용하여 강제적으로 배출하는 것으로 하여야 한다.
3. 배출능력은 1시간당 배출장소 용적의 20배 이상인 것으로 하여야 한다. 다만, 전역방식의 경우에는 바닥면적 $1m^2$당 $18m^3$ 이상으로 할 수 있다.
4. 배출설비의 급기구 및 배출구는 다음 각 목의 기준에 의하여야 한다.
   가. 급기구는 높은 곳에 설치하고, 가는 눈의 구리망 등으로 인화방지망을 설치할 것
   나. 배출구는 지상 2m 이상으로서 연소의 우려가 없는 장소에 설치하고, 배출닥트가 관통하는 벽부분의 바로 가까이에 화재 시 자동으로 폐쇄되는 방화댐퍼를 설치할 것
5. 배풍기는 강제배기방식으로 하고, 옥내닥트의 내압이 대기압 이상이 되지 아니하는 위치에 설치하여야 한다.

Ⅶ. 옥외설비의 바닥

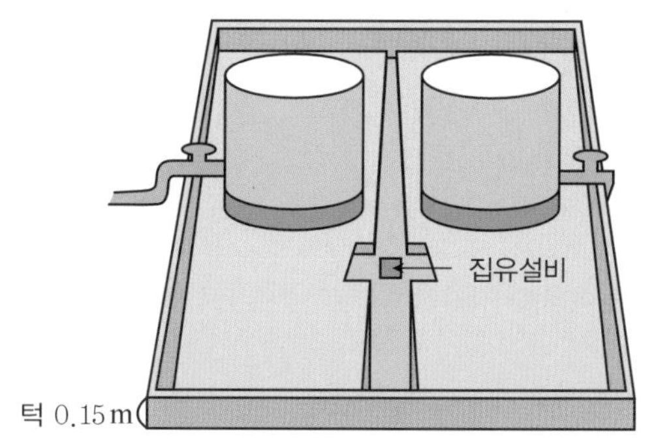

바닥, 콘크리트 불침윤 재료
(턱이 있는 쪽을 낮게, 경사지게)

옥외에서 액체위험물을 취급하는 설비의 바닥은 다음 각 호의 기준에 의하여야 한다.

1. 바닥의 둘레에 높이 0.15m 이상의 턱을 설치하는 등 위험물이 외부로 흘러나가지 아니하도록 하여야 한다.
2. 바닥은 콘크리트 등 위험물이 스며들지 아니하는 재료로 하고, 제1호의 턱이 있는 쪽이 낮게 경사지게 하여야 한다.
3. 바닥의 최저부에 집유설비를 하여야 한다.
4. 위험물(온도 20℃의 물 100g에 용해되는 양이 1g 미만인 것에 한한다)을 취급하는 설비에 있어서는 당해 위험물이 직접 배수구에 흘러들어가지 아니하도록 집유설비에 유분리장치를 설치하여야 한다.

참고

1. **턱:** 적은 양을 가둔다는 의미이다.
2. **방유제:** 많은 양을 가둔다는 의미이다.
3. 일반적인 턱의 높이는 0.15m 이상(**간이탱크의 턱:** 0.1m 이상, **펌프설비의 턱:** 0.2m 이상)

Ⅷ. 기타설비

1. 위험물의 누출 · 비산방지
   위험물을 취급하는 기계 · 기구 그 밖의 설비는 위험물이 새거나 넘치거나 비산하는 것을 방지할 수 있는 구조로 하여야 한다. 다만, 당해 설비에 위험물의 누출 등으로 인한 재해를 방지할 수 있는 부대설비(되돌림관 · 수막 등)를 한 때에는 그러하지 아니하다.
2. 가열 · 냉각설비 등의 온도측정장치
   위험물을 가열하거나 냉각하는 설비 또는 위험물의 취급에 수반하여 온도변화가 생기는 설비에는 온도측정장치를 설치하여야 한다.
3. 가열건조설비
   위험물을 가열 또는 건조하는 설비는 직접 불을 사용하지 아니하는 구조로 하여야 한다. 다만, 당해 설비가 방화상 안전한 장소에 설치되어 있거나 화재를 방지할 수 있는 부대설비를 한 때에는 그러하지 아니하다.
4. 압력계 및 안전장치
   위험물을 가압하는 설비 또는 그 취급하는 위험물의 압력이 상승할 우려가 있는 설비에는 압력계 및 다음 각 목의 1에 해당하는 안전장치를 설치하여야 한다. 다만, 라목의 파괴판은 위험물의 성질에 따라 안전밸브의 작동이 곤란한 가압설비에 한한다.
   가. 자동적으로 압력의 상승을 정지시키는 장치
   나. 감압측에 안전밸브를 부착한 감압밸브
   다. 안전밸브를 병용하는 경보장치
   라. 파괴판

> **참고**
> 1. 자동적으로 압력의 상승을 정지는 안전밸브를 의미한다.
> 2. **감압밸브:** 압력을 낮춰서 압력을 일정하게 유지하는 밸브를 의미한다.
> 3. **파괴판:** 압력에 의해 판이 날라가는 구조로서 1회용이다.

5. 전기설비

제조소에 설치하는 전기설비는 전기사업법에 의한 전기설비기술기준에 의하여야 한다.

6. 정전기 제거설비

위험물을 취급함에 있어서 정전기가 발생할 우려가 있는 설비에는 다음 각 목의 1에 해당하는 방법으로 정전기를 유효하게 제거할 수 있는 설비를 설치하여야 한다.

가. 접지에 의한 방법

나. 공기 중의 상대습도를 70% 이상으로 하는 방법

다. 공기를 이온화하는 방법

> **참고**
> 1. **정전기:** 전기(전하)를 축적하는 것. 즉, 정지해 있는 전기를 말한다.
> 2. **상대습도:** 현재 기온에 따른 습하고 건조한 정도를 백분율로 나타낸 것이다.
> 3. **절대습도:** 공기 중에 포함되어 있는 수증기의 양을 질량으로 나타낸 것이다.

7. 피뢰설비

지정수량의 10배 이상의 위험물을 취급하는 제조소(제6류 위험물을 취급하는 위험물제조소를 제외한다)에는 피뢰침(산업표준화법 제12조에 따른 한국산업표준 중 피뢰설비 표준에 적합한 것을 말한다. 이하 같다)을 설치하여야 한다. 다만, 제조소의 주위의 상황에 따라 안전상 지장이 없는 경우에는 피뢰침을 설치하지 아니할 수 있다.

8. 전동기 등

전동기 및 위험물을 취급하는 설비의 펌프 · 밸브 · 스위치 등은 화재예방상 지장이 없는 위치에 부착하여야 한다.

Ⅸ. 위험물 취급탱크

1. 위험물제조소의 옥외에 있는 위험물취급탱크(용량이 지정수량의 5분의 1 미만인 것을 제외한다)는 다음 각 목의 기준에 의하여 설치하여야 한다.

가. 옥외에 있는 위험물취급탱크의 구조 및 설비는 별표 6 Ⅵ 제1호(특정옥외저장탱크 및 준특정옥외저장탱크와 관련되는 부분을 제외한다) · 제3호 내지 제9호 · 제11호 내지 제14호 및 XⅣ의 규정에 의한 옥외탱크저장소의 탱크의 구조 및 설비의 기준을 준용할 것

나. 옥외에 있는 위험물취급탱크로서 액체위험물(이황화탄소를 제외한다)을 취급하는 것의 주위에는 다음의 기준에 의하여 방유제를 설치할 것

1) 하나의 취급탱크 주위에 설치하는 방유제의 용량은 당해 탱크용량의 50% 이상으로 하고, 2 이상의 취급탱크 주위에 하나의 방유제를 설치하는 경우 그 방유제의 용량은 당해 탱크 중 용량이 최대인 것의 50%에 나머지 탱크용량 합계의 10%를 가산한 양 이상이 되게 할 것. 이 경우 방유제의 용량은 당해 방유제의 내용적에서 용량이 최대인 탱크 외의 탱크의 방유제 높이 이하 부분의 용적, 당해 방유제 내에 있는 모든 탱크의 지반면 이상 부분의 기초의 체적, 간막이 둑의 체적 및 당해 방유제 내에 있는 배관 등의 체적을 뺀 것으로 한다.

2) 방유제의 구조 및 설비는 별표 6 Ⅸ 제1호 나목 · 사목 · 차목 · 카목 및 파목의 규정에 의한 옥외저장탱크의 방유제의 기준에 적합하게 할 것

참고

1. 제조소의 옥외탱크 방유제 용량

① **탱크 1개:** 50% 이상

② **탱크 2개 이상:** 최대 탱크용량의 50%+나머지 탱크용량의 10%

예 제4류 위험물 50만(ℓ)인 경우 방유제 용량: 50만(ℓ)×0.5=25만(ℓ)

예 제4류 위험물 50만(ℓ), 20만(ℓ), 10만(ℓ)인 경우 방유제 용량:

50만(ℓ)×0.5=25만(ℓ), 20만(ℓ)×0.1=2만(ℓ), 10만(ℓ)×0.5=1만(ℓ)이므로

25만(ℓ)×2만(ℓ)×1만(ℓ)=28만(ℓ)

2. 옥외탱크저장소 방유제 용량

① **탱크 1개:** 110% 이상

② **탱크 2개 이상:** 최대 탱크용량의 110% 이상

예 50만(ℓ)인 경우 방유제 용량: 50만(ℓ)×1.1=55만(ℓ)

예 50만(ℓ), 20만(ℓ), 10만(ℓ)인 경우 방유제 용량: 50만(ℓ)×1.1=55만(ℓ)

2. 위험물제조소의 옥내에 있는 위험물취급탱크(용량이 지정수량의 5분의 1 미만인 것을 제외한다)는 다음 각 목의 기준에 의하여 설치하여야 한다.
   가. 탱크의 구조 및 설비는 별표 7 Ⅰ 제1호 마목 내지 자목 및 카목 내지 파목의 규정에 의한 옥내탱크저장소의 위험물을 저장 또는 취급하는 탱크의 구조 및 설비의 기준을 준용할 것
   나. 위험물취급탱크의 주위에는 턱(이하 "방유턱"이라고 한다)을 설치하는 등 위험물이 누설된 경우에 그 유출을 방지하기 위한 조치를 할 것. 이 경우 당해조치는 탱크에 수납하는 위험물의 양(하나의 방유턱 안에 2 이상의 탱크가 있는 경우는 당해 탱크 중 실제로 수납하는 위험물의 양이 최대인 탱크의 양)을 전부 수용할 수 있도록 하여야 한다.
3. 위험물제조소의 지하에 있는 위험물취급탱크의 위치·구조 및 설비는 별표 8 Ⅰ(제5호·제11호 및 제14호를 제외한다), Ⅱ(Ⅰ제5호·제11호 및 제14호의 규정을 적용하도록 하는 부분을 제외한다) 또는 Ⅲ(Ⅰ제5호·제11호 및 제14호의 규정을 적용하도록 하는 부분을 제외한다)의 규정에 의한 지하탱크저장소의 위험물을 저장 또는 취급하는 탱크의 위치·구조 및 설비의 기준에 준하여 설치하여야 한다.

X. 배관

위험물제조소 내의 위험물을 취급하는 배관은 다음 각 호의 기준에 의하여 설치하여야 한다.

1. 배관의 재질은 강관 그 밖에 이와 유사한 금속성으로 하여야 한다. 다만, 다음 각 목의 기준에 적합한 경우에는 그러하지 아니하다.
   가. 배관의 재질은 한국산업규격의 유리섬유강화플라스틱·고밀도폴리에틸렌 또는 폴리우레탄으로 할 것
   나. 배관의 구조는 내관 및 외관의 이중으로 하고, 내관과 외관의 사이에는 틈새공간을 두어 누설여부를 외부에서 쉽게 확인할 수 있도록 할 것. 다만, 배관의 재질이 취급하는 위험물에 의해 쉽게 열화될 우려가 없는 경우에는 그러하지 아니하다.
   다. 국내 또는 국외의 관련공인시험기관으로부터 안전성에 대한 시험 또는 인증을 받을 것
   라. 배관은 지하에 매설할 것. 다만, 화재 등 열에 의하여 쉽게 변형될 우려가 없는 재질이거나 화재 등 열에 의한 악영향을 받을 우려가 없는 장소에 설치되는 경우에는 그러하지 아니하다.
2. 배관에 걸리는 최대상용압력의 1.5배 이상의 압력으로 내압시험(불연성의 액체 또는 기체를 이용하여 실시하는 시험을 포함한다)을 실시하여 누설 그 밖의 이상이 없는 것으로 하여야 한다.
3. 배관을 지상에 설치하는 경우에는 지진·풍압·지반침하 및 온도변화에 안전한 구조의 지지물에 설치하되, 지면에 닿지 아니하도록 하고 배관의 외면에 부식방지를 위한 도장을 하여야 한다. 다만, 불변강관 또는 부식의 우려가 없는 재질의 배관의 경우에는 부식방지를 위한 도장을 아니할 수 있다.
4. 배관을 지하에 매설하는 경우에는 다음 각 목의 기준에 적합하게 하여야 한다.
   가. 금속성 배관의 외면에는 부식방지를 위하여 도복장·코팅 또는 전기방식등의 필요한 조치를 할 것
   나. 배관의 접합부분(용접에 의한 접합부 또는 위험물의 누설의 우려가 없다고 인정되는 방법에 의하여 접합된 부분을 제외한다)에는 위험물의 누설여부를 점검할 수 있는 점검구를 설치할 것
   다. 지면에 미치는 중량이 당해 배관에 미치지 아니하도록 보호할 것
5. 배관에 가열 또는 보온을 위한 설비를 설치하는 경우에는 화재예방상 안전한 구조로 하여야 한다.

XI. 고인화점 위험물의 제조소의 특례

인화점이 100℃ 이상인 제4류 위험물(이하 "고인화점위험물"이라 한다)만을 100℃ 미만의 온도에서 취급하는 제조소로서 그 위치 및 구조가 다음 각호의 기준에 모두 적합한 제조소에 대하여는 Ⅰ, Ⅱ, Ⅳ 제1호, Ⅳ 제3호 내지 제5호, Ⅷ 제6호 · 제7호 및 Ⅸ 제1호 나목 2)에 의하여 준용되는 별표 6 Ⅸ 제1호 나목의 규정을 적용하지 아니한다.

1. 다음 각 목의 규정에 의한 건축물의 외벽 또는 이에 상당하는 공작물의 외측으로부터 당해 제조소의 외벽 또는 이에 상당하는 공작물의 외측까지의 사이에 다음 각 목의 규정에 의한 안전거리를 두어야 한다. 다만, 가목 내지 다목의 규정에 의한 건축물 등에 부표의 기준에 의하여 불연재료로 된 방화상 유효한 담 또는 벽을 설치하여 소방본부장 또는 소방서장이 안전하다고 인정하는 거리로 할 수 있다.
   가. 나목 내지 라목 외의 건축물 그 밖의 공작물로서 주거용으로 제공하는 것(제조소가 있는 부지와 동일한 부지 내에 있는 것을 제외한다)에 있어서는 10m 이상
   나. Ⅰ 제1호 나목 1) 내지 4)의 규정에 의한 시설에 있어서는 30m 이상
   다. 문화재보호법의 규정에 의한 유형문화재와 기념물 중 지정문화재에 있어서는 50m 이상
   라. Ⅰ 제1호 라목 1) 내지 5)의 규정에 의한 시설(불활성 가스만을 저장 또는 취급하는 것을 제외한다)에 있어서는 20m 이상
2. 위험물을 취급하는 건축물 그 밖의 공작물(위험물을 이송하기 위한 배관 그 밖에 이에 준하는 공작물을 제외한다)의 주위에 3m 이상의 너비의 공지를 보유하여야 한다. 다만, Ⅱ 제2호 각 목의 규정에 의하여 방화상 유효한 격벽을 설치하는 경우에는 그러하지 아니하다.
3. 위험물을 취급하는 건축물은 그 지붕을 불연재료로 하여야 한다.
4. 위험물을 취급하는 건축물의 창 및 출입구에는 을종방화문 · 갑종방화문 또는 불연재료나 유리로 만든 문을 달고, 연소의 우려가 있는 외벽에 두는 출입구에는 수시로 열 수 있는 자동폐쇄식의 갑종방화문을 설치하여야 한다.
5. 위험물을 취급하는 건축물의 연소의 우려가 있는 외벽에 두는 출입구에 유리를 이용하는 경우에는 망입유리로 하여야 한다.

XII. 위험물의 성질에 따른 제조소의 특례

1. 다음 각 목의 1에 해당하는 위험물을 취급하는 제조소에 있어서는 Ⅰ 내지 Ⅷ의 규정에 의한 기준에 의하는 외에 당해 위험물의 성질에 따라 제2호 내지 제4조의 기준에 의하여야 한다.
   가. 제3류 위험물 중 알킬알루미늄 · 알킬리튬 또는 이중 어느 하나 이상을 함유하는 것(이하 "알킬알루미늄등"이라 한다)
   나. 제4류 위험물 중 특수인화물의 아세트알데히드 · 산화프로필렌 또는 이 중 어느 하나 이상을 함유하는 것(이하 "아세트알데히드등"이라 한다)
   다. 제5류 위험물 중 히드록실아민 · 히드록실아민염류 또는 이 중 어느 하나 이상을 함유하는 것(이하 "히드록실아민등"이라 한다)
2. 알킬알루미늄등을 취급하는 제조소의 특례는 다음 각 목과 같다.
   가. 알킬알루미늄등을 취급하는 설비의 주위에는 누설범위를 국한하기 위한 설비와 누설된 알킬알루미늄등을 안전한 장소에 설치된 저장실에 유입시킬수 있는 설비를 갖출 것
   나. 알킬알루미늄등을 취급하는 설비에는 불활성기체를 봉입하는 장치를 갖출 것
3. 아세트알데히드등을 취급하는 제조소의 특례는 다음 각 목과 같다.
   가. 아세트알데히드등을 취급하는 설비는 은 · 수은 · 동 · 마그네슘 또는 이들을 성분으로 하는 합금으로 만들지 아니할 것
   나. 아세트알데히드등을 취급하는 설비에는 연소성 혼합기체의 생성에 의한 폭발을 방지하기 위한 불활성기체 또는 수증기를 봉입하는 장치를 갖출 것

> **참고**
> 1. 아세트알데히드등 + 은 · 수은 · 동 · 마그네슘, 합금 → 금속의 아세틸라이드 발생하여 폭발한다.
> 2. 아세트알데히드등은 제4류 위험물 중 특수인화물(비수용성)에 해당하므로 물과의 반응이 없으므로 수증기에 봉입가능하다.

   다. 아세트알데히드등을 취급하는 탱크(옥외에 있는 탱크 또는 옥내에 있는 탱크로서 그 용량이 지정수량의 5분의 1 미만의 것을 제외한다)에는 냉각장치 또는 저온을 유지하기 위한 장치(이하 "보냉장치"라 한다) 및 연소성 혼합기체의 생성에 의한 폭발을 방지하기 위한 불활성기체를 봉입하는 장치를 갖출 것. 다만, 지하에 있는 탱크가 아세트알데히드등의 온도를 저온으로 유지할 수 있는 구조인 경우에는 냉각장치 및 보냉장치를 갖추지 아니할 수 있다.

라. 다목의 규정에 의한 냉각장치 또는 보냉장치는 2 이상 설치하여 하나의 냉각장치 도는 보냉장치가 고장난 때에도 일정 온도를 유지할 수 있도록 하고, 다음의 기준에 적합한 비상전원을 갖출 것

1) 상용전력원이 고장인 경우에 자동으로 비상전원으로 전환되어 가동되도록 할 것

2) 비상전원의 용량은 냉각장치 또는 보냉장치를 유효하게 작동할 수 있는 정도일 것

마. 아세트알데히드등을 취급하는 탱크를 지하에 매설하는 경우에는 Ⅸ 제3호의 규정에 의하여 적용되는 별표 8 Ⅰ 제1호 단서의 규정에 불구하고 당해 탱크를 탱크전용실에 설치할 것

4. 히드록실아민등을 취급하는 제조소의 특례는 다음 각 목과 같다.

가. Ⅰ 제1호 가목부터 라목까지의 규정에도 불구하고 지정수량 이상의 히드록실아민등을 취급하는 제조소의 위치는 Ⅰ 제1호 가목부터 라목까지의 규정에 의한 건축물의 벽 또는 이에 상당하는 공작물의 외측으로부터 해당 제조소의 외벽 또는 이에 상당하는 공작물의 외측까지의 사이에 다음 식에 의하여 요구되는 거리 이상의 안전거리를 둘 것

> **참고**
>
> **1. 히드록실아민 등을 취급하는 제조소의 안전거리**
>
> 예 히드록실아민의 저장량(저장취급량)이 10만kg일 때 안전거리는?
>
> $D=51.1\sqrt[3]{N}$. $D=51.1\sqrt[3]{\frac{저장량}{지정수량}}=51.1\sqrt[3]{\frac{10000(kg)}{100(kg)}}=51.1\sqrt[3]{1000}(m)$
>
> **2. 히드록실아민의 지정수량:** 100kg

나. 가목의 제조소의 주위에는 다음에 정하는 기준에 적합한 담 도는 토제(土堤)를 설치할 것

1) 담 또는 토제는 당해 제조소의 외벽 또는 이에 상당하는 공작물의 외측으로부터 2m 이상 떨어진 장소에 설치할 것

2) 담 또는 토제의 높이는 당해 제조소에 있어서 히드록실아민등을 취급 하는 부분의 높이 이상으로 할 것

3) 담은 두께 15cm 이상의 철근콘크리트조 · 철골철근콘크리트조 또는 두께 20cm 이상의 보강콘크리트블록조로 할 것

4) 토제의 경사면의 경사도는 60도 미만으로 할 것

다. 히드록실아민등을 취급하는 설비에는 히드록실아민등의 온도 및 농도의 상승에 의한 위험한 반응을 방지하기 위한 조치를 강구할 것

라. 히드록실아민등을 취급하는 설비에는 철이온 등의 혼입에 의한 위험한 반응을 방지하기 위한 조치를 강구할 것

$$D=51.1\sqrt[3]{N}.$$

- D: (안전)거리(m)
- N: 해당 제조소에서 취급하는 히드록실아민등의 지정수량의 배수

핵심정리 제조소 설치기준

1. 안전거리(제6류 위험물 취급 제조소 제외)

기준	안전거리(이상)
사용전압 7kV 초과 35kV 이하	3m
사용전압 35kV 초과	5m
주거용	10m
가스 저장 취급 시설	20m
다수인 수용시설(학교 · 병원 · 극장)	30m
문화재	50m

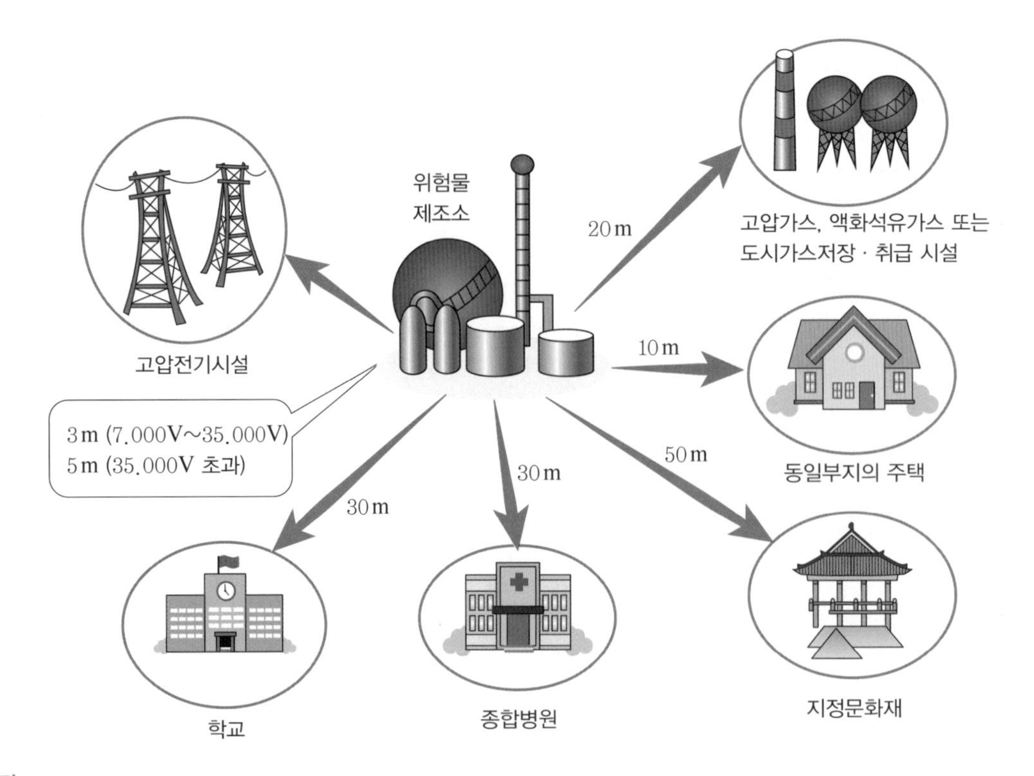

2. 보유공지

취급하는 위험물의 최대수량	공지의 너비
지정수량의 10배 이하	3m 이상
지정수량의 10배 초과	5m 이상

방화상 유효한 격벽을 설치 기준(보유공지를 설치하기 곤란한 경우)

① 방화벽은 내화구조로 할 것(제6류 위험물인 경우에는 불연재료)

② 방화벽에 설치하는 출입구 및 창 등의 개구부는 가능한 최소로 하고, 출입구 및 창에는 자동폐쇄식의 갑종방화문을 설치할 것

③ 방화벽의 양단 및 상단이 외벽 또는 지붕으로부터 50cm 이상 돌출하도록 할 것

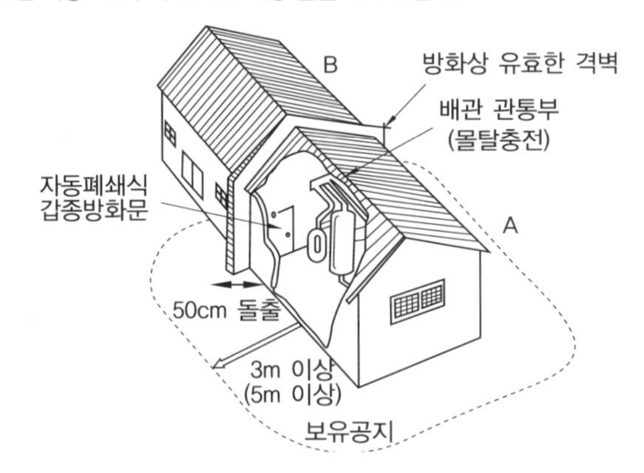

3. 표지 및 게시판

① **표지:** 한 변의 길이가 0.3m 이상, 다른 한 변의 길이가 0.6m 이상인 직사각형으로 할 것

② **게시판:** 한 변의 길이가 0.3m 이상, 다른 한 변의 길이가 0.6m 이상인 직사각형으로 할 것

③ **게시판 기재사항:** 저장 또는 취급하는 위험물의 유별 · 품명 및 저장최대수량 또는 취급최대수량, 지정수량의 배수 및 안전관리자의 성명 또는 직명을 기재할 것

④ **표지 및 게시판 색깔:** 바탕은 백색으로, 문자는 흑색으로 할 것

⑤ **주의사항 게시판**

위험물의 종류	주의사항 내용	색깔
제1류 위험물(알칼리금속과산화물) 제3류 위험물(금수성 물질)	물기엄금	청색바탕에 백색문자
제2류 위험물(인화성고체 제외)	화기주의	적색바탕에 백색문자
인화성고체 제3류 위험물(자연발화성 물질) 제4류 위험물, 제5류 위험물	화기엄금	적색바탕에 백색문자

4. 건축물의 구조

① 지하층 ×

② **벽 · 기둥 · 바닥 · 보 · 서까래 및 계단:** 불연재료

③ **연소(延燒)의 우려가 있는 외벽:** 출입구 외의 개구부가 없는 내화구조의 벽

④ **지붕:** 폭발력이 위로 방출될 정도의 가벼운 불연재료로 덮음

⑤ **출입구와 비상구:** 갑종 또는 을종방화문을 설치(연소우려 있는 외벽 출입구는 자동폐쇄식 갑종방화문 설치)

⑥ **건물 창 및 출입구:** 망입유리

⑦ **바닥:** 위험물이 스며들지 못하는 재료를 사용하고, 적당한 경사를 두어 그 최저부에 집유설비 설치

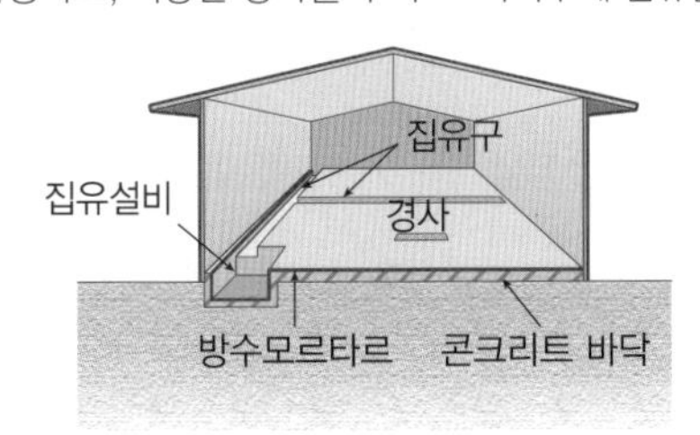

5. 채광 · 조명 및 환기설비

① **채광설비(조명설비 설치 시 제외):** 불연재료, 연소의 우려가 없는 장소에 설치, 채광면적을 최소

② **조명설비**

㉠ 가연성가스 등이 체류할 우려가 있는 장소의 조명등은 방폭등으로 할 것

㉡ 전선은 내화 · 내열전선으로 할 것

㉢ 점멸스위치는 출입구 바깥부분에 설치

③ **환기설비(배출설비 설치 시 제외)**

㉠ 환기는 자연배기방식으로 할 것

㉡ **급기구: 바닥면적 150m^{2}마다 1개 이상(크기:** 800cm^2 이상), 낮은 곳에 설치, 인화방지망 설치. 다만, 바닥면적이 150m^2 미만인 경우에는 다음의 크기로 하여야 한다.

바닥면적	급기구의 면적
60m^2 미만	150cm^2 이상
60m^2 이상 90m^2 미만	300cm^2 이상
90m^2 이상 120m^2 미만	450cm^2 이상
120m^2 이상 150m^2 미만	600cm^2 이상

ⓒ **환기구**: 지붕위 또는 지상 2m 이상의 높이에 회전식 고정 벤티레이터 또는 루푸팬 방식으로 설치

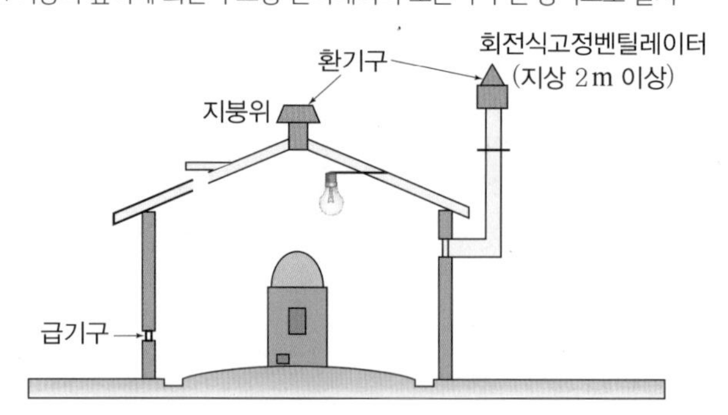

④ **배출설비**: 가연성의 증기 또는 미분이 체류할 우려가 있는 건축물에는 배출설비를 설치

ⓐ 배출설비는 국소방식(전역방식도 예외적으로 가능)으로 할 것(강제 배출)

ⓑ **배출능력**: 1시간당 배출장소 용적의 20배 이상(전영방식의 경우 바닥면적 $1m^2$당 $18m^3$ 이상)

ⓒ **급기구 및 배출구 설치 기준**

ⓐ **급기구**: 높은 곳 설치하고, 가는 눈의 구리망 등으로 인화방지망을 설치

ⓑ 배출구는 지상 2m 이상으로서 연소의 우려가 없는 장소에 설치하고, 배출닥트가 관통하는 벽부분의 바로 가까이에 화재 시 자동으로 폐쇄되는 방화댐퍼를 설치할 것

ⓓ **배풍기**: 강제배기방식

6. 옥외설비의 바닥

① 바닥의 둘레에 높이 0.15m 이상의 턱을 설치

② 바닥은 콘크리트 등 위험물이 스며들지 아니하는 재료로 하고, 턱이 있는 쪽이 낮게 경사지게 함

③ 바닥의 최저부에 집유설비 설치

④ 위험물을 취급하는 설비에 있어서는 당해 위험물이 직접 배수구에 흘러들어가지 아니하도록 집유설비에 유분리장치를 설치

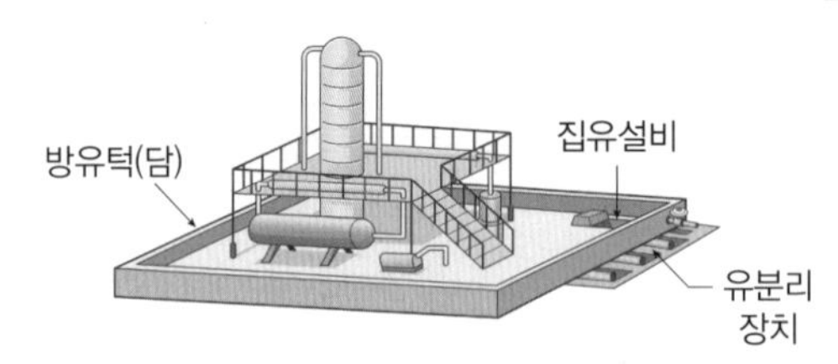

7. 정전기 제거설비

위험물을 취급함에 있어서 정전기가 발생할 우려가 있는 설비에는 다음에 해당하는 방법으로 정전기를 유효하게 제거할 수 있는 설비를 설치하여야 한다.

① 접지에 의한 방법

② 공기 중의 상대습도를 70% 이상으로 하는 방법

③ 공기를 이온화하는 방법

8. 피뢰설비

지정수량의 10배 이상의 위험물을 취급하는 제조소(제6류 위험물을 취급제외)에는 피뢰침을 설치

9. 위험물 취급탱크에 설치하는 방유제

① 하나의 취급탱크 주위에 설치하는 방유제의 용량은 당해 탱크용량의 50% 이상

② 2 이상의 취급탱크 주위에 하나의 방유제를 설치하는 경우 그 방유제의 용량이 취급탱크 용량 최대인 것의 50%에 나머지 탱크용량 합계의 10%를 가산한 양 이상이 되게 할 것

2 [별표 5] 옥내저장소의 위치 · 구조 및 설비의 기준

시행규칙 제29조(옥내저장소의 기준) 법 제5조 제4항의 규정에 의한 제조소등의 위치 · 구조 및 설비의 기준 중 옥내저장소에 관한 것은 별표 5와 같다.

Ⅰ. 옥내저장소의 기준(Ⅱ 및 Ⅲ의 규정에 의한 것을 제외한다)

1. 옥내저장소는 별표 4 Ⅰ의 규정에 준하여 안전거리를 두어야 한다. 다만, 다음 각 목의 1에 해당하는 옥내저장소는 안전거리를 두지 아니할 수 있다.
   가. 제4석유류 또는 동식물유류의 위험물을 저장 또는 취급하는 옥내저장소로서 그 최대수량이 지정수량의 20배 미만인 것
   나. 제6류 위험물을 저장 또는 취급하는 옥내저장소
   다. 지정수량의 20배(하나의 저장창고의 바닥면적이 150m^2 이하인 경우에는 50배) 이하의 위험물을 저장 또는 취급하는 옥내저장소로서 다음의 기준에 적합한 것
      1) 저장창고의 벽 · 기둥 · 바닥 · 보 및 지붕이 내화구조인 것
      2) 저장창고의 출입구에 수시로 열 수 있는 자동폐쇄방식의 갑종방화문이 설치되어 있을 것
      3) 저장창고에 창을 설치하지 아니할 것
2. 옥내저장소의 주위에는 그 저장 또는 취급하는 위험물의 최대수량에 따라 다음 표에 의한 너비의 공지를 보유하여야 한다. 다만, 지정수량의 20배를 초과하는 옥내저장소와 동일한 부지 내에 있는 다른 옥내저장소와의 사이에는 동표에 정하는 공지의 너비의 3분의 1(당해 수치가 3m 미만인 경우에는 3m)의 공지를 보유할 수 있다.

저장 또는 취급하는 위험물의 최대수량	공지의 너비	
	벽 · 기둥 및 바닥이 내화구조로 된 건축물	그 밖의 건축물
지정수량의 5배 이하		0.5m 이상
지정수량의 5배 초과 10배 이하	1m 이상	1.5m 이상
지정수량의 10배 초과 20배 이하	2m 이상	3m 이상
지정수량의 20배 초과 50배 이하	3m 이상	5m 이상
지정수량의 50배 초과 200배 이하	5m 이상	10m 이상
지정수량의 200배 초과	10m 이상	15m 이상

3. 옥내저장소에는 별표 4 Ⅲ 제1호의 기준에 따라 보기 쉬운 곳에 "위험물 옥내저장소"라는 표시를 한 표지와 동표 Ⅲ 제2호의 기준에 따라 방화에 관하여 필요한 사항을 게시한 게시판을 설치하여야 한다.
4. 저장창고는 위험물의 저장을 전용으로 하는 독립된 건축물로 하여야 한다.
5. 저장창고는 지면에서 처마까지의 높이(이하 "처마높이"라 한다)가 6m 미만인 단층건물로 하고 그 바닥을 지반면보다 높게 하여야 한다. 다만, 제2류 또는 제4류의 위험물만을 저장하는 창고로서 다음 각 목의 기준에 적합한 창고의 경우에는 20m 이하로 할 수 있다.
   가. 벽 · 기둥 · 보 및 바닥을 내화구조로 할 것
   나. 출입구에 갑종방화문을 설치할 것
   다. 피뢰침을 설치할 것. 다만, 주위상황에 의하여 안전상 지장이 없는 경우에는 그러하지 아니하다.

참고

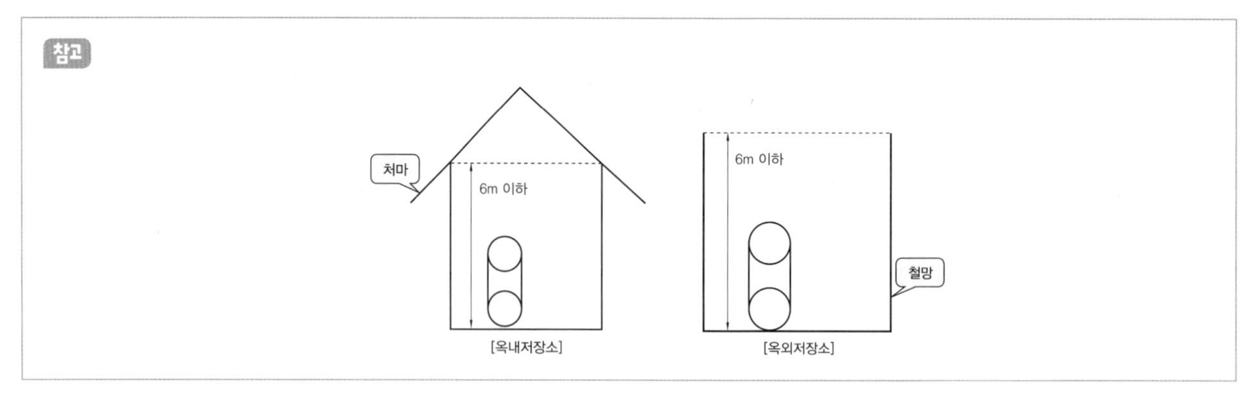

6. 하나의 저장창고의 바닥면적(2 이상의 구획된 실이 있는 경우에는 각 실의 바닥면적의 합계)은 다음 각 목의 구분에 의한 면적 이하로 하여야 한다. 이 경우 가목의 위험물과 나목의 위험물을 같은 저장창고에 저장하는 때에는 가목의 위험물을 저장하는 것으로 보아 그에 따른 바닥면적을 적용한다.
   가. 다음의 위험물을 저장하는 창고: 1,000m^2
      1) 제1류 위험물 중 아염소산염류, 염소산염류, 과염소산염류, 무기과산화물 그 밖에 지정수량이 50kg인 위험물
      2) 제3류 위험물 중 칼륨, 나트륨, 알킬알루미늄, 알킬리튬 그 밖에 지정수량이 10kg인 위험물 및 황린
      3) 제4류 위험물 중 특수인화물, 제1석유류 및 알코올류
      4) 제5류 위험물 중 유기과산화물, 질산에스테르류 그 밖에 지정수량이 10kg인 위험물
      5) 제6류 위험물
   나. 가목의 위험물 외의 위험물을 저장하는 창고: 2,000m^2
   다. 가목의 위험물과 나목의 위험물을 내화구조의 격벽으로 완전히 구획된 실에 각각 저장하는 창고: 1,500m^2(가목의 위험물을 저장하는 실의 면적은 500m^{2}를 초과할 수 없다)
7. 저장창고의 벽 · 기둥 및 바닥은 내화구조로 하고, 보와 서까래는 불연재료로 하여야 한다. 다만, 지정수량의 10배 이하의 위험물의 저장창고 또는 제2류 위험물(인화성고체는 제외한다)과 제4류의 위험물(인화점이 70℃ 미만인 것은을 제외한다)만의 저장창고에 있어서는 연소의 우려가 없는 벽 · 기둥 및 바닥은 불연재료로 할 수 있다.
8. 저장창고는 지붕을 폭발력이 위로 방출될 정도의 가벼운 불연재료로 하고, 천장을 만들지 아니하여야 한다. 다만, 제2류 위험물(분상의 것과 인화성고체를 제외한다)과 제6류 위험물만의 저장창고에 있어서는 지붕을 내화구조로 할 수 있고, 제5류 위험물만의 저장창고에 있어서는 당해 저장창고내의 온도를 저온으로 유지하기 위하여 난연재료 또는 불연재료로 된 천장을 설치할 수 있다.
9. 저장창고의 출입구에는 갑종방화문 또는 을종방화문을 설치하되, 연소의 우려가 있는 외벽에 있는 출입구에는 수시로 열 수 있는 자동폐쇄식의 갑종방화문을 설치하여야 한다.
10. 저장창고의 창 또는 출입구에 유리를 이용하는 경우에는 망입유리로 하여야 한다.
11. 제1류 위험물 중 알칼리금속의 과산화물 또는 이를 함유하는 것, 제2류 위험물 중 철분 · 금속분 · 마그네슘 또는 이 중 어느 하나 이상을 함유하는 것, 제3류 위험물 중 금수성물질 또는 제4류 위험물의 저장창고의 바닥은 물이 스며 나오거나 스며들지 아니하는 구조로 하여야 한다.
12. 액상의 위험물의 저장창고의 바닥은 위험물이 스며들지 아니하는 구조로 하고, 적당하게 경사지게 하여 그 최저부에 집유설비를 하여야 한다.
13. 저장창고에 선반 등의 수납장을 설치하는 경우에는 다음 각 목의 기준에 적합하게 하여야 한다.
   가. 수납장은 불연재료로 만들어 견고한 기초 위에 고정할 것
   나. 수납장은 당해 수납장 및 그 부속설비의 자중, 저장하는 위험물의 중량 등의 하중에 의하여 생기는 응력에 대하여 안전한 것으로 할 것
   다. 수납장에는 위험물을 수납한 용기가 쉽게 떨어지지 아니하게 하는 조치를 할 것
14. 저장창고에는 별표 4 Ⅴ. 및 Ⅵ의 규정에 준하여 채광 · 조명 및 환기의 설비를 갖추어야 하고, 인화점이 70℃ 미만인 위험물의 저장창고에 있어서는 내부에 체류한 가연성의 증기를 지붕 위로 배출하는 설비를 갖추어야 한다.
15. 저장창고에 설치하는 전기설비는 전기사업법에 의한 전기설비기술기준에 의하여야 한다.
16. 지정수량의 10배 이상의 저장창고(제6류 위험물의 저장창고를 제외한다)에는 피뢰침을 설치하여야 한다. 다만, 저장창고의 주위의 상황에 따라 안전상 지장이 없는 경우에는 피뢰침을 설치하지 아니할 수 있다.

17. 제5류 위험물 중 셀룰로이드 그 밖에 온도의 상승에 의하여 분해 · 발화할 우려가 있는 것의 저장창고는 당해 위험물이 발화하는 온도에 달하지 아니하는 온도를 유지하는 구조로 하거나 다음 각 목의 기준에 적합한 비상전원을 갖춘 통풍장치 또는 냉방장치 등의 설비를 2 이상 설치하여야 한다.
   가. 상용전력원이 고장인 경우에 자동으로 비상전원으로 전환되어 가동되도록 할 것
   나. 비상전원의 용량은 통풍장치 또는 냉방장치 등의 설비를 유효하게 작동할 수 있는 정도일 것

Ⅱ. 다층건물의 옥내저장소의 기준

옥내저장소중 제2류의 위험물(인화성고체는 제외한다) 또는 제4류의 위험물(인화점이 70℃ 미만인 것은 제외한다)만을 저장 또는 취급하는 저장창고가 다층건물인 옥내저장소의 위치 · 구조 및 설비의 기술기준은 Ⅰ 제1호 내지 제4호 및 제8호 내지 제16호의 규정에 의하는 외에 다음 각 호의 기준에 의하여야 한다.

1. 저장창고는 각 층의 바닥을 지면보다 높게 하고, 바닥면으로부터 상층의 바닥(상층이 없는 경우에는 처마)까지의 높이(이하 "층고"라 한다)를 6m 미만으로 하여야 한다.
2. 하나의 저장창고의 바닥면적 합계는 1,000m^2 이하로 하여야 한다.
3. 저장창고의 벽 · 기둥 · 바닥 및 보를 내화구조로 하고, 계단을 불연재료로 하며, 연소의 우려가 있는 외벽은 출입구 외의 개구부를 갖지 아니하는 벽으로 하여야 한다.
4. 2층 이상의 층의 바닥에는 개구부를 두지 아니하여야 한다. 다만, 내화구조의 벽과 갑종방화문 또는 을종방화문으로 구획된 계단실에 있어서는 그러하지 아니하다.

Ⅲ. 복합용도 건축물의 옥내저장소의 기준

옥내저장소중 지정수량의 20배 이하의 것(옥내저장소 외의 용도로 사용하는 부분이 있는 건축물에 설치하는 것에 한한다)의 위치 · 구조 및 설비의 기술기준은 Ⅰ 제3호, 제11호 내지 제17호의 규정에 의하는 외에 다음 각 호의 기준에 의하여야 한다.

1. 옥내저장소는 벽 · 기둥 · 바닥 및 보가 내화구조인 건축물의 1층 또는 2층의 어느 하나의 층에 설치하여야 한다.
2. 옥내저장소의 용도에 사용되는 부분의 바닥은 지면보다 높게 설치하고 그 층고를 6m 미만으로 하여야 한다.
3. 옥내저장소의 용도에 사용되는 부분의 바닥면적은 75m^2 이하로 하여야 한다.
4. 옥내저장소의 용도에 사용되는 부분은 벽 · 기둥 · 바닥 · 보 및 지붕(상층이 있는 경우에는 상층의 바닥)을 내화구조로 하고, 출입구외의 개구부가 없는 두께 7mm 이상의 철근콘크리트조 또는 이와 동등 이상의 강도가 있는 구조의 바닥 또는 벽으로 당해 건축물의 다른 부분과 구획되도록 하여야 한다.
5. 옥내저장소의 용도에 사용되는 부분의 출입구에는 수시로 열 수 있는 자동폐쇄방식의 갑종방화문을 설치하여야 한다.
6. 옥내저장소의 용도에 사용되는 부분에는 창을 설치하지 아니하여야 한다.
7. 옥내저장소의 용도에 사용되는 부분의 환기설비 및 배출설비에는 방화상 유효한 댐퍼 등을 설치하여야 한다.

Ⅳ. 소규모 옥내저장소의 특례

1. 지정수량의 50배 이하인 소규모의 옥내저장소 중 저장창고의 처마높이가 6m 미만인 것으로서 저장창고가 다음 각 목에 정하는 기준에 적합한 것에 대하여는 Ⅰ 제1호 · 제2호 및 제6호 내지 제9호의 규정은 적용하지 아니한다.
   가. 저장창고의 주위에는 다음 표에 정하는 너비의 공지를 보유할 것

저장 또는 취급하는 위험물의 최대수량	공지의 너비
지정수량의 5배 이하	
지정수량의 5배 초과 20배 이하	1m 이상
지정수량의 20배 초과 50배 이하	2m 이상

   나. 하나의 저장창고 바닥면적은 150m^2 이하로 할 것
   다. 저장창고는 벽 · 기둥 · 바닥 · 보 및 지붕을 내화구조로 할 것
   라. 저장창고의 출입구에는 수시로 개방할 수 있는 자동폐쇄방식의 갑종방화문을 설치할 것
   마. 저장창고에는 창을 설치하지 아니할 것
2. 지정수량의 50배 이하인 소규모의 옥내저장소 중 저장창고의 처마높이가 6m 이상인 것으로서 저장창고가 제1호 나목 내지 마목의 규정에 의한 기준에 적합한 것에 대하여는 Ⅰ 제1호 및 제6호 내지 제9호의 규정은 적용하지 아니한다.

V. 고인화점 위험물의 단층건물 옥내저장소의 특례

1. 고인화점 위험물만을 저장 또는 취급하는 단층건물의 옥내저장소 중 저장창고의 처마높이가 6m 미만인 것으로서 위치 및 구조가 다음 각 목의 규정에 적합한 것은 Ⅰ제1호 · 제2호 · 제8호 내지 제10호 및 제16호의 규정은 적용하지 아니한다.
   가. 지정수량의 20배를 초과하는 옥내저장소에 있어서는 별표 4 XI 제1호의 규정에 준하여 안전거리를 둘 것
   나. 저장창고의 주위에는 다음 표에 정하는 너비의 공지를 보유할 것

저장 또는 취급하는 위험물의 최대수량	공지의 너비	
	당해 건축물의 벽 · 기둥 및 바닥이 내화구조로 된 경우	왼쪽란에 정하는 경우 외의 경우
20배 이하		0.5m 이상
20배 초과 50배 이하	1m 이상	1.5m 이상
50배 초과 200배 이하	2m 이상	3m 이상
200배 초과	3m 이상	5m 이상

   다. 저장창고는 지붕을 불연재료로 할 것
   라. 저장창고의 창 및 출입구에는 방화문 또는 불연재료나 유리로 된 문을 달고, 연소의 우려가 있는 외벽에 두는 출입구에는 수시로 열 수 있는 자동폐쇄방식의 갑종방화문을 설치할 것
   마. 저장창고의 연소의 우려가 있는 외벽에 설치하는 출입구에 유리를 이용하는 경우에는 망입유리로 할 것
2. 고인화점 위험물만을 저장 또는 취급하는 단층건물의 옥내저장소 중 저장창고의 처마높이가 6m 이상인 것으로서 위치가 제1호 가목의 규정에 의한 기준에 적합한 것은 Ⅰ제1호의 규정은 적용하지 아니한다.

Ⅵ. 고인화점 위험물의 다층건물 옥내저장소의 특례

1. 고인화점 위험물만을 저장 또는 취급하는 다층건물의 옥내저장소중 그 위치 및 구조가 다음 각 목의 규정에 의한 기준에 적합한 것에 대하여는 Ⅰ제1호 · 제2호 · 제8호 내지 제10호 및 제16호와 Ⅱ 제3호의 규정은 적용하지 아니한다.
   가. Ⅴ 제1호 각 목의 기준에 적합할 것
   나. 저장창고는 벽 · 기둥 · 바닥 · 보 및 계단을 불연재료로 만들고, 연소의 우려가 있는 외벽은 출입구외의 개구부가 없는 내화구조의 벽으로 할 것

Ⅶ. 고인화점 위험물의 소규모 옥내저장소의 특례

1. 고인화점 위험물만을 지정수량의 50배 이하로 저장 또는 취급하는 옥내저장소 중 저장창고의 처마높이가 6m 미만인 것으로서 Ⅳ 제1호 나목 내지 마목의 규정에 의한 기준에 적합한 것에 대하여는 Ⅰ제1호 · 제2호 및 제6호 내지 제9호 및 제16호의 규정은 적용하지 아니한다.
2. 고인화점 위험물만을 지정수량의 50배 이하로 저장 또는 취급하는 옥내저장소 중 처마높이가 6m 이상인 것으로서 저장창고가 Ⅳ 제1호 각 목의 규정에 의한 기준에 적합한 것에 대하여는 Ⅰ제1호 · 제2호 · 제6호 내지 제9호의 규정은 적용하지 아니한다.

Ⅷ. 위험물의 성질에 따른 옥내저장소의 특례

1. 다음 각 목의 1에 해당하는 위험물을 저장 또는 취급하는 옥내저장소에 있어서는 Ⅰ 내지 Ⅳ의 규정에 의하되, 당해 위험물의 성질에 따라 강화되는 기준은 제2호 내지 제4호에 의하여야 한다.
   가. 제5류 위험물중 유기과산화물 또는 이를 함유하는 것으로서 지정수량이 10kg인 것(이하 "지정과산화물"이라 한다)
   나. 알킬알루미늄등
   다. 히드록실아민등
2. 지정과산화물을 저장 또는 취급하는 옥내저장소에 대하여 강화되는 기준은 다음 각 목과 같다.
   가. 옥내저장소는 당해 옥내저장소의 외벽으로부터 별표 4 Ⅰ제1호 가목 내지 다목의 규정에 의한 건축물의 외벽 또는 이에 상당하는 공작물의 외측까지의 사이에 부표 1에 정하는 안전거리를 두어야 한다.
   나. 옥내저장소의 저장창고 주위에는 부표 2에 정하는 너비의 공지를 보유하여야 한다. 다만, 2 이상의 옥내저장소를 동일한 부지 내에 인접하여 설치하는 때에는 당해 옥내저장소의 상호간 공지의 너비를 동표에 정하는 공지 너비의 3분의 2로 할 수 있다.

다. 옥내저장소의 저장창고의 기준은 다음과 같다.
  1) 저장창고는 150m^2 이내마다 격벽으로 완전하게 구획할 것. 이 경우 당해 격벽은 두께 30cm 이상의 철근콘크리트조 또는 철골철근콘크리트조로 하거나 두께 40cm 이상의 보강콘크리트블록조로 하고, 당해 저장창고의 양측의 외벽으로부터 1m 이상, 상부의 지붕으로부터 50cm 이상 돌출하게 하여야 한다.
  2) 저장창고의 외벽은 두께 20cm 이상의 철근콘크리트조나 철골철근콘크리트조 또는 두께 30cm 이상의 보강콘크리트블록조로 할 것
  3) 저장창고의 지붕은 다음 각 목의 1에 적합할 것
    가) 중도리 또는 서까래의 간격은 30cm 이하로 할 것
    나) 지붕의 아래쪽 면에는 한 변의 길이가 45cm 이하의 환강(丸鋼) · 경량형강(輕量形鋼) 등으로 된 강제(鋼製)의 격자를 설치할 것
    다) 지붕의 아래쪽 면에 철망을 쳐서 불연재료의 도리 · 보 또는 서까래에 단단히 결합할 것
    라) 두께 5cm 이상, 너비 30cm 이상의 목재로 만든 받침대를 설치할 것
  4) 저장창고의 출입구에는 갑종방화문을 설치할 것
  5) 저장창고의 창은 바닥면으로부터 2m 이상의 높이에 두되, 하나의 벽면에 두는 창의 면적의 합계를 당해 벽면의 면적의 80분의 1 이내로 하고, 하나의 창의 면적을 0.4m^2 이내로 할 것
라. Ⅱ 내지 Ⅳ의 규정은 적용하지 아니한다.

3. 알킬알루미늄등을 저장 또는 취급하는 옥내저장소에 대하여 강화되는 기준은 다음 각 목과 같다.
  가. 옥내저장소에는 누설범위를 국한하기 위한 설비 및 누설한 알킬알루미늄등을 안전한 장소에 설치된 조(槽)로 끌어들일 수 있는 설비를 설치하여야 한다.
  나. Ⅱ 내지 Ⅳ의 규정은 적용하지 아니한다.

4. 히드록실아민등을 저장 또는 취급하는 옥내저장소에 대하여 강화되는 기준은 히드록실아민등의 온도의 상승에 의한 위험한 반응을 방지하기 위한 조치를 강구하는 것으로 한다.

Ⅸ. 수출입 하역장소의 옥내저장소의 특례(이하 생략)

핵심정리 옥내저장소 설치기준

1. 안전거리(제조소와 동일)
   ① 제4석유류 또는 동식물유류의 위험물을 저장 또는 취급하는 옥내저장소로서 그 최대수량이 지정수량의 20배 미만
   ② 제6류 위험물을 저장 또는 취급하는 옥내저장소
   ③ 지정수량의 20배(저장창고의 바닥면적이 150m^2 이하인 경우에는 50배)이하의 위험물을 저장 또는 취급하는 옥내저장소로서 다음의 기준에 적합한 것
     ㉠ 저장창고의 벽 · 기둥 · 바닥 · 보 및 지붕이 내화구조인 것
     ㉡ 저장창고의 출입구에 수시로 열 수 있는 자동폐쇄방식의 갑종방화문이 설치되어 있을 것
     ㉢ 저장창고에 창을 설치하지 아니할 것

2. 보유공지

저장 또는 취급하는 위험물의 최대수량	공지의 너비	
	벽 · 기둥 및 바닥이내화구조로 된 건축물	그 밖의 건축물
지정수량의 5배 이하		0.5m 이상
지정수량의 5배 초과 10배 이하	1m 이상	1.5m 이상
지정수량의 10배 초과 20배 이하	2m 이상	3m 이상
지정수량의 20배 초과 50배 이하	3m 이상	5m 이상
지정수량의 50배 초과 200배 이하	5m 이상	10m 이상
지정수량의 200배 초과	10m 이상	15m 이상

3. 표지와 게시판(제조소와 동일)

4. 저장창고의 구조

① 저장창고는 위험물의 저장을 전용으로 하는 독립된 건축물

② 저장창고는 지면에서 처마까지의 높이("처마높이")가 6m 미만인 단층 건물로 하고 그 바닥을 지반면보다 높게 하여야 한다. 다만, 제2류 또는 제4류의 위험물만을 저장하는 창고로서 다음의 기준에 적합한 창고의 경우에는 20m 이하로 할 수 있다.

㉠ 벽 · 기둥 · 보 및 바닥을 내화구조로 할 것

㉡ 출입구에 갑종방화문을 설치할 것

㉢ 피뢰침을 설치할 것. 다만, 주위상황에 의하여 안전상 지장이 없는 경우에는 그러하지 아니하다.

③ 하나의 저장창고의 바닥면적

위험물품명	바닥면적
㉠ 제1류 위험물 중 아염소산염류, 염소산염류, 과염소산염류, 무기과산화물 그 밖에 지정수량이 50kg인 위험물 ㉡ 제3류 위험물 중 칼륨, 나트륨, 알킬알루미늄, 알킬리튬 그 밖에 지정수량이 10kg인 위험물 및 황린 ㉢ 제4류 위험물 중 특수인화물, 제1석유류 및 알코올류 ㉣ 제5류 위험물 중 유기과산화물, 질산에스테르류 그 밖에 지정수량이 10kg인 위험물 ㉤ 제6류 위험물	1,000m^2
그 외	2,000m^2
구획실에 각각 저장 시	1,500m^2

④ **벽 · 기둥 및 바닥: 내화구조, 보와 서까래:** 불연재료

⑤ **지붕:** 폭발력이 위로 방출될 정도의 가벼운 불연재료로 덮음

⑥ **출입구:** 갑종 또는 을종방화문을 설치(연소우려 있는 외벽 출입구는 자동폐쇄식 갑종방화문 설치)

⑦ **건물 창 및 출입구:** 망입유리

⑧ **바닥:** 위험물이 스며들지 못하는 재료를 사용하고, 적당한 경사를 두어 그 최저부에 집유설비 설치

⑨ 지정수량의 10배 이상의 저장창고(제6류 위험물의 저장창고를 제외)에는 피뢰침을 설치하여야 한다. 다만, 저장창고의 주위의 상황에 따라 안전상 지장이 없는 경우에는 피뢰침을 설치하지 아니할 수 있다.

5. 다층건물의 옥내저장소의 기준

옥내저장소 중 제2류(인화성고체를 제외) 또는 제4류(인화점이 70℃ 미만인 위험물을 제외)의 위험물만을 저장 또는 취급하는 저장창고가 다층건물인 옥내저장소의 위치 · 구조 및 설비의 기술기준은 다음의 기준에 의하여야 한다.

① 저장창고는 각 층의 바닥을 지면보다 높게 하고, 바닥면으로부터 상층의 바닥(상층이 없는 경우에는 처마)까지의 높이("층고")를 6m 미만으로 하여야 한다.

② 하나의 저장창고의 바닥면적 합계는 1,000m^2 이하로 하여야 한다.

③ 저장창고의 벽 · 기둥 · 바닥 및 보를 내화구조로 하고, 계단을 불연재료로 하며, 연소의 우려가 있는 외벽은 출입구 외의 개구부를 갖지 아니하는 벽으로 하여야 한다.

④ 2층 이상의 층의 바닥에는 개구부를 두지 아니하여야 한다. 다만, 내화구조의 벽과 갑종방화문 또는 을종방화문으로 구획된 계단실에 있어서는 그러하지 아니하다.

3 [별표 6] 옥외탱크저장소의 위치 · 구조 및 설비의 기준

시행규칙 제30조(옥외탱크저장소의 기준) 법 제5조 제4항의 규정에 의한 제조소등의 위치 · 구조 및 설비의 기준 중 옥외탱크저장소에 관한 것은 별표 6과 같다.

Ⅰ. 안전거리

위험물을 저장 또는 취급하는 옥외탱크(이하 "옥외저장탱크"라 한다)는 별표 4 Ⅰ의 규정에 준하여 안전거리를 두어야 한다.

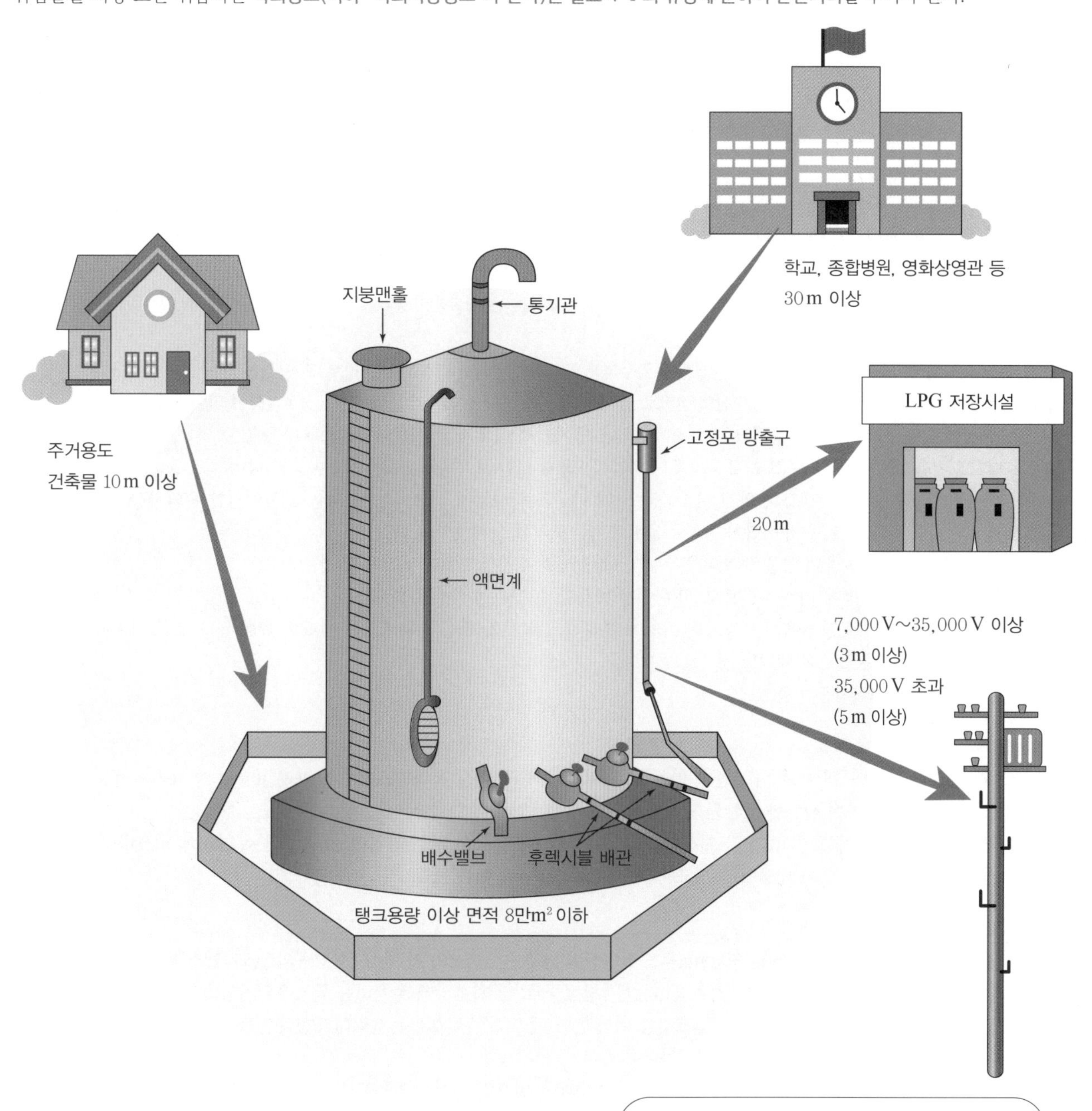

방유제는 철근콘크리트, 철골 철근콘크리트,
흙담으로 해야 하며 높이는 0.5 m~3 m로 해야 한다.

Ⅱ. 보유공지

1. 옥외저장탱크(위험물을 이송하기 위한 배관 그 밖에 이에 준하는 공작물을 제외한다)의 주위에는 그 저장 또는 취급하는 위험물의 최대수량에 따라 옥외저장탱크의 측면으로부터 다음 표에 의한 너비의 공지를 보유하여야 한다.

저장 또는 취급하는 위험물의 최대수량	공지의 너비
지정수량의 500배 이하	3m 이상
지정수량의 500배 초과 1,000배 이하	5m 이상
지정수량의 1,000배 초과 2,000배 이하	9m 이상
지정수량의 2,000배 초과 3,000배 이하	12m 이상
지정수량의 3,000배 초과 4,000배 이하	15m 이상
지정수량의 4,000배 초과	당해 탱크의 수평단면의 최대지름(횡형인 경우에는 긴 변)과 높이 중 큰 것과 같은 거리 이상. 다만, 30m 초과의 경우에는 30m 이상으로 할 수 있고, 15m 미만의 경우에는 15m 이상으로 하여야 한다.

2. 제6류 위험물 외의 위험물을 저장 또는 취급하는 옥외저장탱크(지정수량의 4,000배를 초과하여 저장 또는 취급하는 옥외저장탱크를 제외한다)를 동일한 방유제 안에 2개 이상 인접하여 설치하는 경우 그 인접하는 방향의 보유공지는 제1호의 규정에 의한 보유공지의 3분의 1 이상의 너비로 할 수 있다. 이 경우 보유공지의 너비는 3m 이상이 되어야 한다.
3. 제6류 위험물을 저장 또는 취급하는 옥외저장탱크는 제1호의 규정에 의한 보유공지의 3분의 1 이상의 너비로 할 수 있다. 이 경우 보유공지의 너비는 1.5m 이상이 되어야 한다.
4. 제6류 위험물을 저장 또는 취급하는 옥외저장탱크를 동일구내에 2개 이상 인접하여 설치하는 경우 그 인접하는 방향의 보유공지는 제3호의 규정에 의하여 산출된 너비의 3분의 1 이상의 너비로 할 수 있다. 이 경우 보유공지의 너비는 1.5m 이상이 되어야 한다.
5. 제1호의 규정에도 불구하고 옥외저장탱크(이하 이 호에서 "공지단축 옥외저장탱크"라 한다)에 다음 각 목의 기준에 적합한 물분무설비로 방호조치를 하는 경우에는 그 보유공지를 제1호의 규정에 의한 보유공지의 2분의 1 이상의 너비(최소 3m 이상)로 할 수 있다. 이 경우 공지단축 옥외저장탱크의 화재 시 $1m^2$당 20㎾ 이상의 복사열에 노출되는 표면을 갖는 인접한 옥외저장탱크가 있으면 당해 표면에도 다음 각 목의 기준에 적합한 물분무설비로 방호조치를 함께하여야 한다.
   가. 탱크의 표면에 방사하는 물의 양은 탱크의 원주길이 1m에 대하여 분당 37ℓ 이상으로 할 것
   나. 수원의 양은 가목의 규정에 의한 수량으로 20분 이상 방사할 수 있는 수량으로 할 것
   다. 탱크에 보강링이 설치된 경우에는 보강링의 아래에 분무헤드를 설치하되, 분무헤드는 탱크의 높이 및 구조를 고려하여 분무가 적정하게 이루어 질 수 있도록 배치할 것
   라. 물분무소화설비의 설치기준에 준할 것

Ⅲ. 표지 및 게시판

1. 옥외탱크저장소에는 별표 4 Ⅲ 제1호의 기준에 따라 보기 쉬운 곳에 "위험물 옥외탱크저장소"라는 표시를 한 표지와 동표 Ⅲ 제2호의 기준에 따라 방화에 관하여 필요한 사항을 게시한 게시판을 설치하여야 한다.
2. 탱크의 군(群)에 있어서는 제1호의 표지 및 게시판을 그 의미 전달에 지장이 없는 범위 안에서 보기 쉬운 곳에 일괄하여 설치할 수 있다. 이 경우 게시판과 각 탱크가 대응될 수 있도록 하는 조치를 강구하여야 한다.

Ⅳ. 특정옥외저장탱크의 기초 및 지반

1. 옥외탱크저장소 중 그 저장 또는 취급하는 액체위험물의 최대수량이 100만ℓ 이상의 것(이하 "특정옥외탱크저장소"라 한다)의 옥외저장탱크(이하 "특정옥외저장탱크"라 한다)의 기초 및 지반은 당해 기초 및 지반상에 설치하는 특정옥외저장탱크 및 그 부속설비의 자중, 저장하는 위험물의 중량 등의 하중(이하 "탱크하중"이라 한다)에 의하여 발생하는 응력에 대하여 안전한 것으로 하여야 한다.
2. 기초 및 지반은 다음 각 목에 정하는 기준에 적합하여야 한다.
   가. 지반은 암반의 단층, 절토 및 성토에 걸쳐 있는 등 활동(滑動)을 일으킬 우려가 있는 경우가 아닐 것

나. 지반은 다음 1에 적합할 것

1) 소방청장이 정하여 고시하는 범위 내에 있는 지반이 표준관입시험(標準貫入試驗) 및 평판재하시험(平板載荷試驗)에 의하여 각각 표준관입시험치가 20 이상 및 평판재하시험치[5mm 침하시에 있어서의 시험치(K30치)로 한다. 제4호에서 같다]가 $1m^3$당 100MN 이상의 값일 것

2) 소방청장이 정하여 고시하는 범위 내에 있는 지반이 다음의 기준에 적합할 것

가) 탱크하중에 대한 지지력 계산에 있어서의 지지력안전율 및 침하량 계산에 있어서의 계산침하량이 소방청장이 정하여 고시하는 값일 것

나) 기초(소방청장이 정하여 고시하는 것에 한한다. 이하 이 호에서 같다)의 표면으로부터 3m 이내의 기초직하의 지반부분이 기초와 동등 이상의 견고성이 있고, 지표면으로부터의 깊이가 15m까지의 지질(기초의 표면으로부터 3m 이내의 기초직하의 지반부분을 제외한다)이 소방청장이 정하여 고시하는 것외의 것일 것

다) 점성토 지반은 압밀도시험에서, 사질토 지반은 표준관입시험에서 각각 압밀하중에 대하여 압밀도가 90%[미소한 침하가 장기간 계속되는 경우에는 10일간(이하 이 호에서 "미소침하측정기간"이라 한다) 계속하여 측정한 침하량의 합의 1일당 평균침하량이 침하의 측정을 개시한 날부터 미소침하측정기간의 최종일까지의 총침하량의 0.3% 이하인 때에는 당해 지반에서의 압밀도가 90%인 것으로 본다] 이상 또는 표준관입시험치가 평균 15 이상의 값일 것

3) 1) 또는 2)와 동등 이상의 견고함이 있을 것

다. 지반이 바다, 하천, 호수와 늪 등에 접하고 있는 경우에는 활동에 관하여 소방청장이 정하여 고시하는 안전율이 있을 것

라. 기초는 사질토 또는 이와 동등 이상의 견고성이 있는 것을 이용하여 소방청장이 정하여 고시하는 바에 따라 만드는 것으로서 평판재하시험의 평판재하시험치가 $1m^3$당 100MN 이상의 값을 나타내는 것(이하 "성토"라 한다) 또는 이와 동등 이상의 견고함이 있는 것으로 할 것

마. 기초(성토인 것에 한한다. 이하 바목에서 같다)는 그 윗면이 특정옥외저장탱크를 설치하는 장소의 지하수위와 2m 이상의 간격을 확보할 것

바. 기초 또는 기초의 주위에는 소방청장이 정하여 고시하는 바에 따라 당해 기초를 보강하기 위한 조치를 강구할 것

3. 제1호 및 제2호에 규정하는 것외에 기초 및 지반에 관하여 필요한 사항은 소방청장이 정하여 고시한다.

4. 특정옥외저장탱크의 기초 및 지반은 제2호 나목 1)의 규정에 의한 표준관입시험 및 평판재하시험, 동목 2) 다)의 규정에 의한 압밀도 시험 또는 표준관입시험, 동호 라목의 규정에 의한 평판재하시험 및 그 밖에 소방청장이 정하여 고시하는 시험을 실시하였을 때 당해 시험과 관련되는 규정에 의한 기준에 적합하여야 한다.

V. 준특정옥외저장탱크의 기초 및 지반

1. 옥외탱크저장소중 그 저장 또는 취급하는 액체위험물의 최대수량이 50만ℓ 이상 100만ℓ 미만의 것(이하 "준특정옥외탱크저장소"라 한다)의 옥외저장탱크(이하 "준특정옥외저장탱크"라 한다)의 기초 및 지반은 제2호 및 제3호에서 정하는 바에 따라 견고하게 하여야 한다.

2. 기초 및 지반은 탱크하중에 의하여 발생하는 응력에 대하여 안전한 것으로 하여야 한다.

3. 기초 및 지반은 다음의 각 목에 정하는 기준에 적합하여야 한다.

가. 지반은 암반의 단층, 절토 및 성토에 걸쳐 있는 등 활동을 일으킬 우려가 없을 것

나. 지반은 다음의 1에 적합할 것

1) 소방청장이 정하여 고시하는 범위 내에 있는 지반이 암반 그 밖의 견고한 것일 것

2) 소방청장이 정하여 고시하는 범위 내에 있는 지반이 다음의 기준에 적합할 것

가) 당해 지반에 설치하는 준특정옥외저장탱크의 탱크하중에 대한 지지력 계산에 있어서의 지지력안전율 및 침하량 계산에 있어서의 계산침하량이 소방청장이 정하여 고시하는 값일 것

나) 소방청장이 정하여 고시하는 지질 외의 것일 것(기초가 소방청장이 정하여 고시하는 구조인 경우를 제외한다)

3) 2)와 동등 이상의 견고함이 있을 것

다. 지반이 바다, 하천, 호수와 늪 등에 접하고 있는 경우에는 활동에 관하여 소방청장이 정하여 고시하는 안전율이 있을 것

라. 기초는 사질토 또는 이와 동등 이상의 견고성이 있는 것을 이용하여 소방청장이 정하여 고시하는 바에 따라 만들거나 이와 동등 이상의 견고함이 있는 것으로 할 것

마. 기초(사질토 또는 이와 동등 이상의 견고성이 있는 것을 이용하여 소방청장이 정하여 고시하는 바에 따라 만드는 것에 한한다)는 그 윗면이 준특정옥외저장탱크를 설치하는 장소의 지하수위와 2m 이상의 간격을 확보할 것

4. 제2호 및 제3호에 규정하는 것 외에 기초 및 지반에 관하여 필요한 사항은 소방청장이 정하여 고시한다.

VI. 옥외저장탱크의 외부구조 및 설비

1. 옥외저장탱크는 특정옥외저장탱크 및 준특정옥외저장탱크 외에는 두께 3.2mm 이상의 강철판 또는 소방청장이 정하여 고시하는 규격에 적합한 재료로, 특정옥외저장탱크 및 준특정옥외저장탱크는 Ⅶ 및 Ⅷ에 의하여 소방청장이 정하여 고시하는 규격에 적합한 강철판 또는 이와 동등 이상의 기계적 성질 및 용접성이 있는 재료로 틈이 없도록 제작하여야 하고, 압력탱크(최대상용압력이 대기압을 초과하는 탱크를 말한다) 외의 탱크는 충수시험, 압력탱크는 최대상용압력의 1.5배의 압력으로 10분간 실시하는 수압시험에서 각각 새거나 변형되지 아니하여야 한다.
2. 특정옥외저장탱크의 용접부는 소방청장이 정하여 고시하는 바에 따라 실시하는 방사선투과시험, 진공시험 등의 비파괴시험에 있어서 소방청장이 정하여 고시하는 기준에 적합한 것이어야 한다.
3. 특정옥외저장탱크 및 준특정옥외저장탱크외의 탱크는 다음 각 목에 정하는 바에 따라, 특정옥외저장탱크 및 준특정옥외저장탱크는 Ⅶ 및 Ⅷ의 규정에 의한 바에 따라 지진 및 풍압에 견딜 수 있는 구조로 하고 그 지주는 철근콘크리트조, 철골콘크리트조 그 밖에 이와 동등 이상의 내화성능이 있는 것이어야 한다.
   가. 지진동에 의한 관성력 또는 풍하중에 대한 응력이 옥외저장탱크의 옆판 또는 지주의 특정한 점에 집중하지 아니하도록 당해 탱크를 견고한 기초 및 지반 위에 고정할 것
   나. 가목의 지진동에 의한 관성력 및 풍하중의 계산방법은 소방청장이 정하여 고시하는 바에 의할 것
4. 옥외저장탱크는 위험물의 폭발 등에 의하여 탱크 내의 압력이 비정상적으로 상승하는 경우에 내부의 가스 또는 증기를 상부로 방출할 수 있는 구조로 하여야 한다.
5. 옥외저장탱크의 외면에는 녹을 방지하기 위한 도장을 하여야 한다. 다만, 탱크의 재질이 부식의 우려가 없는 스테인레스 강판 등인 경우에는 그러하지 아니하다.
6. 옥외저장탱크의 밑판[에뉼러판(특정옥외저장탱크의 옆판의 최하단 두께가 15mm를 초과하는 경우, 내경이 30m를 초과하는 경우 또는 옆판을 고장력강으로 사용하는 경우에 옆판의 직하에 설치하여야 하는 판을 말한다. 이하 같다)을 설치하는 특정옥외저장탱크에 있어서는 에뉼러판을 포함한다. 이하 이 호에서 같다]을 지반면에 접하게 설치하는 경우에는 다음 각 목의 1의 기준에 따라 밑판 외면의 부식을 방지하기 위한 조치를 강구하여야 한다.
   가. 탱크의 밑판 아래에 밑판의 부식을 유효하게 방지할 수 있도록 아스팔트샌드 등의 방식재료를 댈 것
   나. 탱크의 밑판에 전기방식의 조치를 강구할 것
   다. 가목 또는 나목의 규정에 의한 것과 동등 이상으로 밑판의 부식을 방지할 수 있는 조치를 강구할 것
7. 옥외저장탱크중 압력탱크(최대상용압력이 부압 또는 정압 5kpa을 초과하는 탱크를 말한다) 외의 탱크(제4류 위험물의 옥외저장탱크에 한한다)에 있어서는 밸브없는 통기관 또는 대기밸브부착 통기관을 다음 각 목에 정하는 바에 의하여 설치하여야 하고, 압력탱크에 있어서는 별표 4 Ⅷ 제4호의 규정에 의한 안전장치를 설치하여야 한다.
   가. 밸브없는 통기관
      1) 직경은 30mm 이상일 것
      2) 선단은 수평면보다 45도 이상 구부려 빗물 등의 침투를 막는 구조로 할 것
      3) 인화점이 38℃ 미만인 위험물만을 저장 또는 취급하는 탱크에 설치하는 통기관에는 화염방지장치를 설치하고, 그 외의 탱크에 설치하는 통기관에는 40메쉬(mesh) 이상의 구리망 또는 동등 이상의 성능을 가진 인화방지장치를 설치할 것. 다만, 인화점이 70℃ 이상인 위험물만을 해당 위험물의 인화점 미만의 온도로 저장 또는 취급하는 탱크에 설치하는 통기관에는 인화방지장치를 설치하지 않을 수 있다.
      4) 가연성의 증기를 회수하기 위한 밸브를 통기관에 설치하는 경우에 있어서는 당해 통기관의 밸브는 저장탱크에 위험물을 주입하는 경우를 제외하고는 항상 개방되어 있는 구조로 하는 한편, 폐쇄하였을 경우에 있어서는 10kpa 이하의 압력에서 개방되는 구조로 할 것. 이 경우 개방된 부분의 유효단면적은 777.15mm^2 이상이어야 한다.
   나. 대기밸브부착 통기관
      1) 5kpa 이하의 압력차이로 작동할 수 있을 것
      2) 가목 3)의 기준에 적합할 것

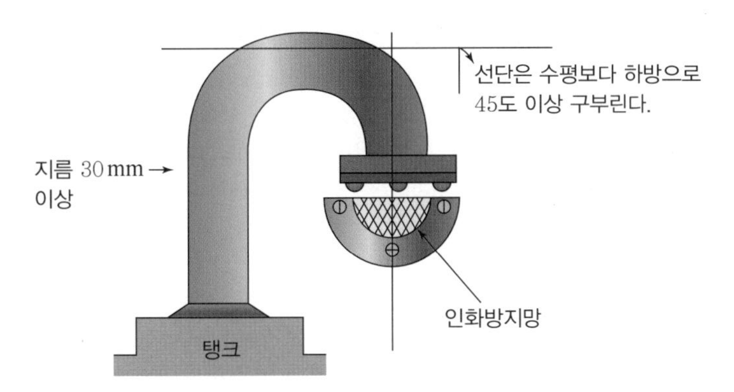

8. 액체위험물의 옥외저장탱크에는 위험물의 양을 자동적으로 표시할 수 있도록 기밀부유식 계량장치, 증기가 비산하지 아니하는 구조의 부유식 계량장치, 전기압력자동방식이나 방사성동위원소를 이용한 방식에 의한 자동계량장치 또는 유리게이지(금속관으로 보호된 경질유리 등으로 되어 있고 게이지가 파손되었을 때 위험물의 유출을 자동적으로 정지할 수 있는 장치가 되어 있는 것에 한한다)를 설치하여야 한다.
9. 액체위험물의 옥외저장탱크의 주입구는 다음 각 목의 기준에 의하여야 한다.
   가. 화재예방상 지장이 없는 장소에 설치할 것
   나. 주입호스 또는 주입관과 결합할 수 있고, 결합하였을 때 위험물이 새지 아니할 것
   다. 주입구에는 밸브 또는 뚜껑을 설치할 것
   라. 휘발유, 벤젠 그 밖에 정전기에 의한 재해가 발생할 우려가 있는 액체위험물의 옥외저장탱크의 주입구 부근에는 정전기를 유효하게 제거하기 위한 접지전극을 설치할 것
   마. 인화점이 21℃ 미만인 위험물의 옥외저장탱크의 주입구에는 보기 쉬운 곳에 다음의 기준에 의한 게시판을 설치할 것. 다만, 소방본부장 또는 소방서장이 화재예방상 당해 게시판을 설치할 필요가 없다고 인정하는 경우에는 그러하지 아니하다.
      1) 게시판은 한변이 0.3m 이상, 다른 한변이 0.6m 이상인 직사각형으로 할 것
      2) 게시판에는 "옥외저장탱크 주입구"라고 표시하는 것외에 취급하는 위험물의 유별, 품명 및 별표 4 Ⅲ 제2호 라목의 규정에 준하여 주의사항을 표시할 것
      3) 게시판은 백색바탕에 흑색문자(별표 4 Ⅲ 제2호 라목의 주의사항은 적색문자)로 할 것
   바. 주입구 주위에는 새어나온 기름 등 액체가 외부로 유출되지 아니하도록 방유턱을 설치하거나 집유설비 등의 장치를 설치할 것
10. 옥외저장탱크의 펌프설비(펌프 및 이에 부속하는 전동기를 말하며, 당해 펌프 및 전동기를 위한 건축물 그 밖의 공작물을 설치하는 경우에는 당해 공작물을 포함한다. 이하 같다)는 다음 각 목에 의하여야 한다.
   가. 펌프설비의 주위에는 너비 3m 이상의 공지를 보유할 것. 다만, 방화상 유효한 격벽을 설치하는 경우와 제6류 위험물 또는 지정수량의 10배 이하 위험물의 옥외저장탱크의 펌프설비에 있어서는 그러하지 아니하다.
   나. 펌프설비로부터 옥외저장탱크까지의 사이에는 당해 옥외저장탱크의 보유공지 너비의 3분의 1 이상의 거리를 유지할 것
   다. 펌프설비는 견고한 기초 위에 고정할 것
   라. 펌프 및 이에 부속하는 전동기를 위한 건축물 그 밖의 공작물(이하 "펌프실"이라 한다)의 벽 · 기둥 · 바닥 및 보는 불연재료로 할 것
   마. 펌프실의 지붕을 폭발력이 위로 방출될 정도의 가벼운 불연재료로 할 것
   바. 펌프실의 창 및 출입구에는 갑종방화문 또는 을종방화문을 설치할 것
   사. 펌프실의 창 및 출입구에 유리를 이용하는 경우에는 망입유리로 할 것
   아. 펌프실의 바닥의 주위에는 높이 0.2m 이상의 턱을 만들고 바닥은 콘크리트 등 위험물이 스며들지 아니하는 재료로 적당히 경사지게 하여 그 최저부에는 집유설비를 설치할 것
   자. 펌프실에는 위험물을 취급하는데 필요한 채광, 조명 및 환기의 설비를 설치할 것
   차. 가연성 증기가 체류할 우려가 있는 펌프실에는 그 증기를 옥외의 높은 곳으로 배출하는 설비를 설치할 것
   카. 펌프실 외의 장소에 설치하는 펌프설비에는 그 직하의 지반면의 주위에 높이 0.15m 이상의 턱을 만들고 당해 지반면은 콘크리트 등 위험물이 스며들지 아니하는 재료로 적당히 경사지게 하여 그 최저부에는 집유설비를 할 것. 이 경우 제4류 위험물(온도 20℃의 물 100g에 용해되는 양이 1g 미만인 것에 한한다)을 취급하는 펌프설비에 있어서는 당해 위험물이 직접 배수구에 유입하지 아니하도록 집유설비에 유분리장치를 설치하여야 한다.

타. 인화점이 21℃ 미만인 위험물을 취급하는 펌프설비에는 보기 쉬운 곳에 제9호 마목의 규정에 준하여 "옥외저장탱크 펌프설비" 라는 표시를 한 게시판과 방화에 관하여 필요한 사항을 게시한 게시판을 설치할 것. 다만, 소방본부장 또는 소방서장이 화재예방상 당해 게시판을 설치할 필요가 없다고 인정하는 경우에는 그러하지 아니하다.

11. 옥외저장탱크의 밸브는 주강 또는 이와 동등 이상의 기계적 성질이 있는 재료로 되어 있고, 위험물이 새지 아니하여야 한다.
12. 옥외저장탱크의 배수관은 탱크의 옆판에 설치하여야 한다. 다만, 탱크와 배수관과의 결합부분이 지진 등에 의하여 손상을 받을 우려가 없는 방법으로 배수관을 설치하는 경우에는 탱크의 밑판에 설치할 수 있다.
13. 부상지붕이 있는 옥외저장탱크의 옆판 또는 부상지붕에 설치하는 설비는 지진 등에 의하여 부상지붕 또는 옆판에 손상을 주지 아니하게 설치하여야 한다. 다만, 당해 옥외저장탱크에 저장하는 위험물의 안전관리에 필요한 가동(可動)사다리, 회전방지기구, 검척관(檢尺管), 샘플링(sampling)설비 및 이에 부속하는 설비에 있어서는 그러하지 아니하다.
14. 옥외저장탱크의 배관의 위치 · 구조 및 설비는 제15호의 규정에 의한 것 외에 별표 4 X의 규정에 의한 제조소의 배관의 기준을 준용하여야 한다.
15. 액체위험물을 이송하기 위한 옥외저장탱크의 배관은 지진 등에 의하여 당해 배관과 탱크와의 결합부분에 손상을 주지 아니하게 설치하여야 한다.
16. 옥외저장탱크에 설치하는 전기설비는 전기사업법에 의한 전기설비기술기준에 의하여야 한다.
17. 지정수량의 10배 이상인 옥외탱크저장소(제6류 위험물의 옥외탱크저장소를 제외한다)에는 별표 4 Ⅷ 제7호의 규정에 준하여 피뢰침을 설치하여야 한다. 다만, 탱크에 저항이 5Ω 이하인 접지시설을 설치하거나 인근 피뢰설비의 보호범위 내에 들어가는 등 주위의 상황에 따라 안전상 지장이 없는 경우에는 피뢰침을 설치하지 아니할 수 있다.
18. 액체위험물의 옥외저장탱크의 주위에는 Ⅸ의 기준에 따라 위험물이 새었을 경우에 그 유출을 방지하기 위한 방유제를 설치하여야 한다.
19. 제3류 위험물 중 금수성물질(고체에 한한다)의 옥외저장탱크에는 방수성의 불연재료로 만든 피복설비를 설치하여야 한다.
20. 이황화탄소의 옥외저장탱크는 벽 및 바닥의 두께가 0.2m 이상이고 누수가 되지 아니하는 철근콘크리트의 수조에 넣어 보관하여야 한다. 이 경우 보유공지 · 통기관 및 자동계량장치는 생략할 수 있다.

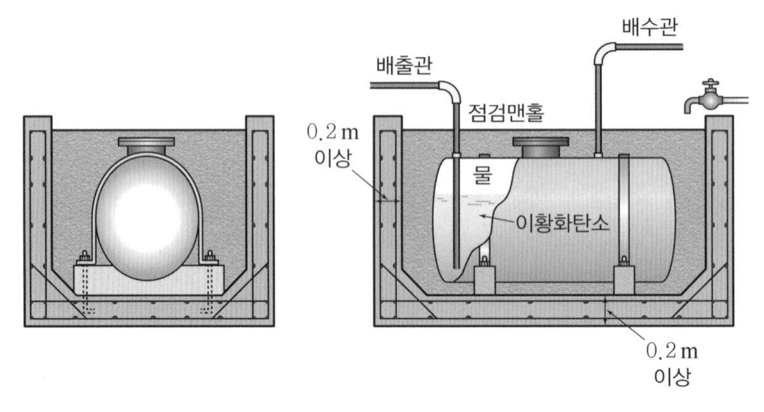

21. 옥외저장탱크에 부착되는 부속설비(교반기, 밸브, 폼챔버, 화염방지장치, 통기관대기밸브, 비상압력배출장치를 말한다)는 기술원 또는 소방청장이 정하여 고시하는 국내 · 외 공인시험기관에서 시험 또는 인증 받은 제품을 사용하여야 한다.

Ⅶ. 특정옥외저장탱크의 구조

1. 특정옥외저장탱크는 주하중(탱크하중, 탱크와 관련되는 내압, 온도변화의 영향 등에 의한 것을 말한다. 이하 같다) 및 종하중(적설하중, 풍하중, 지진의 영향 등에 의한 것을 말한다. 이하 같다)에 의하여 발생하는 응력 및 변형에 대하여 안전한 것으로 하여야 한다.
2. 특정옥외저장탱크의 구조는 다음 각 목에 정하는 기준에 적합하여야 한다.
   가. 주하중과 주하중 및 종하중의 조합에 의하여 특정옥외저장탱크의 본체에 발생하는 응력은 소방청장이 정하여 고시하는 허용응력 이하일 것
   나. 특정옥외저장탱크의 보유수평내력(保有水平耐力)은 지진의 영향에 의한 필요보유수평내력(必要保有水平耐力) 이상일 것, 이 경우에 있어서의 보유수평내력 및 필요보수수평내력의 계산방법은 소방청장이 정하여 고시한다.

다. 옆판, 밑판 및 지붕의 최소두께와 에뉼러판의 너비(옆판외면에서 바깥으로 연장하는 최소길이, 옆판내면에서 탱크중심부로 연장하는 최소길이를 말한다) 및 최소두께는 소방청장이 정하여 고시하는 기준에 적합할 것

3. 특정옥외저장탱크의 용접(겹침보수 및 육성보수와 관련되는 것을 제외한다)방법은 다음 각 목에 정하는 바에 의한다. 이러한 용접방법은 소방청장이 정하여 고시하는 용접시공방법확인시험의 방법 및 기준에 적합한 것이거나 이와 동등 이상의 것임이 미리 확인되어 있어야 한다.

가. 옆판의 용접은 다음에 의할 것

1) 세로이음 및 가로이음은 완전용입 맞대기용접으로 할 것

2) 옆판의 세로이음은 단을 달리하는 옆판의 각각의 세로이음과 동일선상에 위치하지 아니하도록 할 것. 이 경우 당해 세로이음간의 간격은 서로 접하는 옆판중 두꺼운 쪽 옆판의 5배 이상으로 하여야 한다.

나. 옆판과 에뉼러판(에뉼러판이 없는 경우에는 밑판)과의 용접은 부분용입그룹용접 또는 이와 동등 이상의 용접강도가 있는 용접방법으로 용접할 것. 이 경우에 있어서 용접 비드(bead)는 매끄러운 형상을 가져야 한다.

다. 에뉼러판과 에뉼러판은 뒷면에 재료를 댄 맞대기용접으로 하고, 에뉼러판과 밑판 및 밑판과 밑판의 용접은 뒷면에 재료를 댄 맞대기용접 또는 겹치기용접으로 용접할 것. 이 경우에 에뉼러판과 밑판의 용접부의 강도 및 밑판과 밑판의 용접부의 강도에 유해한 영향을 주는 흠이 있어서는 아니된다.

라. 필렛용접의 사이즈(부등사이즈가 되는 경우에는 작은 쪽의 사이즈를 말한다)는 다음 식에 의하여 구한 값으로 할 것

$$t_1 \geqq S \geqq 2\sqrt{t_s} \ (\text{단}, S \geqq 4.5)$$

- t_1: 얇은 쪽의 강판의 두께(mm)
- t_2: 두꺼운 쪽의 강판의 두께(mm)
- S: 사이즈(mm)

4. 제1호 내지 제3호의 규정하는 것 외의 특정옥외저장탱크의 구조에 관하여 필요한 사항은 소방청장이 정하여 고시한다.

Ⅷ. 준특정옥외저장탱크의 구조

1. 준특정옥외저장탱크는 주하중 및 종하중에 의하여 발생하는 응력 및 변형에 대하여 안전한 것으로 하여야 한다.
2. 준특정옥외저장탱크의 구조는 다음 각 목에 정하는 기준에 적합하여야 한다.

가. 두께가 3.2mm 이상일 것

나. 준특정옥외저장탱크의 옆판에 발생하는 상시의 원주방향인장응력은 소방청장이 정하여 고시하는 허용응력 이하일 것

다. 준특정옥외저장탱크의 옆판에 발생하는 지진시의 축방향압축응력은 소방청장이 정하여 고시하는 허용응력 이하일 것

3. 준특정옥외저장탱크의 보유수평내력은 지진의 영향에 의한 필요보유수평내력 이상이어야 한다. 이 경우에 있어서의 보유수평내력 및 필요보수수평내력의 계산방법은 소방청장이 정하여 고시한다.
4. 제2호 및 제3호에 규정하는 것 외의 준특정옥외저장탱크의 구조에 관하여 필요한 사항은 소방청장이 정하여 고시한다.

Ⅸ. 방유제

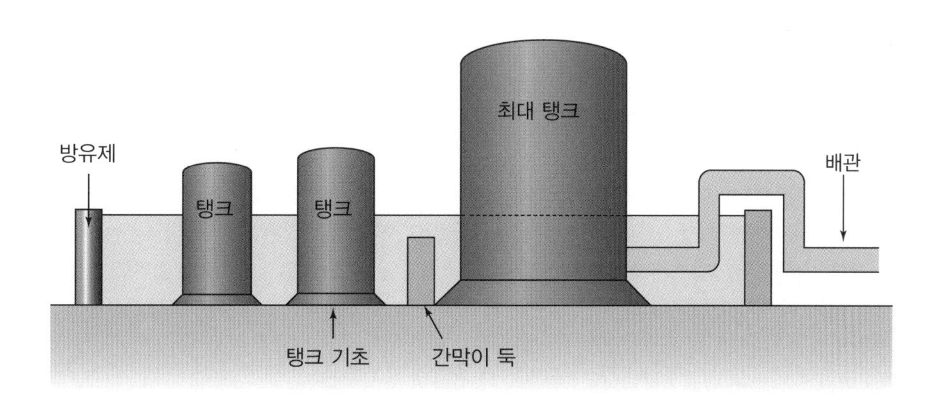

1. 인화성액체위험물(이황화탄소를 제외한다)의 옥외탱크저장소의 탱크 주위에는 다음 각 목의 기준에 의하여 방유제를 설치하여야 한다.
   가. 방유제의 용량은 방유제 안에 설치된 탱크가 하나인 때에는 그 탱크 용량의 110% 이상, 2기 이상인 때에는 그 탱크 중 용량이 최대인 것의 용량의 110% 이상으로 할 것. 이 경우 방유제의 용량은 당해 방유제의 내용적에서 용량이 최대인 탱크 외의 탱크의 방유제 높이 이하 부분의 용적, 당해 방유제 내에 있는 모든 탱크의 지반면 이상 부분의 기초의 체적, 간막이 둑의 체적 및 당해 방유제 내에 있는 배관 등의 체적을 뺀 것으로 한다.
   나. 방유제는 높이 0.5m 이상 3m 이하, 두께 0.2m 이상, 지하매설깊이 1m 이상으로 할 것. 다만, 방유제와 옥외저장탱크 사이의 지반면 아래에 불침윤성(不浸潤性) 구조물을 설치하는 경우에는 지하매설깊이를 해당 불침윤성 구조물까지로 할 수 있다.
   다. 방유제 내의 면적은 8만m^2 이하로 할 것
   라. 방유제 내의 설치하는 옥외저장탱크의 수는 10(방유제 내에 설치하는 모든 옥외저장탱크의 용량이 20만ℓ 이하이고, 당해 옥외저장탱크에 저장 또는 취급하는 위험물의 인화점이 70℃ 이상 200℃ 미만인 경우에는 20) 이하로 할 것. 다만, 인화점이 200℃ 이상인 위험물을 저장 또는 취급하는 옥외저장탱크에 있어서는 그러하지 아니하다.
   마. 방유제 외면의 2분의 1 이상은 자동차 등이 통행할 수 있는 3m 이상의 노면폭을 확보한 구내도로(옥외저장탱크가 있는 부지 내의 도로를 말한다. 이하 같다)에 직접 접하도록 할 것. 다만, 방유제 내에 설치하는 옥외저장탱크의 용량합계가 20만ℓ 이하인 경우에는 소화활동에 지장이 없다고 인정되는 3m 이상의 노면폭을 확보한 도로 또는 공지에 접하는 것으로 할 수 있다.
   바. 방유제는 옥외저장탱크의 지름에 따라 그 탱크의 옆판으로부터 다음에 정하는 거리를 유지할 것. 다만, 인화점이 200℃ 이상인 위험물을 저장 또는 취급하는 것에 있어서는 그러하지 아니하다.
      1) 지름이 15m 미만인 경우에는 탱크 높이의 3분의 1 이상
      2) 지름이 15m 이상인 경우에는 탱크 높이의 2분의 1 이상
   사. 방유제는 철근콘크리트로 하고, 방유제와 옥외저장탱크 사이의 지표면은 불연성과 불침윤성이 있는 구조(철근콘크리트 등)로 할 것. 다만, 누출된 위험물을 수용할 수 있는 전용유조(專用油槽) 및 펌프 등의 설비를 갖춘 경우에는 방유제와 옥외저장탱크 사이의 지표면을 흙으로 할 수 있다.
   아. 용량이 1,000만ℓ 이상인 옥외저장탱크의 주위에 설치하는 방유제에는 다음의 규정에 따라 당해 탱크마다 간막이 둑을 설치할 것
      1) 간막이 둑의 높이는 0.3m(방유제 내에 설치되는 옥외저장탱크의 용량의 합계가 2억ℓ를 넘는 방유제에 있어서는 1m) 이상으로 하되, 방유제의 높이보다 0.2m 이상 낮게 할 것
      2) 간막이 둑은 흙 또는 철근콘크리트로 할 것
      3) 간막이 둑의 용량은 간막이 둑안에 설치된 탱크의 용량의 10% 이상일 것
   자. 방유제 내에는 당해 방유제 내에 설치하는 옥외저장탱크를 위한 배관(당해 옥외저장탱크의 소화설비를 위한 배관을 포함한다), 조명설비 및 계기시스템과 이들에 부속하는 설비 그 밖의 안전확보에 지장이 없는 부속설비 외에는 다른 설비를 설치하지 아니할 것
   차. 방유제 또는 간막이 둑에는 해당 방유제를 관통하는 배관을 설치하지 아니할 것. 다만, 위험물을 이송하는 배관의 경우에는 배관이 관통하는 지점의 좌우방향으로 각 1m 이상까지의 방유제 또는 간막이 둑의 외면에 두께 0.1m 이상, 지하매설깊이 0.1m 이상의 구조물을 설치하여 방유제 또는 간막이 둑을 이중구조로 하고, 그 사이에 토사를 채운 후, 관통하는 부분을 완충재 등으로 마감하는 방식으로 설치할 수 있다.
   카. 방유제에는 그 내부에 고인 물을 외부로 배출하기 위한 배수구를 설치하고 이를 개폐하는 밸브 등을 방유제의 외부에 설치할 것
   타. 용량이 100만ℓ 이상인 위험물을 저장하는 옥외저장탱크에 있어서는 카목의 밸브 등에 그 개폐상황을 쉽게 확인할 수 있는 장치를 설치할 것
   파. 높이가 1m를 넘는 방유제 및 간막이 둑의 안팎에는 방유제내에 출입하기 위한 계단 또는 경사로를 약 50m마다 설치할 것
   하. 용량이 50만리터 이상인 옥외탱크저장소가 해안 또는 강변에 설치되어 방유제 외부로 누출된 위험물이 바다 또는 강으로 유입될 우려가 있는 경우에는 해당 옥외탱크저장소가 설치된 부지 내에 전용유조(專用油槽) 등 누출위험물 수용설비를 설치할 것
2. 제1호 가목 · 나목 · 사목 내지 파목의 규정은 인화성이 없는 액체위험물의 옥외저장탱크의 주위에 설치하는 방유제의 기술기준에 대하여 준용한다. 이 경우에 있어서 제1호 가목 중 "110%"는 "100%"로 본다.
3. 그 밖에 방유제의 기술기준에 관하여 필요한 사항은 소방청장이 정하여 고시한다.

Ⅹ. 고인화점 위험물의 옥외탱크저장소의 특례

고인화점 위험물만을 100℃ 미만의 온도로 저장 또는 취급하는 옥외탱크저장소 중 그 위치 · 구조 및 설비가 다음 각 목에 정하는 기준에 적합한 경우에는 Ⅰ · Ⅱ · Ⅵ제3호(지주와 관련되는 부분에 한한다) · 제10호 · 제17호 및 제18호의 규정은 적용하지 아니한다.

가. 옥외탱크저장소는 별표 4 Ⅺ 제1호의 규정에 준하여 안전거리를 둘 것

나. 옥외저장탱크(위험물을 이송하기 위한 배관 그 밖에 이에 준하는 공작물을 제외한다)의 주위에 다음의 표에 정하는 너비의 공지를 보유할 것

저장 또는 취급하는 위험물의 최대수량	공지의 너비
지정수량의 2,000배 이하	3m 이상
지정수량의 2,000배 초과 4,000배 이하	5m 이상
지정수량의 4,000배 초과	당해 탱크의 수평단면의 최대지름(횡형인 경우에는 긴 변)과 높이 중 큰 것의 3분의 1과 같은 거리 이상. 다만, 5m 미만으로 하여서는 아니된다.

다. 옥외저장탱크의 지주는 철근콘크리트조, 철골콘크리트구조 그 밖에 이들과 동등 이상의 내화성능이 있을 것. 다만, 하나의 방유제 안에 설치하는 모든 옥외저장탱크가 고인화점 위험물만을 100℃ 미만의 온도로 저장 또는 취급하는 경우에는 지주를 불연재료로 할 수 있다.

라. 옥외저장탱크의 펌프설비는 Ⅵ 제10호(가목 · 바목 및 사목을 제외한다)의 규정에 준하는 것외에 다음의 기준에 의할 것

1) 펌프설비의 주위에 1m 이상의 너비의 공지를 보유할 것. 다만, 내화구조로 된 방화상 유효한 격벽을 설치하는 경우 또는 지정수량의 10배 이하의 위험물을 저장하는 옥외저장탱크의 펌프설비에 있어서는 그러하지 아니하다.

2) 펌프실의 창 및 출입구에는 갑종방화문 또는 을종방화문을 설치할 것. 다만, 연소의 우려가 없는 외벽에 설치하는 창 및 출입구에는 불연재료 또는 유리로 만든 문을 달 수 있다.

3) 펌프실의 연소의 우려가 있는 외벽에 설치하는 창 및 출입구에 유리를 이용하는 경우는 망입유리를 이용할 것

마. 옥외저장탱크의 주위에는 위험물이 새었을 경우에 그 유출을 방지하기 위한 방유제를 설치할 것

바. Ⅸ 제1호 가목 내지 다목 및 사목 내지 파목의 규정은 마목의 방유제의 기준에 대하여 준용한다. 이 경우에 있어서 동호 가목 중 "110%"는 "100%"로 본다.

Ⅺ. 위험물의 성질에 따른 옥외탱크저장소의 특례

알킬알루미늄등, 아세트알데히드등 및 히드록실아민등을 저장 또는 취급하는 옥외탱크저장소는 Ⅰ 내지 Ⅸ에 의하는 외에 당해 위험물의 성질에 따라 다음 각 호에 정하는 기준에 의하여야 한다.

1. 알킬알루미늄등의 옥외탱크저장소

가. 옥외저장탱크의 주위에는 누설범위를 국한하기 위한 설비 및 누설된 알킬알루미늄등을 안전한 장소에 설치된 조에 이끌어 들일 수 있는 설비를 설치할 것

나. 옥외저장탱크에는 불활성의 기체를 봉입하는 장치를 설치할 것

2. 아세트알데히드등의 옥외탱크저장소

가. 옥외저장탱크의 설비는 동 · 마그네슘 · 은 · 수은 또는 이들을 성분으로 하는 합금으로 만들지 아니할 것

나. 옥외저장탱크에는 냉각장치 또는 보냉장치, 그리고 연소성 혼합기체의 생성에 의한 폭발을 방지하기 위한 불활성의 기체를 봉입하는 장치를 설치할 것

3. 히드록실아민등의 옥외탱크저장소

가. 옥외탱크저장소에는 히드록실아민등의 온도의 상승에 의한 위험한 반응을 방지하기 위한 조치를 강구할 것

나. 옥외탱크저장소에는 철이온 등의 혼입에 의한 위험한 반응을 방지하기 위한 조치를 강구할 것

XII. 지중탱크에 관계된 옥외탱크저장소의 특례

1. 제4류 위험물을 지중탱크에 저장 또는 취급하는 옥외탱크저장소는 Ⅰ 내지 Ⅸ의 기준 중 Ⅰ · Ⅱ · Ⅳ · Ⅴ · Ⅵ 제1호(충수시험 또는 수압시험에 관한 부분을 제외한다) · 제2호 · 제3호 · 제5호 · 제6호 · 제10호 · 제12호 · 제16호 및 제18호의 규정은 적용하지 아니한다.
2. 제1호에 정하는 것외에 다음 각 목에 정하는 기준에 적합하여야 한다.
   가. 지중탱크의 옥외탱크저장소는 다음에 정하는 장소와 그 밖에 소방청장이 정하여 고시하는 장소에 설치하지 아니할 것
      1) 급경사지 등으로서 지반붕괴, 산사태 등의 위험이 있는 장소
      2) 융기, 침강 등의 지반변동이 생기고 있거나 지중탱크의 구조에 지장을 미치는 지반변동이 발생할 우려가 있는 장소
   나. 지중탱크의 옥외탱크저장소의 위치는 Ⅰ의 규정에 의하는 것외에 당해 옥외탱크저장소가 보유하는 부지의 경계선에서 지중탱크의 지반면의 옆판까지의 사이에, 당해 지중탱크 수평단면의 내경의 수치에 0.5를 곱하여 얻은 수치(당해 수치가 지중탱크의 밑판표면에서 지반면까지 높이의 수치보다 작은 경우에는 당해 높이의 수치) 또는 50m(당해 지중탱크에 저장 또는 취급하는 위험물의 인화점이 21℃ 이상 70℃ 미만의 경우에 있어서는 40m, 70℃ 이상의 경우에 있어서는 30m) 중 큰 것과 동일한 거리 이상의 거리를 유지할 것
   다. 지중탱크(위험물을 이송하기 위한 배관 그 밖의 이에 준하는 공작물을 제외한다)의 주위에는 당해 지중탱크 수평단면의 내경의 수치에 0.5를 곱하여 얻은 수치 또는 지중탱크의 밑판표면에서 지반면까지 높이의 수치 중 큰 것과 동일한 거리 이상의 너비의 공지를 보유할 것
   라. 지중탱크의 지반은 다음에 의할 것
      1) 지반은 당해 지반에 설치하는 지중탱크 및 그 부속설비의 자중, 저장하는 위험물의 중량 등의 하중(이하 "지중탱크하중"이라 한다)에 의하여 발생하는 응력에 대하여 안전할 것
      2) 지반은 다음에 정하는 기준에 적합할 것
         가) 지반은 Ⅳ 제2호 가목의 기준에 적합할 것
         나) 소방청장이 정하여 고시하는 범위 내의 지반은 지중탱크하중에 대한 지지력계산에서의 지지력안전율 및 침하량계산에서의 계산침하량이 소방청장이 정하여 고시하는 수치에 적합하고, Ⅳ 제2호 나목 2) 다)의 기준에 적합할 것
         다) 지중탱크 하부의 지반[마목 3)에 정하는 양수설비를 설치하는 경우에는 당해 양수설비의 배수층하의 지반]의 표면의 평판재하시험에 있어서 평판재하시험치(극한 지지력의 값으로 한다)가 지중탱크하중에 나)의 안전율을 곱하여 얻은 값 이상의 값일 것
         라) 소방청장이 정하여 고시하는 범위 내의 지반의 지질이 소방청장이 정하여 고시하는 것 외의 것일 것
         마) 지반이 바다 · 하천 · 호소(湖沼) · 늪 등에 접하고 있는 경우 또는 인공지반을 조성하는 경우에는 활동과 관련하여 소방청장이 정하여 고시하는 기준에 적합할 것
         바) 인공지반에 있어서는 가) 내지 마)에 정하는 것외에 소방청장이 정하여 고시하는 기준에 적합할 것
   마. 지중탱크의 구조는 다음에 의할 것
      1) 지중탱크는 옆판 및 밑판을 철근콘크리트 또는 프리스트레스트콘크리트로 만들고 지붕을 강철판으로 만들며, 옆판 및 밑판의 안쪽에는 누액방지판을 설치하여 틈이 없도록 할 것
      2) 지중탱크의 재료는 소방청장이 정하여 고시하는 규격에 적합한 것 또는 이와 동등 이상의 강도 등이 있을 것
      3) 지중탱크는 당해 지중탱크 및 그 부속설비의 자중, 저장하는 위험물의 중량, 토압, 지하수압, 양압력(揚壓力), 콘크리트의 건조수축 및 크립(creep)의 영향, 온도변화의 영향, 지진의 영향 등의 하중에 의하여 발생하는 응력 및 변형에 대해서 안전하게 하고, 유해한 침하 및 부상(浮上)을 일으키지 아니하도록 할 것. 다만, 소방청장이 정하여 고시하는 기준에 적합한 양수설비를 설치하는 경우는 양압력을 고려하지 아니할 수 있다.
      4) 지중탱크의 구조는 1) 내지 3)에 의하는 외에 다음에 정하는 기준에 적합할 것
         가) 하중에 의하여 지중탱크본체(지붕 및 누액방지판을 포함한다)에 발생하는 응력은 소방청장이 정하여 고시하는 허용응력 이하일 것
         나) 옆판 및 밑판의 최소두께는 소방청장이 정하여 고시하는 기준에 적합한 것으로 할 것
         다) 지붕은 2매판 구조의 부상지붕으로 하고, 그 외면에는 녹 방지를 위한 도장을 하는 동시에 소방청장이 정하여 고시하는 기준에 적합하게 할 것
         라) 누액방지판은 소방청장이 정하여 고시하는 바에 따라 강철판으로 만들고, 그 용접부는 소방청장이 정하여 고시하는 바에 따라 실시한 자분탐상시험 등의 시험에 있어서 소방청장이 정하여 고시하는 기준에 적합하도록 한 것

바. 지중탱크의 펌프설비는 다음의 기준에 적합한 것으로 할 것
1) 위험물 중에 설치하는 펌프설비는 그 전동기의 내부에 냉각수를 순환시키는 동시에 금속제의 보호관 내에 설치할 것
2) 1)에 해당하지 아니하는 펌프설비는 VI 제10호(갱도에 설치하는 것에 있어서는 가목 · 나목 · 마목 및 카목을 제외한다)의 규정에 의한 옥외저장탱크의 펌프설비의 기준을 준용할 것
사. 지중탱크에는 당해 지중탱크 내의 물을 적절히 배수할 수 있는 설비를 설치할 것
아. 지중탱크의 옥외탱크저장소에 갱도를 설치하는 경우에 있어서는 다음에 의할 것
1) 갱도의 출입구는 지중탱크 내의 위험물의 최고액면보다 높은 위치에 설치할 것. 다만, 최고액면을 넘는 위치를 경유하는 경우에 있어서는 그러하지 아니하다.
2) 가연성의 증기가 체류할 우려가 있는 갱도에는 가연성의 증기를 외부에 배출할 수 있는 설비를 설치할 것
자. 지중탱크는 그 주위가 소방청장이 정하여 고시하는 구내도로에 직접 면하도록 설치할 것. 다만, 2기 이상의 지중탱크를 인접하여 설치하는 경우에는 당해 지중탱크 전체가 포위될 수 있도록 하되, 각 탱크의 2 방향 이상이 구내도로에 직접 면하도록 하는 것으로 할 수 있다.
차. 지중탱크의 옥외탱크저장소에는 소방청장이 정하여 고시하는 바에 따라 위험물 또는 가연성 증기의 누설을 자동적으로 검지하는 설비 및 지하수위의 변동을 감시하는 설비를 설치할 것
카. 지중탱크의 옥외탱크저장소에는 소방청장이 정하여 고시하는 바에 따라 지중벽을 설치할 것. 다만, 주위의 지반상황 등에 의하여 누설된 위험물이 확산할 우려가 없는 경우에는 그러하지 아니하다.
3. 제1호 및 제2호에 규정하는 것외에 지중탱크의 옥외탱크저장소에 관한 세부기준은 소방청장이 정하여 고시한다.

XIII. 해상탱크에 관계된 옥외탱크저장소의 특례
1. 원유 · 등유 · 경유 또는 중유를 해상탱크에 저장 또는 취급하는 옥외탱크저장소 중 해상탱크를 용량 10만ℓ 이하마다 물로 채운 이중의 격벽으로 완전하게 구분하고, 해상탱크의 옆부분 및 밑부분을 물로 채운 이중벽의 구조로 한 것은 I 내지 IX의 규정에 불구하고 제2호 및 제3호의 규정에 의할 수 있다.
2. 제1호의 옥외탱크저장소에 대하여는 II · IV · V · VI 제1호 내지 제7호 및 제10호 내지 제18호의 규정은 적용하지 아니한다.
3. 제2호에 정하는 것 외에 해상탱크에 관계된 옥외탱크저장소의 특례는 다음 각 목과 같다.
가. 해상탱크의 위치는 다음에 의할 것
1) 해상탱크는 자연적 또는 인공적으로 거의 폐쇄된 평온한 해역에 설치할 것
2) 해상탱크의 위치는 육지, 해저 또는 당해 해상탱크에 관계된 옥외탱크저장소와 관련되는 공작물 외의 해양 공작물로부터 당해 해상탱크의 외면까지의 사이에 안전을 확보하는데 필요하다고 인정되는 거리를 유지할 것
나. 해상탱크의 구조는 선박안전법에 정하는 바에 의할 것
다. 해상탱크의 정치(定置)설비는 다음에 의할 것
1) 정치설비는 해상탱크를 안전하게 보존 · 유지할 수 있도록 배치할 것
2) 정치설비는 당해 정치설비에 작용하는 하중에 의하여 발생하는 응력 및 변형에 대하여 안전한 구조로 할 것
라. 정치설비의 직하의 해저면으로부터 정치설비의 자중 및 정치설비에 작용하는 하중에 의한 응력에 대하여 정치설비를 안전하게 지지하는데 필요한 깊이까지의 지반은 표준관입시험에서의 표준관입시험치가 평균적으로 15 이상의 값을 나타내는 동시에 정치설비의 자중 및 정치설비에 작용하는 하중에 의한 응력에 대하여 안전할 것
마. 해상탱크의 펌프설비는 VI 제10호의 규정에 의한 옥외저장탱크의 펌프설비의 기준을 준용하되, 현장상황에 따라 동 규정의 기준에 의하는 것이 곤란한 경우에는 안전조치를 강구하여 동 규정의 기준 중 일부를 적용하지 아니 할 수 있다.
바. 위험물을 취급하는 배관은 다음의 기준에 의할 것
1) 해상탱크의 배관의 위치 · 구조 및 설비는 VI 제14호의 규정에 의한 옥외저장탱크의 배관의 기준을 준용할 것. 다만, 현장상황에 따라 동 규정의 기준에 의하는 것이 곤란한 경우에는 안전조치를 강구하여 동 규정의 기준 중 일부를 적용하지 아니할 수 있다.
2) 해상탱크에 설치하는 배관과 그 밖의 배관과의 결합부분은 파도 등에 의하여 당해 부분에 손상을 주지 아니하도록 조치할 것
사. 전기설비는 전기사업법에 의한 전기설비기술기준의 규정에 의하는 외에, 열 및 부식에 대하여 내구성이 있는 동시에 기후의 변화에 내성이 있을 것
아. 마목 내지 사목의 규정에 불구하고 해상탱크에 설치하는 펌프설비, 배관 및 전기설비(차목에 정하는 설비와 관련되는 전기설비 및 소화설비와 관련되는 전기설비를 제외한다)에 있어서는 선박안전법에 정하는 바에 의할 것

자. 해상탱크의 주위에는 위험물이 새었을 경우에 그 유출을 방지하기 위한 방유제(부유식의 것을 포함한다)를 설치할 것
차. 해상탱크에 관계된 옥외탱크저장소에는 위험물 또는 가연성 증기의 누설 또는 위험물의 폭발 등의 재해의 발생 또는 확대를 방지하는 설비를 설치할 것

XIV. 옥외탱크저장소의 충수시험의 특례

옥외탱크저장소의 구조 또는 설비에 관한 변경공사(탱크의 옆판 또는 밑판의 교체공사를 제외한다) 중 탱크본체에 관한 공사를 포함하는 변경공사로서 당해 탱크본체에 관한 공사가 다음 각 호(특정옥외탱크저장소 외의 옥외탱크저장소에 있어서는 제1호 · 제2호 · 제3호 · 제5호 · 제6호 및 제8호)에 정하는 변경공사에 해당하는 경우에는 당해 변경공사에 관계된 옥외탱크저장소에 대하여 VI 제1호의 규정(충수시험에 관한 기준과 관련되는 부분에 한한다)은 적용하지 아니한다.

1. 노즐 · 맨홀 등의 설치공사
2. 노즐 · 맨홀 등과 관련되는 용접부의 보수공사
3. 지붕에 관련되는 공사(고정지붕식으로 된 옥외탱크저장소에 내부부상지붕을 설치하는 공사를 포함한다)
4. 옆판과 관련되는 겹침보수공사
5. 옆판과 관련되는 육성보수공사(용접부에 대한 열영향이 경미한 것에 한한다)
6. 최대저장높이 이상의 옆판에 관련되는 용접부의 보수공사
7. 에뉼러판 또는 밑판의 겹침보수공사 중 옆판으로부터 600mm 범위 외의 부분에 관련된 것으로서 당해 겹침보수부분이 저부면적(에뉼러판 및 밑판의 면적을 말한다)의 2분의 1 미만인 것
8. 에뉼러판 또는 밑판에 관한 육성보수공사(용접부에 대한 열영향이 경미한 것에 한한다)
9. 밑판 또는 에뉼러판이 옆판과 접하는 용접이음부의 겹침보수공사 또는 육성보수공사(용접부에 대한 열영향이 경미한 것에 한한다)

핵심정리 옥외탱크저장소 설치기준

1. 안전거리(제조소와 동일)
2. 보유공지

저장 또는 취급하는 위험물의 최대수량	공지의 너비
지정수량의 500배 이하	3m 이상
지정수량의 500배 초과 1,000배 이하	5m 이상
지정수량의 1,000배 초과 2,000배 이하	9m 이상
지정수량의 2,000배 초과 3,000배 이하	12m 이상
지정수량의 3,000배 초과 4,000배 이하	15m 이상
지정수량의 4,000배 초과	당해 탱크의 수평단면의 최대지름(횡형인 경우에는 긴 변)과 높이 중 큰 것과 같은 거리 이상. 다만, 30m 초과의 경우에는 30m 이상으로 할 수 있고, 15m 미만의 경우에는 15m 이상으로 하여야 한다.

3. 표지 및 게시판(제조소와 동일)
4. 특정옥외저장탱크(액체 위험물 최대수량 100만리터 이상)의 기초 및 지반
   ① 기초 및 지반은 당해 기초 및 지반상에 설치하는 특정옥외저장탱크 및 그 부속설비의 자중, 저장하는 위험물의 중량 등의 하중("탱크하중")에 의하여 발생하는 응력에 대하여 안전한 것으로 하여야 한다.
   ② 기초 및 지반은 다음에 정하는 기준에 적합하여야 한다.
5. 준특정옥외저장탱크(액체 위험물 최대수량 50만리터 이상 100만리터 미만)의 기초 및 지반
   ① 기초 및 지반은 견고하게 하여야 한다.
   ② 기초 및 지반은 탱크하중에 의하여 발생하는 응력에 대하여 안전한 것으로 하여야 한다.

6. 옥외저장탱크의 외부구조 및 설비

① **두께:** 3.2mm 이상의 강철판(특정 및 준특정 제외)

② **충수 및 수압 시험:** 압력탱크(최대상용압력이 대기압을 초과하는 탱크) 외의 탱크는 충수시험 압력탱크는 최대상용압력의 1.5배의 압력으로 10분간 실시하는 수압시험에서 각각 새거나 변형없어야 함

③ **구조:** 옥외저장탱크는 위험물의 폭발 등에 의하여 탱크 내의 압력이 비정상적으로 상승하는 경우에 내부의 가스 또는 증기를 상부로 방출할 수 있는 구조

④ 옥외저장탱크의 외면에는 녹을 방지하기 위한 도장(부식 없는 스테인레스 강판인 경우 제외)

⑤ 탱크의 밑판 아래에 밑판의 부식을 유효하게 방지할 수 있도록 아스팔트 등의 방식재료를 댈 것

⑥ 밸브 없는 통기관 또는 대기밸브부착 통기관 설치기준

㉠ **밸브 없는 통기관**

ⓐ 직경은 30mm 이상일 것

ⓑ 선단은 수평면보다 45도 이상 구부려 빗물 등의 침투를 막는 구조로 할 것

ⓒ 가는 눈의 구리망 등으로 인화방지장치를 할 것

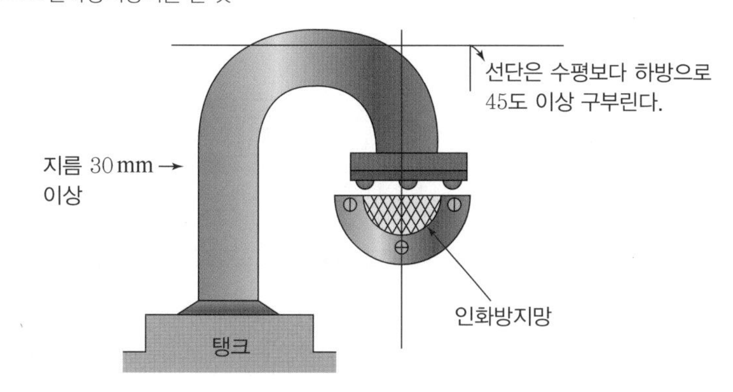

㉡ **대기밸브부착 통기관**

ⓐ 5kpa 이하의 압력차이로 작동할 수 있을 것

ⓑ 가는 눈의 구리망 등으로 인화방지장치를 할 것

⑦ **액체위험물의옥외저장탱크의 주입구**

㉠ 화재예방상 지장이 없는 장소에 설치

㉡ 주입호스 또는 주입관과 결합할 수 있고, 결합하였을 때 위험물이 새지 아니할 것

㉢ 주입구에는 밸브 또는 뚜껑을 설치

㉣ 휘발유, 벤젠 그 밖에 정전기에 의한 재해가 발생할 우려가 있는 액체위험물의 옥외저장탱크의 주입구 부근에는 정전기를 유효하게 제거하기 위한 접지전극을 설치할 것

㉤ 주입구 주위에는 새어나온 기름 등 액체가 외부로 유출되지 아니하도록 방유턱을 설치하거나 집유설비 등의 장치를 설치할 것

⑧ **옥외저장탱크의 펌프설비**

㉠ 너비 3m 이상의 공지를 보유(유효학 격벽 또는 제6류 위험물 또는 지정수량 10배 이하 위험물 펌프설비 제외)

㉡ 펌프설비로부터 옥외저장탱크까지의 사이에는 옥외저장탱크 보유공지 너비의 3분의 1 이상의 거리를 유지

㉢ 펌프설비는 견고한 기초 위에 고정할 것

㉣ 펌프 및 이에 부속하는 전동기를 위한 건축물 그 밖의 공작물("펌프실")의 벽 · 기둥 · 바닥 및 보는 불연재료로 할 것

㉤ 펌프실의 지붕을 폭발력이 위로 방출될 정도의 가벼운 불연재료로 할 것

㉥ 펌프실의 창 및 출입구에는 갑종방화문 또는 을종방화문을 설치할 것

㉦ 펌프실의 창 및 출입구에 유리를 이용하는 경우에는 망입유리로 할 것

㉧ 펌프실의 바닥의 주위에는 높이 0.2m 이상의 턱을 만들고, 바닥은 콘크리트 등 위험물이 스며들지 아니하는 재료로 적당히 경사지게 하여 최저부에는 집유설비를 설치할 것

⑨ 옥외저장탱크의 배수관은 탱크의 옆판에 설치(다만, 탱크와 배수관과의 결합부분이 지진 등에 의하여 손상을 받을 우려가 없는 방법으로 배수관을 설치하는 경우에는 탱크의 밑판에 설치 가능)

⑩ 지정수량의 10배 이상인 옥외탱크저장소(제6류 위험물의 옥외탱크저장소를 제외한다)에는 제조소의 피뢰설비 기준에 준하여 피뢰침을 설치

⑪ 이황화탄소의 옥외저장탱크는 벽 및 바닥의 두께가 0.2m 이상이고, 누수가 되지 아니하는 철근콘크리트의 수조에 넣어 보관

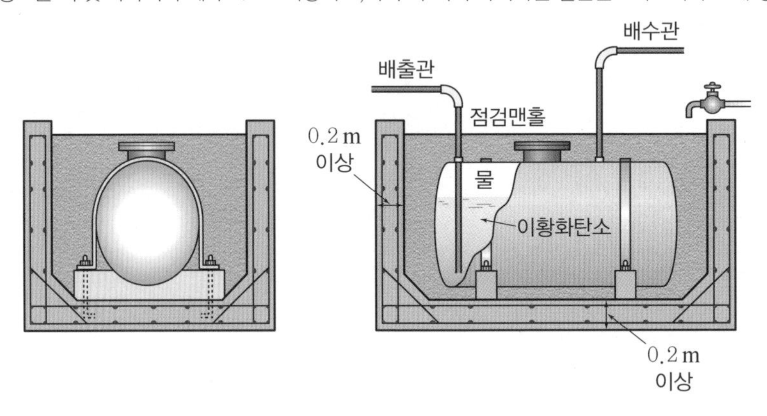

7. 방유제

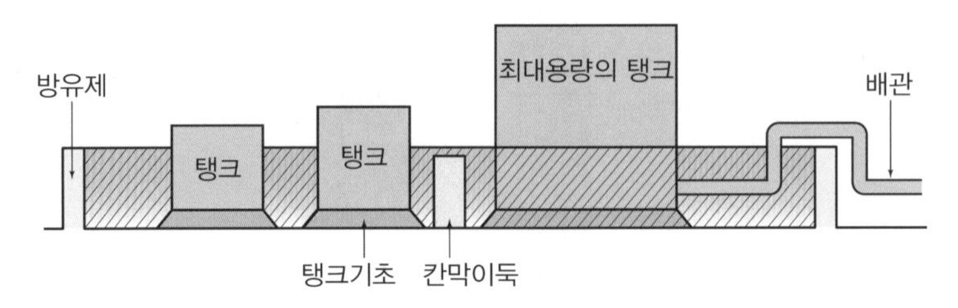

① **방유제의 용량:** 방유제 안에 설치된 탱크가 하나인 때에는 그 탱크 용량의 110% 이상, 2기 이상인 때에는 그 탱크 중 용량이 최대인 것의 용량의 110% 이상으로 할 것
② **높이:** 0.5m 이상 3m 이하로 할 것
③ **면적:** 8만m^2 이하
④ **탱크의 수:** 10개 이하(방유제 내에 설치하는 모든 옥외저장탱크의 용량이 20만ℓ 이하이고, 당해 옥외저장탱크에 저장 또는 취급하는 위험물의 인화점이 70℃ 이상 200℃ 미만인 경우 20개)
⑤ 방유제 외면의 2분의 1 이상은 자동차 등이 통행할 수 있는 3m 이상의 노면폭을 확보한 구내도로(부지내 도로)에 직접 접하도록 할 것
⑥ **방유제로부터 탱크의 옆판 거리**
 ㉠ **지름이 15m 미만인 경우:** 탱크 높이의 3분의 1 이상
 ㉡ **지름이 15m 이상인 경우:** 탱크 높이의 2분의 1 이상
⑦ **방유제 재료:** 철근콘크리트 또는 흙
⑧ **간막이 둑:** 용량이 1,000만ℓ 이상인 옥외저장탱크 마다 설치(탱크 용량의 10% 이상)
⑨ **계단 또는 경사로:** 1m를 넘는 방유제 및 간막이 둑에는 방유제 내에 출입 위한 계단 경사로 50m마다 설치

4 [별표 7] 옥내탱크저장소의 위치 · 구조 및 설비의 기준

시행규칙 제31조(옥내탱크저장소의 기준) 법 제5조 제4항의 규정에 의한 제조소등의 위치·구조 및 설비의 기준 중 옥내탱크저장소에 관한 것은 별표 7과 같다.

- 환기설비는 회전식 고정벤티레이터 또는 루프팬으로 하는데, 옥내에 체류하는 유증기를 외부로 배출시키는 설비이다. 또한 통기장치는 옥내탱크에서 발생하는 유증기배출 및 탱크 내의 과압배출기능을 한다. 지름은 30mm 이상이다.
- 설치기준을 철저히 지켜야 한다.벽, 기둥, 바닥은 내화구조여야 하고 보는 불연재료여야 하며, 바닥이 적당히 경사지게 낮은 부분에는 집유설비를 설치해야 한다. 그리고 문턱은 위험물이 누출되더라도 탱크전용실 밖으로 넘치지 않도록 설치해야 한다.

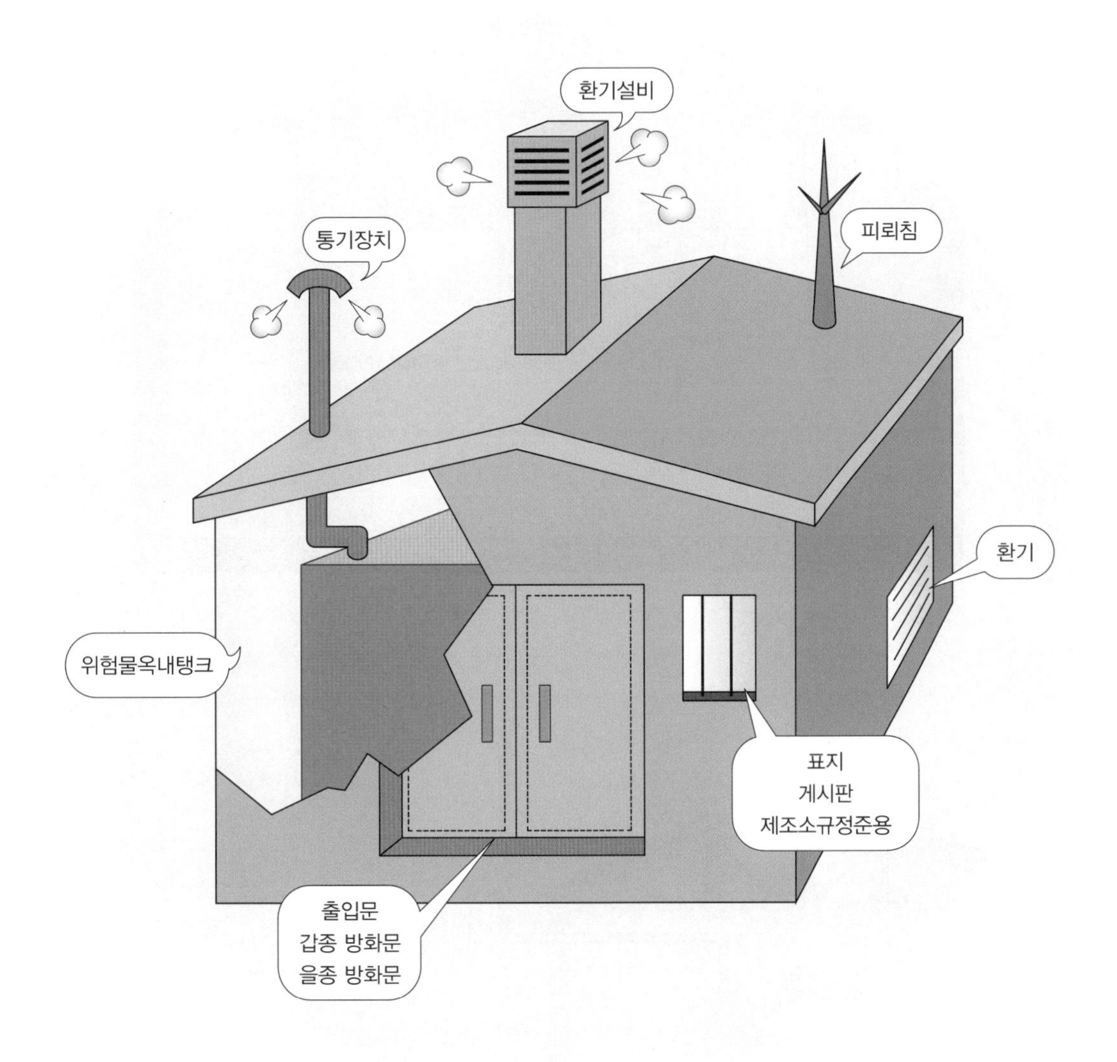

- 탱크와 탱크실의 벽과의 간격은 탱크의 점검에 필요한 간격이므로 위험물시설 외에 설비를 설치하면 안된다. 그리고 탱크와 전용실의 지붕서까래 등의 간격은 규정되어 있지 않지만 탱크 상부나 탱크 내부의 점검을 쉽게 할 수 있는 0.5m 이상 간격은 필요하다.
- 탱크 상부를 점검할 때 편리하게끔 사다리를 설치할 수 있다.
- 옥내저장탱크는 통기관이 길어지는 경우 압력조정상 곤란이 예상되는 대기벨브부착 통기관의 사용을 피하고 벨브없는 통기관을 설치해야 한다.

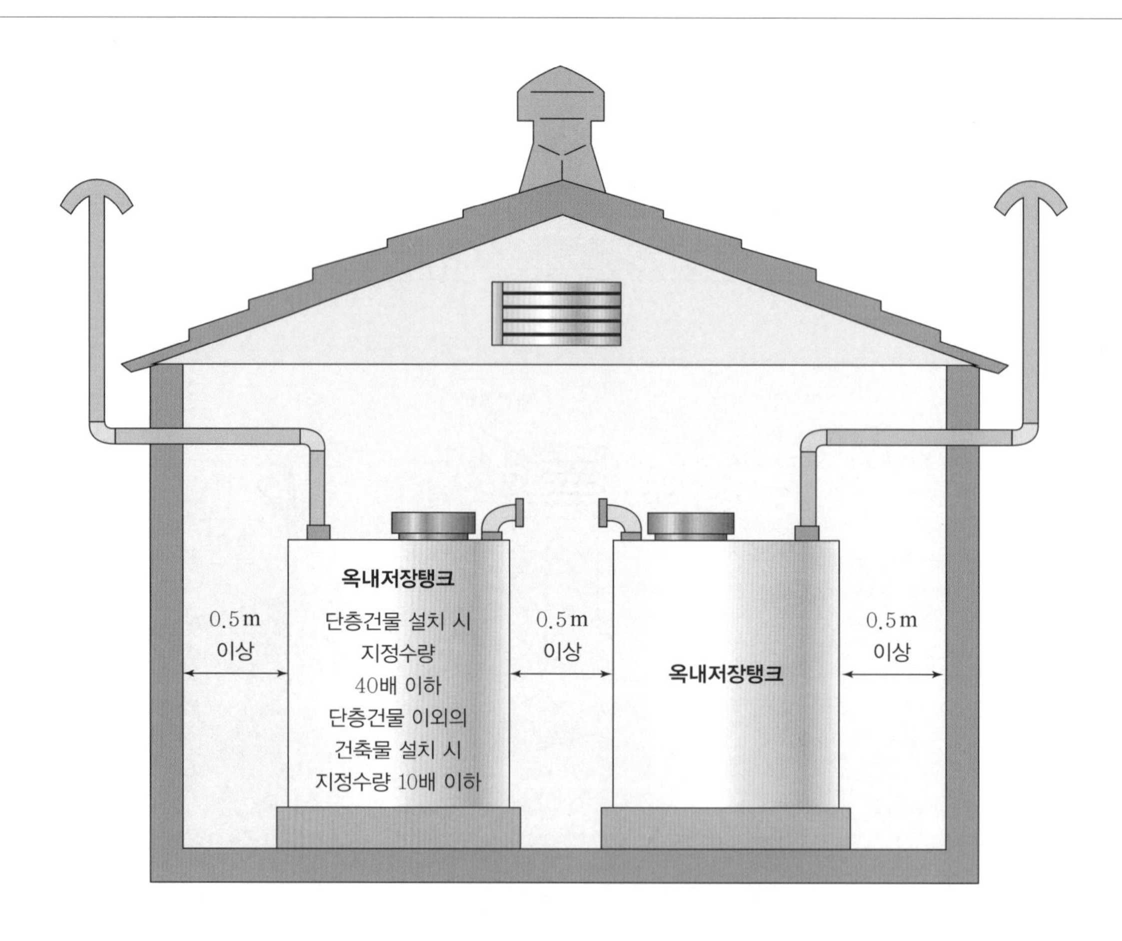

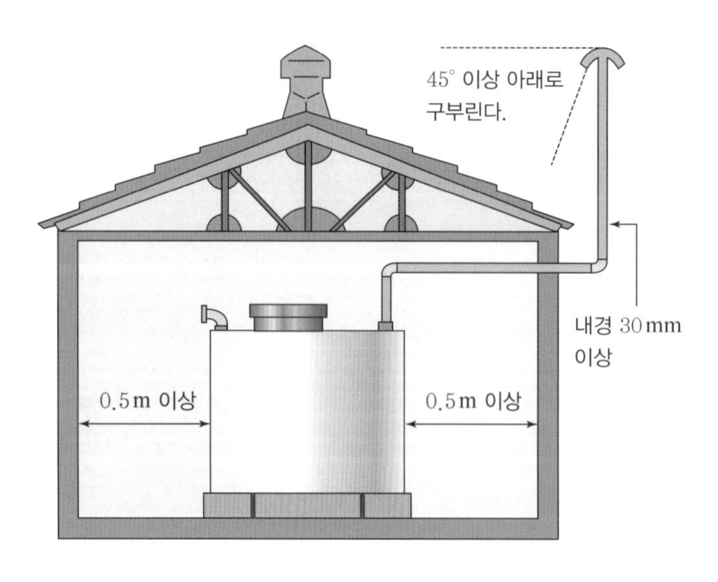

설치할 때는 지면보다 낮게 하고 보호틀은 탱크에 용접, 보호들의 뚜껑에 걸리는 하중이 직접 보호통에 걸리지 않게 설치하며, 빗물이 침투하지 않게 설치해야 한다. 특히 배관이 보호들을 통과하는 부분에선 용접 등으로 침수를 방지해야 한다.

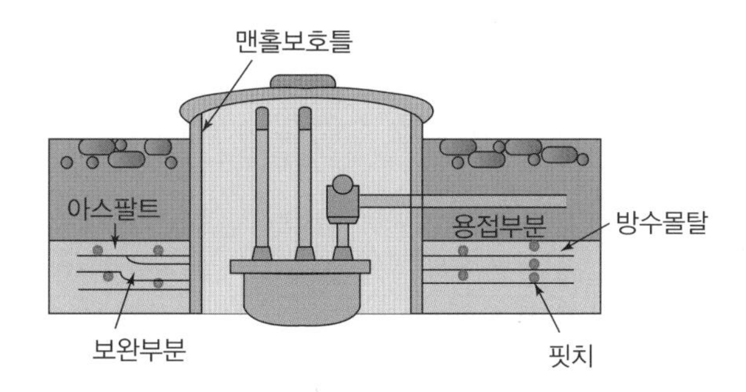

I. 옥내탱크저장소의 기준

1. 옥내탱크저장소(제2호에 정하는 것을 제외한다)의 위치 · 구조 및 설비의 기술기준은 다음 각 목과 같다.
   가. 위험물을 저장 또는 취급하는 옥내탱크(이하 "옥내저장탱크"라 한다)는 단층건축물에 설치된 탱크전용실에 설치할 것
   나. 옥내저장탱크와 탱크전용실의 벽과의 사이 및 옥내저장탱크의 상호간에는 0.5m 이상의 간격을 유지할 것. 다만, 탱크의 점검 및 보수에 지장이 없는 경우에는 그러하지 아니하다.
   다. 옥내탱크저장소에는 별표 4 Ⅲ 제1호의 기준에 따라 보기 쉬운 곳에 "위험물 옥내탱크저장소"라는 표시를 한 표지와 동표 Ⅲ 제2호의 기준에 따라 방화에 관하여 필요한 사항을 게시한 게시판을 설치하여야 한다.
   라. 옥내저장탱크의 용량(동일한 탱크전용실에 옥내저장탱크를 2 이상 설치하는 경우에는 각 탱크의 용량의 합계를 말한다)은 지정수량의 40배(제4석유류 및 동식물유류 외의 제4류 위험물에 있어서 당해 수량이 20,000ℓ를 초과할 때에는 20,000ℓ) 이하일 것
   마. 옥내저장탱크의 구조는 별표 6 Ⅵ 제1호 및 ⅩⅣ의 규정에 의한 옥외저장탱크의 구조의 기준을 준용할 것
   바. 옥내저장탱크의 외면에는 녹을 방지하기 위한 도장을 할 것. 다만, 탱크의 재질이 부식의 우려가 없는 스테인레스 강판 등인 경우에는 그러하지 아니하다.
   사. 옥내저장탱크 중 압력탱크(최대상용압력이 부압 또는 정압 5KPa을 초과하는 탱크를 말한다) 외의 탱크(제4류 위험물의 옥내저장탱크로 한정한다)에 있어서는 밸브 없는 통기관 또는 대기밸브 부착 통기관을 다음의 기준에 따라 설치하고, 압력탱크에 있어서는 별표 4 Ⅷ 제4호에 따른 안전장치를 설치할 것
      1) 밸브 없는 통기관
         가) 통기관의 선단은 건축물의 창 · 출입구 등의 개구부로부터 1m 이상 떨어진 옥외의 장소에 지면으로부터 4m 이상의 높이로 설치하되, 인화점이 40℃ 미만인 위험물의 탱크에 설치하는 통기관에 있어서는 부지경계선으로부터 1.5m 이상 이격할 것. 다만, 고인화점 위험물만을 100℃ 미만의 온도로 저장 또는 취급하는 탱크에 설치하는 통기관은 그 선단을 탱크전용실 내에 설치할 수 있다.
         나) 통기관은 가스 등이 체류할 우려가 있는 굴곡이 없도록 할 것
         다) 별표 6 Ⅵ 제7호 가목의 기준에 적합할 것
      2) 대기밸브 부착 통기관
         가) 1) 가) 및 나)의 기준에 적합할 것
         나) 별표 6 Ⅵ 제7호 나목의 기준에 적합할 것
   아. 액체위험물의 옥내저장탱크에는 위험물의 양을 자동적으로 표시하는 장치를 설치할 것
   자. 액체위험물의 옥내저장탱크의 주입구는 별표 6 Ⅵ 제9호의 규정에 의한 옥외저장탱크의 주입구의 기준을 준용할 것
   차. 옥내저장탱크의 펌프설비 중 탱크전용실이 있는 건축물 외의 장소에 설치하는 펌프설비에 있어서는 별표 6 Ⅵ 제10호(가목 및 나목을 제외한다)의 규정에 의한 옥외저장탱크의 펌프설비의 기준을 준용하고, 탱크전용실이 있는 건축물에 설치하는 펌프설비에 있어서는 다음의 1에 정하는 바에 의할 것

1) 탱크전용실외의 장소에 설치하는 경우에는 별표 6 Ⅵ 제10호 다목 내지 차목 및 타목의 규정에 의할 것, 다만 펌프실의 지붕은 내화구조 또는 불연재료로 할 수 있다.

2) 탱크전용실에 설치하는 경우에는 펌프설비를 견고한 기초 위에 고정시킨 다음 그 주위에 불연재료로 된 턱을 탱크전용실의 문턱높이 이상으로 설치할 것. 다만, 펌프설비의 기초를 탱크전용실의 문턱높이 이상으로 하는 경우를 제외한다.

카. 옥내저장탱크의 밸브는 별표 6 Ⅵ 제11호의 규정에 의한 옥외저장탱크의 밸브의 기준을 준용할 것

타. 옥내저장탱크의 배수관은 별표 6 Ⅵ 제12호의 규정에 의한 옥외저장탱크의 배수관의 기준을 준용할 것

파. 옥내저장탱크의 배관의 위치 · 구조 및 설비는 하목의 규정에 의하는 외에 별표 4 Ⅹ의 규정에 의한 제조소의 위험물을 취급하는 배관의 기준을 준용할 것

하. 액체위험물을 이송하기 위한 옥내저장탱크의 배관은 별표 6 Ⅵ 제15호의 규정에 의한 옥외저장탱크의 배관의 기준을 준용할 것

거. 탱크전용실은 벽 · 기둥 및 바닥을 내화구조로 하고, 보를 불연재료로 하며, 연소의 우려가 있는 외벽은 출입구외에는 개구부가 없도록 할 것. 다만, 인화점이 70℃ 이상인 제4류 위험물만의 옥내저장탱크를 설치하는 탱크전용실에 있어서는 연소의 우려가 없는 외벽 · 기둥 및 바닥을 불연재료로 할 수 있다.

너. 탱크전용실은 지붕을 불연재료로 하고, 천장을 설치하지 아니할 것

더. 탱크전용실의 창 및 출입구에는 갑종방화문 또는 을종방화문을 설치하는 동시에, 연소의 우려가 있는 외벽에 두는 출입구에는 수시로 열 수 있는 자동폐쇄식의 갑종방화문을 설치할 것

러. 탱크전용실의 창 또는 출입구에 유리를 이용하는 경우에는 망입유리로 할 것

머. 액상의 위험물의 옥내저장탱크를 설치하는 탱크전용실의 바닥은 위험물이 침투하지 아니하는 구조로 하고, 적당한 경사를 두는 한편, 집유설비를 설치할 것

버. 탱크전용실의 출입구의 턱의 높이를 당해 탱크전용실 내의 옥내저장탱크(옥내저장탱크가 2 이상인 경우에는 최대용량의 탱크)의 용량을 수용할 수 있는 높이 이상으로 하거나 옥내저장탱크로부터 누설된 위험물이 탱크전용실 외의 부분으로 유출하지 아니하는 구조로 할 것

서. 탱크전용실의 채광 · 조명 · 환기 및 배출의 설비는 별표 5 Ⅰ 제14조의 규정에 의한 옥내저장소의 채광 · 조명 · 환기 및 배출의 설비의 기준을 준용할 것

어. 전기설비는 전기사업법에 의한 전기설비기술기준에 의하여야 한다.

2. 옥내탱크저장소 중 탱크전용실을 단층건물 외의 건축물에 설치하는 것(제2류 위험물 중 황화린 · 적린 및 덩어리 유황, 제3류 위험물 중 황린, 제6류 위험물 중 질산 및 제4류 위험물 중 인화점이 38℃ 이상인 위험물만을 저장 또는 취급하는 것에 한한다)의 위치 · 구조 및 설비의 기술기준은 제1호 나목 · 다목 · 마목 · 내지 자목 · 차목(탱크전용실이 있는 건축물 외의 장소에 설치하는 펌프설비에 관한 기준과 관련되는 부분에 한한다) · 카목 내지 하목 · 머목 · 서목 및 어목의 규정을 준용하는 외에 다음 각 목의 기준에 의하여야 한다.

가. 옥내저장탱크는 탱크전용실에 설치할 것. 이 경우 제2류 위험물 중 황화린 · 적린 및 덩어리 유황, 제3류 위험물 중 황린, 제6류 위험물 중 질산의 탱크전용실은 건축물의 1층 또는 지하층에 설치하여야 한다.

나. 옥내저장탱크의 주입구 부근에는 당해 옥내저장탱크의 위험물의 양을 표시하는 장치를 설치할 것. 다만, 당해 위험물의 양을 쉽게 확인할 수 있는 경우에는 그러하지 아니하다.

다. 탱크전용실이 있는 건축물에 설치하는 옥내저장탱크의 펌프설비는 다음의 1에 정하는 바에 의할 것

1) 탱크전용실 외의 장소에 설치하는 경우에는 다음의 기준에 의할 것

가) 이 펌프실은 벽 · 기둥 · 바닥 및 보를 내화구조로 할 것

나) 펌프실은 상층이 있는 경우에 있어서는 상층의 바닥을 내화구조로 하고, 상층이 없는 경우에 있어서는 지붕을 불연재료로 하며, 천장을 설치하지 아니할 것

다) 펌프실에는 창을 설치하지 아니할 것. 다만, 제6류 위험물의 탱크전용실에 있어서는 갑종방화문 또는 을종방화문이 있는 창을 설치할 수 있다.

라) 펌프실의 출입구에는 갑종방화문을 설치할 것. 다만, 제6류 위험물의 탱크전용실에 있어서는 을종방화문을 설치할 수 있다.

마) 펌프실의 환기 및 배출의 설비에는 방화상 유효한 댐퍼 등을 설치할 것

바) 그 밖의 기준은 별표 6 Ⅵ 제10호 다목 · 아목 내지 차목 및 타목의 규정을 준용할 것

2) 탱크전용실에 펌프설비를 설치하는 경우에는 견고한 기초 위에 고정한 다음 그 주위에는 불연재료로 된 턱을 0.2m 이상의 높이로 설치하는 등 누설된 위험물이 유출되거나 유입되지 아니하도록 하는 조치를 할 것

라. 탱크전용실은 벽 · 기둥 · 바닥 및 보를 내화구조로 할 것

마. 탱크전용실은 상층이 있는 경우에 있어서는 상층의 바닥을 내화구조로 하고, 상층이 없는 경우에 있어서는 지붕을 불연재료로 하며, 천장을 설치하지 아니할 것
바. 탱크전용실에는 창을 설치하지 아니할 것
사. 탱크전용실의 출입구에는 수시로 열 수 있는 자동폐쇄식의 갑종방화문을 설치할 것
아. 탱크전용실의 환기 및 배출의 설비에는 방화상 유효한 댐퍼 등을 설치할 것
자. 탱크전용실의 출입구의 턱의 높이를 당해 탱크전용실 내의 옥내저장탱크(옥내저장탱크가 2 이상인 경우에는 모든 탱크)의 용량을 수용할 수 있는 높이 이상으로 하거나 옥내저장탱크로부터 누설된 위험물이 탱크전용실 외의 부분으로 유출하지 아니하는 구조로 할 것
차. 옥내저장탱크의 용량(동일한 탱크전용실에 옥내저장탱크를 2 이상 설치하는 경우에는 각 탱크의 용량의 합계를 말한다)은 1층 이하의 층에 있어서는 지정수량의 40배(제4석유류 및 동식물유류 외의 제4류 위험물에 있어서 당해 수량이 2만ℓ를 초과할 때에는 2만ℓ) 이하, 2층 이상의 층에 있어서는 지정수량의 10배(제4석유류 및 동식물유류 외의 제4류 위험물에 있어서 당해 수량이 5천ℓ를 초과할 때에는 5천ℓ) 이하일 것

핵심정리 옥내탱크저장소 설치기준

1. 옥내탱크저장소 위치 · 구조 및 설비 기준
   ① 위험물을 저장 또는 취급하는 옥내탱크(이하 “옥내저장탱크”라 한다)는 단층건축물에 설치된 탱크전용실에 설치할 것
   ② 옥내저장탱크와 탱크전용실의 벽과의 사이 및 옥내저장탱크의 상호간에는 0.5m 이상의 간격을 유지할 것. 다만, 탱크의 점검 및 보수에 지장이 없는 경우에는 그러하지 아니하다.

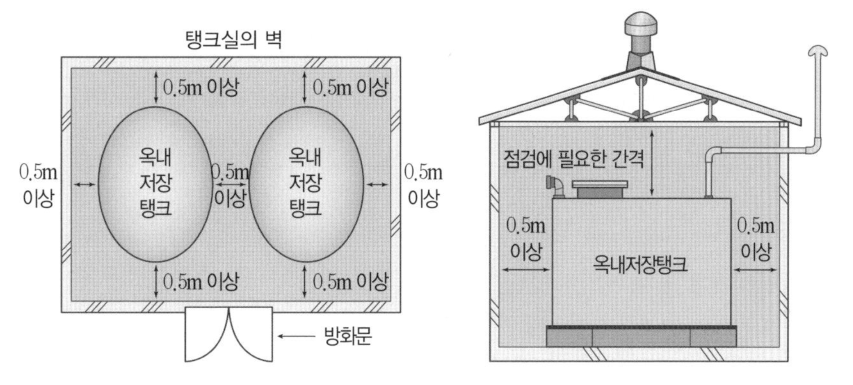

   ③ 옥내탱크저장소에는 제조소의 기준에 따라 보기 쉬운 곳에 “위험물 옥내탱크저장소”라는 표시를 한 표지와 방화에 관하여 필요한 사항을 게시한 게시판을 설치하여야 한다.
   ④ 옥내저장탱크의 용량(동일한 탱크전용실에 옥내저장탱크를 2 이상 설치하는 경우에는 각 탱크의 용량의 합계를 말한다)은 지정수량의 40배(제4석유류 및 동식물유류 외의 제4류 위험물에 있어서 당해 수량이 20,000ℓ를 초과할 때에는 20,000ℓ) 이하일 것
   ⑤ 옥내저장탱크의 밸브, 배수관, 배관 기준은 옥외저장탱크와 동일
   ⑥ 탱크전용실은 벽 · 기둥 및 바닥을 내화구조로 하고, 보를 불연재료로 하며, 연소의 우려가 있는 외벽은 출입구외에는 개구부가 없도록 할 것
   ⑦ 탱크전용실은 지붕을 불연재료로 하고, 천장을 설치하지 아니할 것
   ⑧ 탱크전용실의 창 및 출입구에는 갑종방화문 또는 을종방화문을 설치하는 동시에, 연소의 우려가 있는 외벽에 두는 출입구에는 수시로 열 수 있는 자동폐쇄식의 갑종방화문을 설치할 것
   ⑨ 탱크전용실의 창 또는 출입구에 유리를 이용하는 경우에는 망입유리로 할 것
   ⑩ 액상의 위험물의 옥내저장탱크를 설치하는 탱크전용실의 바닥은 위험물이 침투하지 아니하는 구조로 하고, 적당한 경사를 두는 한편, 집유설비를 설치할 것
   ⑪ 탱크전용실의 출입구의 턱의 높이를 당해 탱크전용실 내의 옥내저장탱크(옥내저장탱크 2 이상인 경우에는 최대용량의 탱크)의 용량을 수용할 수 있는 높이 이상으로 하거나 옥내저장탱크로부터 누설된 위험물이 탱크전용실 외의 부분으로 유출하지 아니하는 구조로 할 것

2. 옥내탱크저장소 중 탱크전용실을 단층건물 외의 건축물에 설치하는 것

① 옥내저장탱크는 탱크전용실에 설치할 것. 이 경우 제2류 위험물 중 황화린·적린 및 덩어리 유황, 제3류 위험물 중 황린, 제6류 위험물 중 질산의 탱크전용실은 건축물의 1층 또는 지하층에 설치하여야 한다.

② **탱크전용실이 있는 건축물에 설치하는 옥내저장탱크의 펌프설비**

㉠ 탱크전용실 외의 장소에 설치하는 경우에는 다음의 기준에 의할 것

ⓐ 펌프실은 벽·기둥·바닥 및 보를 내화구조로 할 것

ⓑ 펌프실은 상층이 있는 경우에 있어서는 상층의 바닥을 내화구조로 하고, 상층이 없는 경우에 있어서는 지붕을 불연재료로 하며. 천장을 설치하지 아니할 것

ⓒ 펌프실에는 창을 설치하지 아니할 것. 다만, 제6류 위험물의 탱크전용실에 있어서는 갑종방화문 또는 을종방화문이 있는 창을 설치

ⓓ 펌프실의 출입구에는 갑종방화문을 설치할 것. 다만, 제6류 위험물의 탱크전용실에 있어서는 을종방화문을 설치

ⓔ 펌프실의 환기 및 배출의 설비에는 방화상 유효한 댐퍼 등을 설치

㉡ 탱크전용실에 펌프설비를 설치하는 경우에는 견고한 기초 위에 고정한 다음 그 주위에는 불연재료로 된 턱을 0.2m 이상의 높이로 설치하는 등 누설된 위험물이 유출되거나 유입되지 아니하도록 하는 조치를 할 것

③ 탱크전용실은 벽·기둥·바닥 및 보를 내화구조로 할 것

④ 탱크전용실은 상층이 있는 경우에 있어서는 상층의 바닥을 내화구조로 하고, 상층이 없는 경우에 있어서는 지붕을 불연재료로 하며, 천장을 설치하지 아니할 것

⑤ 탱크전용실에는 창을 설치하지 아니할 것

⑥ 탱크전용실의 출입구에는 수시로 열 수 있는 자동폐쇄식의 갑종방화문을 설치할 것

⑦ 탱크전용실의 환기 및 배출의 설비에는 방화상 유효한 댐퍼 등을 설치할 것

⑧ 탱크전용실의 출입구의 턱의 높이를 당해 탱크전용실 내의 옥내저장탱크(옥내저장탱크가 2 이상인 경우에는 모든 탱크)의 용량을 수용할 수 있는 높이 이상으로 하거나 옥내저장탱크로부터 누설된 위험물이 탱크전용실 외의 부분으로 유출하지 아니하는 구조로 할 것

⑨ 옥내저장탱크의 용량(동일한 탱크전용실에 옥내저장탱크를 2 이상 설치하는 경우에는 각 탱크의 용량의 합계를 말한다)은 1층 이하의 층에 있어서는 지정수량의 40배(제4석유류 및 동식물유류 외의 제4류 위험물에 있어서 당해 수량이 2만ℓ를 초과할 때에는 2만ℓ) 이하, 2층 이상의 층에 있어서는 지정수량의 10배(제4석유류 및 동식물유류 외의 제4류 위험물에 있어서 당해 수량이 5천ℓ를 초과할 때에는 5천ℓ) 이하일 것

5 [별표 8] 지하탱크저장소의 위치 · 구조 및 설비의 기준

시행규칙 제32조(지하탱크저장소의 기준) 법 제5조 제4항의 규정에 의한 제조소등의 위치·구조 및 설비의 기준 중 지하탱크저장소에 관한 것은 별표 8과 같다.

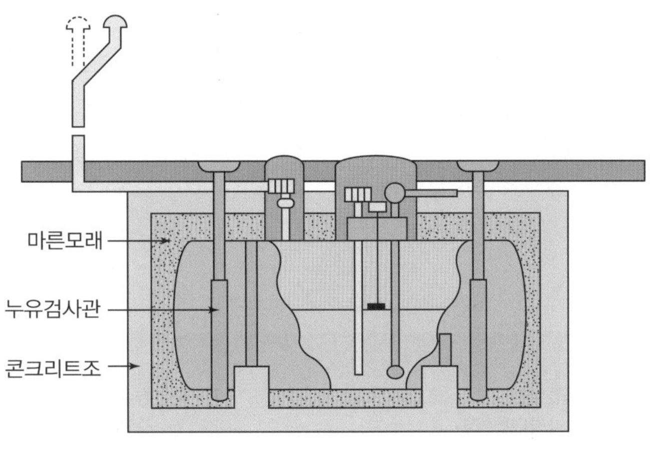

▲ 탱크전용실에 설치한 경우

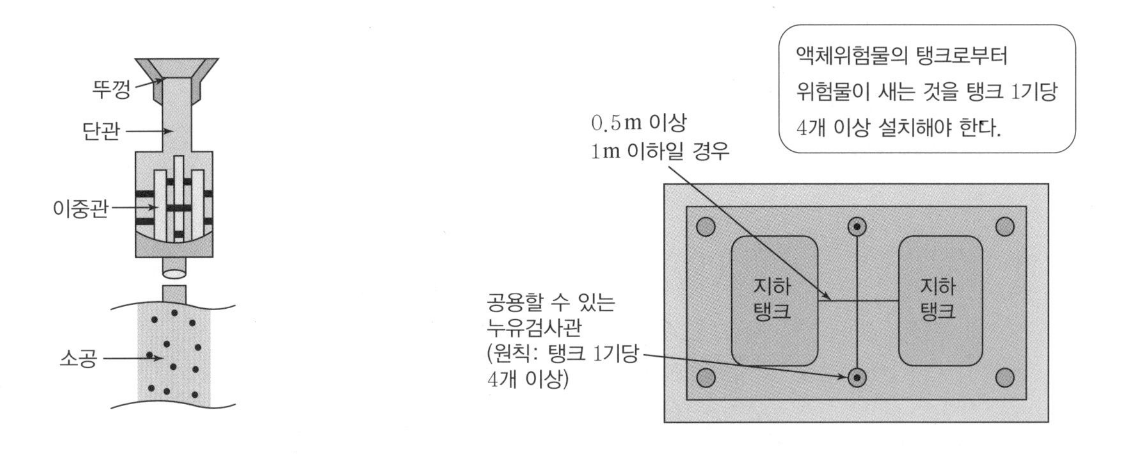

▲ 탱크전용실을 생략한 경우

- 탱크 상호간의 간격은 원칙적으로 1m 이상으로 할 필요가 있으나 각각의 탱크 용량을 합해서 지정 수량의 100배 이하의 경우는 탱크의 간격을 0.5m까지로 줄일 수 있다.
- 주입구 및 통기관의 위치는 가연성증기회수 호스의 접속이 용이하여야 한다.

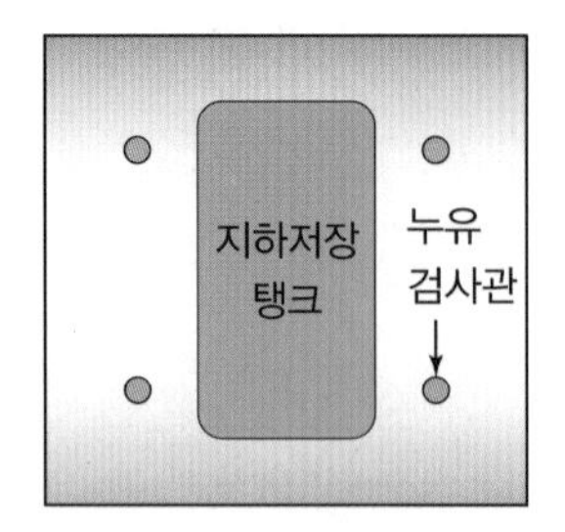

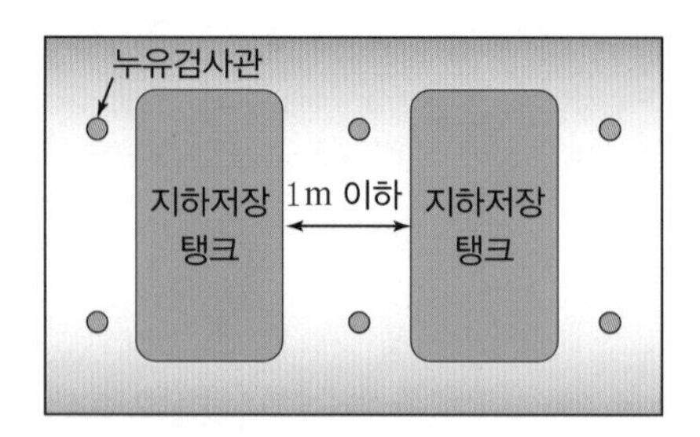

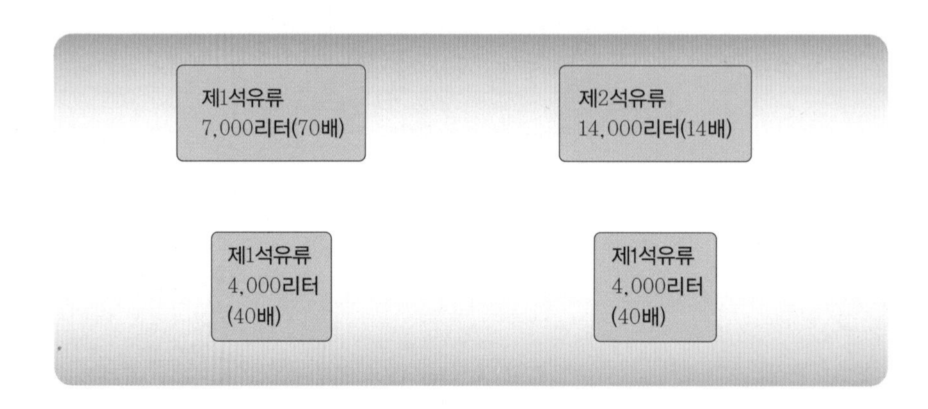

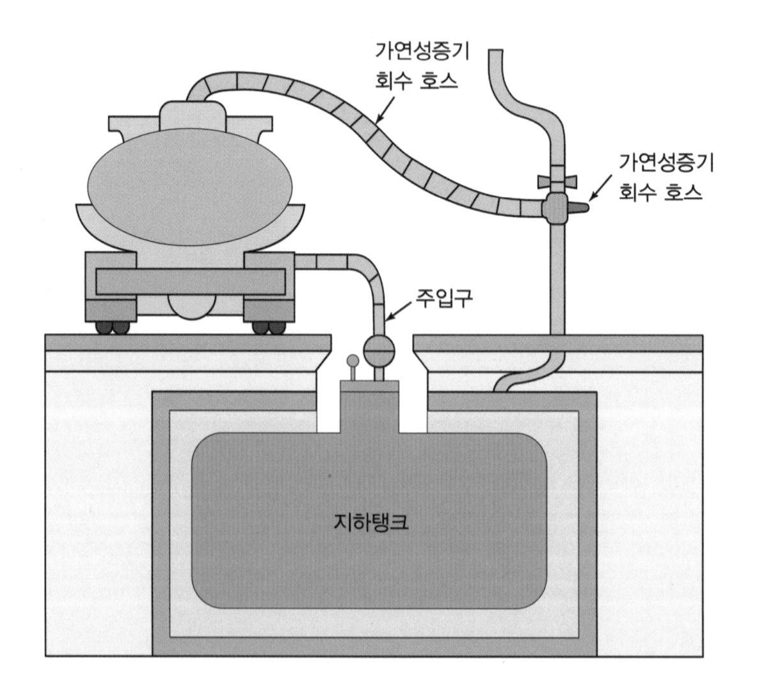

Ⅰ. 지하탱크저장소의 기준(Ⅱ 및 Ⅲ에 정하는 것을 제외한다)

1. 위험물을 저장 또는 취급하는 지하탱크(이하 Ⅰ, 별표 13 Ⅲ 및 별표 18 Ⅲ에서 "지하저장탱크"라 한다)는 지면하에 설치된 탱크전용실에 설치하여야 한다. 다만, 제4류 위험물의 지하저장탱크가 다음 가목 내지 마목의 기준에 적합한 때에는 그러하지 아니하다.
   가. 당해 탱크를 지하철 · 지하가 또는 지하터널로부터 수평거리 10m 이내의 장소 또는 지하건축물내의 장소에 설치하지 아니할 것
   나. 당해 탱크를 그 수평투영의 세로 및 가로보다 각각 0.6m 이상 크고 두께가 0.3m 이상인 철근콘크리트조의 뚜껑으로 덮을 것
   다. 뚜껑에 걸리는 중량이 직접 당해 탱크에 걸리지 아니하는 구조일 것
   라. 당해 탱크를 견고한 기초 위에 고정할 것
   마. 당해 탱크를 지하의 가장 가까운 벽 · 피트 · 가스관 등의 시설물 및 대지경계선으로부터 0.6m 이상 떨어진 곳에 매설할 것
2. 탱크전용실은 지하의 가장 가까운 벽 · 피트 · 가스관 등의 시설물 및 대지경계선으로부터 0.1m 이상 떨어진 곳에 설치하고, 지하저장탱크와 탱크전용실의 안쪽과의 사이는 0.1m 이상의 간격을 유지하도록 하며, 당해 탱크의 주위에 마른 모래 또는 습기 등에 의하여 응고되지 아니하는 입자지름 5mm 이하의 마른 자갈분을 채워야 한다.
3. 지하저장탱크의 윗부분은 지면으로부터 0.6m 이상 아래에 있어야 한다.
4. 지하저장탱크를 2 이상 인접해 설치하는 경우에는 그 상호간에 1m(당해 2 이상의 지하저장탱크의 용량의 합계가 지정수량의 100배 이하인 때에는 0.5m) 이상의 간격을 유지하여야 한다. 다만, 그 사이에 탱크전용실의 벽이나 두께 20cm 이상의 콘크리트 구조물이 있는 경우에는 그러하지 아니하다.
5. 지하탱크저장소에는 별표 4 Ⅲ제1호의 기준에 따라 보기 쉬운 곳에 "위험물 지하탱크저장소"라는 표시를 한 표지와 동표 Ⅲ 제2호의 기준에 따라 방화에 관하여 필요한 사항을 게시한 게시판을 설치하여야 한다.
6. 지하저장탱크는 용량에 따라 다음 표에 정하는 기준에 적합하게 강철판 또는 동등 이상의 성능이 있는 금속재질로 완전용입용접 또는 양면겹침이음용접으로 틈이 없도록 만드는 동시에, 압력탱크(최대상용압력이 46.7kPa 이상인 탱크를 말한다) 외의 탱크에 있어서는 70kPa의 압력으로, 압력탱크에 있어서는 최대상용압력의 1.5배의 압력으로 각각 10분간 수압시험을 실시하여 새거나 변형되지 아니하여야 한다. 이 경우 수압시험은 소방청장이 정하여 고시하는 기밀시험과 비파괴시험을 동시에 실시하는 방법으로 대신할 수 있다.

탱크용량(단위 ℓ)	탱크의 최대직경(단위 mm)	강철판의 최소두께(단위 mm)
1,000 이하	1,067	3.20
1,000 초과 2,000 이하	1,219	3.20
2,000 초과 4,000 이하	1,625	3.20
4,000 초과 15,000 이하	2,450	4.24
15,000 초과 45,000 이하	3,200	6.10
45,000 초과 75,000 이하	3,657	7.67
75,000 초과 189,000 이하	3,657	9.27
189,000 초과	-	10.00

7. 지하저장탱크의 외면은 다음 각 목에 정하는 바에 따라 보호하여야 한다. 다만, 지하저장탱크의 재질이 부식의 우려가 없는 스테인레스 강판 등인 경우에는 방청도장을 하지 않을 수 있다.
   가. 탱크전용실에 설치하는 지하저장탱크의 외면은 다음의 1에 해당하는 방법으로 보호할 것
      1) 탱크의 외면에 방청도장을 할 것
      2) 탱크의 외면에 방청제 및 아스팔트프라이머의 순으로 도장을 한 후 아스팔트 루핑 및 철망의 순으로 탱크를 피복하고, 그 표면에 두께가 2cm 이상에 이를 때까지 모르타르를 도장할 것. 이 경우에 있어서 다음에 정하는 기준에 적합하여야 한다.
         가) 아스팔트루핑은 아스팔트루핑(KS F 4902)(35kg)의 규격에 의한 것 이상의 성능이 있을 것
         나) 철망은 와이어라스(KS F 4551)의 규격에 의한 것 이상의 성능이 있을 것
         다) 모르타르에는 방수제를 혼합할 것. 다만, 모르타르를 도장한 표면에 방수제를 도장하는 경우에는 그러하지 아니하다.
      3) 탱크의 외면에 방청도장을 실시하고, 그 표면에 아스팔트 및 아스팔트루핑에 의한 피복을 두께 1cm에 이를때 까지 교대로 실시할 것. 이 경우 아스팔트루핑은 2) 가)의 기준에 적합하여야 한다.

4) 탱크의 외면에 프라이머를 도장하고, 그 표면에 복장재를 휘감은 후 에폭시수지 또는 타르에폭시수지에 의한 피복을 탱크의 외면으로부터 두께 2mm 이상에 이를 때까지 실시할 것. 이 경우에 있어서 복장재는 수도용 강관아스팔트도복장방법(KS D 8306)으로 정하는 비닐론클로스 또는 헤시안클래스에 적합하여야 한다.

5) 탱크의 외면에 프라이머를 도장하고, 그 표면에 유리섬유 등을 강화재로 한 강화플라스틱에 의한 피복을 두께 3mm 이상에 이를 때까지 실시할 것

나. 탱크전용실 외의 장소에 설치하는 지하저장탱크의 외면은 가 목 2) 내지 4)의 1에 해당하는 방법으로 보호할 것

8. 지하저장탱크 중 압력탱크(최대상용압력이 부압 또는 정압 5kPa을 초과하는 탱크를 말한다) 외의 제4류 위험물의 탱크에 있어서는 밸브 없는 통기관 또는 대기밸브 부착 통기관을 다음 각 목의 구분에 따른 기준에 적합하게 설치하고, 압력탱크에 있어서는 별표 4 Ⅷ 제4호에 따른 제조소의 안전장치의 기준을 준용하여야 한다.

가. 밸브 없는 통기관

1) 통기관은 지하저장탱크의 윗부분에 연결할 것

2) 통기관 중 지하의 부분은 그 상부의 지면에 걸리는 중량이 직접 해당 부분에 미치지 아니하도록 보호하고, 해당 통기관의 접합부분(용접, 그 밖의 위험물 누설의 우려가 없다고 인정되는 방법에 의하여 접합된 것은 제외한다)에 대하여는 해당 접합부분의 손상유무를 점검할 수 있는 조치를 할 것

3) 별표 7 Ⅰ 제1호 사목 1)의 기준에 적합할 것

나. 대기밸브 부착 통기관

1) 가목 1) 및 2)의 기준에 적합할 것

2) 별표 6 Ⅵ 제7호 나목의 기준에 적합할 것. 다만, 제4류 제1석유류를 저장하는 탱크는 다음의 압력 차이에서 작동하여야 한다.

가) 정압: 0.6kPa 이상 1.5kPa 이하

나) 부압: 1.5kPa 이상 3kPa 이하

3) 별표 7 Ⅰ 제1호 사목 1) 가) 및 나)의 기준에 적합할 것

9. 액체위험물의 지하저장탱크에는 위험물의 양을 자동적으로 표시하는 장치 및 계량구를 설치하고, 계량구 직하에 있는 탱크의 밑판에 그 손상을 방지하기 위한 조치를 하여야 한다.

10. 액체위험물의 지하저장탱크의 주입구는 별표 6 Ⅵ 제9호의 규정에 의한 옥외저장탱크의 주입구의 기준을 준용하여 옥외에 설치하여야 한다.

11. 지하저장탱크의 펌프설비는 펌프 및 전동기를 지하저장탱크밖에 설치하는 펌프설비에 있어서는 별표 6 Ⅵ 제10호(가목 및 나목을 제외한다)의 규정에 의한 옥외저장탱크의 펌프설비의 기준에 준하여 설치하고, 펌프 또는 전동기를 지하저장탱크 안에 설치하는 펌프설비(이하 "액중펌프설비"라 한다)에 있어서는 다음 각 목의 기준에 따라 설치하여야 한다.

가. 액중펌프설비의 전동기의 구조는 다음에 정하는 기준에 의할 것

1) 고정자는 위험물에 침투되지 아니하는 수지가 충전된 금속제의 용기에 수납되어 있을 것

2) 운전 중에 고정자가 냉각되는 구조로 할 것

3) 전동기의 내부에 공기가 체류하지 아니하는 구조로 할 것

나. 전동기에 접속되는 전선은 위험물이 침투되지 아니하는 것으로 하고, 직접 위험물에 접하지 아니하도록 보호할 것

다. 액중펌프설비는 체절운전에 의한 전동기의 온도상승을 방지하기 위한 조치가 강구될 것

라. 액중펌프설비는 다음의 경우에 있어서 전동기를 정지하는 조치가 강구될 것

1) 전동기의 온도가 현저하게 상승한 경우

2) 펌프의 흡입구가 노출된 경우

마. 액중펌프설비는 다음에 의하여 설치할 것

1) 액중펌프설비는 지하저장탱크와 플랜지접합으로 할 것

2) 액중펌프설비 중 지하저장탱크 내에 설치되는 부분은 보호관 내에 설치할 것. 다만, 당해 부분이 충분한 강도가 잇는 외장에 의하여 보호되어 있는 경우에 있어서는 그러하지 아니하다.

3) 액중펌프설비 중 지하저장탱크의 상부에 설치되는 부분은 위험물의 누설을 점검할 수 있는 조치가 강구된 안전상 필요한 강도가 있는 피트 내에 설치할 것

12. 지하저장탱크의 배관은 제13호의 규정에 의한 것외에 별표 4 X의 규정에 의한 제조소의 배관의 기준을 준용하여야 한다.
13. 지하저장탱크의 배관은 당해 탱크의 윗부분에 설치하여야 한다. 다만, 제4류 위험물 중 제2석유류(인화점이 40℃ 이상인 것에 한한다), 제3석유류, 제4석유류 및 동식물유류의 탱크에 있어서 그 직근에 유효한 제어밸브를 설치한 경우에는 그러하지 아니하다.
14. 지하저장탱크에 설치하는 전기설비는 전기사업법에 의한 전기설비기술기준에 의하여야 한다.
15. 지하저장탱크의 주위에는 당해 탱크로부터의 액체위험물의 누설을 검사하기 위한 관을 다음의 각 목의 기준에 따라 4개소 이상 적당한 위치에 설치하여야 한다.
   가. 이중관으로 할 것. 다만, 소공이 없는 상부는 단관으로 할 수 있다.
   나. 재료는 금속관 또는 경질합성수지관으로 할 것
   다. 관은 탱크전용실의 바닥 또는 탱크의 기초까지 닿게 할 것
   라. 관의 밑부분으로부터 탱크의 중심 높이까지의 부분에는 소공이 뚫려 있을 것. 다만, 지하수위가 높은 장소에 있어서는 지하수위 높이까지의 부분에 소공이 뚫려 있어야 한다.
   마. 상부는 물이 침투하지 아니하는 구조로 하고, 뚜껑은 검사시에 쉽게 열 수 있도록 할 것
16. 탱크전용실은 벽·바닥 및 뚜껑을 다음 각 목에 정한 기준에 적합한 철근콘크리트구조 또는 이와 동등 이상의 강도가 있는 구조로 설치하여야 한다.
   가. 벽·바닥 및 뚜껑의 두께는 0.3m 이상일 것
   나. 벽·바닥 및 뚜껑의 내부에는 직경 9mm부터 13mm까지의 철근을 가로 및 세로로 5cm부터 20cm까지의 간격으로 배치할 것
   다. 벽·바닥 및 뚜껑의 재료에 수밀콘크리트를 혼입하거나 벽·바닥 및 뚜껑의 중간에 아스팔트층을 만드는 방법으로 적정한 방수조치를 할 것
17. 지하저장탱크에는 다음 각 목의 1에 해당하는 방법으로 과충전을 방지하는 장치를 설치하여야 한다.
   가. 탱크용량을 초과하는 위험물이 주입될 때 자동으로 그 주입구를 폐쇄하거나 위험물의 공급을 자동으로 차단하는 방법
   나. 탱크용량의 90%가 찰 때 경보음을 울리는 방법
18. 지하탱크저장소에는 다음 각 목의 기준에 의하여 맨홀을 설치하여야 한다.
   가. 맨홀은 지면까지 올라오지 아니하도록 하되, 가급적 낮게 할 것
   나. 보호틀을 다음 각 목에 정하는 기준에 따라 설치할 것
      1) 보호틀을 탱크에 완전히 용접하는 등 보호틀과 탱크를 기밀하게 접합할 것
      2) 보호틀의 뚜껑에 걸리는 하중이 직접 보호틀에 미치지 아니하도록 설치하고, 빗물 등이 침투하지 아니하도록 할 것
   다. 배관이 보호틀을 관통하는 경우에는 당해 부분을 용접하는 등 침수를 방지하는 조치를 할 것

Ⅱ. 이중벽탱크의 지하탱크저장소의 기준

1. 지하탱크저장소[지하탱크저장소의 외면에 누설을 감지할 수 있는 틈(이하 "감지층"이라 한다)이 생기도록 강판 또는 강화플라스틱 등으로 피복한 것을 설치하는 지하탱크저장소에 한한다]의 위치·구조 및 설비의 기술기준은 Ⅰ 제3호 내지 제5호·제6호(수압시험과 관련되는 부분에 한한다)·제8호 내지 제14호·제17호·제18호 및 다음 각 목의 1의 규정에 의한 기준을 준용하는 외에 Ⅱ에 정하는 바에 의한다.
   가. Ⅰ 제1호 나목 내지 마목(당해 지하저장탱크를 탱크전용실 외의 장소에 설치하는 경우에 한한다)
   나. Ⅰ 제2호 및 제16호(당해 지하저장탱크를 지반면하에 설치된 탱크전용실에 설치하는 경우에 한한다)
2. 지하저장탱크는 다음 각 목의 1 이상의 조치를 하여 지반면하에 설치하여야 한다.
   가. 지하저장탱크(제3호 가목의 규정에 의한 재료로 만든 것에 한한다)에 다음에 정하는 바에 따라 강판을 피복하고, 위험물의 누설을 상시 감지하기 위한 설비를 갖출 것
      1) 지하저장탱크에 당해 탱크의 저부로부터 위험물의 최고액면을 넘는 부분까지의 외측에 감지층이 생기도록 두께 3.2mm 이상의 강판을 피복할 것
      2) 1)의 규정에 따라 피복된 강판과 지하저장탱크 사이의 감지층에는 적당한 액체를 채우고 채워진 액체의 누설을 감지할 수 있는 설비를 갖출 것. 이 경우 감지층에 채워진 액체는 강판의 부식을 방지하는 조치를 강구한 것이어야 한다.
   나. 지하저장탱크에 다음에 정하는 바에 따라 강화플라스틱 또는 고밀도폴리에틸렌을 피복하고, 위험물의 누설을 상시 감지하기 위한 설비를 갖출 것

1) 지하저장탱크는 다음에 정하는 바에 따라 피복할 것

가) 제3호 가목에 정하는 재료로 만든 지하저장탱크: 당해 탱크의 저부로부터 위험물의 최고액면을 넘는 부분까지의 외측에 감지층이 생기도록 두께 3mm 이상의 유리섬유강화플라스틱 또는 고밀도폴리에틸렌을 피복할 것. 이 경우 유리섬유강화플라스틱 또는 고밀도폴리에틸렌의 휨강도, 인장강도 등은 소방청장이 정하여 고시하는 성능이 있어야 한다.

나) 제3호 나목에 정하는 재료로 만든 지하저장탱크: 당해 탱크의 외측에 감지층이 생기도록 유리섬유강화플라스틱을 피복할 것

2) 1)의 규정에 따라 피복된 강화플라스틱 또는 고밀도폴리에틸렌과 지하저장탱크의 사이의 감지층에는 누설한 위험물을 감지할 수 있는 설비를 갖출 것

3. 지하저장탱크는 다음 각 목의 1의 재료로 기밀하게 만들어야 한다.

가. 두께 3.2mm 이상의 강판

나. 저장 또는 취급하는 위험물의 종류에 대응하여 다음 표에 정하는 수지 및 강화재로 만들어진 강화플라스틱

저장 또는 취급하는 위험물의 종류	수지		강화재
	위험물과 접하는 부분	그 밖의 부분	
휘발유(KS M 2612에 규정한 자동차용가솔린), 등유, 경유 또는 중유(KS M 2614에 규정한 것 중 1종에 한한다)	KS M 3305(섬유강화프라스틱용액상불포화폴리에스테르수지)(UP-CM, UP-CE 또는 UP-CEE에 관한 규격에 한한다)에 적합한 수지 또는 이와 동등 이상의 내약품성이 있는 비닐에스테르수지	제2호 나목 1) 가)에 정하는 수지	제2호 나목 1) 나)에 정하는 강화재

4. 제3호 나목에 정하는 재료로 만든 지하저장탱크에 제2호 나목에 정하는 조치를 강구한 것(이하 이 호에서 "강화플라스틱제 이중벽탱크"라 한다)은 다음 각 목에 정하는 하중이 작용하는 경우에 있어서 변형이 당해 지하저장탱크의 직경의 3% 이하이고, 휨응력도비(휨응력을 허용휨응력으로 나눈 것을 말한다)의 절대치와 축방향 응력도비(인장응력 또는 압축응력을 허용축방향응력으로 나눈 것을 말한다)의 절대치의 합이 1 이하인 구조이어야 한다. 이 경우 허용응력을 산정하는 때의 안전율은 4 이상의 값으로 한다.

가. 강화플라스틱제 이중벽탱크의 윗부분이 수면으로부터 0.5m 아래에 있는 경우에 당해 탱크에 작용하는 압력

나. 탱크의 종류에 대응하여 다음에 정하는 압력의 내수압

1) 압력탱크(최대상용압력이 46.7kpa 이상인 탱크를 말한다)외의 탱크: 70kpa

2) 압력탱크: 최대상용압력의 1.5배의 압력

5. 제3호 가목의 규정에 의한 재료로 만든 지하저장탱크 또는 동목의 규정에 의한 재료로 만든 지하저장탱크에 제2호 가목의 규정에 의한 조치를 강구한 것(이하 나목 및 다목에서 "강제이중벽탱크"라 한다)의 외면은 다음 각 목에 정하는 바에 따라 보호하여야 한다.

가. 제3호 가목에 정하는 재료로 만든 지하저장탱크에 제2호 나목에 정하는 조치를 강구한 것의 지하저장탱크의 외면은 제2호 나목 1) 가)의 규정에 따라 강화플라스틱을 피복한 부분에 있어서는 Ⅰ 제7호 가목 1)에 정하는 방법에 따라, 그 밖의 부분에 있어서는 동목 5)에 정하는 방법에 따라 보호할 것

나. 탱크전용실 외의 장소에 설치된 강제이중벽탱크의 외면은 Ⅰ 제7호 가목 2) 내지 5)에 정하는 어느 하나 이상의 방법에 따라 보호할 것

다. 탱크전용실에 설치된 강제이중벽탱크의 외면은 Ⅰ 제7호 가목 1) 내지 5)에 정하는 어느 하나의 방법에 따라 보호할 것

6. 제1호 내지 제5호의 규정에 의한 기준 외에 이중벽탱크의 구조(재질 및 강도를 포함한다)·성능시험·표시사항·운반 및 설치 등에 관한 기준은 소방청장이 정하여 고시한다.

Ⅲ. 특수누설방지구조의 지하탱크저장소의 기준

지하탱크저장소[지하저장탱크를 위험물의 누설을 방지할 수 있도록 두께 15cm(측방 및 하부에 있어서는 30cm) 이상의 콘크리트로 피복하는 구조로 하여 지면하에 설치하는 것에 한한다]의 위치·구조 및 설비의 기술기준은 Ⅰ 제1호 나목 내지 마목·제3호·제5호·제6호·제8호 내지 제15호·제17호 및 제18호의 규정을 준용하는 외에 지하저장탱크의 외면을 Ⅰ 제7호 가목 2) 내지 5)의 어느 하나에 해당하는 방법으로 보호하여야 한다.

Ⅳ. 위험물의 성질에 따른 지하탱크저장소의 특례

1. 아세트알데히드등 및 히드록실아민등을 저장 또는 취급하는 지하탱크저장소는 당해 위험물의 성질에 따라 Ⅰ 내지 Ⅲ의 규정에 의한 기준에 의하되, 강화되는 기준은 제2호 및 제3호의 규정에 의하여야 한다.

2. 아세트알데히드등을 저장 또는 취급하는 지하탱크저장소에 대하여 강화되는 기준은 다음 각 목과 같다.
   가. I 제1호 단서의 규정에 불구하고 지하저장탱크는 지반면하에 설치된 탱크전용실에 설치할 것
   나. 지하저장탱크의 설비는 별표 6 XI의 규정에 의한 아세트알데히드등의 옥외저장탱크의 설비의 기준을 준용할 것. 다만, 지하저장탱크가 아세트알데히드등의 온도를 적당한 온도로 유지할 수 있는 구조인 경우에는 냉각장치 또는 보냉장치를 설치하지 아니할 수 있다.
3. 히드록실아민등을 저장 또는 취급하는 지하탱크저장소에 대하여 강화되는 기준은 별표 6 XI의 규정에 의한 히드록실아민등을 저장 또는 취급하는 옥외탱크저장소의 규정을 준용한다.

핵심정리 지하탱크저장소 설치기준

1. 지하저장탱크는 지면하에 설치된 탱크전용실에 설치하여야 한다.
   탱크전용실의 제외(제4류 위험물의 지하저장탱크가 다음의 기준에 적합한 때에는 전용실에 설치하지 않는다)
   ① 지하철 · 지하가 또는 지하터널로부터 수평거리 10m 이내의 장소 또는 지하건축물 내의 장소에 설치하지 아니할 것
   ② 당해 탱크를 그 수평투영의 세로 및 가로보다 각각 0.6m 이상 크고 두께가 0.3m 이상인 철근콘크리트조의 뚜껑으로 덮을 것
   ③ 뚜껑에 걸리는 중량이 직접 당해 탱크에 걸리지 아니하는 구조일 것
   ④ 당해 탱크를 견고한 기초 위에 고정할 것
   ⑤ 당해 탱크를 지하의 가장 가까운 벽 · 피트 · 가스관 등의 시설물 및 대지경계선으로부터 0.6m 이상 떨어진 곳에 매설할 것
2. 탱크전용실 설치 시 이격 거리
   ① 지하의 가장 가까운 벽 · 피트 · 가스관 등의 시설물 및 대지경계선: 0.1m 이상 떨어진 곳에 설치
   ② 지하저장탱크와 탱크전용실의 안쪽과의 사이: 0.1m 이상의 간격을 유지
   ③ 마른 자갈분: 응고되지 아니하는 입자지름 5mm 이하의 마른 자갈을 채움
   ④ 지면으로부터의 거리: 윗부분은 지면으로부터 0.6m 이상 아래 설치

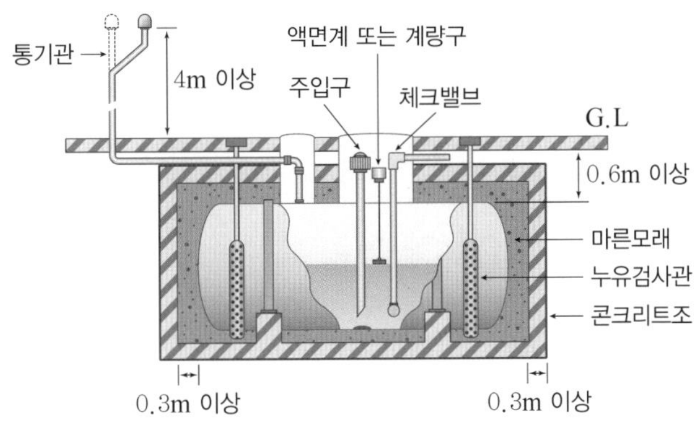

▲ 탱크전용실에 설치한 경우

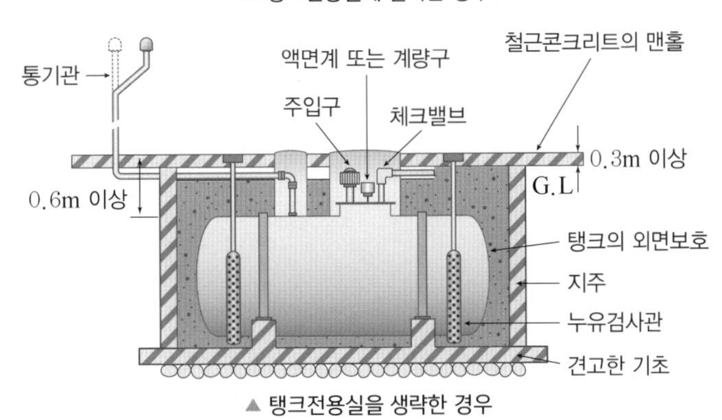

▲ 탱크전용실을 생략한 경우

3. 지하저장탱크 설치기준

① **지하저장탱크 상호간 거리(2 이상 설치 시):** 1m(지정수량 100배 이하 시 0.5m) 이상 간격을 유지(다만, 그 사이에 탱크전용실의 벽이나 두께 20cm 이상의 콘크리트 구조물이 있는 경우 제외)

② "위험물 지하탱크저장소"라는 표시를 한 표지와 방화에 관하여 필요한 사항을 게시한 게시판을 설치

③ 압력탱크(최대상용압력이 46.7kPa 이상인 탱크) 외의 탱크에 있어서는 70kPa의 압력으로, 압력탱크에 있어서는 최대상용압력

④ **지하저장탱크의 배관:** 탱크의 윗부분에 설치

⑤ **누설검사관(4개소 이상 적당한 위치 설치)**

㉠ 이중관으로 할 것. 다만, 소공이 없는 상부는 단관으로 할 수 있다.

㉡ **재료:** 금속관 또는 경질합성수지관

㉢ **관 기준:** 탱크전용실의 바닥 또는 탱크의 기초까지 닿게 할 것

㉣ 관의 밑부분으로부터 탱크의 중심 높이까지의 부분에는 소공이 뚫려 있을 것

㉤ 상부는 물이 침투하지 아니하는 구조로 하고, 뚜껑은 검사 시에 쉽게 열 수 있도록 할 것

4. 탱크전용실의 구조

① 벽 · 바닥 및 뚜껑의 두께는 0.3m 이상일 것

② 벽 · 바닥 및 뚜껑의 내부에는 직경 9mm부터 13mm까지의 철근을 가로 및 세로로 5cm부터 20cm까지의 간격으로 배치할 것

③ 벽 · 바닥 및 뚜껑의 재료에 수밀콘크리트를 혼입하거나 벽 · 바닥 및 뚜껑의 중간에 아스팔트층을 만드는 방법으로 적정한 방수조치를 할 것

5. 지하저장탱크 과충전 방지 장치

① 탱크용량을 초과하는 위험물이 주입될 때 자동으로 그 주입구를 폐쇄하거나 위험물의 공급을 자동으로 차단하는 방법

② 탱크용량의 90%가 찰 때 경보음을 울리는 방법

6 [별표 9] 간이탱크저장소의 위치 · 구조 및 설비의 기준

시행규칙 제33조(간이탱크저장소의 기준) 법 제5조 제4항의 규정에 의한 제조소등의 위치·구조 및 설비의 기준 중 간이탱크저장소에 관한 것은 별표 9와 같다.

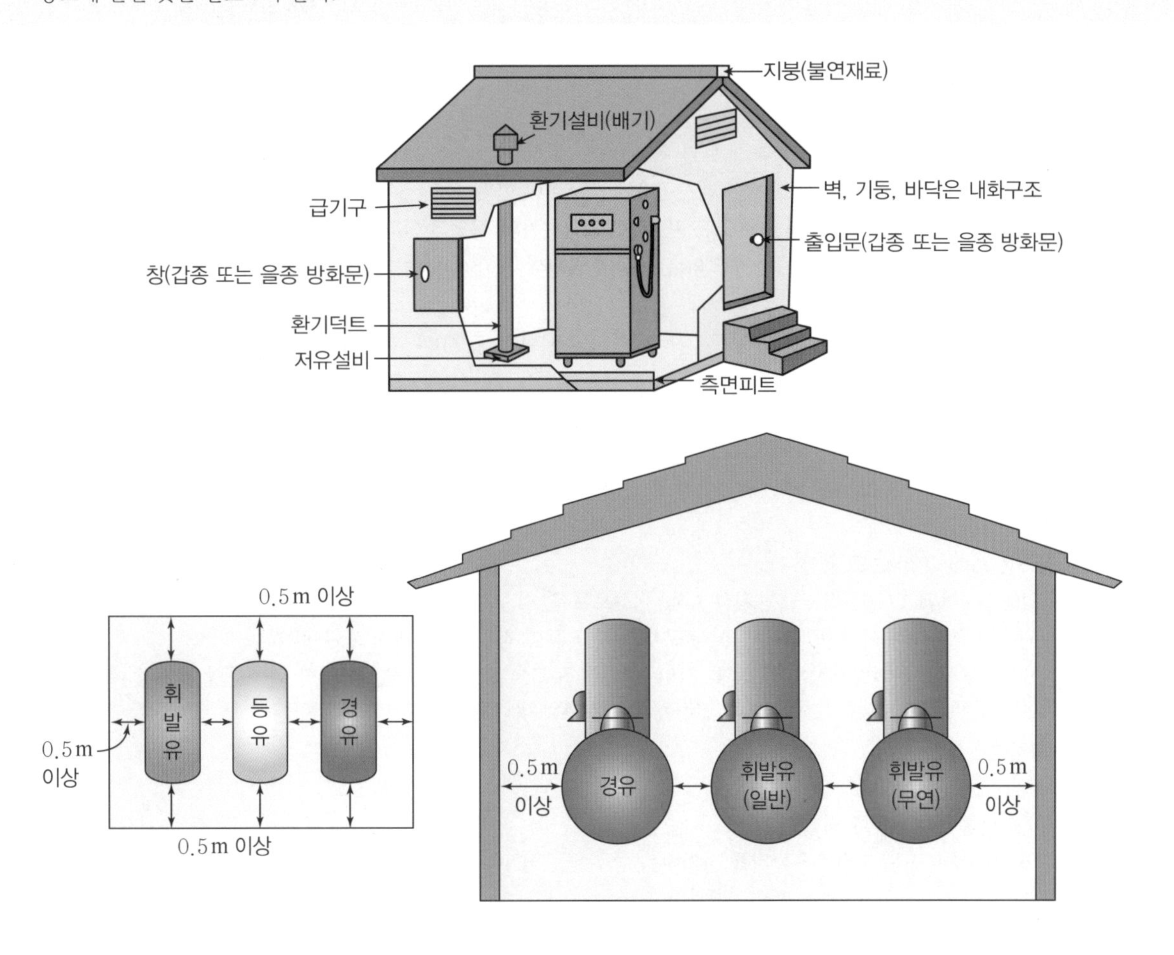

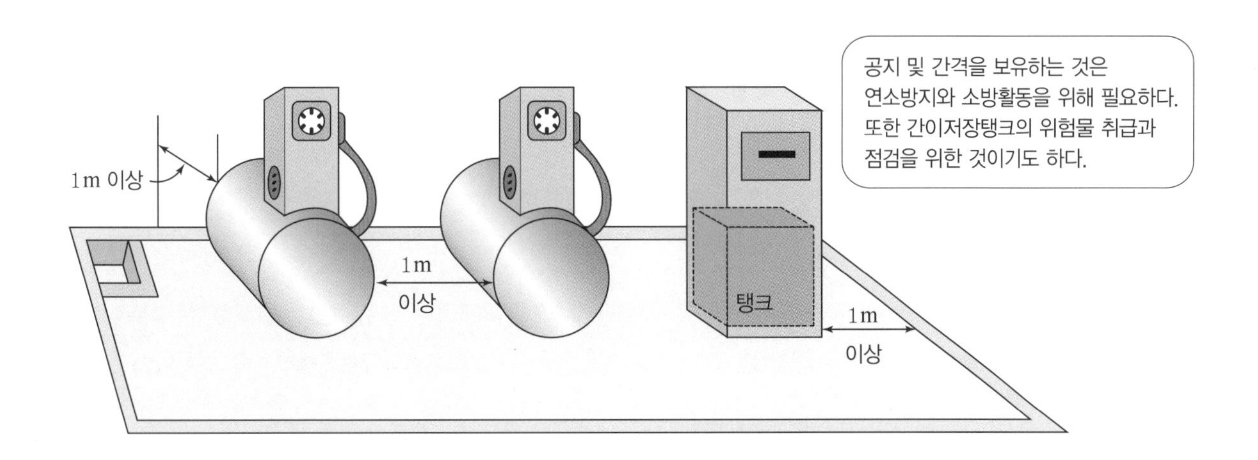

1. 위험물을 저장 또는 취급하는 간이탱크(이하 Ⅲ, 별표 13 Ⅲ 및 별표 18 Ⅲ에서 "간이저장탱크"라 한다)는 옥외에 설치하여야 한다. 다만, 다음 각 목의 기준에 적합한 전용실 안에 설치하는 경우에는 그러하지 아니하다.
   가. 전용실의 구조는 별표 7 Ⅰ 제1호 거목 및 너목의 규정에 의한 옥내탱크저장소의 탱크전용실의 구조의 기준에 적합할 것
   나. 전용실의 창 및 출입구는 별표 7 Ⅰ 제1호 더목 및 러목의 규정에 의한 옥내탱크저장소의 창 및 출입구의 기준에 적합할 것
   다. 전용실의 바닥은 별표 7 Ⅰ 제1호 머목의 규정에 의한 옥내탱크저장소의 탱크전용실의 바닥의 구조의 기준에 적합할 것
   라. 전용실의 채광 · 조명 · 환기 및 배출의 설비는 별표 5 Ⅰ 제14호의 규정에 의한 옥내저장소의 채광 · 조명 · 환기 및 배출의 설비의 기준에 적합할 것
2. 하나의 간이탱크저장소에 설치하는 간이저장탱크는 그 수를 3 이하로 하고, 동일한 품질의 위험물의 간이저장탱크를 2 이상 설치하지 아니하여야 한다.
3. 간이탱크저장소에는 별표 4 Ⅲ 제1호의 기준에 따라 보기 쉬운 곳에 "위험물 간이탱크저장소"라는 표시를 한 표지와 동표 Ⅲ 제2호의 기준에 따라 방화에 관하여 필요한 사항을 게시한 게시판을 설치하여야 한다.
4. 간이저장탱크는 움직이거나 넘어지지 아니하도록 지면 또는 가설대에 고정시키되, 옥외에 설치하는 경우에는 그 탱크의 주위에 너비 1m 이상의 공지를 두고, 전용실 안에 설치하는 경우에는 탱크와 전용실의 벽과의 사이에 0.5m 이상의 간격을 유지하여야 한다.
5. 간이저장탱크의 용량은 600ℓ 이하이어야 한다.
6. 간이저장탱크는 두께 3.2mm 이상의 강판으로 흠이 없도록 제작하여야 하며, 70kpa의 압력으로 10분간의 수압시험을 실시하여 새거나 변형되지 아니하여야 한다.
7. 간이저장탱크의 외면에는 녹을 방지하기 위한 도장을 하여야 한다. 다만, 탱크의 재질이 부식의 우려가 없는 스테인레스 강판 등인 경우에는 그러하지 아니하다.
8. 간이저장탱크에는 다음 각 목의 구분에 따른 기준에 적합한 밸브 없는 통기관 또는 대기밸브부착 통기관을 설치하여야 한다.
   가. 밸브 없는 통기관
      1) 통기관의 지름은 25mm 이상으로 할 것
      2) 통기관은 옥외에 설치하되, 그 선단의 높이는 지상 1.5m 이상으로 할 것
      3) 통기관의 선단은 수평면에 대하여 아래로 45° 이상 구부려 빗물 등이 침투하지 아니하도록 할 것
      4) 가는 눈의 구리망 등으로 인화방지장치를 할 것. 다만, 인화점 70℃ 이상의 위험물만을 해당 위험물의 인화점 미만의 온도로 저장 또는 취급하는 탱크에 설치하는 통기관에 있어서는 그러하지 아니하다.
   나. 대기밸브 부착 통기관
      1) 가목 2) 및 4)의 기준에 적합할 것
      2) 별표 6 Ⅵ 제7호 나목 1)의 기준에 적합할 것
9. 간이저장탱크에 고정주유설비 또는 고정급유설비를 설치하는 경우에는 별표 13 Ⅳ의 규정에 의한 고정주유설비 또는 고정급유설비의 기준에 적합하여야 한다.

핵심정리 간이탱크저장소 설치기준

1. 위험물을 저장 또는 취급하는 간이탱크는 옥외에 설치하여야 한다.

2. 전용실안에 설치할 수 있는 경우(아래에 만족하는 경우)
   ① 전용실의 구조는 옥내탱크저장소의 탱크전용실의 구조의 기준에 적합할 것
   ② 전용실의 창 및 출입구는 옥내탱크저장소의 창 및 출입구의 기준에 적합할 것
   ③ 전용실의 바닥은 옥내탱크저장소의 탱크전용실의 바닥의 구조의 기준에 적합할 것
   ④ 전용실의 채광 · 조명 · 환기 및 배출의 설비는 옥내저장소의 채광 · 조명 · 환기 및 배출의 설비의 기준에 적합할 것

3. 간이탱크 설치기준
   ① **간이저장탱크 개수**: 3개 이하(동일한 품질 위험물 2 이상 설치할수 없다)
   ② **표지 및 게시판**: "위험물 간이탱크저장소"라는 표시를 한 표지와 방화에 필요한 사항을 게시한 게시판을 설치
   ③ **옥외 설치시 공지**: 너비 1m 이상의 공지
   ④ **전용실 안에 설치시 전용실과 벽과의 거리**: 0.5m 이상의 간격 유지
   ⑤ **용량**: 600ℓ 이하
   ⑥ **두께**: 3.2mm 이상의 강판으로 흠이 없도록 제작(70kpa의 압력으로 10분간의 수압시험을 실시 → 새거나 변형 ×)
   ⑦ **밸브 없는 통기관 설치기준**
      ㉠ 통기관의 지름은 25mm 이상으로 할 것
      ㉡ 통기관은 옥외에 설치하되, 그 선단의 높이는 지상 1.5m 이상으로 할 것
      ㉢ 통기관의 선단은 수평면에 대하여 아래로 45° 이상 구부려 빗물 등이 침투하지 아니하도록 할 것
      ㉣ 가는 눈의 구리망 등으로 인화방지장치를 할 것

7 [별표 10] 이동탱크저장소의 위치 · 구조 및 설비의 기준

시행규칙 제34조(이동탱크저장소의 기준) 법 제5조 제4항의 규정에 의한 제조소등의 위치 · 구조 및 설비의 기준 중 이동탱크저장소에 관한 것은 별표 10과 같다.

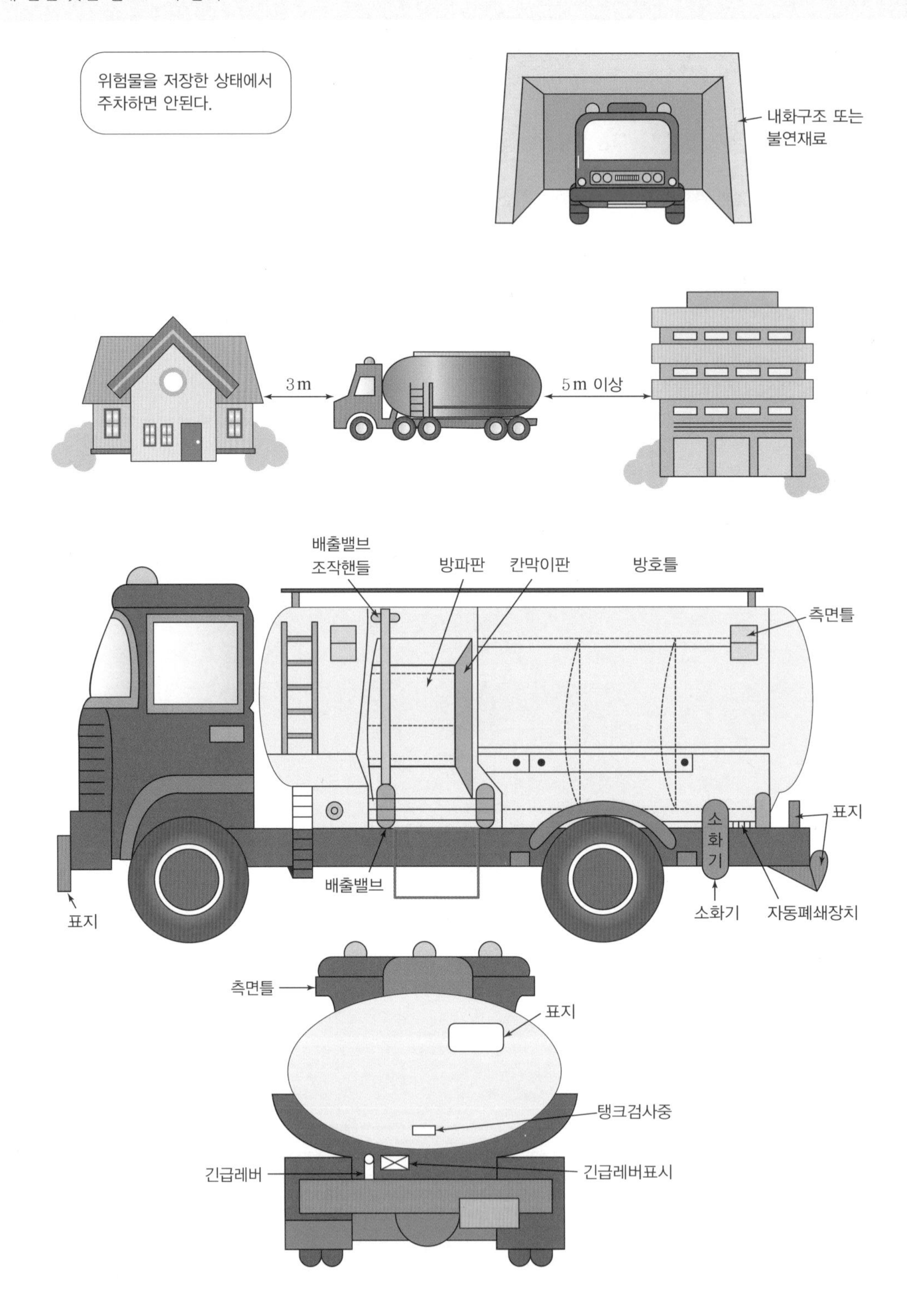

Ⅰ. 상치장소

이동탱크저장소의 상치장소는 다음 각 호의 기준에 적합하여야 한다.

1. 옥외에 있는 상치장소는 화기를 취급하는 장소 또는 인근의 건축물로부터 5m 이상(인근의 건축물이 1층인 경우에는 3m 이상)의 거리를 확보하여야 한다. 다만, 하천의 공지나 수면, 내화구조 또는 불연재료의 담 또는 벽 그 밖에 이와 유사한 것에 접하는 경우를 제외한다.
2. 옥내에 있는 상치장소는 벽·바닥·보·서까래 및 지붕이 내화구조 또는 불연재료로 된 건축물의 1층에 설치하여야 한다.

Ⅱ. 이동저장탱크의 구조

1. 이동저장탱크의 구조는 다음 각 목의 기준에 의하여야 한다.
   가. 탱크(맨홀 및 주입관의 뚜껑을 포함한다)는 두께 3.2mm 이상의 강철판 또는 이와 동등 이상의 강도·내식성 및 내열성이 있다고 인정하여 소방청장이 정하여 고시하는 재료 및 구조로 위험물이 새지 아니하게 제작할 것
   나. 압력탱크(최대상용압력이 46.7kpa 이상인 탱크를 말한다) 외의 탱크는 70kpa의 압력으로, 압력탱크는 최대상용압력의 1.5배의 압력으로 각각 10분간의 수압시험을 실시하여 새거나 변형되지 아니할 것. 이 경우 수압시험은 용접부에 대한 비파괴시험과 기밀시험으로 대신할 수 있다.
2. 이동저장탱크는 그 내부에 4,000ℓ 이하마다 3.2mm 이상의 강철판 또는 이와 동등 이상의 강도·내열성 및 내식성이 있는 금속성의 것으로 칸막이를 설치하여야 한다. 다만, 고체인 위험물을 저장하거나 고체인 위험물을 가열하여 액체 상태로 저장하는 경우에는 그러하지 아니하다.
3. 제2호의 규정에 의한 칸막이로 구획된 각 부분마다 맨홀과 다음 각 목의 기준에 의한 안전장치 및 방파판을 설치하여야 한다. 다만, 칸막이로 구획된 부분의 용량이 2,000ℓ 미만인 부분에는 방파판을 설치하지 아니할 수 있다.
   가. 안전장치
      상용압력이 20kpa 이하인 탱크에 있어서는 20kpa 이상 24kpa 이하의 압력에서, 상용압력이 20kpa를 초과하는 탱크에 있어서는 상용압력의 1.1배 이하의 압력에서 작동하는 것으로 할 것
   나. 방파판
      1) 두께 1.6mm 이상의 강철판 또는 이와 동등 이상의 강도·내열성 및 내식성이 있는 금속성의 것으로 할 것
      2) 하나의 구획부분에 2개 이상의 방파판을 이동탱크저장소의 진행방향과 평행으로 설치하되, 각 방파판은 그 높이 및 칸막이로부터의 거리를 다르게 할 것
      3) 하나의 구획부분에 설치하는 각 방파판의 면적의 합계는 당해 구획부분의 최대 수직단면적의 50% 이상으로 할 것. 다만, 수직단면이 원형이거나 짧은 지름이 1m 이하의 타원형일 경우에는 40% 이상으로 할 수 있다.
4. 맨홀·주입구 및 안전장치 등이 탱크의 상부에 돌출되어 있는 탱크에 있어서는 다음 각 목의 기준에 의하여 부속장치의 손상을 방지하기 위한 측면틀 및 방호틀을 설치하여야 한다. 다만, 피견인자동차에 고정된 탱크에는 측면틀을 설치하지 아니할 수 있다.
   가. 측면틀
      1) 탱크 뒷부분의 입면도에 있어서 측면틀의 최외측과 탱크의 최외측을 연결하는 직선(이하 Ⅱ에서 "최외측선"이라 한다)의 수평면에 대한 내각이 75도 이상이 되도록 하고, 최대수량의 위험물을 저장한 상태에 있을 때의 당해 탱크중량의 중심점과 측면틀의 최외측을 연결하는 직선과 그 중심점을 지나는 직선 중 최외측선과 직각을 이루는 직선과의 내각이 35도 이상이 되도록 할 것
      2) 외부로부터 하중에 견딜 수 있는 구조로 할 것
      3) 탱크상부의 네 모퉁이에 당해 탱크의 전단 또는 후단으로부터 각각 1m 이내의 위치에 설치할 것
      4) 측면틀에 걸리는 하중에 의하여 탱크가 손상되지 아니하도록 측면틀의 부착부분에 받침판을 설치할 것
   나. 방호틀
      1) 두께 2.3mm 이상의 강철판 또는 이와 동등 이상의 기계적 성질이 있는 재료로써 산모양의 형상으로 하거나 이와 동등 이상의 강도가 있는 형상으로 할 것
      2) 정상부분은 부속장치보다 50mm 이상 높게 하거나 이와 동등 이상의 성능이 있는 것으로 할 것
5. 탱크의 외면에는 방청도장을 하여야 한다. 다만, 탱크의 재질이 부식의 우려가 없는 스테인레스 강판 등인 경우에는 그러하지 아니하다.

Ⅲ. 배출밸브 및 폐쇄장치

1. 이동저장탱크의 아랫부분에 배출구를 설치하는 경우에는 당해 탱크의 배출구에 밸브(이하 Ⅲ에서 "배출밸브"라 한다)를 설치하고 비상시에 직접 당해 배출밸브를 폐쇄할 수 있는 수동폐쇄장치 또는 자동폐쇄장치를 설치하여야 한다.
2. 제1호에 따른 수동폐쇄장치를 설치하는 경우에는 수동폐쇄장치를 작동시킬 수 있는 레버 또는 이와 유사한 기능을 하는 것을 설치하고, 그 바로 옆에 해당 장치의 작동방식을 표시하여야 한다. 이 경우 레버를 설치하는 경우에는 다음 각 목의 기준에 따라 설치하여야 한다.
   가. 손으로 잡아당겨 수동폐쇄장치를 작동시킬 수 있도록 할 것
   나. 길이는 15cm 이상으로 할 것
3. 제1호의 규정에 의하여 배출밸브를 설치하는 경우, 그 배출밸브에 대하여 외부로부터의 충격으로 인한 손상을 방지하기 위하여 필요한 장치를 하여야 한다.
4. 탱크의 배관이 선단부에는 개폐밸브를 설치하여야 한다.

Ⅳ. 결합금속구 등

1. 액체위험물의 이동탱크저장소의 주입호스(이동저장탱크로부터 위험물을 저장 또는 취급하는 다른 탱크로 위험물을 공급하는 호스를 말한다. 제2호 및 제3호에서 같다)는 위험물을 저장 또는 취급하는 탱크의 주입구와 결합할 수 있는 금속구를 사용하되, 그 결합금속구(제6류 위험물의 탱크의 것을 제외한다)는 놋쇠 그 밖에 마찰 등에 의하여 불꽃이 생기지 아니하는 재료로 하여야 한다.
2. 제1호의 규정에 의한 주입호스의 재질과 규격 및 결합금속구의 규격은 소방청장이 정하여 고시한다.
3. 이동탱크저장소에 주입설비(주입호스의 선단에 개폐밸브를 설치한 것을 말한다)를 설치하는 경우에는 다음 각 목의 기준에 의하여야 한다.
   가. 위험물이 샐 우려가 없고 화재예방상 안전한 구조로 할 것
   나. 주입설비의 길이는 50m 이내로 하고, 그 선단에 축적되는 정전기를 유효하게 제거할 수 있는 장치를 할 것
   다. 분당 토출량은 200ℓ 이하로 할 것

Ⅴ. 표지 및 상치장소 표시

1. 이동탱크저장소에는 소방청장이 정하여 고시하는 바에 따라 저장하는 위험물의 위험성을 알리는 표지를 설치하여야 한다.
2. 이동탱크저장소의 탱크외부에는 소방청장이 정하여 고시하는 바에 따라 도장 등을 하여 쉽게 식별할 수 있도록 하고, 보기 쉬운 곳에 Ⅰ의 규정에 의한 상치장소의 위치를 표시하여야 한다.

Ⅵ. 펌프설비

1. 이동탱크저장소에 설치하는 펌프설비는 당해 이동탱크저장소의 차량구동용엔진(피견인식 이동탱크저장소의 견인부분에 설치된 것은 제외한다)의 동력원을 이용하여 위험물을 이송하여야 한다. 다만, 다음 각 목의 기준에 의하여 외부로부터 전원을 공급받는 방식의 모터펌프를 설치할 수 있다.
   가. 저장 또는 취급가능한 위험물은 인화점 40℃ 이상의 것 또는 비인화성의 것에 한할 것
   나. 화재예방상 지장이 없는 위치에 고정하여 설치할 것
2. 피견인식 이동탱크저장소의 견인부분에 설치된 차량구동용 엔진의 동력원을 이용하여 위험물을 이송하는 경우에는 다음 각 목의 기준에 적합하여야 한다.
   가. 견인부분에 작동유탱크 및 유압펌프를 설치하고, 피견인부분에 오일모터 및 펌프를 설치할 것
   나. 트랜스미션(Transmission)으로부터 동력전동축을 경유하여 견인부분의 유압펌프를 작동시키고 그 유압에 의하여 피견인부분의 오일모터를 경유하여 펌프를 작동시키는 구조일 것
3. 이동탱크저장소에 설치하는 펌프설비는 당해 이동저장탱크로부터 위험물을 토출하는 용도에 한한다. 다만, 폐유의 회수 등의 용도에 사용되는 이동탱크저장소에는 다음의 각 목의 기준에 의하여 진공흡입방식의 펌프를 설치할 수 있다.
   가. 저장 또는 취급가능한 위험물은 인화점이 70℃ 이상인 폐유 또는 비인화성의 것에 한할 것
   나. 감압장치의 배관 및 배관의 이음은 금속제일 것. 다만, 완충용이음은 내압 및 내유성이 있는 고무제품을, 배기통의 최상부는 합성수지제품을 사용할 수 있다.
   다. 호스 선단에는 돌 등의 고형물이 혼입되지 아니하도록 망 등을 설치할 것
   라. 이동저장탱크로부터 위험물을 다른 저장소로 옮겨 담는 경우에는 당해 저장소의 펌프 또는 자연하류의 방식에 의하는 구조일 것

Ⅶ. 접지도선

제4류 위험물 중 특수인화물, 제1석유류 또는 제2석유류의 이동탱크저장소에는 다음의 각 호의 기준에 의하여 접지도선을 설치하여야 한다.

1. 양도체(良導體)의 도선에 비닐 등의 절연재료로 피복하여 선단에 접지전극 등을 결착시킬 수 있는 클립(clip) 등을 부착할 것
2. 도선이 손상되지 아니하도록 도선을 수납할 수 있는 장치를 부착할 것

Ⅷ. 컨테이너식 이동탱크저장소의 특례

1. 이동저장탱크를 차량 등에 옮겨 싣는 구조로 된 이동탱크저장소(이하 "컨테이너식 이동탱크저장소"라 한다)에 대하여는 Ⅳ의 규정을 적용하지 아니하되, 다음 각 목의 기준에 적합하여야 한다.
   가. 이동저장탱크는 옮겨 싣는 때에 이동저장탱크하중에 의하여 생기는 응력 및 변형에 대하여 안전한 구조로 할 것
   나. 컨테이너식 이동탱크저장소에는 이동저장탱크하중의 4배의 전단하중에 견디는 걸고리체결금속구 및 모서리체결금속구를 설치할 것. 다만, 용량이 6,000ℓ 이하인 이동저장탱크를 싣는 이동탱크저장소의 경우에는 이동저장탱크를 차량의 샤시프레임에 체결하도록 만든 구조의 유(U)자볼트를 설치할 수 있다.
   다. 컨테이너식 이동탱크저장소에 주입호스를 설치하는 경우에는 Ⅳ의 기준에 의할 것
2. 다음 각 목의 기준에 적합한 이동저장탱크로 된 컨테이너식 이동탱크저장소에 대하여는 Ⅱ 제2호 내지 제4호의 규정을 적용하지 아니한다.
   가. 이동저장탱크 및 부속장치(맨홀 · 주입구 및 안전장치 등을 말한다)는 강재로 된 상자형태의 틀(이하 "상자틀"이라 한다)에 수납할 것
   나. 상자틀의 구조물 중 이동저장탱크의 이동방향과 평행한 것과 수직인 것은 당해 이동저장탱크 · 부속장치 및 상자틀의 자중과 저장하는 위험물의 무게를 합한 하중(이하 "이동저장탱크하중"이라 한다)의 2배 이상의 하중에, 그 외 이동저장탱크의 이동방향과 직각인 것은 이동저장탱크하중 이상의 하중에 각각 견딜 수 있는 강도가 있는 구조로 할 것
   다. 이동저장탱크 · 맨홀 및 주입구의 뚜껑은 두께 6mm(당해 탱크의 직경 또는 장경이 1.8m 이하인 것은 5mm) 이상의 강판 또는 이와 동등 이상의 기계적 성질이 있는 재료로 할 것
   라. 이동저장탱크에 칸막이를 설치하는 경우에는 당해 탱크의 내부를 완전히 구획하는 구조로 하고, 두께 3.2mm 이상의 강판 또는 이와 동등 이상의 기계적 성질이 있는 재료로 할 것
   마. 이동저장탱크에는 맨홀 및 안전장치를 할 것
   바. 부속장치는 상자틀의 최외측과 50mm 이상의 간격을 유지할 것
3. 컨테이너식 이동탱크저장소에 대하여는 Ⅴ 제2호를 적용하지 아니하되, 이동저장탱크의 보기 쉬운 곳에 가로 0.4m 이상, 세로 0.15m 이상의 백색 바탕에 흑색 문자로 허가청의 명칭 및 완공검사번호를 표시하여야 한다.

Ⅸ. 주유탱크차의 특례

1. 항공기주유취급소(별표 13 Ⅹ의 규정에 의한 항공기주유취급소를 말한다. 이하 같다)에 있어서 항공기의 연료탱크에 직접 주유하기 위한 주유설비를 갖춘 이동탱크저장소(이하 "주유탱크차"라 한다)에 대하여는 Ⅳ의 규정을 적용하지 아니하되, 다음 각 목의 기준에 적합하여야 한다.
   가. 주유탱크차에는 엔진배기통의 선단부에 화염의 분출을 방지하는 장치를 설치할 것
   나. 주유탱크차에는 주유호스 등이 적정하게 격납되지 아니하면 발진되지 아니하는 장치를 설치할 것
   다. 주유설비는 다음의 기준에 적합한 구조로 할 것
      1) 배관은 금속제로서 최대상용압력의 1.5배 이상의 압력으로 10분간 수압시험을 실시하였을 때 누설 그 밖의 이상이 없는 것으로 할 것
      2) 주유호스의 선단에 설치하는 밸브는 위험물의 누설을 방지할 수 있는 구조로 할 것
      3) 외장은 난연성이 있는 재료로 할 것
   라. 주유설비에는 당해 주유설비의 펌프기기를 정지하는 등의 방법에 의하여 이동저장탱크로부터의 위험물 이송을 긴급히 정지할 수 있는 장치를 설치할 것
   마. 주유설비에는 개방조작시에만 개방하는 자동폐쇄식의 개폐장치를 설치하고, 주유호스의 선단부에는 연료탱크의 주입구에 연결하는 결합금속구를 설치할 것. 다만, 주유호스의 선단부에 수동개폐장치를 설치한 주유노즐(수동개폐장치를 개방상태에서 고정하는 장치를 설치한 것을 제외한다)을 설치한 경우에는 그러하지 아니하다.

바. 주유설비에는 주유호스의 선단에 축적된 정전기를 유효하게 제거하는 장치를 설치할 것

사. 주유호스는 최대상용압력의 2배 이상의 압력으로 수압시험을 실시하여 누설 그 밖의 이상이 없는 것으로 할 것

2. 공항에서 시속 40km 이하로 운행하도록 된 주유탱크차에는 Ⅱ제2호와 제3호(방파판에 관한 부분으로 한정한다)의 규정을 적용하지 아니하되, 다음 각 목의 기준에 적합하여야 한다.

가. 이동저장탱크는 그 내부에 길이 1.5m 이하 또는 부피 4천ℓ 이하마다 3.2mm 이상의 강철판 또는 이와 같은 수준 이상의 강도 · 내열성 및 내식성이 있는 금속성의 것으로 칸막이를 설치할 것

나. 가목에 따른 칸막이에 구멍을 낼 수 있되, 그 직경이 40cm 이내일 것

X. 위험물의 성질에 따른 이동탱크저장소의 특례

1. 알킬알루미늄등을 저장 또는 취급하는 이동탱크저장소는 Ⅰ 내지 Ⅷ의 규정에 의한 기준에 의하되, 당해 위험물의 성질에 따라 강화되는 기준은 다음 각 목에 의하여야 한다.

가. Ⅱ제1호의 규정에 불구하고 이동저장탱크는 두께 10mm 이상의 강판 또는 이와 동등 이상의 기계적 성질이 있는 재료로 기밀하게 제작되고 1MPa 이상의 압력으로 10분간 실시하는 수압시험에서 새거나 변형하지 아니하는 것일 것

나. 이동저장탱크의 용량은 1,900ℓ 미만일 것

다. Ⅱ 제3호 가목의 규정에 불구하고, 안전장치는 이동저장탱크의 수압시험의 압력의 3분의 2를 초과하고 5분의 4를 넘지 아니하는 범위의 압력으로 작동할 것

라. Ⅱ 제1호 가목의 규정에 불구하고, 이동저장탱크의 맨홀 및 주입구의 뚜껑은 두께 10mm 이상의 강판 또는 이와 동등 이상의 기계적 성질이 있는 재료로 할 것

마. Ⅲ 제1호의 규정에 불구하고, 이동저장탱크의 배관 및 밸브 등은 당해 탱크의 윗부분에 설치할 것

바. Ⅷ 제1호 나목의 규정에 불구하고, 이동탱크저장소에는 이동저장탱크하중의 4배의 전단하중에 견딜 수 있는 걸고리체결금속구 및 모서리체결금속구를 설치할 것

사. 이동저장탱크는 불활성의 기체를 봉입할 수 있는 구조로 할 것

아. 이동저장탱크는 그 외면을 적색으로 도장하는 한편, 백색문자로서 동판(胴板)의 양측면 및 경판(鏡板)에 별표 4 Ⅲ제2호 라목의 규정에 의한 주의사항을 표시할 것

2. 아세트알데히드등을 저장 또는 취급하는 이동탱크저장소는 Ⅰ 내지 Ⅷ의 규정에 의하되, 당해 위험물의 성질에 따라 강화되는 기준은 다음 각 목에 의하여야 한다.

가. 이동저장탱크는 불활성의 기체를 봉입할 수 있는 구조로 할 것

나. 이동저장탱크 및 그 설비는 은 · 수은 · 동 · 마그네슘 또는 이들을 성분으로 하는 합금으로 만들지 아니할 것

3. 히드록실아민등을 저장 또는 취급하는 이동탱크저장소는 Ⅰ 내지 Ⅷ의 규정에 의하되, 강화되는 기준은 별표 6 XI제3호의 규정에 의한 히드록실아민등을 저장 또는 취급하는 옥외탱크저장소의 규정을 준용하여야 한다.

핵심정리 이동탱크저장소 설치기준

1. 상치장소 기준
   ① **확보거리:** 화기를 취급하는 장소 또는 인근의 건축물로부터 5m 이상(인근 건축물 1층인 경우 3m 이상)
   ② **옥내 상치 장소 구조:** 벽 · 바닥 · 보 · 서까래 및 지붕이 내화구조 또는 불연재료로 된 건축물 1층에 설치

2. 이동저장탱크의 구조
   ① **두께:** 두께 3.2mm 이상의 강철판 또는 이와 동등 이상의 강도 · 내식성 및 내열성이 있다고 인정되는 것
   ② **압력시험:** 압력탱크(최대상용압력이 46.7kpa 이상 탱크) 외의 탱크는 70kpa의 압력으로, 압력탱크는 최대상용압력의 1.5배의 압력으로 각각 10분간의 수압시험을 실시하여 새거나 변형되지 아니할 것
   ③ **칸막이 설치 기준:** 4,000ℓ 이하마다 3.2mm 이상의 강철판 또는 이와 동등 이상의 금속으로 설치
   ④ **안전장치 및 방파판:** 칸막이로 구획된 각 부분마다 맨홀과 안전장치 및 방파판을 설치
      ㉠ **안전장치:** 20kpa 이하인 탱크에 있어서는 20kpa 이상 24kpa 이하의 압력에서, 상용압력이 20kpa를 초과하는 탱크에 있어서는 상용압력의 1.1배 이하의 압력에서 작동
      ㉡ **방파판:** 두께 1.6mm 이상의 강철판 또는 이와 동등 이상의 강도 · 내열성 및 내식성이 있는 금속성의 것
   ⑤ **측면틀 및 방호틀 설치**
      ㉠ 측면틀

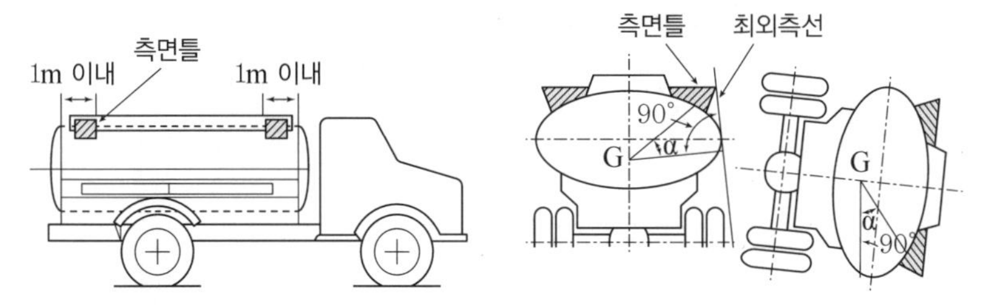

      ㉡ 방호틀(이동탱크 윗부분)

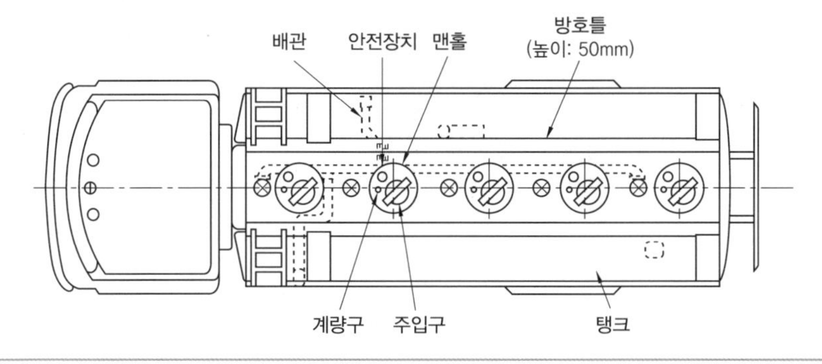

8 [별표 11] 옥외저장소의 위치 · 구조 및 설비의 기준

시행규칙 제35조(옥외저장소의 기준) 법 제5조 제4항의 규정에 의한 제조소등의 위치 · 구조 및 설비의 기준 중 옥외저장소에 관한 것은 별표 11과 같다.

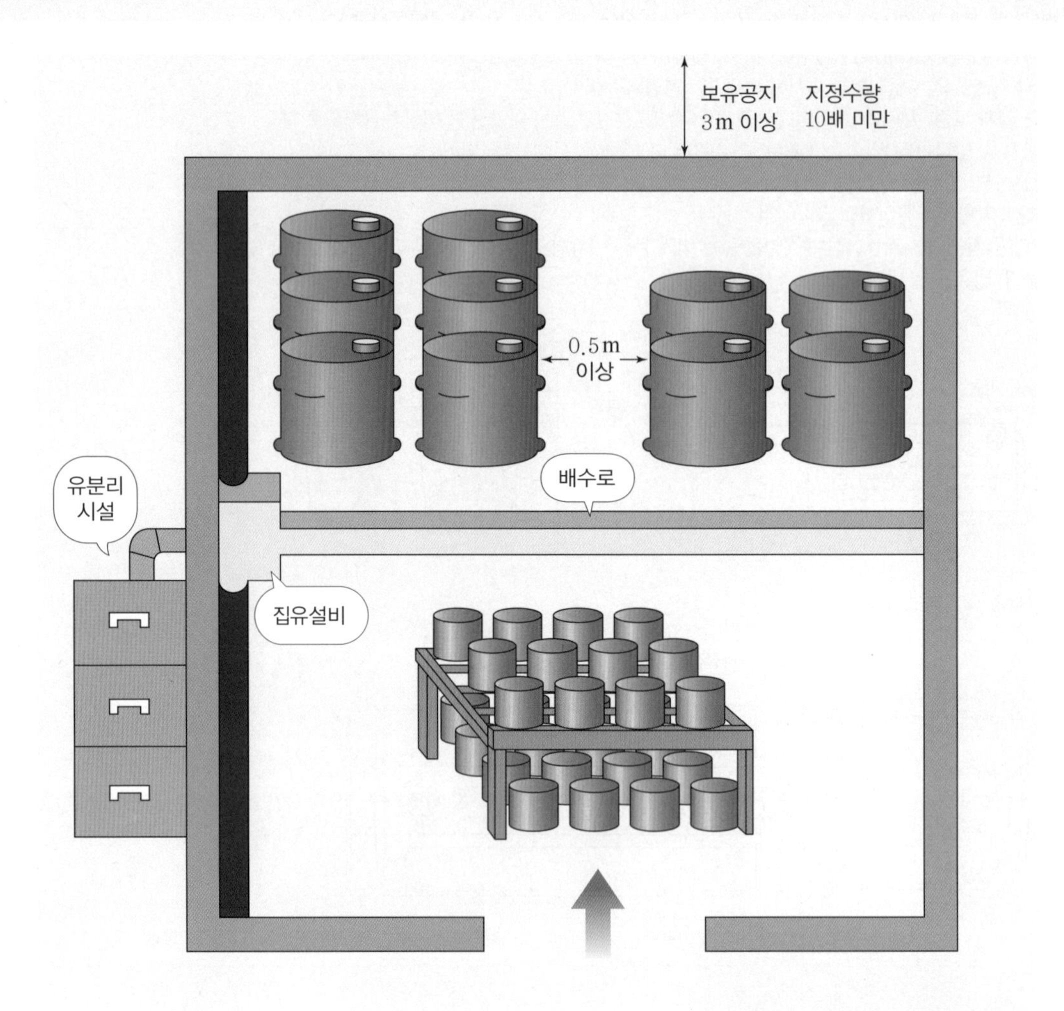

Ⅰ. 옥외저장소의 기준

1. 옥외저장소 중 위험물을 용기에 수납하여 저장 또는 취급하는 것의 위치 · 구조 및 설비의 기술기준은 다음 각 목과 같다.

가. 옥외저장소는 별표 4 Ⅰ의 규정에 준하여 안전거리를 둘 것

나. 옥외저장소는 습기가 없고 배수가 잘 되는 장소에 설치할 것

다. 위험물을 저장 또는 취급하는 장소의 주위에는 경계표시(울타리의 기능이 있는 것에 한한다. 이와 같다)를 하여 명확하게 구분할 것

라. 다목의 경계표시의 주위에는 그 저장 또는 취급하는 위험물의 최대수량에 따라 다음 표에 의한 너비의 공지를 보유할 것. 다만, 제4류 위험물 중 제4석유류와 제6류 위험물을 저장 또는 취급하는 옥외저장소의 보유공지는 다음 표에 의한 공지의 너비의 3분의 1 이상의 너비로 할 수 있다.

저장 또는 취급하는 위험물의 최대수량	공지의 너비
지정수량의 10배 이하	3m 이상
지정수량의 10배 초과 20배 이하	5m 이상
지정수량의 20배 초과 50배 이하	9m 이상
지정수량의 50배 초과 200배 이하	12m 이상
지정수량의 200배 초과	15m 이상

마. 옥외저장소에는 별표 4 Ⅲ 제1호의 기준에 따라 보기 쉬운 곳에 "위험물 옥외저장소"라는 표시를 한 표지와 동표 Ⅲ 제2호의 기준에 따라 방화에 관하여 필요한 사항을 게시한 게시판을 설치하여야 한다.

바. 옥외저장소에 선반을 설치하는 경우에는 다음의 기준에 의할 것

1) 선반은 불연재료로 만들고 견고한 지반면에 고정할 것

2) 선반은 당해 선반 및 그 부속설비의 자중 · 저장하는 위험물의 중량 · 풍하중 · 지진의 영향 등에 의하여 생기는 응력에 대하여 안전할 것

3) 선반의 높이는 6m를 초과하지 아니할 것

4) 선반에는 위험물을 수납한 용기가 쉽게 낙하하지 아니하는 조치를 강구할 것

사. 과산화수소 또는 과염소산을 저장하는 옥외저장소에는 불연성 또는 난연성의 천막 등을 설치하여 햇빛을 가릴 것

아. 눈 · 비 등을 피하거나 차광 등을 위하여 옥외저장소에 캐노피 또는 지붕을 설치하는 경우에는 환기 및 소화활동에 지장을 주지 아니하는 구조로 할 것. 이 경우 기둥은 내화구조로 하고, 캐노피 또는 지붕을 불연재료로 하며, 벽을 설치하지 아니하여야 한다.

2. 옥외저장소 중 덩어리 상태의 유황만을 지반면에 설치한 경계표시의 안쪽에서 저장 또는 취급하는 것(제1호에 정하는 것을 제외한다)의 위치 · 구조 및 설비의 기술기준은 제1호 각 목의 기준 및 다음 각 목과 같다.

가. 하나의 경계표시의 내부의 면적은 100m² 이하일 것

나. 2 이상의 경계표시를 설치하는 경우에 있어서는 각각의 경계표시 내부의 면적을 합산한 면적은 1,000m² 이하로 하고, 인접하는 경계표시와 경계표시와의 간격을 제1호 라목의 규정에 의한 공지의 너비의 2분의 1 이상으로 할 것. 다만, 저장 또는 취급하는 위험물의 최대수량이 지정수량의 200배 이상인 경우에는 10m 이상으로 하여야 한다.

다. 경계표시는 불연재료로 만드는 동시에 유황이 새지 아니하는 구조로 할 것

라. 경계표시의 높이는 1.5m 이하로 할 것

마. 경계표시에는 유황이 넘치거나 비산하는 것을 방지하기 위한 천막 등을 고정하는 장치를 설치하되, 천막 등을 고정하는 장치는 경계표시의 길이 2m마다 한 개 이상 설치할 것

바. 유황을 저장 또는 취급하는 장소의 주위에는 배수구와 분리장치를 설치할 것

Ⅱ. 고인화점 위험물의 옥외저장소의 특례

1. 고인화점 위험물만을 저장 또는 취급하는 옥외저장소 중 그 위치가 다음 각 목에 정하는 기준에 적합한 것에 대하여는 Ⅰ 제1호 가목 및 라목의 규정을 적용하지 아니한다.

가. 옥외저장소는 별표 4 XI 제1호의 규정에 준하여 안전거리를 둘 것

나. Ⅰ 제1호 다목의 경계표시의 주위에는 다음 표에 정하는 너비의 공지를 보유할 것

저장 또는 취급하는 위험물의 최대수량	공지의 너비
지정수량의 50배 이하	3m 이상
지정수량의 50배 초과 200배 이하	6m 이상
지정수량의 200배 초과	10m 이상

Ⅲ. 인화성고체, 제1석유류 또는 알코올류의 옥외저장소의 특례

제2류 위험물 중 인화성고체(인화점이 21℃ 미만인 것에 한한다. 이하 Ⅲ에서 같다) 또는 제4류 위험물 중 제1석유류 또는 알코올류를 저장 또는 취급하는 옥외저장소에 있어서는 Ⅰ 제1호의 규정에 의한 기준에 의하는 외에 당해 위험물의 성질에 따라 다음 각 호에 정하는 기준에 의한다.

1. 인화성고체, 제1석유류 또는 알코올류를 저장 또는 취급하는 장소에는 당해 위험물을 적당한 온도로 유지하기 위한 살수설비 등을 설치하여야 한다.
2. 제1석유류 또는 알코올류를 저장 또는 취급하는 장소의 주위에는 배수구 및 집유설비를 설치하여야 한다. 이 경우 제1석유류(온도 20℃의 물 100g에 용해되는 양이 1g 미만인 것에 한한다)를 저장 또는 취급하는 장소에 있어서는 집유설비에 유분리장치를 설치하여야 한다.

Ⅳ. 수출입 하역장소의 옥외저장소의 특례

관세법 제154조에 따른 보세구역, 항만법 제2조 제1호에 따른 항만 또는 같은 조 제7호에 따른 항만배후단지 내에서 수출입을 위한 위험물을 저장 또는 취급하는 옥외저장소 중 Ⅰ 제1호(라목은 제외한다)의 규정에 적합한 것은 다음 표에 정하는 너비의 공지(空地)를 보유할 수 있다.

저장 또는 취급하는 위험물의 최대수량	공지의 너비
지정수량의 50배 이하	3m 이상
지정수량의 50배 초과 200배 이하	4m 이상
지정수량의 200배 초과	5m 이상

핵심정리 옥외저장소 설치기준

1. 옥외저장소 보유공지

저장 또는 취급하는 위험물의 최대수량	공지의 너비
지정수량의 10배 이하	3m 이상
지정수량의 10배 초과 20배 이하	5m 이상
지정수량의 20배 초과 50배 이하	9m 이상
지정수량의 50배 초과 200배 이하	12m 이상
지정수량의 200배 초과	15m 이상

2. 옥외저장소 선반설치기준
   ① **재료:** 불연재료로 만들고 견고한 지반면에 고정
   ② **설치기준:** 선반 및 그 부속설비의 자중 · 저장하는 위험물의 중량 · 풍하중 · 지진의 영향 등에 의하여 생기는 응력에 대하여 안전할 것
   ③ **선반 높이:** 6m를 초과하지 아니할 것
   ④ 선반에는 위험물을 수납한 용기가 쉽게 낙하하지 아니하는 조치를 강구할 것
   ⑤ 과산화수소 또는 과염소산을 저장하는 옥외저장소에는 불연성 또는 난연성의 천막 등을 설치하여 햇빛을 가릴 것
   ⑥ 눈 · 비 등을 피하거나 차광 등을 위하여 옥외저장소에 캐노피 또는 지붕을 설치하는 경우에는 환기 및 소화활동에 지장을 주지 아니하는 구조로 할 것. 이 경우 기둥은 내화구조로 하고, 캐노피 또는 지붕을 불연재료로 하며, 벽을 설치하지 아니하여야 한다.

3. 덩어리 상태의 유황만을 지반 면에 설치한 경계표시의 안쪽에서 저장 또는 취급하는 경우
   ① **내부 면적:** 100m² 이하
   ② **2 이상의 경계표시를 설치하는 경우 각각의 경계표시 내부 합산 면적:** 1,000m² 이하
   ③ **인접하는 경계표시와 경계표시와의 간격:** 보유 공지의 너비의 2분의 1 이상(지정수량의 200배 이상: 10m 이상)
   ④ **경계표시 높이:** 1.5m 이하
   ⑤ 경계표시는 불연재료로 만드는 동시에 유황이 새지 아니하는 구조로 할 것
   ⑥ 경계표시에는 유황이 넘치거나 비산하는 것을 방지하기 위한 천막 등을 고정하는 장치 설치, 천막 등을 고정하는 장치는 경계표시의 길이 2m마다 한 개 이상 설치
   ⑦ 유황을 저장 또는 취급하는 장소의 주위에는 배수구와 분리장치를 설치

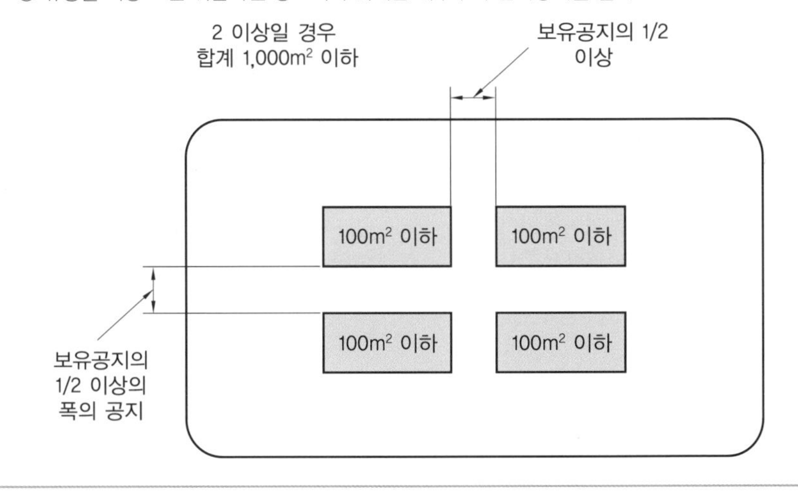

9 [별표 12] 암반탱크저장소의 위치 · 구조 및 설비의 기준

시행규칙 제36조(암반탱크저장소의 기준) 법 제5조 제4항의 규정에 의한 제조소등의 위치 · 구조 및 설비의 기준 중 암반탱크저장소에 관한 것은 별표 12와 같다.

Ⅰ. 암반탱크

1. 암반탱크저장소의 암반탱크는 다음 각 목의 기준에 의하여 설치하여야 한다.
   가. 암반탱크는 암반투수계수가 1초당 10만분의 1m 이하인 천연암반 내에 설치할 것
   나. 암반탱크는 저장할 위험물의 증기압을 억제할 수 있는 지하수면하에 설치할 것
   다. 암반탱크의 내벽은 암반균열에 의한 낙반을 방지할 수 있도록 볼트 · 콘크리크 등으로 보강할 것
2. 암반탱크는 다음 각 목의 기준에 적합한 수리조건을 갖추어야 한다.
   가. 암반탱크 내로 유입되는 지하수의 양은 암반내의 지하수 충전량보다 적을 것
   나. 암반탱크의 상부로 물을 주입하여 수압을 유지할 필요가 있는 경우에는 수벽공을 설치할 것
   다. 암반탱크에 가해지는 지하수압은 저장소의 최대운영압보다 항상 크게 유지할 것

Ⅱ. 지하수위 관측공의 설치

암반탱크저장소 주위에는 지하수위 및 지하수의 흐름 등을 확인 · 통제할 수 있는 관측공을 설치하여야 한다.

Ⅲ. 계량장치

암반탱크저장소에는 위험물의 양과 내부로 유입되는 지하수의 양을 측정할 수 있는 계량구와 자동측정이 가능한 계량장치를 설치하여야 한다.

Ⅳ. 배수시설

암반탱크저장소에는 주변 암반으로부터 유입되는 침출수를 자동으로 배출할 수 있는 시설을 설치하고 침출수에 섞인 위험물이 직접 배수구로 흘러 들어가지 아니하도록 유분리장치를 설치하여야 한다.

Ⅴ. 펌프설비

암반탱크저장소의 펌프설비는 점검 및 보수를 위하여 사람의 출입이 용이한 구조의 전용공동에 설치하여야 한다. 다만, 액중펌프(펌프 또는 전동기를 저장탱크 또는 암반탱크 안에 설치하는 것을 말한다. 이하 같다)를 설치한 경우에는 그러하지 아니하다.

Ⅵ. 위험물제조소 및 옥외탱크저장소에 관한 기준의 준용

1. 암반탱크저장소에는 별표 4 Ⅲ 제1호의 기준에 따라 보기 쉬운 곳에 "위험물 암반탱크저장소"라는 표시를 한 표지와 동표 Ⅲ 제2호의 기준에 따라 방화에 관하여 필요한 사항을 게시한 게시판을 설치하여야 한다.
2. 별표 4 Ⅷ 제4호 · 제6호, 동표 Ⅹ 및 별표 6 Ⅵ 제9호의 규정은 암반탱크저장소의 압력계 · 안전장치, 정전기 제거설비, 배관 및 주입구의 설치에 관하여 이를 준용한다.

10 [별표 13] 주유취급소의 위치 · 구조 및 설비의 기준

시행규칙 제37조(주유취급소의 기준) 법 제5조 제4항의 규정에 의한 제조소등의 위치 · 구조 및 설비의 기준 중 주유취급소에 관한 것은 별표 13과 같다.

Ⅰ. 주유공지 및 급유공지

1. 주유취급소의 고정주유설비[펌프기기 및 호스기기로 되어 위험물을 자동차등에 직접 주유하기 위한 설비로서 현수식(매닯식)의 것을 포함한다. 이하 같다]의 주위에는 주유를 받으려는 자동차 등이 출입할 수 있도록 너비 15m 이상, 길이 6m 이상의 콘크리트 등으로 포장한 공지(이하 "주유공지"라 한다)를 보유하여야 하고, 고정급유설비(펌프기기 및 호스기기로 되어 위험물을 용기에 옮겨 담거나 이동저장탱크에 주입하기 위한 설비로서 현수식의 것을 포함한다. 이하 같다)를 설치하는 경우에는 고정급유설비의 호스기기의 주위에 필요한 공지(이하 "급유공지"라 한다)를 보유하여야 한다.
2. 제1호의 규정에 의한 공지의 바닥은 주위 지면보다 높게 하고, 그 표면을 적당하게 경사지게 하여 새어나온 기름 그 밖의 액체가 공지의 외부로 유출되지 아니하도록 배수구 · 집유설비 및 유분리장치를 하여야 한다.

- 주유취급소는 자동차, 선박 등의 실소비자들에게 직접 주유하거나 판매하는 위험물취급소이다.
- 주유공지로 최저 너비 15m 이상, 길이 6m 이상의 사각형의 콘크리트 등의 포장된 공지를 보장해야 한다.
- 최소한 자동자가 진입할 수 있는 한 방향 이상의 도로에 접해야 한다.

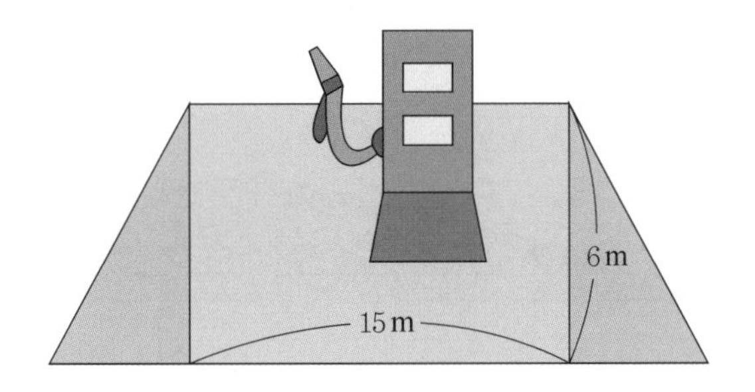

Ⅱ. 표지 및 게시판

주유취급소에는 별표 4 Ⅲ 제1호의 기준에 준하여 보기 쉬운 곳에 "위험물 주유취급소"라는 표시를 한 표지, 동표 Ⅲ 제2호의 기준에 준하여 방화에 관하여 필요한 사항을 게시한 게시판 및 황색바탕에 흑색문자로 "주유중엔진정지"라는 표시를 한 게시판을 설치하여야 한다.

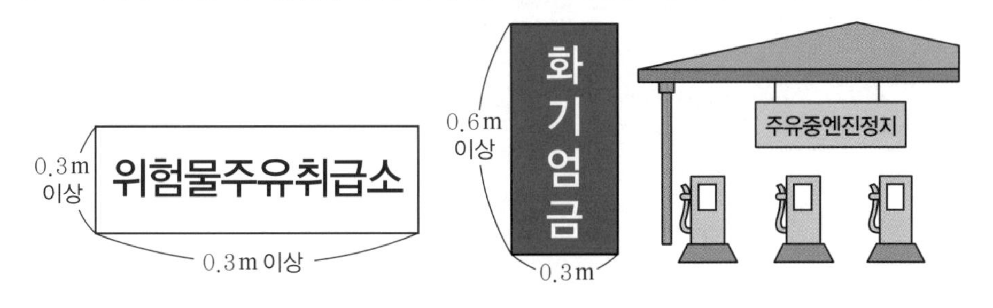

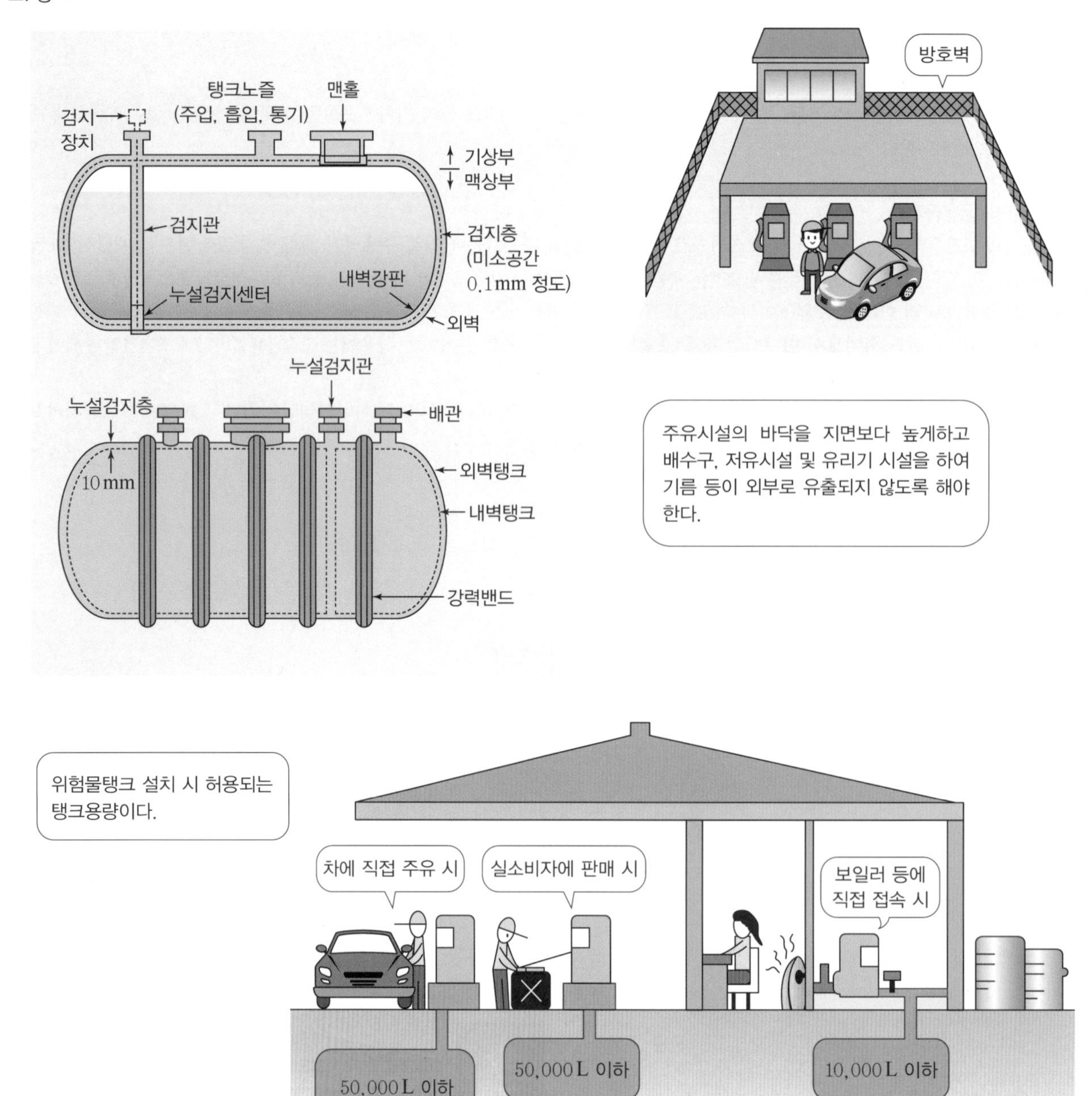

1. 주유취급소에는 다음 각 목의 탱크 외에는 위험물을 저장 또는 취급하는 탱크를 설치할 수 없다. 다만, 별표 10 Ⅰ의 규정에 의한 이동탱크저장소의 상시주차장소를 주유공지 또는 급유공지 외의 장소에 확보하여 이동탱크저장소(당해주유취급소의 위험물의 저장 또는 취급에 관계된 것에 한한다)를 설치하는 경우에는 그러하지 아니하다.
   가. 자동차 등에 주유하기 위한 고정주유설비에 직접 접속하는 전용탱크로서 50,000ℓ 이하의 것
   나. 고정급유설비에 직접 접속하는 전용탱크로서 50,000ℓ 이하의 것
   다. 보일러 등에 직접 접속하는 전용탱크로서 10,000ℓ 이하의 것
   라. 자동차 등을 점검·정비하는 작업장 등(주유취급소안에 설치된 것에 한한다)에서 사용하는 폐유·윤활유 등의 위험물을 저장하는 탱크로서 용량(2 이상 설치하는 경우에는 각 용량의 합계를 말한다)이 2,000ℓ 이하인 탱크(이하 "폐유탱크등"이라 한다)

마. 고정주유설비 또는 고정급유설비에 직접 접속하는 3기 이하의 간이탱크. 다만, 국토의 계획 및 이용에 관한 법률에 의한 방화지구안에 위치하는 주유취급소의 경우를 제외한다.

2. 제1호 가목 내지 라목의 규정에 의한 탱크(다목 및 라목의 규정에 의한 탱크는 용량이 1,000ℓ를 초과하는 것에 한한다)는 옥외의 지하 또는 캐노피 아래의 지하(캐노피 기둥의 하부를 제외한다)에 매설하여야 한다.

3. 제 I 호의 규정에 의하여 설치하는 전용탱크 · 폐유탱크등 또는 간이탱크의 위치 · 구조 및 설비의 기준은 다음 각 목과 같다.

가. 지하에 매설하는 전용탱크 또는 폐유탱크등의 위치 · 구조 및 설비는 별표 8 I [제5호 · 제10호(게시판에 관한 부분에 한한다) · 제11호(액중펌프설비에 관한 부분을 제외한다) · 제14호 및 용량 10,000ℓ를 넘는 탱크를 설치하는 경우에 있어서는 제1호 단서를 제외한다] · 별표 8 II [별표 8 I 제5호 · 제10호(게시판에 관한 부분에 한한다) · 제11호(액중펌프설비에 관한 부분을 제외한다) · 제14호를 제외한다] 또는 별표 8 III [별표 8 I 제5호 · 제10호(게시판에 관한 부분에 한한다) · 제11호(액중펌프설비에 관한 부분을 제외한다) · 제14호를 제외한다]의 규정에 의한 지하저장탱크의 위치 · 구조 및 설비의 기준을 준용할 것

나. 지하에 매설하지 아니하는 폐유탱크등의 위치 · 구조 및 설비는 별표 7 I (제1호 다목을 제외한다)의 규정에 의한 옥내저장탱크의 위치 · 구조 · 설비 또는 시 · 도의 조례에 정하는 지정수량 미만인 탱크의 위치 · 구조 및 설비의 기준을 준용할 것

다. 간이탱크의 구조 및 설비는 별표 9 제4호 내지 제8호의 규정에 의한 간이저장탱크의 구조 및 설비의 기준을 준용하되, 자동차 등과 충돌할 우려가 없도록 설치할 것

IV. 고정주유설비 등

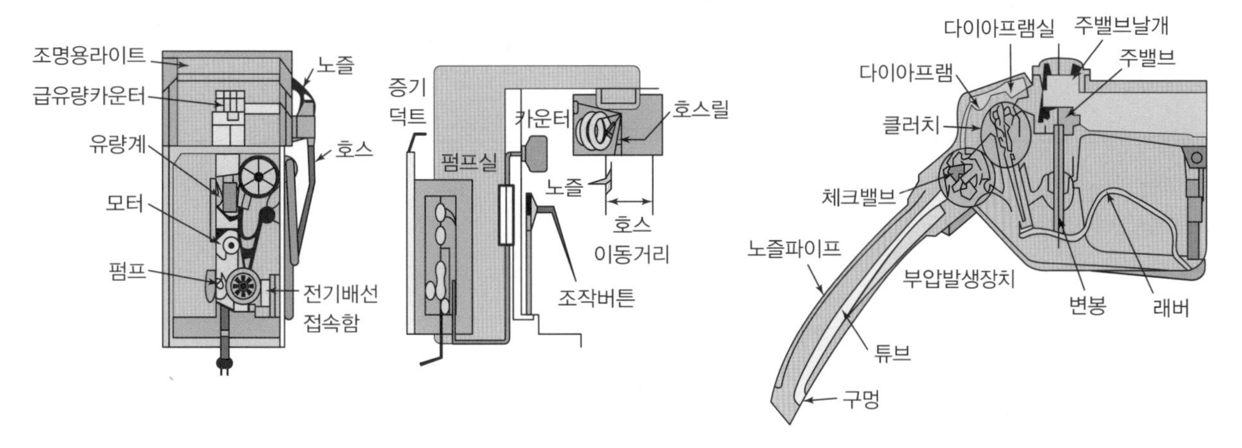

1. 주유취급소에는 자동차 등의 연료탱크에 직접 주유하기 위한 고정주유설비를 설치하여야 한다.

2. 주유취급소의 고정주유설비 또는 고정급유설비는 III제1호 가목 · 나목 또는 마목의 규정에 의한 탱크 중 하나의 탱크만으로부터 위험물을 공급받을 수 있도록 하고, 다음 각 목의 기준에 적합한 구조로 하여야 한다.

가. 펌프기기는 주유관 끝부분에서의 최대배출량이 제1석유류의 경우에는 분당 50ℓ 이하, 경유의 경우에는 분당 180ℓ 이하, 등유의 경우에는 분당 80ℓ 이하인 것으로 할 것. 다만, 이동저장탱크에 주입하기 위한 고정급유설비의 펌프기기는 최대배출량이 분당 300ℓ 이하인 것으로 할 수 있으며, 분당 배출량이 200ℓ 이상인 것의 경우에는 주유설비에 관계된 모든 배관의 안지름을 40mm 이상으로 하여야 한다.

나. 이동저장탱크의 상부를 통하여 주입하는 고정급유설비의 주유관에는 당해 탱크의 밑부분에 달하는 주입관을 설치하고, 그 배출량이 분당 80ℓ를 초과하는 것은 이동저장탱크에 주입하는 용도로만 사용할 것

다. 고정주유설비 또는 고정급유설비는 난연성 재료로 만들어진 외장을 설치할 것. 다만, IX의 규정에 의한 기준에 적합한 펌프실에 설치하는 펌프기기 또는 액중펌프에 있어서는 그러하지 아니하다.

라. 고정주유설비 또는 고정급유설비의 본체 또는 노즐 손잡이에 주유작업자의 인체에 축적되는 정전기를 유효하게 제거할 수 있는 장치를 설치할 것

3. 고정주유설비 또는 고정급유설비의 주유관의 길이(끝부분의 개폐밸브를 포함한다)는 5m(현수식의 경우에는 지면위 0.5m의 수평면에 수직으로 내려 만나는 점을 중심으로 반경 3m) 이내로 하고 그 끝부분에는 축적된 정전기를 유효하게 제거할 수 있는 장치를 설치하여야 한다.

4. 고정주유설비 또는 고정급유설비는 다음 각 목의 기준에 적합한 위치에 설치하여야 한다.
   가. 고정주유설비의 중심선을 기점으로 하여 도로경계선까지 4m 이상, 부지경계선 · 담 및 건축물의 벽까지 2m(개구부가 없는 벽까지는 1m) 이상의 거리를 유지하고, 고정급유설비의 중심선을 기점으로 하여 도로경계선까지 4m 이상, 부지경계선 및 담까지 1m 이상, 건축물의 벽까지 2m(개구부가 없는 벽까지는 1m) 이상의 거리를 유지할 것
   나. 고정주유설비와 고정급유설비의 사이에는 4m 이상의 거리를 유지할 것

V. 건축물 등의 제한 등

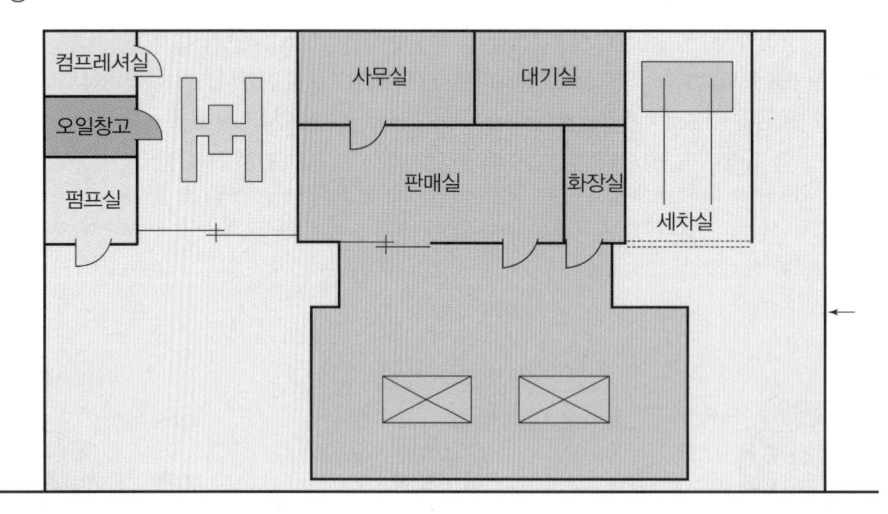

1. 주유취급소에는 주유 또는 그에 부대하는 업무를 위하여 사용되는 다음 각 목의 건축물 또는 시설 외에는 다른 건축물 그 밖의 공작물을 설치할 수 없다.
   가. 주유 또는 등유 · 경유를 옮겨 담기 위한 작업장
   나. 주유취급소의 업무를 행하기 위한 사무소
   다. 자동차 등의 점검 및 간이정비를 위한 작업장
   라. 자동차 등의 세정을 위한 작업장
   마. 주유취급소에 출입하는 사람을 대상으로 한 점포 · 휴게음식점 또는 전시장
   바. 주유취급소의 관계자가 거주하는 주거시설
   사. 전기자동차용 충전설비(전기를 동력원으로 하는 자동차에 직접 전기를 공급하는 설비를 말한다. 이하 같다)
   아. 그 밖의 소방청장이 정하여 고시하는 건축물 또는 시설
2. 제1호 각 목의 건축물 중 주유취급소의 직원 외의 자가 출입하는 나목 · 다목 및 마목의 용도에 제공하는 부분의 면적의 합은 1,000m^2를 초과할 수 없다.
3. 다음 각 목의 1에 해당하는 주유취급소(이하 "옥내주유취급소"라 한다)는 소방청장이 정하여 고시하는 용도로 사용하는 부분이 없는 건축물(옥내주유취급소에서 발생한 화재를 옥내주유취급소의 용도로 사용하는 부분 외의 부분에 자동적으로 유효하게 알릴 수 있는 자동화재탐지설비 등을 설치한 건축물에 한한다)에 설치할 수 있다.
   가. 건축물안에 설치하는 주유취급소
   나. 캐노피 · 처마 · 차양 · 부연 · 발코니 및 루버(louver: 통풍이나 빛가림을 위해 폭이 좁은 판을 빗대는 창살)의 수평투영면적이 주유취급소의 공지면적(주유취급소의 부지면적에서 건축물 중 벽 및 바닥으로 구획된 부분의 수평투영면적을 뺀 면적을 말한다)의 3분의 1을 초과하는 주유취급소

VI. 건축물 등의 구조

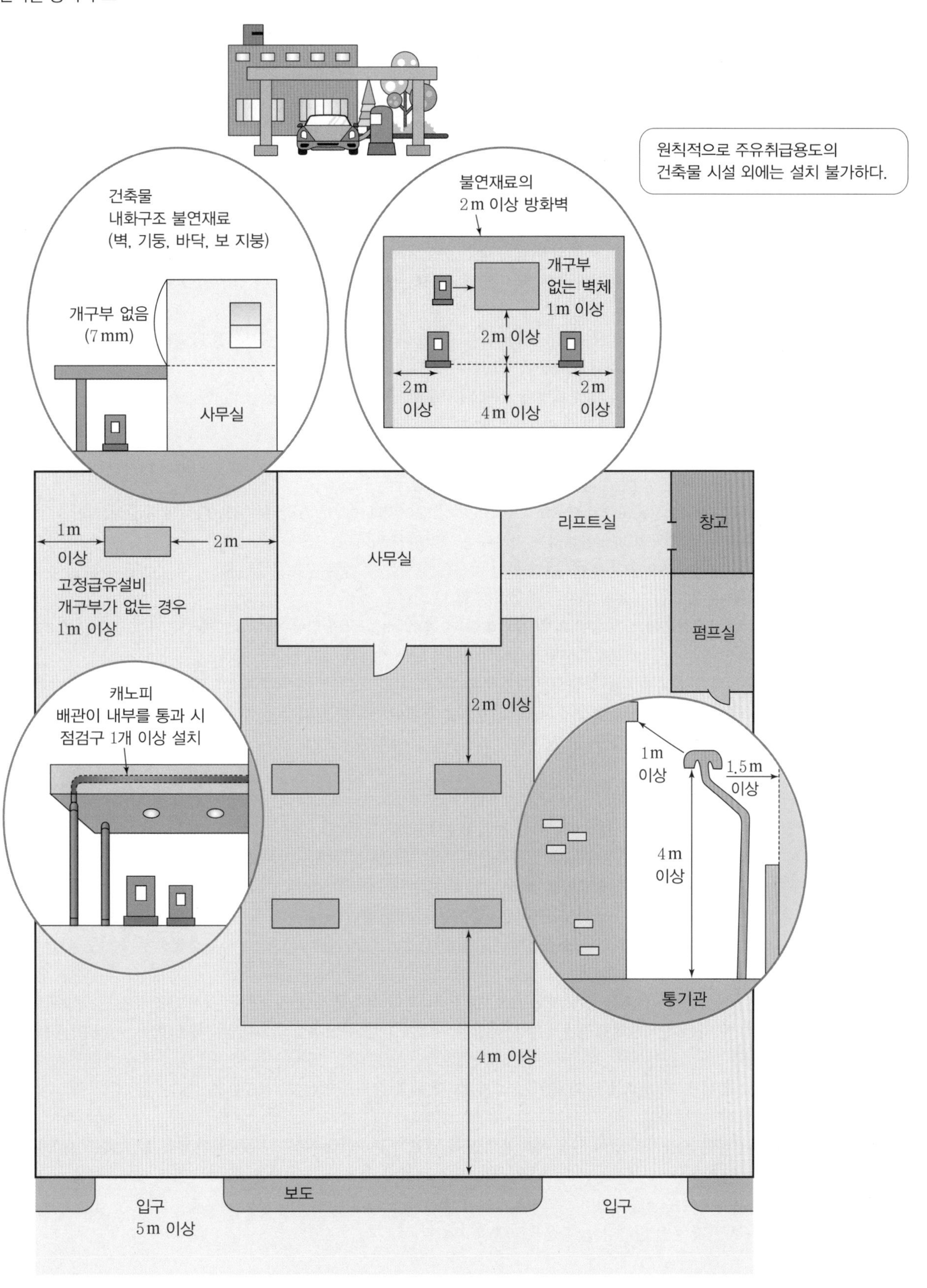

원칙적으로 주유취급용도의
건축물 시설 외에는 설치 불가하다.
건축물
내화구조 불연재료
(벽, 기둥, 바닥, 보 지붕)
개구부 없음
(7 mm)
사무실
불연재료의
2 m 이상 방화벽
개구부
없는 벽체
1 m 이상
2 m 이상
2 m
이상
4 m 이상
2 m
이상
1 m
이상
2 m
고정급유설비
개구부가 없는 경우
1 m 이상
사무실
리프트실
창고
펌프실
캐노피
배관이 내부를 통과 시
점검구 1개 이상 설치
2 m 이상
1 m
이상
1.5 m
이상
4 m
이상
통기관
4 m 이상
입구
5 m 이상
보도
입구

1. 주유취급소에 설치하는 건축물 등은 다음 각 목의 규정에 의한 위치 및 구조의 기준에 적합하여야 한다.
   가. 건축물, 창 및 출입구의 구조는 다음의 기준에 적합하게 할 것
      1) 건축물의 벽 · 기둥 · 바닥 · 보 및 지붕을 내화구조 또는 불연재료로 할 것. 다만, Ⅴ제2호에 따른 면적의 합이 500m^{2}를 초과하는 경우에는 건축물의 벽을 내화구조로 하여야 한다.
      2) 창 및 출입구(Ⅴ제1호 다목 및 라목의 용도에 사용하는 부분에 설치한 자동차 등의 출입구를 제외한다)에는 방화문 또는 불연재료로 된 문을 설치할 것. 이 경우 Ⅴ제2호에 따른 면적의 합이 500m^{2}를 초과하는 주유취급소로서 하나의 구획실의 면적이 500m^{2}를 초과하거나 2층 이상의 층에 설치하는 경우에는 해당 구획실 또는 해당 층의 2면 이상의 벽에 각각 출입구를 설치하여야 한다.
   나. Ⅴ제1호 바목의 용도에 사용하는 부분은 개구부가 없는 내화구조의 바닥 또는 벽으로 당해 건축물의 다른 부분과 구획하고 주유를 위한 작업장 등 위험물취급장소에 면한 쪽의 벽에는 출입구를 설치하지 아니할 것
   다. 사무실 등의 창 및 출입구에 유리를 사용하는 경우에는 망입유리 또는 강화유리로 할 것. 이 경우 강화유리의 두께는 창에는 8mm 이상, 출입구에는 12mm 이상으로 하여야 한다.
   라. 건축물 중 사무실 그 밖의 화기를 사용하는 곳(Ⅴ제1호 다목 및 라목의 용도에 사용하는 부분을 제외한다)은 누설한 가연성의 증기가 그 내부에 유입되지 아니하도록 다음의 기준에 적합한 구조로 할 것
      1) 출입구는 건축물의 안에서 밖으로 수시로 개방할 수 있는 자동폐쇄식의 것으로 할 것
      2) 출입구 또는 사이통로의 문턱의 높이를 15cm 이상으로 할 것
      3) 높이 1m 이하의 부분에 있는 창 등은 밀폐시킬 것
   마. 자동차 등의 점검 · 정비를 행하는 설비는 다음의 기준에 적합하게 할 것
      1) 고정주유설비로부터 4m 이상, 도로경계선으로부터 2m 이상 떨어지게 할 것. 다만, Ⅴ제1호 다목의 규정에 의한 작업장 중 바닥 및 벽으로 구획된 옥내의 작업장에 설치하는 경우에는 그러하지 아니하다.
      2) 위험물을 취급하는 설비는 위험물의 누설 · 넘침 또는 비산을 방지할 수 있는 구조로 할 것
   바. 자동차 등의 세정을 행하는 설비는 다음의 기준에 적합하게 할 것
      1) 증기세차기를 설치하는 경우에는 그 주위의 불연재료로 된 높이 1m 이상의 담을 설치하고 출입구가 고정주유설비에 면하지 아니하도록 할 것. 이 경우 담은 고정주유설비로부터 4m 이상 떨어지게 하여야 한다.
      2) 증기세차기 외의 세차기를 설치하는 경우에는 고정주유설비로부터 4m 이상, 도로경계선으로부터 2m 이상 떨어지게 할 것. 다만, Ⅴ제1호 라목의 규정에 의한 작업장 중 바닥 및 벽으로 구획된 옥내의 작업장에 설치하는 경우에는 그러하지 아니하다.
   사. 주유원간이대기실은 다음의 기준에 적합할 것
      1) 불연재료로 할 것
      2) 바퀴가 부착되지 아니한 고정식일 것
      3) 차량의 출입 및 주유작업에 장애를 주지 아니하는 위치에 설치할 것
      4) 바닥면적이 2.5m^2 이하일 것. 다만, 주유공지 및 급유공지 외의 장소에 설치하는 것은 그러하지 아니하다.
   아. 전기자동차용 충전설비는 다음의 기준에 적합할 것
      1) 충전기기(충전케이블로 전기자동차에 전기를 직접 공급하는 기기를 말한다. 이하 같다)의 주위에 전기자동차 충전을 위한 전용 공지(주유공지 또는 급유공지 외의 장소를 말하며, 이하 "충전공지"라 한다)를 확보하고, 충전공지 주위를 페인트 등으로 표시하여 그 범위를 알아보기 쉽게 할 것
      2) 전기자동차용 충전설비를 Ⅴ. 건축물 등의 제한 등의 제1호 각 목의 건축물 밖에 설치하는 경우 충전공지는 폭발위험장소(산업표준화법 제12조에 따른 한국산업표준에서 정한 폭발성 가스에 의한 폭발위험장소의 범위를 말한다. 이하 이 목에서 같다) 외의 장소에 둘 것
      3) 전기자동차용 충전설비를 Ⅴ. 건축물 등의 제한 등의 제1호 각 목의 건축물 안에 설치하는 경우에는 다음의 기준에 적합할 것
         가) 해당 건축물의 1층에 설치할 것
         나) 해당 건축물에 가연성 증기가 남아 있을 우려가 없도록 별표 4 Ⅴ. 제1호 다목에 따른 환기설비 또는 별표 4 Ⅵ에 따른 배출설비를 설치할 것
      4) 전기자동차용 충전설비의 전력공급설비[전기자동차에 전원을 공급하기 위한 전기설비로서 전력량계, 인입구(引入口) 배선, 분전반 및 배선용 차단기 등을 말한다]는 다음의 기준에 적합할 것

가) 분전반은 방폭성능을 갖출 것. 다만, 분전반을 폭발위험장소 외의 장소에 설치하는 경우에는 방폭성능을 갖추지 않을 수 있다.
나) 전력량계, 누전차단기 및 배선용 차단기는 분전반 내에 설치할 것
다) 인입구 배선은 지하에 설치할 것
라) 전기사업법에 따른 전기설비의 기술기준에 적합할 것
5) 충전기기와 인터페이스[충전기기에서 전기자동차에 전기를 공급하기 위하여 연결하는 커넥터(connector), 케이블 등을 말한다. 이하 같다]는 다음의 기준에 적합할 것
가) 충전기기는 방폭성능을 갖출 것. 다만, 다음의 기준을 모두 갖춘 경우에는 방폭성능을 갖추지 않을 수 있다.
(1) 충전기기의 전원공급을 긴급히 차단할 수 있는 장치를 사무소 내부 또는 충전기기 주변에 설치할 것
(2) 충전기기를 폭발위험장소 외의 장소에 설치할 것
나) 인터페이스의 구성 부품은 전기용품 및 생활용품 안전관리법에 따른 기준에 적합할 것
6) 충전작업에 필요한 주차장을 설치하는 경우에는 다음의 기준에 적합할 것
가) 주유공지, 급유공지 및 충전공지 외의 장소로서 주유를 위한 자동차 등의 진입·출입에 지장을 주지 않는 장소에 설치할 것
나) 주차장의 주위를 페인트 등으로 표시하여 그 범위를 알아보기 쉽게 할 것
다) 지면에 직접 주차하는 구조로 할 것

2. Ⅴ제3호의 규정에 의한 옥내주유취급소는 제1호의 기준에 의하는 외에 다음 각 목에 정하는 기준에 적합한 구조로 하여야 한다.
가. 건축물에서 옥내주유취급소의 용도에 사용하는 부분은 벽·기둥·바닥·보 및 지붕을 내화구조로 하고, 개구부가 없는 내화구조의 바닥 또는 벽으로 당해 건축물의 다른 부분과 구획할 것. 다만, 건축물의 옥내주유취급소의 용도에 사용하는 부분의 상부에 상층이 없는 경우에는 지붕을 불연재료로 할 수 있다.
나. 건축물에서 옥내주유취급소(건축물 안에 설치하는 것에 한한다)의 용도에 사용하는 부분의 2 이상의 방면은 자동차 등이 출입하는 측 또는 통풍 및 피난상 필요한 공지에 접하도록 하고 벽을 설치하지 아니할 것
다. 건축물에서 옥내주유취급소의 용도에 사용하는 부분에는 가연성증기가 체류할 우려가 있는 구멍·구덩이 등이 없도록 할 것
라. 건축물에서 옥내주유취급소의 용도에 사용하는 부분에 상층이 있는 경우에는 상층으로의 연소를 방지하기 위하여 다음의 기준에 적합하게 내화구조로 된 캔틸레버를 설치할 것
1) 옥내주유취급소의 용도에 사용하는 부분(고정주유설비와 접하는 방향 및 나목의 규정에 의하여 벽이 개방된 부분에 한한다)의 바로 위층의 바닥에 이어서 1.5m 이상 내어 붙일 것. 다만, 바로 위층의 바닥으로부터 높이 7m 이내에 있는 위층의 외벽에 개구부가 없는 경우에는 그러하지 아니하다.
2) 캔틸레버 끝부분과 위층의 개구부(열지 못하게 만든 방화문과 연소방지상 필요한 조치를 한 것을 제외한다)까지의 사이에는 7m에서 당해 캔틸레버의 내어 붙인 거리를 뺀 길이 이상의 거리를 보유할 것
마. 건축물 중 옥내주유취급소의 용도에 사용하는 부분 외에는 주유를 위한 작업장 등 위험물취급장소와 접하는 외벽에 창(망입유리로 된 붙박이 창을 제외한다) 및 출입구를 설치하지 아니할 것

Ⅶ. 담 또는 벽

1. 주유취급소의 주위에는 자동차 등이 출입하는 쪽 외의 부분에 높이 2m 이상의 내화구조 또는 불연재료의 담 또는 벽을 설치하되, 주유취급소의 인근에 연소의 우려가 있는 건축물이 있는 경우에는 소방청장이 정하여 고시하는 바에 따라 방화상 유효한 높이로 하여야 한다.
2. 제1호에도 불구하고 다음 각 목의 기준에 모두 적합한 경우에는 담 또는 벽의 일부분에 방화상 유효한 구조의 유리를 부착할 수 있다.
가. 유리를 부착하는 위치는 주입구, 고정주유설비 및 고정급유설비로부터 4m 이상 거리를 둘 것
나. 유리를 부착하는 방법은 다음의 기준에 모두 적합할 것
1) 주유취급소 내의 지반면으로부터 70cm를 초과하는 부분에 한하여 유리를 부착할 것
2) 하나의 유리판의 가로의 길이는 2m 이내일 것
3) 유리판의 테두리를 금속제의 구조물에 견고하게 고정하고 해당 구조물을 담 또는 벽에 견고하게 부착할 것
4) 유리의 구조는 접합유리(두장의 유리를 두께 0.76mm 이상의 폴리비닐부티랄 필름으로 접합한 구조를 말한다)로 하되, 유리구획 부분의 내화시험방법(KS F 2845)에 따라 시험하여 비차열 30분 이상의 방화성능이 인정될 것
다. 유리를 부착하는 범위는 전체의 담 또는 벽의 길이의 10분의 2를 초과하지 아니할 것

Ⅷ. 캐노피

주유취급소에 캐노피를 설치하는 경우에는 다음 각 목의 기준에 의하여야 한다.

가. 배관이 캐노피 내부를 통과할 경우에는 1개 이상의 점검구를 설치할 것

나. 캐노피 외부의 점검이 곤란한 장소에 배관을 설치하는 경우에는 용접이음으로 할 것

다. 캐노피 외부의 배관이 일광열의 영향을 받을 우려가 있는 경우에는 단열재로 피복할 것

Ⅸ. 펌프실 등의 구조

주유취급소 펌프실 그 밖에 위험물을 취급하는 실(이하 Ⅸ에서 "펌프실등"이라 한다)을 설치하는 경우에는 다음 각 목의 기준에 적합하게 하여야 한다.

가. 바닥은 위험물이 침투하지 아니하는 구조로 하고 적당한 경사를 두어 집유설비를 설치할 것

나. 펌프실등에는 위험물을 취급하는데 필요한 채광·조명 및 환기의 설비를 할 것

다. 가연성 증기가 체류할 우려가 있는 펌프실등에는 그 증기를 옥외에 배출하는 설비를 설치할 것

라. 고정주유설비 또는 고정급유설비 중 펌프기기를 호스기기와 분리하여 설치하는 경우에는 펌프실의 출입구를 주유공지 또는 급유공지에 접하도록 하고, 자동폐쇄식의 갑종방화문을 설치할 것

마. 펌프실등에는 별표 4 Ⅲ제1호의 기준에 따라 보기 쉬운 곳에 "위험물 펌프실", "위험물 취급실" 등의 표시를 한 표지와 동표 Ⅲ 제2호의 기준에 따라 방화에 관하여 필요한 사항을 게시한 게시판을 설치하여야 한다.

바. 출입구에는 바닥으로부터 0.1m 이상의 턱을 설치할 것

Ⅹ. 항공기주유취급소의 특례

1. 비행장에서 항공기, 비행장에 소속된 차량 등에 주유하는 주유취급소에 대하여는 Ⅰ, Ⅱ, Ⅲ 제1호·제2호, Ⅳ 제2호·제3호(주유관의 길이에 관한 규정에 한한다), Ⅶ 및 Ⅷ의 규정을 적용하지 아니한다.
2. 제1호에서 규정한 것 외의 항공기주유취급소에 대한 특례는 다음 각 목과 같다.
   가. 항공기주유취급소에는 항공기 등에 직접 주유하는데 필요한 공지를 보유할 것
   나. 제1호의 규정에 의한 공지는 그 지면을 콘크리트 등으로 포장할 것
   다. 제1호의 규정에 의한 공지에는 누설한 위험물 그 밖의 액체가 공지의 외부로 유출되지 아니하도록 배수구 및 유분리장치를 설치할 것. 다만, 누설한 위험물 등의 유출을 방지하기 위한 조치를 한 경우에는 그러하지 아니하다.
   라. 지하식(호스기기가 지하의 상자에 설치된 형식을 말한다. 이하 같다)의 고정주유설비를 사용하여 주유하는 항공기주유취급소의 경우에는 다음의 기준에 의할 것
      1) 호스기기를 설치한 상자에는 적당한 방수조치를 할 것
      2) 고정주유설비의 펌프기기와 호스기기를 분리하여 설치한 항공기주유취급소의 경우에는 당해 고정주유설비의 펌프기기를 정지하는 등의 방법에 의하여 위험물저장탱크로부터 위험물의 이송을 긴급히 정지할 수 있는 장치를 설치할 것
   마. 연료를 이송하기 위한 배관(이하 "주유배관"이란 한다) 및 당해 주유배관의 끝부분에 접속하는 호스기기를 사용하여 주유하는 항공기주유취급소의 경우에는 다음의 기준에 의할 것
      1) 주유배관의 끝부분에는 밸브를 설치할 것
      2) 주유배관의 끝부분을 지면 아래의 상자에 설치한 경우에는 당해 상자에 대하여 적당한 방수조치를 할 것
      3) 주유배관의 끝부분에 접속하는 호스기기는 누설우려가 없도록 하는 등 화재예방상 안전한 구조로 할 것
      4) 주유배관의 끝부분에 접속하는 호스기기에는 주유호스의 끝부분에 축적되는 정전기를 유효하게 제거하는 장치를 설치할 것
      5) 항공기주유취급소에는 펌프기기를 정지하는 등의 방법에 의하여 위험물저장탱크로부터 위험물의 이송을 긴급히 정지할 수 있는 장치를 설치할 것
   바. 주유배관의 끝부분에 접속하는 호스기기를 적재한 차량(이하 "주유호스차"라 한다)을 사용하여 주유하는 항공기주유취급소의 경우에는 마목 1)·2) 및 5)의 규정에 의하는 외에 다음의 기준에 의할 것
      1) 주유호스차는 화재예방상 안전한 장소에 상시 주차할 것
      2) 주유호스차에는 별표 10 Ⅸ 제1호 가목 및 나목의 규정에 의한 장치를 설치할 것
      3) 주유호스차의 호스기기는 별표 10 Ⅸ 제1호 다목, 마목 본문 및 사목의 규정에 의한 주유탱크차의 주유설비의 기준을 준용할 것
      4) 주유호스차의 호스기기에는 접지도선을 설치하고 주유호스의 끝부분에 축적되는 정전기를 유효하게 제거할 수 있는 장치를 설치할 것

5) 항공기주유취급소에는 정전기를 유효하게 제거할 수 있는 접지전극을 설치할 것

사. 주유탱크차를 사용하여 주유하는 항공기주유취급소에는 정전기를 유효하게 제거할 수 있는 접지전극을 설치할 것

XI. 철도주유취급소의 특례

1. 철도 또는 궤도에 의하여 운행하는 차량에 주유하는 주유취급소에 대하여는 Ⅰ 내지 Ⅷ의 규정을 적용하지 아니한다.
2. 제1호에서 규정한 것외의 철도주유취급소에 대한 특례는 다음 각 목과 같다.
   가. 철도 또는 궤도에 의하여 운행하는 차량에 직접 주유하는데 필요한 공지를 보유할 것
   나. 가목의 규정에 의한 공지 중 위험물이 누설할 우려가 있는 부분과 고정주유설비 또는 주유배관의 끝부분 주위에 있어서는 그 지면을 콘크리트 등으로 포장할 것
   다. 나목의 규정에 의하여 포장한 부분에는 누설한 위험물 그 밖의 액체가 외부로 유출되지 아니하도록 배수구 및 유분리장치를 설치할 것
   라. 지하식의 고정주유설비를 이용하여 주유하는 경우에는 Ⅹ제2호 라목의 규정을 준용할 것
   마. 주유배관의 끝부분에 접속한 호스기기를 이용하여 주유하는 경우에는 Ⅹ제2호 마목의 규정을 준용할 것

XII. 고속국도주유취급소의 특례

고속국도의 도로변에 설치된 주유취급소에 있어서는 Ⅲ 제1호 가목 및 나목의 규정에 의한 탱크의 용량을 60,000ℓ까지 할 수 있다.

XIII. 자가용주유취급소의 특례

주유취급소의 관계인이 소유ㆍ관리 또는 점유한 자동차 등에 대하여만 주유하기 위하여 설치하는 자가용주유취급소에 대하여는 Ⅰ제1호의 규정을 적용하지 아니한다.

XIV. 선박주유취급소의 특례

1. 선박에 주유하는 주유취급소에 대하여는 Ⅰ제1호, Ⅲ 제1호 및 제2호, Ⅳ 제3호(주유관의 길이에 관한 규정에 한한다) 및 Ⅶ의 규정을 적용하지 아니한다.
2. 제1호에서 규정한 것 외의 선박주유취급소(고정주유설비를 수상의 구조물에 설치하는 선박주유취급소는 제외한다)에 대한 특례는 다음 각 목과 같다.
   가. 선박주유취급소에는 선박에 직접 주유하기 위한 공지와 계류(繫留)시설을 보유할 것
   나. 가목의 규정에 의한 공지, 고정주유설비 및 주유배관의 끝부분 주위에는 그 지반면을 콘크리트 등으로 포장할 것
   다. 나목의 규정에 의하여 포장된 부분에는 누설한 위험물 그 밖의 액체가 공지의 외부로 유출되지 아니하도록 배수구 및 유분리장치를 설치할 것. 다만, 누설한 위험물 등의 유출을 방지하기 위한 조치를 한 경우에는 그러하지 아니하다.
   라. 지하식의 고정주유설비를 이용하여 주유하는 경우에는 Ⅹ제2호 라목의 규정을 준용할 것
   마. 주유배관의 끝부분에 접속한 호스기기를 이용하여 주유하는 경우에는 Ⅹ제2호 마목의 규정을 준용할 것
   바. 선박주유취급소에서는 위험물이 유출될 경우 회수 등의 응급조치를 강구할 수 있는 설비를 설치할 것
3. 제1호에서 규정한 것 외의 고정주유설비를 수상의 구조물에 설치하는 선박주유취급소에 대한 특례는 다음 각 목과 같다.
   가. Ⅰ제2호 및 Ⅳ제4호를 적용하지 않을 것
   나. 선박주유취급소에는 선박에 직접 주유하는 주유작업과 선박의 계류를 위한 수상구조물을 다음의 기준에 따라 설치할 것
      1) 수상구조물은 철재ㆍ목재 등의 견고한 재질이어야 하며, 그 기둥을 해저 또는 하저에 견고하게 고정시킬 것
      2) 선박의 충돌로부터 수상구조물의 손상을 방지할 수 있는 철재로 된 보호구조물을 해저 또는 하저에 견고하게 고정시킬 것
   다. 수상구조물에 설치하는 고정주유설비의 주유작업 장소의 바닥은 불침윤성ㆍ불연성의 재료로 포장을 하고, 그 주위에 새어나온 위험물이 외부로 유출되지 않도록 집유설비를 다음의 기준에 따라 설치할 것
      1) 새어나온 위험물을 직접 또는 배수구를 통하여 집유설비로 수용할 수 있는 구조로 할 것
      2) 집유설비는 수시로 용이하게 개방하여 고여 있는 빗물과 위험물을 제거할 수 있는 구조로 할 것
   라. 수상구조물에 설치하는 고정주유설비는 다음의 기준에 따라 설치할 것
      1) 주유호스의 끝부분에 수동개폐장치를 부착한 주유노즐을 설치하고, 개방한 상태로 고정시키는 장치를 부착하지 않을 것
      2) 주유노즐은 선박의 연료탱크가 가득 찬 경우 자동적으로 정지시키는 구조일 것
      3) 주유호스는 200kg 중 이하의 하중에 의하여 깨져 분리되거나 이탈되어야 하고, 깨져 분리되거나 이탈된 부분으로부터의 위험물 누출을 방지할 수 있는 구조일 것

마. 수상구조물에 설치하는 고정주유설비에 위험물을 공급하는 배관계에 위험물 차단밸브를 다음의 기준에 따라 설치할 것. 다만, 위험물을 공급하는 탱크의 최고 액표면의 높이가 해당 배관계의 높이보다 낮은 경우에는 그렇지 않다.

1) 고정주유설비의 인근에서 주유작업자가 직접 위험물의 공급을 차단할 수 있는 수동식의 차단밸브를 설치할 것

2) 배관 경로 중 육지 내의 지점에서 위험물의 공급을 차단할 수 있는 수동식의 차단밸브를 설치할 것

바. 긴급한 경우에 고정주유설비의 펌프를 정지시킬 수 있는 긴급제어장치를 설치할 것

사. 지하식의 고정주유설비를 이용하여 주유하는 경우에는 X제2호 라목을 준용할 것

아. 주유배관의 끝부분에 접속하는 호스기기를 이용하여 주유하는 경우에는 X제2호 마목을 준용할 것

자. 선박주유취급소에는 위험물이 유출될 경우 회수 등의 응급조치를 강구할 수 있는 설비를 다음의 기준에 따라 준비하여 둘 것

1) 오일펜스(기름막이): 수면 위로 20cm 이상 30cm 미만으로 노출되고, 수면 아래로 30cm 이상 40cm 미만으로 잠기는 것으로서, 60m 이상의 길이일 것

2) 유처리제, 유흡착제 또는 유겔화제(기름을 굳게 하는 물질): 다음의 계산식을 충족하는 양 이상일 것

$$20X + 50Y + 15Z = 10,000$$

- X: 유처리제의 양(ℓ)
- Y: 유흡착제의 양(kg)
- Z: 유겔화제의 양[액상(ℓ), 분말(kg)]

XV. 고객이 직접 주유하는 주유취급소의 특례

1. 고객이 직접 자동차 등의 연료탱크 또는 용기에 위험물을 주입하는 고정주유설비 또는 고정급유설비(이하 "셀프용고정주유설비" 또는 "셀프용고정급유설비"라 한다)를 설치하는 주유취급소의 특례는 제2호 내지 제5호와 같다.

2. 셀프용고정주유설비의 기준은 다음의 각 목과 같다.

가. 주유호스의 끝부분에 수동개폐장치를 부착한 주유노즐을 설치할 것. 다만, 수동개폐장치를 개방한 상태로 고정시키는 장치가 부착된 경우에는 다음의 기준에 적합하여야 한다.

1) 주유작업을 개시함에 있어서 주유노즐의 수동개폐장치가 개방상태에 있는 때에는 당해 수동개폐장치를 일단 폐쇄시켜야만 다시 주유를 개시할 수 있는 구조로 할 것

2) 주유노즐이 자동차 등의 주유구로부터 이탈된 경우 주유를 자동적으로 정지시키는 구조일 것

나. 주유노즐은 자동차 등의 연료탱크가 가득 찬 경우 자동적으로 정지시키는 구조일 것

다. 주유호스는 200kg중 이하의 하중에 의하여 깨져 분리되거나 이탈되어야 하고, 깨져 분리되거나 이탈된 부분으로부터의 위험물 누출을 방지할 수 있는 구조일 것

라. 휘발유와 경유 상호간의 오인에 의한 주유를 방지할 수 있는 구조일 것

마. 1회의 연속주유량 및 주유시간의 상한을 미리 설정할 수 있는 구조일 것. 이 경우 주유량의 상한은 휘발유는 100ℓ 이하, 경유는 200ℓ 이하로 하며, 주유시간의 상한은 4분 이하로 한다.

3. 셀프용고정급유설비의 기준은 다음 각 목과 같다.

가. 급유호스의 끝부분에 수동개폐장치를 부착한 급유노즐을 설치할 것

나. 급유노즐은 용기가 가득찬 경우에 자동적으로 정지시키는 구조일 것

다. 1회의 연속급유량 및 급유시간의 상한을 미리 설정할 수 있는 구조일 것. 이 경우 급유량의 상한은 100ℓ 이하, 급유시간의 상한은 6분 이하로 한다.

4. 셀프용고정주유설비 또는 셀프용고정급유설비의 주위에는 다음 각 목에 의하여 표시를 하여야 한다.

가. 셀프용고정주유설비 또는 셀프용고정급유설비의 주위의 보기 쉬운 곳에 고객이 직접 주유할 수 있다는 의미의 표시를 하고 자동차의 정차위치 또는 용기를 놓는 위치를 표시할 것

나. 주유호스 등의 직근에 호스기기 등의 사용방법 및 위험물의 품목을 표시할 것

다. 셀프용고정주유설비 또는 셀프용고정급유설비와 셀프용이 아닌 고정주유설비 또는 고정급유설비를 함께 설치하는 경우에는 셀프용이 아닌 것의 주위에 고객이 직접 사용할 수 없다는 의미의 표시를 할 것

5. 고객에 의한 주유작업을 감시·제어하고 고객에 대한 필요한 지시를 하기 위한 감시대와 필요한 설비를 다음 각 목의 기준에 의하여 설치하여야 한다.
   가. 감시대는 모든 셀프용고정주유설비 또는 셀프용고정급유설비에서의 고객의 취급작업을 직접 볼 수 있는 위치에 설치할 것
   나. 주유 중인 자동차 등에 의하여 고객의 취급작업을 직접 볼 수 없는 부분이 있는 경우에는 당해 부분의 감시를 위한 카메라를 설치할 것
   다. 감시대에는 모든 셀프용고정주유설비 또는 셀프용고정급유설비로의 위험물 공급을 정지시킬 수 있는 제어장치를 설치할 것
   라. 감시대에는 고객에게 필요한 지시를 할 수 있는 방송설비를 설치할 것

XVI. 수소충전설비를 설치한 주유취급소의 특례

1. 전기를 원동력으로 하는 자동차등에 수소를 충전하기 위한 설비(압축수소를 충전하는 설비에 한정한다)를 설치하는 주유취급소(옥내주유취급소 외의 주유취급소에 한정하며, 이하 "압축수소충전설비 설치 주유취급소"라 한다)의 특례는 제2호부터 제5호까지와 같다.
2. 압축수소충전설비 설치 주유취급소에는 Ⅲ 제1호의 규정에 불구하고 인화성 액체를 원료로 하여 수소를 제조하기 위한 개질장치(改質裝置)(이하 "개질장치"라 한다)에 접속하는 원료탱크(50,000ℓ 이하의 것에 한정한다)를 설치할 수 있다. 이 경우 원료탱크는 지하에 매설하되, 그 위치, 구조 및 설비는 Ⅲ 제3호 가목을 준용한다.
3. 압축수소충전설비 설치 주유취급소에 설치하는 설비의 기술기준은 다음의 각 목과 같다.
   가. 개질장치의 위치, 구조 및 설비는 별표 4 Ⅶ, 같은 표 Ⅷ 제1호부터 제4호까지, 제6호 및 제8호와 같은 표 Ⅹ에서 정하는 사항 외에 다음의 기준에 적합하여야 한다.
      1) 개질장치는 자동차등이 충돌할 우려가 없는 옥외에 설치할 것
      2) 개질원료 및 수소가 누출된 경우에 개질장치의 운전을 자동으로 정지시키는 장치를 설치할 것
      3) 펌프설비에는 개질원료의 배출압력이 최대상용압력을 초과하여 상승하는 것을 방지하기 위한 장치를 설치할 것
      4) 개질장치의 위험물 취급량은 지정수량의 10배 미만일 것
   나. 압축기(壓縮機)는 다음의 기준에 적합하여야 한다.
      1) 가스의 배출압력이 최대상용압력을 초과하여 상승하는 경우에 압축기의 운전을 자동으로 정지시키는 장치를 설치할 것
      2) 배출쪽과 가장 가까운 배관에 역류방지밸브를 설치할 것
      3) 자동차등의 충돌을 방지하는 조치를 마련할 것
   다. 충전설비는 다음의 기준에 적합하여야 한다.
      1) 위치는 주유공지 또는 급유공지 외의 장소로 하되, 주유공지 또는 급유공지에서 압축수소를 충전하는 것이 불가능한 장소로 할 것
      2) 충전호스는 자동차등의 가스충전구와 정상적으로 접속하지 않는 경우에는 가스가 공급되지 않는 구조로 하고, 200kg 중 이하의 하중에 의하여 깨져 분리되거나 이탈되어야 하며, 깨져 분리되거나 이탈된 부분으로부터 가스 누출을 방지할 수 있는 구조일 것
      3) 자동차등의 충돌을 방지하는 조치를 마련할 것
      4) 자동차등의 충돌을 감지하여 운전을 자동으로 정지시키는 구조일 것
   라. 가스배관은 다음의 기준에 적합하여야 한다.
      1) 위치는 주유공지 또는 급유공지 외의 장소로 하되, 자동차등이 충돌할 우려가 없는 장소로 하거나 자동차등의 충돌을 방지하는 조치를 마련할 것
      2) 가스배관으로부터 화재가 발생한 경우에 주유공지·급유공지 및 전용탱크·폐유탱크등·간이탱크의 주입구로의 연소확대를 방지하는 조치를 마련할 것
      3) 누출된 가스가 체류할 우려가 있는 장소에 설치하는 경우에는 접속부를 용접할 것. 다만, 당해 접속부의 주위에 가스누출 검지설비를 설치한 경우에는 그러하지 아니하다.
      4) 축압기(蓄壓器)로부터 충전설비로의 가스 공급을 긴급히 정지시킬 수 있는 장치를 설치할 것. 이 경우 당해 장치의 기동장치는 화재발생 시 신속히 조작할 수 있는 장소에 두어야 한다.
   마. 압축수소의 수입설비(受入設備)는 다음의 기준에 적합하여야 한다.
      1) 위치는 주유공지 또는 급유공지 외의 장소로 하되, 주유공지 또는 급유공지에서 가스를 수입하는 것이 불가능한 장소로 할 것
      2) 자동차등의 충돌을 방지하는 조치를 마련할 것

4. 압축수소충전설비 설치 주유취급소의 기타 안전조치의 기술기준은 다음 각 목과 같다
   가. 압축기, 축압기 및 개질장치가 설치된 장소와 주유공지, 급유공지 및 전용탱크 · 폐유탱크등 · 간이탱크의 주입구가 설치된 장소 사이에는 화재가 발생한 경우에 상호 연소확대를 방지하기 위하여 높이 1.5m 정도의 불연재료의 담을 설치할 것
   나. 고정주유설비 · 고정급유설비 및 전용탱크 · 폐유탱크등 · 간이탱크의 주입구로부터 누출된 위험물이 충전설비 · 축압기 · 개질장치에 도달하지 않도록 깊이 30cm, 폭 10cm의 집유 구조물을 설치할 것
   다. 고정주유설비(현수식의 것을 제외한다) · 고정급유설비(현수식의 것을 제외한다) 및 간이탱크의 주위에는 자동차등의 충돌을 방지하는 조치를 마련할 것
5. 압축수소충전설비와 관련된 설비의 기술기준은 제2호부터 제4호까지에서 규정한 사항 외에 고압가스 안전관리법 시행규칙 별표 5에서 정하는 바에 따른다.

핵심정리 주유취급소 설치기준

1. **주유공지**
   너비 15m 이상, 길이 6m 이상의 콘크리트 등으로 포장한 공지(이하 "주유공지"라 한다)를 보유
2. **급유설비**
   고정급유설비의 호스기기의 주위에 필요한 공지를 보유
3. **주유공지 및 급유공지의 바닥**
   주위 지면보다 높게 하고, 그 표면을 적당하게 경사지게 하여 새어나온 기름 그 밖의 액체가 공지의 외부로 유출되지 아니하도록 배수구 · 집유설비 및 유분리장치 설치
4. **표지 및 게시판**
   ① "위험물 주유취급소"라는 표시를 한 표지
   ② 방화에 필요한 사항 게시판 및 황색바탕에 흑색문자로 "주유 중 엔진정지"라는 표시를 한 게시판 설치
5. **주유취급소 설치 가능한 탱크**
   (이동탱크저장소의 상치장소를 주유공지 또는 급유공지 외의 장소에 확보하여 이동탱크저장소를 설치하는 경우 제외)
   ① **자동차 등에 주유하기 위한 고정주유설비에 직접 접속하는 전용탱크**: 50,000ℓ 이하
   ② **고정급유설비에 직접 접속하는 전용탱크**: 50,000ℓ 이하
   ③ **보일러 등에 직접 접속하는 전용탱크**: 10,000ℓ 이하
   ④ **폐유탱크(2 이상 설치 시 각 용량 합계)**: 2,000ℓ 이하
   ⑤ 고정주유설비 또는 고정급유설비에 직접 접속하는 3기 이하의 간이탱크(① ~ ④ 탱크는 옥외의 지하 또는 캐노피 아래의 지하에 매설)
6. **고정주유설비 및 고정급유설비**
   ① 주유취급소의 고정주유설비 또는 고정급유설비의 구조
      ㉠ **고정주유설비 토출량**: 제1석유류 - 분당 50ℓ 이하, 경유 - 분당 180ℓ 이하, 등유 - 분당 80ℓ 이하
      ㉡ **이동탱크 주입하기 위한 고정급유설비**: 분당 300ℓ 이하(분당 토출량이 200ℓ 이상인 것의 경우 주유설비에 관계된 모든 배관의 안지름을 40mm 이상)
      ㉢ 고정주유설비 또는 고정급유설비는 난연성 재료로 만들어진 외장을 설치할 것
   ② **고정주유설비 또는 고정급유설비의 주유관의 길이**: 5m(현수식 지면 위 0.5m의 수평면에 수직으로 내려 만나는 점을 중심으로 반경 3m) 이내 그 선단에는 축적된 정전기를 유효하게 제거할 수 있는 장치를 설치

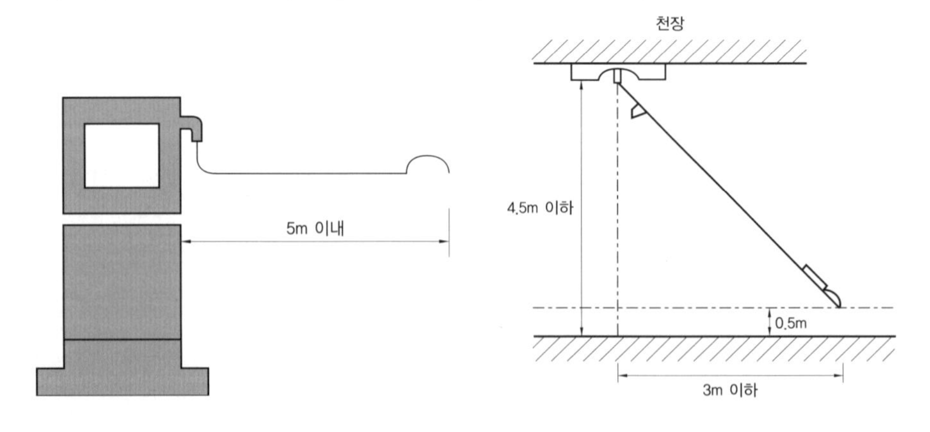

7. 고정주유설비 또는 고정급유설비의 적합한 위치

① 고정주유설비의 중심선을 기점으로 하여 도로경계선까지 4m 이상, 부지경계선·담 및 건축물의 벽까지 2m(개구부가 없는 벽까지는 1m) 이상의 거리를 유지하고, 고정급유설비의 중심선을 기점으로 하여 도로경계선까지 4m 이상, 부지경계선 및 담까지 1m 이상, 건축물의 벽까지 2m(개구부가 없는 벽까지는 1m) 이상의 거리를 유지할 것

② 고정주유설비와 고정급유설비의 사이에는 4m 이상의 거리를 유지할 것

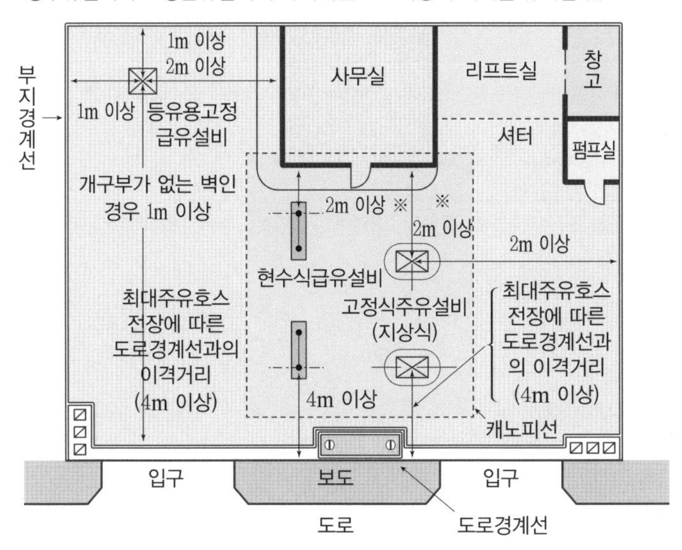

8. 건축물 등의 제한 등 – 주유취급소 내부 설치 가능한 건축물

① 주유 또는 등유·경유를 옮겨 담기 위한 작업장

② 주유취급소의 업무를 행하기 위한 사무소(1,000m^2 이하로 제한)

③ 자동차 등의 점검 및 간이정비를 위한 작업장(1,000m^2 이하로 제한)

④ 자동차 등의 세정을 위한 작업장

⑤ 주유취급소에 출입하는 사람을 대상으로 한 점포·휴게음식점 또는 전시장(1,000m^2 이하로 제한)

⑥ 주유취급소의 관계자가 거주하는 주거시설

⑦ 전기자동차용 충전설비

9. 건축물 등의 구조

① 건축물, 창 및 출입구의 구조

㉠ 건축물의 벽·기둥·바닥·보 및 지붕을 내화구조 또는 불연재료로 할 것

㉡ 창 및 출입구에는 방화문 또는 불연재료로 된 문을 설치할 것

㉢ 사무실 등의 창 및 출입구에 유리를 사용: 망입유리 또는 강화유리

② 자동차 등의 점검·정비를 행하는 설비

㉠ 고정주유설비로부터 4m 이상, 도로경계선으로부터 2m 이상 떨어지게 할 것

㉡ 위험물을 취급하는 설비는 위험물의 누설·넘침 또는 비산을 방지할 수 있는 구조로 할 것

③ 자동차 세정을 행하는 설비

㉠ **증기세차기를 설치:** 그 주위의 불연재료로 된 높이 1m 이상의 담을 설치, 출입구가 고정주유설비에 면하지 아니하도록 할 것. 이 경우 담은 고정주유설비로부터 4m 이상 떨어지게 하여야 한다.

㉡ **증기세차기 외의 세차기 설치:** 고정주유설비로부터 4m이상, 도로경계선으로부터 2m 이상 떨어지게 할 것

④ 주유원 간이대기실

㉠ 불연재료로 할 것

㉡ 바퀴가 부착되지 아니한 고정식일 것

㉢ 차량의 출입 및 주유작업에 장애를 주지 아니하는 위치에 설치할 것

㉣ 바닥면적이 2.5m^2 이하일 것. 다만, 주유공지 및 급유공지 외의 장소에 설치하는 것은 그러하지 아니하다.

10. 담 또는 벽

주유취급소의 주위에는 자동차 등이 출입하는 쪽 외의 부분에 높이 2m 이상의 내화구조 또는 불연재료의 담 또는 벽을 설치하되, 주유취급소의 인근에 연소의 우려가 있는 건축물이 있는 경우에는 소방청장이 정하여 고시하는 바에 따라 방화상 유효한 높이로 하여야 한다.

11. 셀프주유소 특례

① 셀프용 고정주유설비 설치기준

㉠ 주유호스의 선단부에 수동개폐장치를 부착한 주유노즐을 설치(다만, 수동개폐장치를 개방한 상태로 고정시키는 장치가 부착된 경우에는 다음의 기준에 적합)

ⓐ 주유노즐의 수동개폐장치가 개방상태에 있는 때에는 당해 수동개폐장치를 일단 폐쇄시켜야만 다시 주유를 개시할 수 있는 구조로 할 것

ⓑ 주유노즐이 자동차 등의 주유구로부터 이탈된 경우 주유를 자동적으로 정지시키는 구조일 것

㉡ 주유노즐은 자동차등의 연료탱크가 가득 찬 경우 자동적으로 정지시키는 구조일 것

㉢ 주유호스는 200kg 중 이하의 하중에 의하여 파단(破斷) 또는 이탈되어야 하고, 파단 또는 이탈된 부분으로부터의 위험물 누출을 방지할 수 있는 구조일 것

㉣ 휘발유와 경유 상호간의 오인에 의한 주유를 방지할 수 있는 구조일 것

㉤ 1회의 연속주유량 및 주유시간의 상한을 미리 설정할 수 있는 구조일 것. 이 경우 주유량의 상한은 휘발유는 100ℓ 이하, 경유는 200ℓ 이하로 하며, 주유시간의 상한은 4분 이하로 한다.

② 셀프용고정급유설비의 기준

㉠ 급유호스의 선단부에 수동개폐장치를 부착한 급유노즐을 설치할 것

㉡ 급유노즐은 용기가 가득 찬 경우에 자동적으로 정지시키는 구조일 것

㉢ 1회의 연속급유량 및 급유시간의 상한을 미리 설정할 수 있는 구조일 것. 이 경우 급유량의 상한은 100ℓ 이하, 급유시간의 상한은 6분 이하로 한다.

11 [별표 14] 판매취급소의 위치·구조 및 설비의 기준

시행규칙 제37조(주유취급소의 기준) 법 제5조 제4항의 규정에 의한 제조소등의 위치 · 구조 및 설비의 기준 중 주유취급소에 관한 것은 별표 13과 같다.

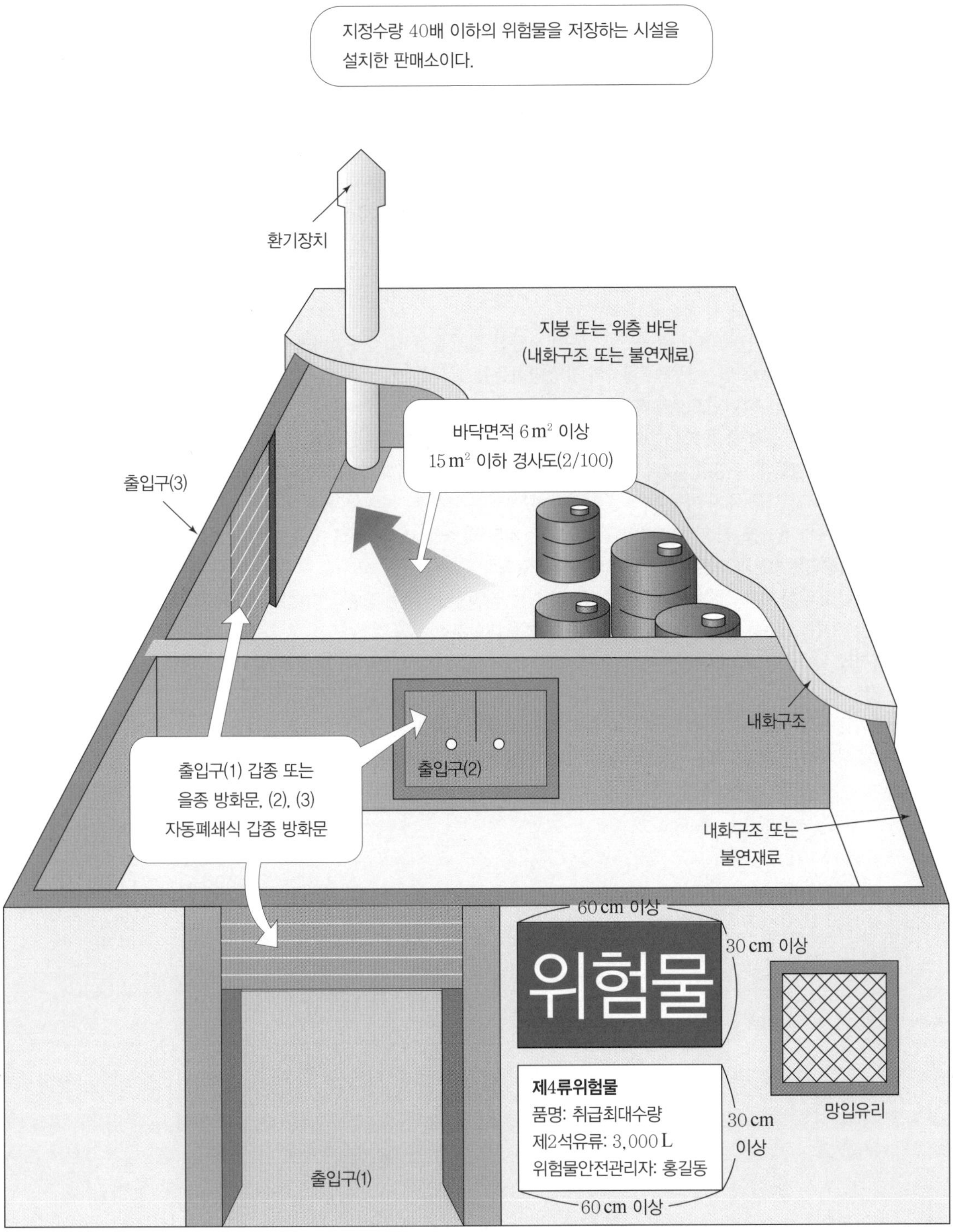

지정수량 40배 이하의 위험물을 저장하는 시설을 설치한 판매소이다.

환기장치

지붕 또는 위층 바닥
(내화구조 또는 불연재료)

바닥면적 6 m² 이상
15 m² 이하 경사도(2/100)

출입구(3)

내화구조

출입구(1) 갑종 또는
을종 방화문, (2), (3)
자동폐쇄식 갑종 방화문

출입구(2)

내화구조 또는
불연재료

60 cm 이상

30 cm 이상

위험물

망입유리

제4류위험물
품명: 취급최대수량
제2석유류: 3,000 L
위험물안전관리자: 홍길동

30 cm
이상

60 cm 이상

출입구(1)

Ⅰ. 판매취급소의 기준

1. 저장 또는 취급하는 위험물의 수량이 지정수량의 20배 이하인 판매취급소(이하 "제1종 판매취급소"라 한다)의 위치 · 구조 및 설비의 기준은 다음 각 목과 같다.
   가. 제1종 판매취급소는 건축물의 1층에 설치할 것
   나. 제1종 판매취급소에는 별표 4 Ⅲ 제1호의 기준에 따라 보기 쉬운 곳에 "위험물 판매취급소(제1종)"라는 표시를 한 표지와 동표 Ⅲ 제2호의 기준에 따라 방화에 관하여 필요한 사항을 게시한 게시판을 설치하여야 한다.
   다. 제1종 판매취급소의 용도로 사용되는 건축물의 부분은 내화구조 또는 불연재료로 하고, 판매취급소로 사용되는 부분과 다른 부분과의 격벽은 내화구조로 할 것
   라. 제1종 판매취급소의 용도로 사용하는 건축물의 부분은 보를 불연재료로 하고, 천장을 설치하는 경우에는 천장을 불연재료로 할 것
   마. 제1종 판매취급소의 용도로 사용하는 부분에 상층이 있는 경우에 있어서는 그 상층의 바닥을 내화구조로 하고, 상층이 없는 경우에 있어서는 지붕을 내화구조 또는 불연재료로 할 것
   바. 제1종 판매취급소의 용도로 사용하는 부분의 창 및 출입구에는 갑종방화문 또는 을종방화문을 설치할 것
   사. 제1종 판매취급소의 용도로 사용하는 부분의 창 또는 출입구에 유리를 이용하는 경우에는 망입유리로 할 것
   아. 제1종 판매취급소의 용도로 사용하는 건축물에 설치하는 전기설비는 전기사업법에 의한 전기설비기술기준에 의할 것
   자. 위험물을 배합하는 실은 다음에 의할 것
      1) 바닥면적은 $6m^2$ 이상 $15m^2$ 이하로 할 것
      2) 내화구조 또는 불연재료로 된 벽으로 구획할 것
      3) 바닥은 위험물이 침투하지 아니하는 구조로 하여 적당한 경사를 두고 집유설비를 할 것
      4) 출입구에는 수시로 열 수 있는 자동폐쇄식의 갑종방화문을 설치할 것
      5) 출입구 문턱의 높이는 바닥면으로부터 0.1m 이상으로 할 것
      6) 내부에 체류한 가연성의 증기 또는 가연성의 미분을 지붕 위로 방출하는 설비를 할 것
2. 저장 또는 취급하는 위험물의 수량이 지정수량의 40배 이하인 판매취급소(이하 "제2종 판매취급소"라 한다)의 위치 · 구조 및 설비의 기준은 제1호 가목 · 나목 및 사목 내지 자목의 규정을 준용하는 외에 다음 각 목의 기준에 의한다.
   가. 제2종 판매취급소의 용도로 사용하는 부분은 벽 · 기둥 · 바닥 및 보를 내화구조로 하고, 천장이 있는 경우에는 이를 불연재료로 하며, 판매취급소로 사용되는 부분과 다른 부분과의 격벽은 내화구조로 할 것
   나. 제2종 판매취급소의 용도로 사용하는 부분에 상층이 있는 경우에 있어서는 상층의 바닥을 내화구조로 하는 동시에 상층으로의 연소를 방지하기 위한 조치를 강구하고, 상층이 없는 경우에는 지붕을 내화구조로 할 것
   다. 제2종 판매취급소의 용도로 사용하는 부분 중 연소의 우려가 없는 부분에 한하여 창을 두되, 당해 창에는 갑종방화문 또는 을종방화문을 설치할 것
   라. 제2종 판매취급소의 용도로 사용하는 부분의 출입구에는 갑종방화문 또는 을종방화문을 설치할 것. 다만, 해당 부분 중 연소의 우려가 있는 벽에 설치하는 출입구에는 수시로 열 수 있는 자동폐쇄식의 갑종방화문을 설치해야 한다.

핵심정리 판매취급소 설치기준

1. **1종 판매취급소:** 저장 또는 취급하는 위험물의 수량이 지정수량의 20배 이하인 판매취급소
   ① 건축물의 1층에 설치할 것
   ② 제조소의 기준에 따라 표지와 게피판을 설치
   ③ **건축물 구조:** 내화구조 또는 불연재료, 판매취급소로 사용되는 부분과 다른 부분과의 격벽은 내화구조
   ④ **천장 및 보:** 불연재료
   ⑤ 상층이 있는 경우에 상층의 바닥을 내화구조, 상층이 없는 경우 지붕을 내화구조 또는 불연재료로 할 것
   ⑥ **창 및 출입구:** 갑종방화문 또는 을종방화문을 설치할 것(유리 사용 시 망입유리)
   ⑦ 위험물을 배합하는 실
      ㉠ 바닥면적은 $6m^2$ 이상 $15m^2$ 이하로 할 것
      ㉡ 내화구조 또는 불연재료로 된 벽으로 구획할 것
      ㉢ 바닥은 위험물이 침투하지 아니하는 구조로 하여 적당한 경사를 두고 집유설비를 할 것
      ㉣ 출입구에는 수시로 열 수 있는 자동폐쇄식의 갑종방화문을 설치할 것
      ㉤ 출입구 문턱의 높이는 바닥면으로부터 0.1m 이상으로 할 것
      ㉥ 내부에 체류한 가연성의 증기 또는 가연성의 미분을 지붕 위로 방출하는 설비를 할 것
2. **2종 판매취급소:** 저장 또는 취급하는 위험물의 수량이 지정수량의 40배 이하인 판매취급소
   ① **벽 · 기둥 · 바닥 및 보:** 내화구조
   ② **천장 있는 경우:** 불연재료
   ③ 판매취급소로 사용되는 부분과 다른부분 격벽은 내화구조
   ④ 상층이 있는 경우 상층의 바닥을 내화구조로 하는 동시에 상층으로의 연소를 방지하기 위한 조치를 강구하고, 상층이 없는 경우에는 지붕을 내화구조로 할 것
   ⑤ 제2종 판매취급소의 용도로 사용하는 부분 중 연소의 우려가 없는 부분에 한하여 창을 두되, 당해 창에는 갑종방화문 또는 을종방화문을 설치할 것
   ⑥ 제2종 판매취급소의 용도로 사용하는 부분의 출입구에는 갑종방화문 또는 을종방화문을 설치할 것. 다만, 당해 부분 중 연소의 우려가 있는 벽 또는 창의 부분에 설치하는 출입구에 수시로 열 수 있는 자동폐쇄식의 갑종방화문을 설치할 것

12 [별표 15] 이송취급소의 위치 · 구조 및 설비의 기준

시행규칙 제39조(이송취급소의 기준) 법 제5조 제4항의 규정에 의한 제조소등의 위치 · 구조 및 설비의 기준 중 이송취급소에 관한 것은 별표 15와 같다.

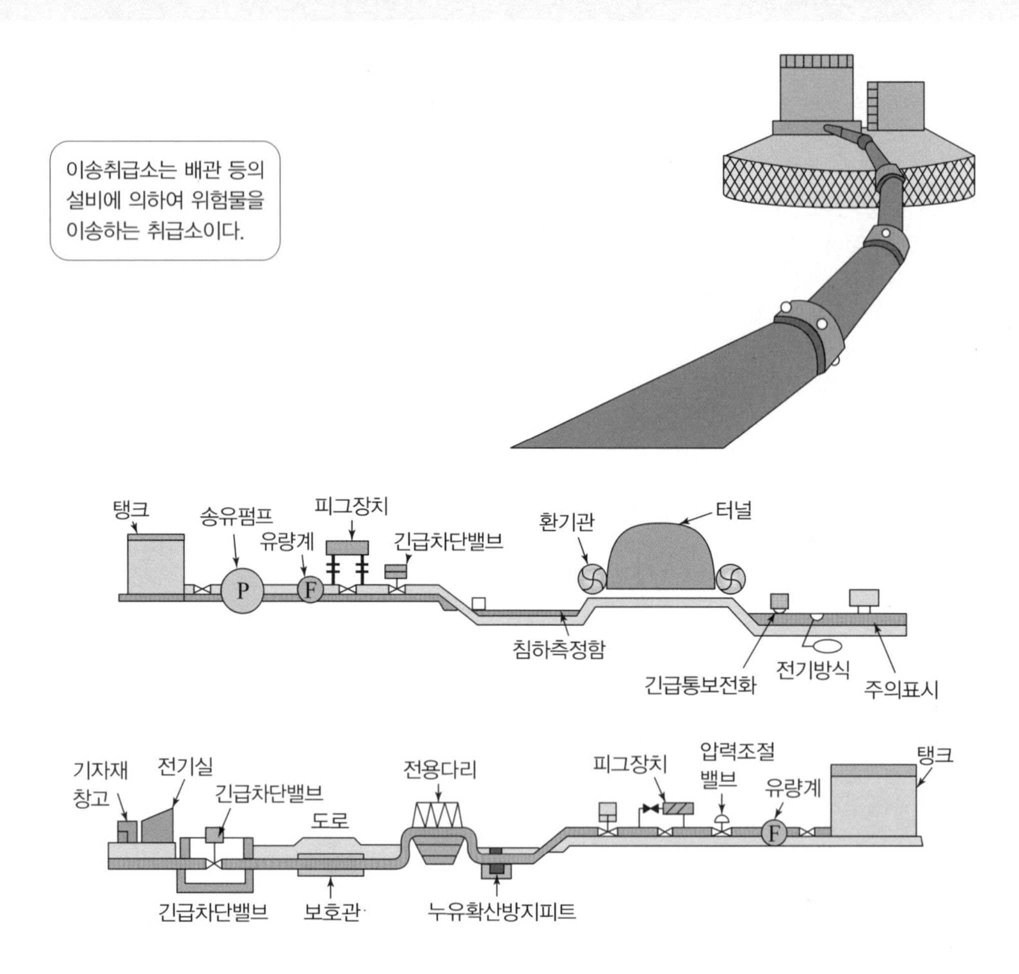

Ⅰ. 설치장소

1. 이송취급소는 다음 각 목의 장소 외의 장소에 설치하여야 한다.
   가. 철도 및 도로의 터널 안
   나. 고속국도 및 자동차전용도로(도로법 제48조 제1항에 따라 지정된 도로를 말한다)의 차도 · 길어깨 및 중앙분리대
   다. 호수 · 저수지 등으로서 수리의 수원이 되는 곳
   라. 급경사지역으로서 붕괴의 위험이 있는 지역
2. 제1호의 규정에 불구하고 다음 각 목의 1에 해당하는 경우에는 제1호 각 목의 장소에 이송취급소를 설치할 수 있다.
   가. 지형상황 등 부득이한 사유가 있고 안전에 필요한 조치를 하는 경우
   나. 제1호 나목 또는 다목의 장소에 횡단하여 설치하는 경우

Ⅱ. 배관 등의 재료 및 구조

1. 배관 · 관이음쇠 및 밸브(이하 "배관등"이라 한다)의 재료는 다음 각 목의 규격에 적합한 것으로 하거나 이와 동등 이상의 기계적 성질이 있는 것으로 하여야 한다.
   가. 배관: 고압배관용 탄소강관(KS D 3564), 압력배관용 탄소강관(KS D 3562), 고온배관용 탄소강관(KS D 3570) 또는 배관용 스테인레스강관(KS D 3576)
   나. 관이음쇠: 배관용강제 맞대기용접식 관이음쇠(KS B 1541), 철강재 관플랜지 압력단계(KS B 1501), 관플랜지의 치수허용자(KS B 1502), 강제 용접식 관플랜지(KS B 1503), 철강재 관플랜지의 기본치수(KS B 1511)또는 관플랜지의 개스킷자리치수(KS B 1519)
   다. 밸브: 주강 플랜지형 밸브(KS B 2361)
2. 배관등의 구조는 다음 각 목의 하중에 의하여 생기는 응력에 대한 안전성이 있어야 한다.
   가. 위험물의 중량, 배관등의 내압, 배관등과 그 부속설비의 자중, 토압, 수압, 열차하중, 자동차하중 및 부력 등의 주하중
   나. 풍하중, 설하중, 온도변화의 영향, 진동의 영향, 지진의 영향, 배의 닻에 의한 충격의 영향, 파도와 조류의 영향, 설치공정상의 영향 및 다른 공사에 의한 영향 등의 종하중
3. 교량에 설치하는 배관은 교량의 굴곡 · 신축 · 진동 등에 대하여 안전한 구조로 하여야 한다.
4. 배관의 두께는 배관의 외경에 따라 다음 표에 정한 것 이상으로 하여야 한다.

배관의 외경(단위 mm)	배관의 두께(단위 mm)
114.3 미만	4.5
114.3 이상 139.8 미만	4.9
139.8 이상 165.2 미만	5.1
165.2 이상 216.3 미만	5.5
216.3 이상 355.6 미만	6.4
356.6 이상 508.0 미만	7.9
508.0 이상	9.5

5. 제2호 내지 제4호의 규정한 것 외에 배관등의 구조에 관하여 필요한 사항은 소방청장이 정하여 고시한다.
6. 배관의 안전에 영향을 미칠 수 있는 신축이 생길 우려가 있는 부분에는 그 신축을 흡수하는 조치를 강구하여야 한다.
7. 배관등의 이음은 아크용접 또는 이와 동등 이상의 효과를 갖는 용접방법에 의하여야 한다. 다만, 용접에 의하는 것이 적당하지 아니한 경우는 안전상 필요한 강도가 있는 플랜지이음으로 할 수 있다.
8. 플랜지이음을 하는 경우에는 당해 이음부분의 점검을 하고 위험물의 누설확산을 방지하기 위한 조치를 하여야 한다. 다만, 해저 입하배관의 경우에는 누설확산방지조치를 아니할 수 있다.
9. 지하 또는 해저에 설치한 배관등에 다음의 각 목의 기준에 내구성이 있고 전기절연저항이 큰 도복장재료를 사용하여 외면부식을 방지하기 위한 조치를 하여야 한다.
   가) 도장재(塗裝材) 및 복장재(覆裝材)는 다음의 기준 또는 이와 동등 이상의 방식효과를 갖는 것으로 할 것
      1) 도장재는 수도용강관아스팔트도복장방법(KS D 8306)에 정한 아스팔트 에나멜, 수도용강관콜타르에나멜도복장방법(KS D 8307)에 정한 콜타르 에나멜
      2) 복장재는 수도용강관아스팔트도복장방법(KS D 8306)에 정한 비니론크로즈, 글라스크로즈, 글라스매트 또는 폴리에틸렌, 헤시안크로즈, 타르에폭시, 페트로라튬테이프, 경질염화비닐라이닝강관, 폴리에틸렌열수축튜브, 나이론12수지
   나) 방식피복의 방법은 수도용강관아스팔트도복장방법(KS D 8306)에 정한 방법, 수도용강관콜타르에나멜도복장방법(KS D 8307)에 정한 방법 또는 이와 동등 이상의 부식방지효과가 있는 방법에 의할 것
10. 지상 또는 해상에 설치한 배관등에는 외면부식을 방지하기 위한 도장을 실시하여야 한다.

11. 지하 또는 해저에 설치한 배관등에는 다음의 각 목의 기준에 의하여 전기방식조치를 하여야 한다. 이 경우 근접한 매설물 그 밖의 구조물에 대하여 영향을 미치지 아니하도록 필요한 조치를 하여야 한다.
   가. 방식전위는 포화황산동전극 기준으로 마이너스 0.8V 이하로 할 것
   나. 적절한 간격(200m 내지 500m)으로 전위측정단자를 설치할 것
   다. 전기철로 부지 등 전류의 영향을 받는 장소에 배관등을 매설하는 경우에는 강제배류법 등에 의한 조치를 할 것
12. 배관등에 가열 또는 보온하기 위한 설비를 설치하는 경우에는 화재예방상 안전하고 다른 시설물에 영향을 주지 아니하는 구조로 하여야 한다.

Ⅲ. 배관설치의 기준

1. 지하매설
   배관을 지하에 매설하는 경우에는 다음 각 목의 기준에 의하여야 한다.
   가. 배관은 그 외면으로부터 건축물·지하가·터널 또는 수도시설까지 각각 다음의 규정에 의한 안전거리를 둘 것. 다만, 2) 또는 3)의 공작물에 있어서는 적절한 누설확산방지조치를 하는 경우에 그 안전거리를 2분의 1의 범위 안에서 단축할 수 있다.
      1) 건축물(지하가내의 건축물을 제외한다): 1.5m 이상
      2) 지하가 및 터널: 10m 이상
      3) 수도법에 의한 수도시설(위험물의 유입우려가 있는 것에 한한다): 300m 이상
   나. 배관은 그 외면으로부터 다른 공작물에 대하여 0.3m 이상의 거리를 보유 할 것. 다만, 0.3m 이상의 거리를 보유하기 곤란한 경우로서 당해 공작물의 보전을 위하여 필요한 조치를 하는 경우에는 그러하지 아니하다.
   다. 배관의 외면과 지표면과의 거리는 산이나 들에 있어서는 0.9m 이상, 그 밖의 지역에 있어서는 1.2m 이상으로 할 것. 다만, 당해 배관을 각각의 깊이로 매설하는 경우와 동등 이상의 안전성이 확보되는 견고하고 내구성이 있는 구조물(이하 "방호구조물"이라 한다) 안에 설치하는 경우에는 그러하지 아니하다.
   라. 배관은 지반의 동결로 인한 손상을 받지 아니하는 적절한 깊이로 매설할 것
   마. 성토 또는 절토를 한 경사면의 부근에 배관을 매설하는 경우에는 경사면의 붕괴에 의한 피해가 발생하지 아니하도록 매설할 것
   바. 배관의 입상부, 지반의 급변부 등 지지조건이 급변하는 장소에 있어서는 굽은관을 사용하거나 지반개량 그 밖에 필요한 조치를 강구할 것
   사. 배관의 하부에는 사질토 또는 모래로 20cm(자동차등의 하중이 없는 경우에는 10cm) 이상, 배관의 상부에는 사질토 또는 모래로 30cm(자동차등의 하중에 없는 경우에는 20cm) 이상 채울 것
2. 도로 밑 매설
   배관을 도로 밑에 매설하는 경우에는 제1호(나목 및 다목을 제외한다)의 규정에 의하는 외에 다음 각 목의 기준에 의하여야 한다.
   가. 배관은 원칙적으로 자동차하중의 영향이 적은 장소에 매설할 것
   나. 배관은 그 외면으로부터 도로의 경계에 대하여 1m 이상의 안전거리를 둘 것
   다. 시가지(국토의 계획 및 이용에 관한 법률 제6조 제1호의 규정에 의한 도시지역을 말한다. 다만, 동법 제36조 제1항 제1호 다목의 규정에 의한 공업지역을 제외한다. 이하 같다) 도로의 밑에 매설하는 경우에는 배관의 외경보다 10cm 이상 넓은 견고하고 내구성이 있는 재질의 판(이하 "보호판"이라 한다)을 배관의 상부로부터 30cm 이상 위에 설치할 것. 다만, 방호구조물 안에 설치하는 경우에는 그러하지 아니하다.
   라. 배관(보호판 또는 방호구조물에 의하여 배관을 보호하는 경우에는 당해 보호판 또는 방호구조물을 말한다. 이하 바목 및 사목에서 같다)은 그 외면으로부터 다른 공작물에 대하여 0.3m 이상의 거리를 보유할 것. 다만, 배관의 외면에서 다른 공작물에 대하여 0.3m 이상의 거리를 보유하기 곤란한 경우로서 당해 공작물의 보전을 위하여 필요한 조치를 하는 경우에는 그러하지 아니하다.
   마. 시가지 도로의 노면 아래에 매설하는 경우에는 배관(방호구조물의 안에 설치된 것을 제외한다)의 외면과 노면과의 거리는 1.5m 이상, 보호판 또는 방호구조물의 외면과 노면과의 거리는 1.2m 이상으로 할 것
   바. 시가지 외의 도로의 노면 아래에 매설하는 경우에는 배관의 외면과 노면과의 거리는 1.2m 이상으로 할 것
   사. 포장된 차도에 매설하는 경우에는 포장부분의 노반(차단층이 있는 경우는 당해 차단층을 말한다. 이하 같다)의 밑에 매설하고, 배관의 외면과 노반의 최하부와의 거리는 0.5m 이상으로 할 것
   아. 노면 밑 외의 도로 밑에 매설하는 경우에는 배관의 외면과 지표면과의 거리는 1.2m[보호판 또는 방호구조물에 의하여 보호된 배관에 있어서는 0.6m(시가지의 도로 밑에 매설하는 경우에는 0.9m)] 이상으로 할 것

자. 전선 · 수도관 · 하수도관 · 가스관 또는 이와 유사한 것이 매설되어 있거나 매설할 계획이 있는 도로에 매설하는 경우에는 이들의 상부에 매설하지 아니할 것. 다만, 다른 매설물의 깊이가 2m 이상인 때에는 그러하지 아니하다.

3. 철도부지 밑 매설 배관을 철도부지(철도차량을 운행하기 위한 궤도와 이를 받치는 노반 또는 공작물로 구성된 시설을 설치하거나 설치하기 위한 용지를 말한다. 이하 같다)에 인접하여 매설하는 경우에는 제1호(다목을 제외한다)의 규정에 의하는 외에 다음 각 목의 기준에 의하여야 한다.

가. 배관은 그 외면으로부터 철도 중심선에 대하여는 4m 이상, 당해 철도부지(도로에 인접한 경우를 제외한다)의 용지경계에 대하여는 1m 이상의 거리를 유지할 것. 다만, 열차하중의 영향을 받지 아니하도록 매설하거나 배관의 구조가 열차하중에 견딜 수 있도록 된 경우에는 그러하지 아니하다.

나. 배관의 외면과 지표면과의 거리는 1.2m 이상으로 할 것

4. 하천 홍수관리구역 내 매설

배관을 하천법 제12조에 따라 지정된 홍수관리구역 내에 매설하는 경우에는 제1호의 규정을 준용하는 것 외에 제방 또는 호안이 하천 홍수관리구역의 지반면과 접하는 부분으로부터 하천관리상 필요한 거리를 유지하여야 한다.

5. 지상설치

배관을 지상에 설치하는 경우에는 다음 각 목의 기준에 의하여야 한다.

가. 배관이 지표면에 접하지 아니하도록 할 것

나. 배관[이송기지(펌프에 의하여 위험물을 보내거나 받는 작업을 행하는 장소를 말한다. 이하 같다)의 구내에 설치되어진 것을 제외한다]은 다음의 기준에 의한 안전거리를 둘 것

1) 철도(화물수송용으로만 쓰이는 것을 제외한다) 또는 도로(국토의 계획 및 이용에 관한 법률에 의한 공업지역 또는 전용공업지역에 있는 것을 제외한다)의 경계선으로부터 25m 이상

2) 별표 4 Ⅰ 제1호 나목 1) · 2) · 3) 또는 4)의 규정에 의한 시설로부터 45m 이상

3) 별표 4 Ⅰ 제1호 다목의 규정에 의한 시설로부터 65m 이상

4) 별표 4 Ⅰ 제1호 라목 1) · 2) · 3) · 4) 또는 5)의 규정에 의한 시설로부터 35m 이상

5) 국토의 계획 및 이용에 관한 법률에 의한 공공공지 또는 도시공원법에 의한 도시공원으로부터 45m 이상

6) 판매시설 · 숙박시설 · 위락시설 등 불특정다중을 수용하는 시설 중 연면적 1,000m^2 이상인 것으로부터 45m 이상

7) 1일 평균 20,000명 이상 이용하는 기차역 또는 버스터미널로부터 45m 이상

8) 수도법에 의한 수도시설 중 위험물이 유입될 가능성이 있는 것으로부터 300m 이상

9) 주택 또는 1) 내지 8)과 유사한 시설 중 다수의 사람이 출입하거나 근무하는 것으로부터 25m 이상

다. 배관(이송기지의 구내에 설치된 것을 제외한다)의 양측면으로부터 당해 배관의 최대상용압력에 따라 다음 표에 의한 너비(국토의 계획 및 이용에 관한 법률에 의한 공업지역 또는 전용공업지역에 설치한 배관에 있어서는 그 너비의 3분의 1)의 공지를 보유할 것. 다만, 양단을 폐쇄한 밀폐구조의 방호구조물 안에 배관을 설치하거나 위험물의 유출확산을 방지할 수 있는 방화상 유효한 담을 설치하는 등 안전상 필요한 조치를 하는 경우에는 그러하지 아니하다.

배관의 최대상용압력	공지의 너비
0.3MPa 미만	5m 이상
0.3MPa 이상 1MPa 미만	9m 이상
1MPa 이상	15m 이상

라. 배관은 지진 · 풍압 · 지반침하 · 온도변화에 의한 신축 등에 대하여 안전성이 있는 철근콘크리트조 또는 이와 동등 이상의 내화성이 있는 지지물에 의하여 지지되도록 할 것. 다만, 화재에 의하여 당해 구조물이 변형될 우려가 없는 지지물에 의하여 지지되는 경우에는 그러하지 아니하다.

마. 자동차 · 선박 등의 충돌에 의하여 배관 또는 그 지지물이 손상을 받을 우려가 있는 경우에는 견고하고 내구성이 있는 보호설비를 설치할 것

바. 배관은 다른 공작물(당해 배관의 지지물을 제외한다)에 대하여 배관의 유지관리상 필요한 간격을 가질 것

사. 단열재 등으로 배관을 감싸는 경우에는 일정구간마다 점검구를 두거나 단열재 등을 쉽게 떼고 붙일 수 있도록 하는 등 점검이 쉬운 구조로 할 것

6. 해저설치

배관을 해저에 설치하는 경우에는 다음 각 목의 기준에 의하여야 한다.

가. 배관은 해저면 밑에 매설할 것. 다만, 선박의 닻 내림 등에 의하여 배관이 손상을 받을 우려가 없거나 그 밖에 부득이한 경우에는 그러하지 아니하다.

나. 배관은 이미 설치된 배관과 교차하지 말 것. 다만, 교차가 불가피한 경우로서 배관의 손상을 방지하기 위한 방호조치를 하는 경우에는 그러하지 아니하다.

다. 배관은 원칙적으로 이미 설치된 배관에 대하여 30m 이상의 안전거리를 둘 것

라. 2본 이상의 배관을 동시에 설치하는 경우에는 배관이 상호 접촉하지 아니하도록 필요한 조치를 할 것

마. 배관의 입상부에는 방호시설물을 설치할 것. 다만, 계선부표(繫船浮標)에 도달하는 입상배관이 강제 외의 재질인 경우에는 그러하지 아니하다.

바. 배관을 매설하는 경우에는 배관외면과 해저면(당해 배관을 매설하는 해저에 대한 준설계획이 있는 경우에는 그 계획에 의한 준설 후 해저면의 0.6m 아래를 말한다)과의 거리는 닻 내림의 충격, 토질, 매설하는 재료, 선박교통사정 등을 감안하여 안전한 거리로 할 것

사. 패일 우려가 있는 해저면 아래에 매설하는 경우에는 배관의 노출을 방지하기 위한 조치를 할 것

아. 배관을 매설하지 아니하고 설치하는 경우에는 배관이 연속적으로 지지되도록 해저면을 고를 것

자. 배관이 부양 또는 이동할 우려가 있는 경우에는 이를 방지하기 위한 조치를 할 것

7. 해상설치

배관을 해상에 설치하는 경우에는 다음 각 목의 기준에 의하여야 한다.

가. 배관은 지진 · 풍압 · 파도 등에 대하여 안전한 구조의 지지물에 의하여 지지할 것

나. 배관은 선박 등의 항행에 의하여 손상을 받지 아니하도록 해면과의 사이에 필요한 공간을 확보하여 설치할 것

다. 선박의 충돌 등에 의해서 배관 또는 그 지지물이 손상을 받을 우려가 있는 경우에는 견고하고 내구력이 있는 보호설비를 설치할 것

라. 배관은 다른 공작물(당해 배관의 지지물을 제외한다)에 대하여 배관의 유지관리상 필요한 간격을 보유할 것

8. 도로횡단설치

도로를 횡단하여 배관을 설치하는 경우에는 다음 각 목의 기준에 의하여야 한다.

가. 배관을 도로 아래에 매설할 것. 다만, 지형의 상황 그 밖에 특별한 사유에 의하여 도로 상공 외의 적당한 장소가 없는 경우에는 안전상 적절한 조치를 강구하여 도로상공을 횡단하여 설치할 수 있다.

나. 배관을 매설하는 경우에는 제2호(가목 및 나목을 제외한다)의 규정을 준용하되, 배관을 금속관 또는 방호구조물 안에 설치할 것

다. 배관을 도로상공을 횡단하여 설치하는 경우에는 제5호(가목을 제외한다)의 규정을 준용하되, 배관 및 당해 배관에 관계된 부속설비는 그 아래의 노면과 5m 이상의 수직거리를 유지할 것

9. 철도 밑 횡단매설

철도부지를 횡단하여 배관을 매설하는 경우에는 제3호(가목을 제외한다) 및 제8호 나목의 규정을 준용한다.

10. 하천 등 횡단설치

하천 또는 수로를 횡단하여 배관을 설치하는 경우에는 다음 각 목의 기준에 의하여야 한다.

가. 하천 또는 수로를 횡단하여 배관을 설치하는 경우에는 배관에 과대한 응력이 생기지 아니하도록 필요한 조치를 하여 교량에 설치할 것. 다만, 교량에 설치하는 것이 적당하지 아니한 경우에는 하천 또는 수로의 밑에 매설할 수 있다.

나. 하천 또는 수로를 횡단하여 배관을 매설하는 경우에는 배관을 금속관 또는 방호구조물 안에 설치하고, 당해 금속관 또는 방호구조물의 부양이나 선박의 닻 내림 등에 의한 손상을 방지하기 위한 조치를 할 것

다. 하천 또는 수로의 밑에 배관을 매설하는 경우에는 배관의 외면과 계획하상(계획하상이 최심하상보다 높은 경우에는 최심하상)과의 거리는 다음의 규정에 의한 거리 이상으로 하되, 호안 그 밖에 하천관리시설의 기초에 영향을 주지 아니하고 하천바닥의 변동 · 패임 등에 의한 영향을 받지 아니하는 깊이로 매설하여야 한다.

1) 하천을 횡단하는 경우: 4.0m

2) 수로를 횡단하는 경우

가) 하수도법 제2조 제3호에 따른 하수도(상부가 개방되는 구조로 된 것에 한한다) 또는 운하: 2.5m

나) 가)의 규정에 의한 수로에 해당되지 아니하는 좁은 수로(용수로 그 밖에 유사한 것을 제외한다): 1.2m

라. 하천 또는 수로를 횡단하여 배관을 설치하는 경우에는 가목 내지 다목의 규정에 의하는 외에 제2호(나목 · 다목 및 사목을 제외한다) 및 제5호(가목을 제외한다)의 규정을 준용할 것

Ⅳ. 기타 설비 등

1. 누설확산방지조치

배관을 시가지 · 하천 · 수로 · 터널 · 도로 · 철도 또는 투수성(透水性) 지반에 설치하는 경우에는 누설된 위험물의 확산을 방지할 수 있는 강철제의 관 · 철근콘크리트조의 방호구조물 등 견고하고 내구성이 있는 구조물의 안에 설치하여야 한다.

2. 가연성증기의 체류방지조치

배관을 설치하기 위하여 설치하는 터널(높이 1.5m 이상인 것에 한한다)에는 가연성 증기의 체류를 방지하는 조치를 하여야 한다.

3. 부등침하 등의 우려가 있는 장소에 설치하는 배관

부등침하 등 지반의 변동이 발생할 우려가 있는 장소에 배관을 설치하는 경우에는 배관이 손상을 받지 아니하도록 필요한 조치를 하여야 한다.

4. 굴착에 의하여 주위가 노출된 배관의 보호

굴착에 의하여 주위가 일시 노출되는 배관은 손상되지 아니하도록 적절한 보호조치를 하여야 한다.

5. 비파괴시험

가. 배관등의 용접부는 비파괴시험을 실시하여 합격할 것. 이 경우 이송기지 내의 지상에 설치된 배관등은 전체 용접부의 20% 이상을 발췌하여 시험할 수 있다.

나. 가목의 규정에 의한 비파괴시험의 방법, 판정기준 등은 소방청장이 정하여 고시하는 바에 의할 것

6. 내압시험

가. 배관등은 최대상용압력의 1.25배 이상의 압력으로 4시간 이상 수압을 가하여 누설 그 밖의 이상이 없을 것. 다만, 수압시험을 실시한 배관등의 시험구간 상호간을 연결하는 부분 또는 수압시험을 위하여 배관등의 내부공기를 뽑아낸 후 폐쇄한 곳의 용접부는 제5호의 비파괴시험으로 갈음할 수 있다.

나. 가목의 규정에 의한 내압시험의 방법, 판정기준 등은 소방청장이 정하여 고시하는 바에 의할 것

7. 운전상태의 감시장치

가. 배관계(배관등 및 위험물 이송에 사용되는 일체의 부속설비를 말한다. 이하 같다)에는 펌프 및 밸브의 작동상황 등 배관계의 운전상태를 감시하는 장치를 설치할 것

나. 배관계에는 압력 또는 유량의 이상변동 등 이상한 상태가 발생하는 경우에 그 상황을 경보하는 장치를 설치할 것

8. 안전제어장치

배관계에는 다음 각 목에 정한 제어기능이 있는 안전제어장치를 설치하여야 한다.

가. 압력안전장치 · 누설검지장치 · 긴급차단밸브 그 밖의 안전설비의 제어회로가 정상으로 있지 아니하면 펌프가 작동하지 아니하도록 하는 제어기능

나. 안전상 이상상태가 발생한 경우에 펌프 · 긴급차단밸브 등이 자동 또는 수동으로 연동하여 신속히 정지 또는 폐쇄되도록 하는 제어기능

9. 압력안전장치

가. 배관계에는 배관내의 압력이 최대상용압력을 초과하거나 유격작용 등에 의하여 생긴 압력이 최대상용압력의 1.1배를 초과하지 아니하도록 제어하는 장치(이하 "압력안전장치"라 한다)를 설치할 것

나. 압력안전장치의 재료 및 구조는 Ⅱ 제1호 내지 제5호의 기준에 의할 것

다. 압력안전장치는 배관계의 압력변동을 충분히 흡수할 수 있는 용량을 가질 것

10. 누설검지장치 등

가. 배관계에는 다음의 기준에 적합한 누설검지장치를 설치할 것

1) 가연성증기를 발생하는 위험물을 이송하는 배관계의 점검상자에는 가연성증기를 검지하는 장치

2) 배관계 내의 위험물의 양을 측정하는 방법에 의하여 자동적으로 위험물의 누설을 검지하는 장치 또는 이와 동등 이상의 성능이 있는 장치

3) 배관계 내의 압력을 측정하는 방법에 의하여 위험물의 누설을 자동적으로 검지하는 장치 또는 이와 동등 이상의 성능이 있는 장치

4) 배관계 내의 압력을 일정하게 정지시키고 당해 압력을 측정하는 방법에 의하여 위험물의 누설을 검지하는 장치 또는 이와 동등 이상의 성능이 있는 장치

나. 배관을 지하에 매설한 경우에는 안전상 필요한 장소(하천 등의 아래에 매설한 경우에는 금속관 또는 방호구조물의 안을 말한다)에 누설검지구를 설치할 것. 다만, 배관을 따라 일정한 간격으로 누설을 검지할 수 있는 장치를 설치하는 경우에는 그러하지 아니하다.

11. 긴급차단밸브

가. 배관에는 다음의 기준에 의하여 긴급차단밸브를 설치할 것. 다만, 2) 또는 3)에 해당하는 경우로서 당해 지역을 횡단하는 부분의 양단의 높이 차이로 인하여 하류측으로부터 상류측으로 역류될 우려가 없는 때에는 하류측에는 설치하지 아니할 수 있으며, 4) 또는 5)에 해당하는 경우로서 방호구조물을 설치하는 등 안전상 필요한 조치를 하는 경우에는 설치하지 아니할 수 있다.

1) 시가지에 설치하는 경우에는 약 4km의 간격

2) 하천 · 호소 등을 횡단하여 설치하는 경우에는 횡단하는 부분의 양 끝

3) 해상 또는 해저를 통과하여 설치하는 경우에는 통과하는 부분의 양 끝

4) 산림지역에 설치하는 경우에는 약 10km의 간격

5) 도로 또는 철도를 횡단하여 설치하는 경우에는 횡단하는 부분의 양 끝

나. 긴급차단밸브는 다음의 기능이 있을 것

1) 원격조작 및 현지조작에 의하여 폐쇄되는 기능

2) 제10호의 규정에 의한 누설검지장치에 의하여 이상이 검지된 경우에 자동으로 폐쇄되는 기능

다. 긴급차단밸브는 그 개폐상태가 당해 긴급차단밸브의 설치장소에서 용이하게 확인될 수 있을 것

라. 긴급차단밸브를 지하에 설치하는 경우에는 긴급차단밸브를 점검상자 안에 유지할 것. 다만, 긴급차단밸브를 도로외의 장소에 설치하고 당해 긴급차단밸브의 점검이 가능하도록 조치하는 경우에는 그러하지 아니하다.

마. 긴급차단밸브는 당해 긴급차단밸브의 관리에 관계하는 자외의 자가 수동으로 개폐할 수 없도록 할 것

12. 위험물 제거조치

배관에는 서로 인접하는 2개의 긴급차단밸브 사이의 구간마다 당해 배관 안의 위험물을 안전하게 물 또는 불연성기체로 치환할 수 있는 조치를 하여야 한다.

13. 감진장치 등

배관의 경로에는 안전상 필요한 장소와 25km의 거리마다 감진장치 및 강진계를 설치하여야 한다.

14. 경보설비

이송취급소에는 다음 각 목의 기준에 의하여 경보설비를 설치하여야 한다.

가. 이송기지에는 비상벨장치 및 확성장치를 설치할 것

나. 가연성증기를 발생하는 위험물을 취급하는 펌프실등에는 가연성증기 경보설비를 설치할 것

15. 순찰차 등

배관의 경로에는 다음 각 목의 기준에 따라 순찰차를 배치하고 기자재창고를 설치하여야 한다.

가. 순찰차

1) 배관계의 안전관리상 필요한 장소에 둘 것

2) 평면도 · 종횡단면도 그 밖에 배관등의 설치상황을 표시한 도면, 가스탐지기, 통신장비, 휴대용조명기구, 응급누설방지기구, 확성기, 방화복(또는 방열복), 소화기, 경계로프, 삽, 곡괭이 등 점검 · 정비에 필요한 기자재를 비치할 것

나. 기자재창고

1) 이송기지, 배관경로(5km 이하인 것을 제외한다)의 5km 이내마다의 방재상 유효한 장소 및 주요한 하천 · 호소 · 해상 · 해저를 횡단하는 장소의 근처에 각각 설치할 것. 다만, 특정이송취급소 외의 이송취급소에 있어서는 배관경로에는 설치하지 아니할 수 있다.

2) 기자재창고에는 다음의 기자재를 비치할 것

가) 3%로 희석하여 사용하는 포소화약제 400ℓ 이상, 방화복(또는 방열복) 5벌 이상, 삽 및 곡괭이 각 5개 이상

나) 유출한 위험물을 처리하기 위한 기자재 및 응급조치를 위한 기자재

16. 비상전원

운전상태의 감시장치 · 안전제어장치 · 압력안전장치 · 누설검지장치 · 긴급차단밸브 · 소화설비 및 경보설비에는 상용전원이 고장인 경우에 자동적으로 작동할 수 있는 비상전원을 설치하여야 한다.

17. 접지 등

가. 배관계에는 안전상 필요에 따라 접지 등의 설비를 할 것

나. 배관계는 안전상 필요에 따라 지지물 그 밖의 구조물로부터 절연할 것

다. 배관계에는 안전상 필요에 따라 절연용접속을 할 것

라. 피뢰설비의 접지장소에 근접하여 배관을 설치하는 경우에는 절연을 위하여 필요한 조치를 할 것

18. 피뢰설비

이송취급소(위험물을 이송하는 배관등의 부분을 제외한다)에는 피뢰설비를 설치하여야 한다. 다만, 주위의 상황에 의하여 안전상 지장이 없는 경우에는 그러하지 하지 아니하다.

19. 전기설비

이송취급소에 설치하는 전기설비는 전기사업법에 의한 전기설비기술기준에 의하여야 한다.

20. 표지 및 게시판

가. 이송취급소(위험물을 이송하는 배관등의 부분을 제외한다)에는 별표 4 Ⅲ 제1호의 기준에 따라 보기 쉬운 곳에 "위험물 이송취급소"라는 표시를 한 표지와 동표 Ⅲ 제2호의 기준에 따라 방화에 관하여 필요한 사항을 게시한 게시판을 설치하여야 한다.

나. 배관의 경로에는 소방청장이 정하여 고시하는 바에 따라 위치표지 · 주의표시 및 주의표지를 설치하여야 한다.

21. 안전설비의 작동시험

안전설비로서 소방청장이 정하여 고시하는 것은 소방청장이 정하여 고시하는 방법에 따라 시험을 실시하여 정상으로 작동하는 것이어야 한다.

22. 선박에 관계된 배관계의 안전설비 등

위험물을 선박으로부터 이송하거나 선박에 이송하는 경우의 배관계의 안전설비 등에 있어서 제7호 내지 제21호의 규정에 의하는 것이 현저히 곤란한 경우에는 다른 안전조치를 강구할 수 있다.

23. 펌프 등

펌프 및 그 부속설비(이하 "펌프등"이라 한다)를 설치하는 경우에는 다음 각 목의 기준에 의하여야 한다.

가. 펌프등(펌프를 펌프실 내에 설치한 경우에는 당해 펌프실을 말한다. 이하 나목에서 같다)은 그 주위에 다음 표에 의한 공지를 보유할 것. 다만, 벽 · 기둥 및 보를 내화구조로 하고 지붕을 폭발력이 위로 방출될 정도의 가벼운 불연재료로 한 펌프실에 펌프를 설치한 경우에는 다음 표에 의한 공지의 너비의 3분의 1로 할 수 있다.

펌프등의 최대상용압력	공지의 너비
1MPa 미만	3m 이상
1MPa 이상 3MPa 미만	5m 이상
3MPa 이상	15m 이상

나. 펌프등은 Ⅲ 제5호 나목의 규정에 준하여 그 주변에 안전거리를 둘 것. 다만, 위험물의 유출확산을 방지할 수 있는 방화상 유효한 담 등의 공작물을 주위상황에 따라 설치하는 등 안전상 필요한 조치를 하는 경우에는 그러하지 아니하다.

다. 펌프는 견고한 기초 위에 고정하여 설치할 것

라. 펌프를 설치하는 펌프실은 다음의 기준에 적합하게 할 것

1) 불연재료의 구조로 할 것. 이 경우 지붕은 폭발력이 위로 방출될 정도의 가벼운 불연재료이어야 한다.

2) 창 또는 출입구를 설치하는 경우에는 갑종방화문 또는 을종방화문으로 할 것

3) 창 또는 출입구에 유리를 이용하는 경우에는 망입유리로 할 것

4) 바닥은 위험물이 침투하지 아니하는 구조로 하고 그 주변에 높이 20cm 이상의 턱을 설치할 것

5) 누설한 위험물이 외부로 유출되지 아니하도록 바닥은 적당한 경사를 두고 그 최저부에 집유설비를 할 것

6) 가연성증기가 체류할 우려가 있는 펌프실에는 배출설비를 할 것

7) 펌프실에는 위험물을 취급하는데 필요한 채광 · 조명 및 환기 설비를 할 것

마. 펌프등을 옥외에 설치하는 경우에는 다음의 기준에 의할 것

1) 펌프등을 설치하는 부분의 지반은 위험물이 침투하지 아니하는 구조로 하고 그 주위에는 높이 15cm 이상의 턱을 설치할 것

2) 누설한 위험물이 외부로 유출되지 아니하도록 배수구 및 집유설비를 설치할 것

24. 피그장치

피그장치를 설치하는 경우에는 다음 각 목의 기준에 의하여야 한다.

가. 피그장치는 배관의 강도와 동등 이상의 강도를 가질 것

나. 피그장치는 당해 장치의 내부압력을 안전하게 방출할 수 있고 내부압력을 방출한 후가 아니면 피그를 삽입하거나 배출할 수 없는 구조로 할 것

다. 피그장치는 배관 내에 이상응력이 발생하지 아니하도록 설치할 것

라. 피그장치를 설치한 장소의 바닥은 위험물이 침투하지 아니하는 구조로 하고 누설한 위험물이 외부로 유출되지 아니하도록 배수구 및 집유설비를 설치할 것

마. 피그장치의 주변에는 너비 3m 이상의 공지를 보유할 것. 다만, 펌프실내에 설치하는 경우에는 그러하지 아니하다.

25. 밸브

교체밸브 · 제어밸브 등은 다음 각 목의 기준에 의하여 설치하여야 한다.

가. 밸브는 원칙적으로 이송기지 또는 전용부지내에 설치할 것

나. 밸브는 그 개폐상태가 당해 밸브의 설치장소에서 쉽게 확인할 수 있도록 할 것

다. 밸브를 지하에 설치하는 경우에는 점검상자 안에 설치할 것

라. 밸브는 당해 밸브의 관리에 관계하는 자가 아니면 수동으로 개폐할 수 없도록 할 것

26. 위험물의 주입구 및 토출구

위험물의 주입구 및 토출구는 다음 각 목의 기준에 의하여야 한다.

가. 위험물의 주입구 및 토출구는 화재예방상 지장이 없는 장소에 설치할 것

나. 위험물의 주입구 및 토출구는 위험물을 주입하거나 토출하는 호스 또는 배관과 결합이 가능하고 위험물의 유출이 없도록 할 것

다. 위험물의 주입구 및 토출구에는 위험물의 주입구 또는 토출구가 있다는 내용과 화재예방과 관련된 주의사항을 표시한 게시판을 설치할 것

라. 위험물의 주입구 및 토출구에는 개폐가 가능한 밸브를 설치할 것

27. 이송기지의 안전조치

가. 이송기지의 구내에는 관계자 외의 자가 함부로 출입할 수 없도록 경계표시를 할 것. 다만, 주위의 상황에 의하여 관계자 외의 자가 출입할 우려가 없는 경우에는 그러하지 아니하다.

나. 이송기지에는 다음의 기준에 의하여 당해 이송기지 밖으로 위험물이 유출되는 것을 방지할 수 있는 조치를 할 것

1) 위험물을 취급하는 시설(지하에 설치된 것을 제외한다)은 이송기지의 부지경계선으로부터 당해 배관의 최대상용압력에 따라 다음 표에 정한 거리(국토의 계획 및 이용에 관한 법률에 의한 전용공업지역 또는 공업지역에 설치하는 경우에는 당해 거리의 3분의 1의 거리)를 둘 것

배관의 최대상용압력	거리
0.3MPa 미만	5m 이상
0.3MPa 이상 1MPa 미만	9m 이상
1MPa 이상	15m 이상

2) 제4류 위험물(온도 20℃의 물 100g에 용해되는 양이 1g 미만인 것에 한한다)을 취급하는 장소에는 누설한 위험물이 외부로 유출되지 아니하도록 유분리장치를 설치할 것

3) 이송기지의 부지경계선에 높이 50cm 이상의 방유제를 설치할 것

Ⅴ. 이송취급소의 기준의 특례

1. 위험물을 이송하기 위한 배관의 연장(당해 배관의 기점 또는 종점이 2 이상인 경우에는 임의의 기점에서 임의의 종점까지의 당해 배관의 연장 중 최대의 것을 말한다. 이하 같다)이 15km를 초과하거나 위험물을 이송하기 위한 배관에 관계된 최대상용압력이 950kPa 이상이고 위험물을 이송하기 위한 배관의 연장이 7km 이상인 것(이하 "특정이송취급소"라 한다)이 아닌 이송취급소에 대하여는 Ⅳ 제7호 가목, Ⅳ 제8호 가목, Ⅳ 제10호 가목 2) 및 3)과 제13호의 규정은 적용하지 아니한다.
2. Ⅳ 제9호 가목의 규정은 유격작용등에 의하여 배관에 생긴 응력이 주하중에 대한 허용응력도를 초과하지 아니하는 배관계로서 특정이송취급소 외의 이송취급소에 관계된 것에는 적용하지 아니한다.
3. Ⅳ 제10호 나목의 규정은 위험물을 이송하기 위한 배관에 관계된 최대상용압력이 1MPa 미만이고 내경이 100mm 이하인 배관으로서 특정이송취급소 외의 이송취급소에 관계된 것에는 적용하지 아니한다.
4. 특정이송취급소 외의 이송취급소에 설치된 배관의 긴급차단밸브는 Ⅳ 제11호 나목 1)의 규정에 불구하고 현지조작에 의하여 폐쇄하는 기능이 있는 것으로 할 수 있다. 다만, 긴급차단밸브가 다음 각 목의 1에 해당하는 배관에 설치된 경우에는 그러하지 아니하다.
   가. 하천법 제7조 제2항에 따른 국가하천 · 하류부근에 수도법 제3조 제17호에 따른 수도시설(취수시설에 한한다)이 있는 하천 또는 계획하폭이 50m 이상인 하천으로서 위험물이 유입될 우려가 있는 하천을 횡단하여 설치된 배관
   나. 해상 · 해저 · 호소등을 횡단하여 설치된 배관
   다. 산 등 경사가 있는 지역에 설치된 배관
   라. 철도 또는 도로 중 산이나 언덕을 절개하여 만든 부분을 횡단하여 설치된 배관
5. 제1호 내지 제4호에 규정하지 아니한 것으로서 특정이송취급소가 아닌 이송취급소의 기준의 특례에 관하여 필요한 사항은 소방청장이 정하여 고시할 수 있다.

13 [별표 16] 일반취급소의 위치·구조 및 설비의 기준

시행규칙 제40조(일반취급소의 기준) 법 제5조 제4항의 규정에 의한 제조소등의 위치 · 구조 및 설비의 기준 중 일반취급소에 관한 것은 별표 16과 같다.

Ⅰ. 일반취급소의 기준

1. 별표 4 Ⅰ 부터 Ⅹ까지의 규정은 일반취급소의 위치 · 구조 및 설비의 기술기준에 대하여 준용한다.
2. 제1호에도 불구하고 다음 각 목에 정하는 일반취급소에 대하여는 각각 Ⅱ부터 Ⅹ까지의 규정 및 Ⅹ의2에서 정한 특례에 의할 수 있다.
   가. 도장, 인쇄 또는 도포를 위하여 제2류 위험물 또는 제4류 위험물(특수인화물을 제외한다)을 취급하는 일반취급소로서 지정수량의 30배 미만의 것(위험물을 취급하는 설비를 건축물에 설치하는 것에 한하며, 이하 "분무도장작업등의 일반취급소"라 한다)
   나. 세정을 위하여 위험물(인화점이 40℃ 이상인 제4류 위험물에 한한다)을 취급하는 일반취급소로서 지정수량의 30배 미만의 것(위험물을 취급하는 설비를 건축물에 설치하는 것에 한하며, 이하 "세정작업의 일반취급소"라 한다)
   다. 열처리작업 또는 방전가공을 위하여 위험물(인화점이 70℃ 이상인 제4류 위험물에 한한다)을 취급하는 일반취급소로서 지정수량의 30배 미만의 것(위험물을 취급하는 설비를 건축물에 설치하는 것에 한하며, 이하 "열처리작업 등의 일반취급소"라 한다)
   라. 보일러, 버너 그 밖의 이와 유사한 장치로 위험물(인화점이 38℃ 이상인 제4류 위험물에 한한다)을 소비하는 일반취급소로서 지정수량의 30배 미만의 것(위험물을 취급하는 설비를 건축물에 설치하는 것에 한하며, 이하 "보일러등으로 위험물을 소비하는 일반취급소"라 한다)
   마. 이동저장탱크에 액체위험물(알킬알루미늄등, 아세트알데히드등 및 히드록실아민등을 제외한다. 이하 이 호에서 같다)을 주입하는 일반취급소(액체위험물을 용기에 옮겨 담는 취급소를 포함하며, 이하 "충전하는 일반취급소"라 한다)
   바. 고정급유설비에 의하여 위험물(인화점이 38℃ 이상인 제4류 위험물에 한한다)을 용기에 옮겨 담거나 4,000ℓ 이하의 이동저장탱크(용량이 2,000ℓ를 넘는 탱크에 있어서는 그 내부를 2,000ℓ 이하마다 구획한 것에 한한다)에 주입하는 일반취급소로서 지정수량의 40배 미만인 것(이하 "옮겨 담는 일반취급소"라 한다)
   사. 위험물을 이용한 유압장치 또는 윤활유 순환장치를 설치하는 일반취급소(고인화점 위험물만을 100℃ 미만의 온도로 취급하는 것에 한한다)로서 지정수량의 50배 미만의 것(위험물을 취급하는 설비를 건축물에 설치하는 것에 한하며, 이하 "유압장치등을 설치하는 일반취급소"라 한다)
   아. 절삭유의 위험물을 이용한 절삭장치, 연삭장치 그 밖의 이와 유사한 장치를 설치하는 일반취급소(고인화점 위험물만을 100℃ 미만의 온도로 취급하는 것에 한한다)로서 지정수량의 30배 미만의 것(위험물을 취급하는 설비를 건축물에 설치하는 것에 한하며, 이하 "절삭장치등을 설치하는 일반취급소"라 한다)
   자. 위험물 외의 물건을 가열하기 위하여 위험물(고인화점 위험물에 한한다)을 이용한 열매체유 순환장치를 설치하는 일반취급소로서 지정수량의 30배 미만의 것(위험물을 취급하는 설비를 건축물에 설치하는 것에 한하며, 이하 "열매체유 순환장치를 설치하는 일반취급소"라 한다)
   차. 화학실험을 위하여 위험물을 취급하는 일반취급소로서 지정수량의 30배 미만의 것(위험물을 취급하는 설비를 건축물에 설치하는 것만 해당하며, 이하 "화학실험의 일반취급소"라 한다)
3. 제1호 및 제2호의 규정에 불구하고 고인화점 위험물만을 Ⅺ의 규정에 의한 바에 따라 취급하는 일반취급소에 있어서는 Ⅺ에 정하는 특례에 의할 수 있다.
4. 알킬알루미늄등, 아세트알데히드등 또는 히드록실아민등을 취급하는 일반취급소는 제1호의 규정에 의하되, 당해 위험물의 성질에 따라 강화되는 기준은 제Ⅻ의 규정에 의하여야 한다.
5. 제1호의 규정에 불구하고 발전소 · 변전소 · 개폐소 그 밖에 이에 준하는 장소(이하 이 호에서 "발전소등"이라 한다)에 설치되는 일반취급소에 대하여는 Ⅰ 제1호의 규정에 의하여 준용되는 별표 4 Ⅰ · Ⅱ · Ⅳ 및 Ⅶ의 규정을 적용하지 아니하며, 발전소등에 설치되는 변압기 · 반응기 · 전압조정기 · 유입(油入)개폐기 · 차단기 · 유입콘덴서 · 유입케이블 및 이에 부속된 장치로서 기기의 냉각 또는 절연을 위한 유류를 내장하여 사용하는 것에 대하여는 Ⅰ 제1호의 규정에 의하여 준용되는 별표 4의 규정을 적용하지 아니한다.

Ⅱ. 분무도장작업등의 일반취급소의 특례

Ⅰ 제2호 가목의 일반취급소 중 그 위치 · 구조 및 설비가 다음 각 호의 규정에 의한 기준에 적합한 것에 대하여는 Ⅰ 제1호의 규정에 의하여 준용되는 별표 4 Ⅰ · Ⅱ · Ⅳ · Ⅴ. 및 Ⅵ의 규정은 적용하지 아니한다.

1. 건축물 중 일반취급소의 용도로 사용하는 부분에 지하층이 없을 것
2. 건축물 중 일반취급소의 용도로 사용하는 부분은 벽 · 기둥 · 바닥 · 보 및 지붕(상층이 있는 경우에는 상층의 바닥)을 내화구조로 하고, 출입구 외의 개구부가 없는 두께 70mm 이상의 철근콘크리트조 또는 이와 동등 이상의 강도가 있는 구조의 바닥 또는 벽으로 당해 건축물의 다른 부분과 구획될 것
3. 건축물 중 일반취급소의 용도로 사용하는 부분에는 창을 설치하지 아니할 것
4. 건축물 중 일반취급소의 용도로 사용하는 부분의 출입구에는 갑종방화문을 설치하되, 연소의 우려가 있는 외벽 및 당해 부분 외의 부분과의 격벽에 있는 출입구에는 수시로 열 수 있는 자동폐쇄식의 것으로 할 것
5. 액상의 위험물을 취급하는 건축물 중 일반취급소의 용도로 사용하는 부분의 바닥은 위험물이 침투하지 아니하는 구조로 하고, 적당한 경사를 두어 집유설비를 설치할 것
6. 건축물 중 일반취급소의 용도로 사용하는 부분에는 위험물을 취급하는데 필요한 채광 · 조명 및 환기의 설비를 설치할 것
7. 가연성의 증기 또는 가연성의 미분이 체류할 우려가 있는 일반취급소의 용도로 사용하는 부분에는 그 증기 또는 미분을 옥외의 높은 곳으로 배출하는 설비를 설치할 것
8. 환기설비 및 배출설비에는 방화상 유효한 댐퍼 등을 설치할 것

Ⅲ. 세정작업의 일반취급소의 특례

1. Ⅰ 제2호 나목의 일반취급소 중 그 위치 · 구조 및 설비가 다음 각 목에 정하는 기준에 적합한 것에 대하여는 Ⅰ 제1호의 규정에 의하여 준용되는 별표 4 Ⅰ · Ⅱ · Ⅳ · Ⅴ. 및 Ⅵ의 규정은 적용하지 아니한다.
   가. 위험물을 취급하는 탱크(용량이 지정수량의 5분의 1 미만인 것을 제외한다)의 주위에는 별표 4 Ⅸ 제1호 나목 1)의 규정을 준용하여 방유턱을 설치할 것
   나. 위험물을 가열하는 설비에는 위험물의 과열을 방지할 수 있는 장치를 설치할 것
   다. Ⅱ 각 호의 기준에 적합할 것
2. Ⅰ 제2호 나목의 일반취급소 중 지정수량의 10배 미만의 것으로서 그 위치 · 구조 및 설비가 다음 각 목에 정하는 기준에 적합한 것에 대하여는 Ⅰ 제1호의 규정에 의하여 준용되는 별표 4 Ⅰ · Ⅱ · Ⅳ · Ⅴ. 및 Ⅵ의 규정은 적용하지 아니한다.
   가. 일반취급소는 벽 · 기둥 · 바닥 · 보 및 지붕이 불연재료로 되어 있고, 천장이 없는 단층 건축물에 설치할 것
   나. 위험물을 취급하는 설비(위험물을 이송하기 위한 배관을 제외한다)는 바닥에 고정하고, 당해 설비의 주위에 너비 3m 이상의 공지를 보유할 것. 다만, 당해 설비로부터 3m 미만의 거리에 있는 건축물의 벽(수시로 열 수 있는 자동폐쇄식의 갑종방화문이 달려 있는 출입구 외의 개구부가 없는 것에 한한다) 및 기둥이 내화구조인 경우에는 당해 설비에서 당해 벽 및 기둥까지의 공지를 보유하는 것으로 할 수 있다.
   다. 건축물 중 일반취급소의 용도로 사용하는 부분(나목의 공지를 포함한다. 이하 바목에서 갈다)의 바닥은 위험물이 침투하지 아니하는 구조로 하고 적당한 경사를 두어 집유설비를 설치하는 한편, 집유설비 및 당해 바닥의 주위에 배수구를 설치할 것
   라. 위험물을 취급하는 설비는 당해 설비의 내부에서 발생한 가연성의 증기 또는 가연성의 미분이 당해 설비의 외부에 확산하지 아니하는 구조로 할 것. 다만, 그 증기 또는 미분을 직접 옥외의 높은 곳으로 유효하게 배출할 수 있는 설비를 설치하는 경우에는 그러하지 아니하다.
   마. 라목 단서의 설비에는 방화상 유효한 댐퍼 등을 설치할 것
   바. Ⅱ 제6호 내지 제8호, 제1호 가목 및 나목의 기준에 적합할 것

Ⅳ. 열처리작업등의 일반취급소의 특례

1. Ⅰ 제2호 다목의 일반취급소 중 그 위치 · 구조 및 설비가 다음 각 목에 정하는 기준에 적합한 것에 대하여는 Ⅰ 제1호의 규정에 의하여 준용되는 별표 4 Ⅰ · Ⅱ · Ⅳ · Ⅴ. 및 Ⅵ의 규정은 적용하지 아니한다.
   가. 건축물 중 일반취급소의 용도로 사용하는 부분은 벽 · 기둥 · 바닥 및 보를 내화구조로 하고, 출입구 외의 개구부가 없는 두께 70mm 이상의 철근콘크리트조 또는 이와 동등 이상의 강도가 있는 구조의 바닥 또는 벽으로 당해 건축물의 다른 부분과 구획될 것
   나. 건축물 중 일반취급소의 용도로 사용하는 부분은 상층이 있는 경우에 있어서는 상층의 바닥을 내화구조로 하고, 상층이 없는 경우에 있어서는 지붕을 불연재료로 할 것

다. 건축물 중 일반취급소의 용도로 사용하는 부분에는 위험물이 위험한 온도에 이르는 것을 경보할 수 있는 장치를 설치할 것
라. Ⅱ(제2호를 제외한다)의 기준에 적합할 것

2. Ⅰ 제2호 다목의 일반취급소 중 지정수량의 10배 미만의 것으로서 그 위치 · 구조 및 설비가 다음 각 목에 정하는 기준에 적합한 것에 대하여는 Ⅰ 제1호의 규정에 의하여 준용되는 별표 4 Ⅰ · Ⅱ · Ⅳ · Ⅴ. 및 Ⅵ의 규정은 적용하지 아니한다.
가. 위험물을 취급하는 설비(위험물을 이송하기 위한 배관을 제외한다)는 바닥에 고정하고, 당해 설비의 주위에 너비 3m 이상의 공지를 보유할 것. 다만, 당해 설비로부터 3m 미만의 거리에 있는 건축물의 벽(수시로 열 수 있는 자동폐쇄식의 갑종방화문이 달려 있는 출입구 외의 개구부가 없는 것에 한한다) 및 기둥이 내화구조인 경우에는 당해 설비에서 당해 벽 및 기둥까지의 공지를 보유하는 것으로 할 수 있다.
나. 건축물 중 일반취급소의 용도로 사용하는 부분(가목의 공지를 포함한다. 이하 다목에서 같다)의 바닥은 위험물이 침투하지 아니하는 구조로 하고 적당한 경사를 두어 집유설비를 설치하는 한편, 집유설비 및 당해 바닥의 주위에 배수구를 설치할 것
다. Ⅱ 제6호 내지 제8호, Ⅲ 제2호 가목 및 제1호 다목의 기준에 적합할 것

Ⅴ. 보일러등으로 위험물을 소비하는 일반취급소의 특례

1. Ⅰ 제2호 라목의 일반취급소 중 그 위치 · 구조 및 설비가 다음 각 목에 정하는 기준에 적합한 것에 대하여는 Ⅰ 제1호의 규정에 의하여 준용되는 별표 4 Ⅰ · Ⅱ · Ⅳ · Ⅴ. 및 Ⅵ의 규정은 적용하지 아니한다.
가. Ⅱ 제3호 내지 제8호 및 Ⅳ 제1호 가목 및 나목의 규정에 의한 기준에 적합할 것
나. 건축물 중 일반취급소의 용도로 제공하는 부분에는 지진시 및 정전시 등의 긴급시에 보일러, 버너 그 밖에 이와 유사한 장치(비상용전원과 관련되는 것을 제외한다)에 대한 위험물의 공급을 자동적으로 차단하는 장치를 설치할 것
다. 위험물을 취급하는 탱크는 그 용량의 총계를 지정수량 미만으로 하고, 당해 탱크(용량이 지정수량의 5분의 1 미만의 것을 제외한다)의 주위에 별표 4 Ⅸ 제1호 나목 1)의 규정을 준용하여 방유턱을 설치할 것

2. Ⅰ 제2호 라목의 일반취급소 중 지정수량의 10배 미만의 것으로서 그 위치 · 구조 및 설비가 다음 각 목에 정하는 기준에 적합한 것에 대하여는 Ⅰ 제1호의 규정에 의하여 준용되는 별표 4 Ⅰ · Ⅱ · Ⅳ · Ⅴ. 및 Ⅵ의 규정은 적용하지 아니한다.
가. 위험물을 취급하는 설비(위험물을 이송하기 위한 배관을 제외한다)는 바닥에 고정하고, 당해 설비의 주위에 너비 3m 이상의 공지를 보유할 것. 다만, 당해 설비로부터 3m 미만의 거리에 있는 건축물의 벽(수시로 열 수 있는 자동폐쇄식의 갑종방화문이 달려 있는 출입구 외의 개구부가 없는 것에 한한다) 및 기둥이 내화구조인 경우에는 당해 설비에서 당해 벽 및 기둥까지의 공지를 보유하는 것으로 할 수 있다.
나. 건축물 중 일반취급소의 용도로 사용하는 부분(가목의 공지를 포함한다. 이하 다목에서 같다)의 바닥은 위험물이 침투하지 아니하는 구조로 하고 적당한 경사를 두는 한편, 집유설비 및 당해 바닥의 주위에 배수구를 설치할 것
다. Ⅱ 제6호 내지 제8호, Ⅲ 제2호 가목, 제1호 나목 및 다목의 기준에 적합할 것

3. Ⅰ 제2호 라목의 일반취급소 중 지정수량의 10배 미만의 것으로서 그 위치 · 구조 및 설비가 다음 각 목의 규정에 의한 기준에 적합한 것에 대하여는 Ⅰ 제1호의 규정에 의하여 준용되는 별표 4 Ⅰ · Ⅱ · Ⅳ · Ⅴ · Ⅵ · Ⅶ 및 Ⅸ 제1호 나목의 규정은 적용하지 아니한다.
가. 일반취급소는 벽 · 기둥 · 바닥 · 보 및 지붕이 내화구조인 건축물의 옥상에 설치할 것
나. 위험물을 취급하는 설비(위험물을 이송하기 위한 배관을 제외한다)는 옥상에 고정할 것
다. 위험물을 취급하는 설비(위험물을 취급하는 탱크 및 위험물을 이송하기 위한 배관을 제외한다)는 큐비클식(강판으로 만들어진 보호상자에 수납되어 있는 방식을 말한다)의 것으로 하고, 당해 설비의 주위에 높이 0.15m 이상의 방유턱을 설치할 것
라. 다목의 설비의 내부에는 위험물을 취급하는데 필요한 채광 · 조명 및 환기의 설비를 설치할 것
마. 위험물을 취급하는 탱크는 그 용량의 총계를 지정수량 미만으로 할 것
바. 옥외에 있는 위험물을 취급하는 탱크의 주위에는 별표 4 Ⅸ 제1호 나목 1)의 규정을 준용하여 높이 0.15m 이상의 방유턱을 설치할 것
사. 다목 및 바목의 방유턱의 주위에 너비 3m 이상의 공지를 보유할 것. 다만, 당해 설비로부터 3m 미만의 거리에 있는 건축물의 벽(수시로 열 수 있는 자동폐쇄식의 갑종방화문이 달려 있는 출입구 외의 개구부가 없는 것에 한한다) 및 기둥이 내화구조인 경우에는 당해 설비에서 당해 벽 및 기둥까지의 공지를 보유하는 것으로 할 수 있다.
아. 다목 및 바목의 방유턱의 내부는 위험물이 침투하지 아니하는 구조로 하고, 적당한 경사를 두어 집유설비를 설치할 것. 이 경우 위험물이 직접 배수구에 유입하지 아니하도록 집유설비에 유분리장치를 설치하여야 한다.
자. 옥내에 있는 위험물을 취급하는 탱크는 다음의 기준에 적합한 탱크전용실에 설치할 것
1) 별표 7 Ⅰ 제1호 너목 내지 머목의 기준을 준용할 것
2) 탱크전용실은 바닥을 내화구조로 하고, 벽 · 기둥 및 보를 불연재료로 할 것

3) 탱크전용실에는 위험물을 취급하는데 필요한 채광 · 조명 및 환기의 설비를 설치할 것

4) 가연성의 증기 또는 가연성의 미분이 체류할 우려가 있는 탱크전용실에는 그 증기 또는 미분을 옥외의 높은 곳으로 배출하는 설비를 설치할 것

5) 위험물을 취급하는 탱크의 주위에는 별표 4 Ⅸ 제1호 나목 1)의 규정을 준용하여 방유턱을 설치하거나 탱크전용실의 출입구의 턱의 높이를 높게 할 것

차. 환기설비 및 배출설비에는 방화상 유효한 댐퍼 등을 설치할 것

카. 제1호 나목의 기준에 적합할 것

Ⅵ. 충전하는 일반취급소의 특례

Ⅰ 제2호 마목의 일반취급소 중 그 위치 · 구조 및 설비가 다음 각 호의 규정에 의한 기준에 적합한 것에 대하여는 Ⅰ 제1호의 규정에 의하여 준용되는 별표 4 Ⅳ 제2호 내지 제6호 · Ⅴ · Ⅵ 및 Ⅶ의 규정은 적용하지 아니한다.

1. 건축물을 설치하는 경우에 있어서 당해 건축물은 벽 · 기둥 · 바닥 · 보 및 지붕을 내화구조 또는 불연재료로 하고, 창 및 출입구에 갑종방화문 또는 을종방화문을 설치하여야 한다.
2. 제1호의 건축물의 창 또는 출입구에 유리를 설치하는 경우에는 망입유리로 하여야 한다.
3. 제1호의 건축물의 2 방향 이상은 통풍을 위하여 벽을 설치하지 아니하여야 한다.
4. 위험물을 이동저장탱크에 주입하기 위한 설비(위험물을 이송하는 배관을 제외한다)의 주위에 필요한 공지를 보유하여야 한다.
5. 위험물을 용기에 옮겨 담기 위한 설비를 설치하는 경우에는 당해 설비(위험물을 이송하는 배관을 제외한다)의 주위에 필요한 공지를 제4호의 공지 외의 장소에 보유하여야 한다.
6. 제4호 및 제5호의 공지는 그 지반면을 주위의 지반면보다 높게 하고, 그 표면에 적당한 경사를 두며, 콘크리트 등으로 포장하여야 한다.
7. 제4호 및 제5호의 공지에는 누설한 위험물 그 밖의 액체가 당해 공지 외의 부분에 유출하지 아니 하도록 집유설비 및 주위에 배수구를 설치하여야 한다. 이 경우 제4류 위험물(온도 20℃의 물 100g에 용해되는 양이 1g 미만인 것에 한한다)을 취급하는 공지에 있어서는 집유설비에 유분리장치를 설치하여야 한다.

Ⅶ. 옮겨 담는 일반취급소의 특례

Ⅰ 제2호 바목의 일반취급소 중 그 위치 · 구조 및 설비가 다음 각 호의 규정에 의한 기준에 적합한 것에 대하여는 Ⅰ 제1호의 규정에 의하여 준용되는 별표 4 Ⅰ · Ⅱ · Ⅳ · Ⅴ. 내지 Ⅶ · Ⅷ(제5호를 제외한다) 및 Ⅸ의 규정은 적용하지 아니한다.

1. 일반취급소에는 고정급유설비 중 호스기기의 주위(현수식의 고정급유설비에 있어서는 호스기기의 아래)에 용기에 옮겨 담거나 탱크에 주입하는데 필요한 공지를 보유하여야 한다.
2. 제1호의 공지는 그 지반면을 주위의 지반면보다 높게 하고, 그 표면에 적당한 경사를 두며, 콘크리트등으로 포장하여야 한다.
3. 제1호의 공지에는 누설한 위험물 그 밖의 액체가 당해 공지 외의 부분에 유출하지 아니하도록 배수구 및 유분리장치를 설치하여야 한다.
4. 일반취급소에는 고정급유설비에 접속하는 용량 40,000ℓ 이하의 지하의 전용탱크(이하 "지하전용탱크"라 한다)를 지반면하에 매설하는 경우 외에는 위험물을 취급하는 탱크를 설치하지 아니하여야 한다.
5. 지하전용탱크의 위치 · 구조 및 설비는 별표 8 Ⅰ[제5호 · 제10호(게시판에 관한 부분에 한한다) · 제11호 · 제14호를 제외한다] · 별표 8 Ⅱ[별표 8 Ⅰ 제5호 · 제10호(게시판에 관한 부분에 한한다) · 제11호 · 제14호를 제외한다] 또는 별표 8 Ⅲ[별표 8 Ⅰ 제5호 · 제10호(게시판에 관한 부분에 한한다) · 제11호 · 제14호를 제외한다]의 규정에 의한 지하저장탱크의 위치 · 구조 및 설비의 기준을 준용하여야 한다.
6. 고정급유설비에 위험물을 주입하기 위한 배관은 당해 고정급유설비에 접속하는 지하전용탱크로부터의 배관만으로 하여야 한다.
7. 고정급유설비는 별표 13 Ⅳ(제4호를 제외한다)의 규정에 의한 주유취급소의 고정주유설비 또는 고정급유설비의 기준을 준용하여야 한다.
8. 고정급유설비는 도로경계선으로부터 다음 표에 정하는 거리 이상, 건축물의 벽으로부터 2m(일반취급소의 건축물의 벽에 개구부가 없는 경우에는 당해 벽으로부터 1m) 이상, 부지경계선으로부터 1m 이상의 간격을 유지하여야 한다. 다만, 호스기기와 분리하여 별표 13 Ⅸ의 기준에 적합하고 벽 · 기둥 · 바닥 · 보 및 지붕(상층이 있는 경우에는 상층의 바닥)이 내화구조인 펌프실에 설치하는 펌프기기 또는 액중펌프기기에 있어서는 그러하지 아니하다.

고정급유설비의 구분		거리
현수식의 고정급유설비		4m
그 밖의 고정급유설비	고정급유설비에 접속되는 급유호스중 그 전체길이가 최대인 것의 전체길이(이하 이 표에서 "최대급유호스길이"라 한다)가 3m 이하의 것	4m
	최대급유호스길이가 3m 초과 4m 이하의 것	5m
	최대급유호스길이가 4m 초과 5m 이하의 것	6m

9. 현수식의 고정급유설비를 설치하는 일반취급소에는 당해 고정급유설비의 펌프기기를 정지하는 등에 의하여 지하전용탱크로부터의 위험물의 이송을 긴급히 중단할 수 있는 장치를 설치하여야 한다.
10. 일반취급소의 주위에는 높이 2m 이상의 내화구조 또는 불연재료로 된 담 또는 벽을 설치하여야 한다. 이 경우 당해 일반취급소에 인접하여 연소의 우려가 있는 건축물이 있을 때에는 담 또는 벽을 별표 13 Ⅶ. 담 또는 벽의 제1호의 규정에 준하여 방화상 안전한 높이로 하여야 한다.
11. 일반취급소의 출입구에는 갑종방화문 또는 을종방화문을 설치하여야 한다.
12. 펌프실 그 밖에 위험물을 취급하는 실은 별표 13 Ⅸ의 규정에 의한 주유취급소의 펌프실 그 밖에 위험물을 취급하는 실의 기준을 준용하여야 한다.
13. 일반취급소에 지붕, 캐노피 그 밖에 위험물을 옮겨 담는데 필요한 건축물(이하 이 호 및 제14호에서 "지붕등"이라 한다)을 설치하는 경우에는 지붕등은 불연재료로 하여야 한다.
14. 지붕등의 수평투영면적은 일반취급소의 부지면적의 3분의 1 이하이어야 한다.

Ⅷ. 유압장치등을 설치하는 일반취급소의 특례

1. Ⅰ 제2호 사목의 일반취급소 중 그 위치 · 구조 및 설비가 다음 각 목의 규정에 의한 기준에 적합한 것에 대하여는 Ⅰ 제1호의 규정에 의하여 준용되는 별표 4 Ⅰ · Ⅱ · Ⅳ · Ⅴ · Ⅵ 및 Ⅷ 제6호 · 제7호의 규정은 적용하지 아니한다.
   가. 일반취급소는 벽 · 기둥 · 바닥 · 보 및 지붕이 불연재료로 만들어진 단층의 건축물에 설치할 것
   나. 건축물 중 일반취급소의 용도로 사용하는 부분은 벽 · 기둥 · 바닥 · 보 및 지붕을 불연재료로 하고, 연소의 우려가 있는 외벽은 출입구 외의 개구부가 없는 내화구조의 벽으로 할 것
   다. 건축물 중 일반취급소의 용도로 사용하는 부분의 창 및 출입구에는 갑종방화문 또는 을종방화문을 설치하고, 연소의 우려가 있는 외벽에 있는 출입구에는 수시로 열 수 있는 자동폐쇄식의 갑종방화문을 설치할 것
   라. 건축물 중 일반취급소의 용도로 사용하는 부분의 창 또는 출입구에 유리를 이용하는 경우에는 망입유리로 할 것
   마. 위험물을 취급하는 설비(위험물을 이송하기 위한 배관을 제외한다. 이하 제3호에서 같다)는 건축물 중 일반취급소의 용도로 사용하는 부분의 바닥에 견고하게 고정할 것
   바. 위험물을 취급하는 탱크(용량이 지정수량의 5분의 1 미만인 것을 제외한다)의 직하에는 별표 4 Ⅸ 제1호 나목 1)의 규정을 준용하여 방유턱을 설치하거나 건축물 중 일반취급소의 용도로 사용하는 부분의 문턱의 높이를 높게 할 것
   사. Ⅱ 제5호 내지 제8호의 기준에 적합할 것
2. Ⅰ 제2호 사목의 일반취급소 중 그 위치 · 구조 및 설비가 다음의 각 목의 규정에 의한 기준에 적합한 것에 대하여는 Ⅰ 제1호의 규정에 의하여 준용되는 별표 4 Ⅰ · Ⅱ · Ⅳ · Ⅴ · Ⅵ 및 Ⅷ 제6호 · 제7호의 규정은 적용하지 아니한다.
   가. 건축물 중 일반취급소의 용도로 사용하는 부분은 벽 · 기둥 · 바닥 및 보를 내화구조로 할 것
   나. Ⅱ 제3호 내지 제8호, Ⅳ 제1호 나목 및 제1호 바목의 기준에 적합할 것
3. Ⅰ 제2호 사목의 일반취급소 중 지정수량의 30배 미만의 것으로서 그 위치 · 구조 및 설비가 다음 각 목의 규정에 의한 기준에 적합한 것에 대하여는 Ⅰ 제1호의 규정에 의하여 준용되는 별표 4 Ⅰ · Ⅱ · Ⅳ · Ⅴ · Ⅵ 및 Ⅷ 제6호 · 제7호의 규정은 적용하지 아니한다.
   가. 위험물을 취급하는 설비는 바닥에 고정하고, 당해 설비의 주위에 너비 3m 이상의 공지를 보유할 것. 다만, 당해 설비로부터 3m 미만의 거리에 있는 건축물의 벽(수시로 열 수 있는 자동폐쇄식의 갑종방화문이 달려 있는 출입구 외의 개구부가 없는 것에 한한다) 및 기둥이 내화구조인 경우에는 당해 설비에서 당해 벽 및 기둥까지의 공지를 보유하는 것으로 할 수 있다.
   나. 건축물 중 일반취급소의 용도로 사용하는 부분(가목의 공지를 포함한다. 이하 라목에서 같다)의 바닥은 위험물이 침투하지 아니하는 구조로 하고, 적당한 경사를 두어 집유설비 및 당해 바닥의 주위에 배수구를 설치할 것

다. 위험물을 취급하는 탱크(용량이 지정수량의 5분의 1 미만의 것을 제외한다)의 직하에는 별표 4 Ⅸ 제1호 나목 1)의 규정을 준용하여 방유턱을 설치할 것

라. Ⅱ 제6호 내지 제8호 및 Ⅲ 제2호 가목의 기준에 적합할 것

Ⅸ. 절삭장치등을 설치하는 일반취급소의 특례

1. Ⅰ 제2호 아목의 일반취급소 중 그 위치 · 구조 및 설비가 Ⅱ제1호 및 제3호 내지 제8호, Ⅳ 제1호 나목 및 Ⅷ 제1호 바목 · 제2호 가목의 규정에 의한 기준에 적합한 것에 대하여는 Ⅰ제1호의 규정에 의하여 준용되는 별표 4 Ⅰ · Ⅱ · Ⅳ 및 Ⅷ제6호 · 제7호의 규정은 적용하지 아니한다.
2. Ⅰ 제2호 아목의 일반취급소 중 지정수량의 10배 미만의 것으로서 그 위치 · 구조 및 설비가 다음 각 목의 규정에 의한 기준에 적합한 것에 대하여는 Ⅰ 제1호의 규정에 의하여 준용되는 별표 4 Ⅰ · Ⅱ · Ⅳ 및 Ⅷ 제6호 · 제7호의 규정은 적용하지 아니한다.

   가. 위험물을 취급하는 설비(위험물을 이송하기 위한 배관을 제외한다)는 바닥에 고정하고, 당해 설비의 주위에 너비 3m 이상의 공지를 보유할 것. 다만, 당해 설비로부터 3m 미만의 거리에 있는 건축물의 벽(수시로 열 수 있는 자동폐쇄식의 갑종방화문이 달려있는 출입구 외의 개구부가 없는 것에 한한다) 및 기둥이 내화구조인 경우에는 당해 설비에서 당해 벽 및 기둥까지의 공지를 보유하는 것으로 할 수 있다.

   나. 건축물 중 일반취급소의 용도로 사용하는 부분(가목의 공지를 포함한다. 이하 다목에서 같다)의 바닥은 위험물이 침투하지 아니하는 구조로 하고, 적당한 경사를 두어 집유설비 및 당해 바닥의 주위에 배수구를 설치할 것

   다. Ⅱ 제6호 내지 제8호, Ⅲ 제2호 가목 및 Ⅷ 제3호 다목의 기준에 적합할 것

Ⅹ. 열매체유 순환장치를 설치하는 일반취급소의 특례

Ⅰ 제2호 자목의 일반취급소 중 그 위치 · 구조 및 설비가 다음 각 호의 규정에 의한 기준에 적합한 것에 대하여는 Ⅰ 제1호의 규정에 의하여 준용되는 별표 4 Ⅰ · Ⅱ · Ⅳ · Ⅴ. 및 Ⅵ의 규정은 적용하지 아니한다.

1. 위험물을 취급하는 설비는 위험물의 체적팽창에 의한 위험물의 누설을 방지할 수 있는 구조의 것으로 하여야 한다.
2. Ⅱ제1호 · 제3호 내지 제8호, Ⅲ 제1호 가목 · 나목 및 Ⅳ 제1호 가목 · 나목의 규정에 의한 기준에 적합하여야 한다.

Ⅹ의2. 화학실험의 일반취급소의 특례

Ⅰ 제2호 차목의 화학실험의 일반취급소 중 그 위치 · 구조 및 설비가 다음 각 호에 정한 기준에 적합한 것에 대해서는 Ⅰ 제1호에 따라 준용되는 규정 중 별표 4 Ⅰ · Ⅱ · Ⅳ · Ⅴ · Ⅵ · Ⅶ · Ⅷ(제5호는 제외한다) · Ⅸ 및 Ⅹ의 규정은 준용하지 아니한다.

1. 화학실험의 일반취급소는 벽 · 기둥 · 바닥 및 보가 내화구조인 건축물의 지하층 외의 층에 설치할 것
2. 건축물 중 화학실험의 일반취급소의 용도로 사용하는 부분은 벽 · 기둥 · 바닥 · 보 및 지붕(상층이 있는 경우에는 상층의 바닥)을 내화구조로 하고, 벽에 설치하는 창 또는 출입구에 관한 기준은 다음 각 목의 기준에 모두 적합할 것

   가. 해당 건축물의 다른 용도 부분(복도를 제외한다)과 구획하는 벽에는 창 또는 출입구를 설치하지 않을 것

   나. 해당 건축물의 복도 또는 외부와 구획하는 벽에 설치하는 창은 망입유리 또는 방화유리로 하고, 출입구에는 수시로 열 수 있는 자동폐쇄식의 갑종방화문을 설치할 것
3. 건축물 중 화학실험의 일반취급소의 용도로 사용하는 부분에는 위험물을 취급하는데 필요한 채광 · 조명 및 환기를 위한 설비를 설치할 것
4. 가연성의 증기 또는 가연성의 미분이 체류할 우려가 있는 화학실험의 일반취급소의 용도로 사용하는 부분에는 그 증기 또는 미분을 옥외의 높은 곳으로 배출하는 설비를 설치하고, 배출덕트가 관통하는 벽부분의 바로 가까이에 화재 시 자동으로 폐쇄되는 방화댐퍼를 설치할 것
5. 위험물을 보관하는 설비는 외장을 불연재료로 하되, 제3류 위험물 중 자연발화성물질 또는 제5류 위험물을 보관하는 설비는 다음 각 목의 기준에 모두 적합한 것으로 할 것

   가. 외장을 금속재질로 할 것

   나. 보냉장치를 갖출 것

   다. 밀폐형 구조로 할 것

   라. 문에 유리를 부착하는 경우에는 망입유리 또는 방화유리로 할 것

XI. 고인화점 위험물의 일반취급소의 특례

1. Ⅰ 제3호의 일반취급소 중 그 위치 및 구조가 별표 4 XI 각 호의 규정에 의한 기준에 적합한 것에 대하여는 Ⅰ 제1호의 규정에 의하여 준용되는 별표 4 Ⅰ · Ⅱ · Ⅳ 제1호 · 제3호 내지 제5호 · Ⅷ제6호 · 제7호 및 Ⅸ 제1호 나목 2)에 의하여 준용하는 별표 6 Ⅸ 제1호 나목의 규정은 적용하지 아니한다.
2. Ⅰ 제3호의 일반취급소 중 충전하는 일반취급소로서 그 위치 · 구조 및 설비가 다음 각 목의 규정에 의한 기준에 적합한 것에 대하여는 Ⅰ 제1호의 규정에 의하여 준용되는 별표 4 Ⅰ · Ⅱ · Ⅳ · Ⅴ. 내지 Ⅶ · Ⅷ 제6호 · 제7호 및 Ⅸ 제1호 나목 2)에 의하여 준용하는 별표 6 Ⅸ 제1호 나목의 규정은 적용하지 아니한다.
   가. 별표 4 XI 제1호 · 제2호 및 VI 제3호 내지 제7호의 규정에 의한 기준에 적합할것
   나. 건축물을 설치하는 경우에 있어서는 당해 건축물은 벽 · 기둥 · 바닥 · 보 및 지붕을 내화구조 또는 불연재료로 하고, 창 및 출입구에는 갑종방화문 · 을종방화문 또는 불연재료나 유리로 된 문을 설치할 것

XII. 위험물의 성질에 따른 일반취급소의 특례

1. 별표 4 XII 제2호의 규정은 알킬알루미늄등을 취급하는 일반취급소에 대하여 강화되는 기준에 있어서 준용한다.
2. 별표 4 XII 제3호의 규정은 아세트알데히드등을 취급하는 일반취급소에 대하여 강화되는 기준에 있어서 준용한다.
3. 별표 4 XII 제4호의 규정은 히드록실아민등을 취급하는 일반취급소에 대하여 강화되는 기준에 있어서 준용한다.

14 [별표 17] 소화설비, 경보설비 및 피난설비의 기준

시행규칙 제41조(소화설비의 기준) ① 법 제5조 제4항의 규정에 의하여 제조소등에는 화재발생시 소화가 곤란한 정도에 따라 그 소화에 적응성이 있는 소화설비를 설치하여야 한다.

② 제1항의 규정에 의한 소화가 곤란한 정도에 따른 소화난이도는 소화난이도등급Ⅰ, 소화난이도등급Ⅱ 및 소화난이도등급Ⅲ으로 구분하되, 각 소화난이도등급에 해당하는 제조소등의 규모, 저장 또는 취급하는 위험물의 품명 및 최대수량 등과 그에 따라 제조소등별로 설치하여야 하는 소화설비의 종류, 각 소화설비의 적응성 및 소화설비의 설치기준은 별표 17과 같다.

제42조(경보설비의 기준) ① 법 제5조 제4항의 규정에 의하여 영 별표 1의 규정에 의한 지정수량의 10배 이상의 위험물을 저장 또는 취급하는 제조소등(이동탱크저장소를 제외한다)에는 화재발생시 이를 알릴 수 있는 경보설비를 설치하여야 한다.

② 제1항에 따른 경보설비는 자동화재탐지설비 · 자동화재속보설비 · 비상경보설비(비상벨장치 또는 경종을 포함한다) · 확성장치(휴대용확성기를 포함한다) 및 비상방송설비로 구분하되, 제조소등별로 설치하여야 하는 경보설비의 종류 및 설치기준은 별표 17과 같다.

③ 자동신호장치를 갖춘 스프링클러설비 또는 물분무등소화설비를 설치한 제조소등에 있어서는 제2항의 규정에 의한 자동화재탐지설비를 설치한 것으로 본다.

제43조(피난설비의 기준) ① 법 제5조 제4항의 규정에 의하여 주유취급소 중 건축물의 2층 이상의 부분을 점포 · 휴게음식점 또는 전시장의 용도로 사용하는 것과 옥내주유취급소에는 피난설비를 설치하여야 한다.

② 제1항의 규정에 의한 피난설비의 설치기준은 별표 17과 같다.

제44조(소화설비 등의 설치에 관한 세부기준) 제41조 내지 제43조의 규정에 의한 기준 외에 소화설비 · 경보설비 및 피난설비의 설치에 관하여 필요한 세부기준은 소방청장이 정하여 고시한다.

제45조(소화설비 등의 형식) 소화설비 · 경보설비 및 피난설비는 소방시설 설치 및 관리에 관한 법률 제37조에 따라 소방청장의 형식승인을 받은 것이어야 한다.

제46조(화재안전기준의 적용) 제조소등에 설치하는 소화설비 · 경보설비 및 피난설비의 설치 기준 등에 관하여 제41조부터 제44조까지에 규정된 기준 외에는 소방시설 설치 및 관리에 관한 법률에 따른 화재안전기준에 따른다.

1. 소화난이도등급 Ⅰ의 제조소등 및 소화설비

가. 소화난이도등급 Ⅰ에 해당하는 제조소등

제조소등의 구분	제조소등의 규모, 저장 또는 취급하는 위험물의 품명 및 최대수량 등
제조소 일반취급소	연면적 1,000m^2 이상인 것
	지정수량의 100배 이상인 것(고인화점위험물만을 100℃ 미만의 온도에서 취급하는 것 및 제48조의 위험물을 취급하는 것은 제외)
	지반면으로부터 6m 이상의 높이에 위험물 취급설비가 있는 것(고인화점위험물만을 100℃ 미만의 온도에서 취급하는 것은 제외)
	일반취급소로 사용되는 부분 외의 부분을 갖는 건축물에 설치된 것(내화구조로 개구부 없이 구획된 것, 고인화점위험물만을 100℃ 미만의 온도에서 취급하는 것 및 별표 16 Ⅹ의2의 화학실험의 일반취급소는 제외)
주유취급소	별표 13 Ⅴ제2호에 따른 면적의 합이 500m^2를 초과하는 것
옥내 저장소	지정수량의 150배 이상인 것(고인화점위험물만을 저장하는 것 및 제48조의 위험물을 저장하는 것은 제외)
	연면적 150m^2를 초과하는 것(150m^2 이내마다 불연재료로 개구부 없이 구획된 것 및 인화성고체 외의 제2류 위험물 또는 인화점 70℃ 이상의 제4류 위험물만을 저장하는 것은 제외)
	처마높이가 6m 이상인 단층건물의 것
	옥내저장소로 사용되는 부분 외의 부분이 있는 건축물에 설치된 것(내화구조로 개구부 없이 구획된 것 및 인화성고체 외의 제2류 위험물 또는 인화점 70℃ 이상의 제4류 위험물만을 저장하는 것은 제외)
옥외 탱크 저장소	액표면적이 40m^2 이상인 것(제6류 위험물을 저장하는 것 및 고인화점위험물만을 100℃ 미만의 온도에서 저장하는 것은 제외)
	지중탱크 또는 해상탱크로서 지정수량의 100배 이상인 것(제6류 위험물을 저장하는 것 및 고인화점위험물만을 100℃ 미만의 온도에서 저장하는 것은 제외)
	고체위험물을 저장하는 것으로서 지정수량의 100배 이상인 것
옥내 탱크 저장소	액표면적이 40m^2 이상인 것(제6류 위험물을 저장하는 것 및 고인화점위험물만을 100℃ 미만의 온도에서 저장하는 것은 제외)
	바닥면으로부터 탱크 옆판의 상단까지 높이가 6m 이상인 것(제6류 위험물을 저장하는 것 및 고인화점위험물만을 100℃ 미만의 온도에서 저장하는 것은 제외)
	탱크전용실이 단층건물 외의 건축물에 있는 것으로서 인화점 38℃ 이상 70℃ 미만의 위험물을 지정수량의 5배 이상 저장하는 것(내화구조로 개구부 없이 구획된 것은 제외한다)
옥외 저장소	덩어리 상태의 유황을 저장하는 것으로서 경계표시 내부의 면적(2 이상의 경계표시가 있는 경우에는 각 경계표시의 내부의 면적을 합한 면적)이 100m^2 이상인 것
	별표 11 Ⅲ의 위험물을 저장하는 것으로서 지정수량의 100배 이상인 것
암반 탱크 저장소	액표면적이 40m^2 이상인 것(제6류 위험물을 저장하는 것 및 고인화점위험물만을 100℃ 미만의 온도에서 저장하는 것은 제외)
	고체위험물만을 저장하는 것으로서 지정수량의 100배 이상인 것
이송 취급소	모든 대상

비고 제조소등의 구분별로 오른쪽란에 정한 제조소등의 규모, 저장 또는 취급하는 위험물의 수량 및 최대수량 등의 어느 하나에 해당하는 제조소등은 소화난이도등급 Ⅰ에 해당하는 것으로 한다.

나. 소화난이도등급 Ⅰ의 제조소등에 설치하여야 하는 소화설비

<table>
<tr><th colspan="3">제조소등의 구분</th><th>소화설비</th></tr>
<tr><td colspan="3">제조소 및 일반취급소</td><td>옥내소화전설비, 옥외소화전설비, 스프링클러설비 또는 물분무등소화설비(화재발생시 연기가 충만할 우려가 있는 장소에는 스프링클러설비 또는 이동식 외의 물분무등소화설비에 한한다)</td></tr>
<tr><td colspan="3">주유취급소</td><td>스프링클러설비(건축물에 한정한다), 소형수동식소화기등(능력단위의 수치가 건축물 그 밖의 공작물 및 위험물의 소요단위의 수치에 이르도록 설치할 것)</td></tr>
<tr><td rowspan="2">옥내 저장소</td><td colspan="2">처마높이가 6m 이상인 단층 건물 또는 다른 용도의 부분이 있는 건축물에 설치한 옥내저장소</td><td>스프링클러설비 또는 이동식 외의 물분무등소화설비</td></tr>
<tr><td colspan="2">그 밖의 것</td><td>옥외소화전설비, 스프링클러설비, 이동식 외의 물분무등소화설비 또는 이동식 포소화설비(포소화전을 옥외에 설치하는 것에 한한다)</td></tr>
<tr><td rowspan="5">옥외 탱크 저장소</td><td rowspan="3">지중탱크 또는 해상 탱크 외의 것</td><td>유황만을 저장·취급하는 것</td><td>물분무소화설비</td></tr>
<tr><td>인화점 70℃ 이상의 제4류 위험물만을 저장·취급하는 것</td><td>물분부소화설비 또는 고정식 포소화설비</td></tr>
<tr><td>그 밖의 것</td><td>고정식 포소화설비(포소화설비가 적응성이 없는 경우에는 분말소화설비)</td></tr>
<tr><td colspan="2">지중탱크</td><td>고정식 포소화설비, 이동식 이외의 불활성가스소화설비 또는 이동식 이외이 할로겐화합물소화설비</td></tr>
<tr><td colspan="2">해상탱크</td><td>고정식 포소화설비, 물분무소화설비, 이동식이외의 불활성가스소화설비 또는 이동식 이외의 할로겐화합물소화설비</td></tr>
<tr><td rowspan="3">옥내 탱크 저장소</td><td colspan="2">유황만을 저장·취급하는 것</td><td>물분무소화설비</td></tr>
<tr><td colspan="2">인화점 70℃ 이상의 제4류 위험물만을 저장·취급하는 것</td><td>물분무소화설비, 고정식 포소화설비, 이동식 이외의 불활성가스소화설비, 이동식 이외의 할로겐화합물소화설비 또는 이동식 이외의 분말소화설비</td></tr>
<tr><td colspan="2">그 밖의 것</td><td>고정식 포소화설비, 이동식 이외의 불활성가스소화설비, 이동식 이외의 할로겐화합물소화설비 또는 이동식 이외의 분말소화설비</td></tr>
<tr><td colspan="3">옥외저장소 및 이송취급소</td><td>옥내소화전설비, 옥외소화전설비, 스프링클러설비 또는 물분무등소화설비(화재발생 시 연기가 충만할 우려가 있는 장소에는 스프링클러설비 또는 이동식 이외의 물분무등소화설비에 한한다)</td></tr>
<tr><td rowspan="3">암반 탱크 저장소</td><td colspan="2">유황만을 저장·취급하는 것</td><td>물분무소화설비</td></tr>
<tr><td colspan="2">인화점 70℃ 이상의 제4류 위험물만을 저장·취급하는 것</td><td>물분부소화설비 또는 고정식 포소화설비</td></tr>
<tr><td colspan="2">그 밖의 것</td><td>고정식 포소화설비(포소화설비가 적응성이 없는 경우에는 분말소화설비)</td></tr>
</table>

비고
1. 위 표 오른쪽란의 소화설비를 설치함에 있어서는 당해 소화설비의 방사범위가 당해 제조소, 일반취급소, 옥내저장소, 옥외탱크저장소, 옥내탱크저장소, 옥외저장소, 암반탱크저장소(암반탱크에 관계되는 부분을 제외한다) 또는 이송취급소(이송기지 내에 한한다)의 건축물, 그 밖의 공작물 및 위험물을 포함하도록 하여야 한다. 다만, 고인화점위험물만을 100℃ 미만의 온도에서 취급하는 제조소 또는 일반취급소의 경우에는 당해 제조소 또는 일반취급소의 건축물 및 그 밖의 공작물만 포함하도록 할 수 있다.
2. 고인화점위험물만을 100℃ 미만의 온도에서 취급하는 제조소 또는 일반취급소의 위험물에 대해서는 대형수동식소화기 1개 이상과 당해 위험물의 소요단위에 해당하는 능력단위의 소형수동식소화기를 설치하여야 한다. 다만, 당해 제조소 또는 일반취급소에 옥내·외소화전설비, 스프링클러설비 또는 물분무등소화설비를 설치한 경우에는 당해 소화설비의 방사능력범위 내에는 대형수동식소화기를 설치하지 아니할 수 있다.
3. 가연성증기 또는 가연성미분이 체류할 우려가 있는 건축물 또는 실내에는 대형수동식소화기 1개 이상과 당해 건축물, 그 밖의 공작물 및 위험물의 소요단위에 해당하는 능력단위의 소형수동식소화기 등을 추가로 설치하여야 한다.
4. 제4류 위험물을 저장 또는 취급하는 옥외탱크저장소 또는 옥내탱크저장소에는 소형수동식소화기 등을 2개 이상 설치하여야 한다.
5. 제조소, 옥내탱크저장소, 이송취급소, 또는 일반취급소의 작업공정상 소화설비의 방사능력범위 내에 당해 제조소등에서 저장 또는 취급하는 위험물의 전부가 포함되지 아니하는 경우에는 당해 위험물에 대하여 대형수동식소화기 1개 이상과 당해 위험물의 소요단위에 해당하는 능력단위의 소형수동식소화기 등을 추가로 설치하여야 한다.

2. 소화난이도등급 Ⅱ의 제조소등 및 소화설비

가. 소화난이도등급 Ⅱ에 해당하는 제조소등

제조소등의구분	제조소등의 규모, 저장 또는 취급하는 위험물의 품명 및 최대수량 등
제조소 일반취급소	연면적 600m² 이상인 것
	지정수량의 10배 이상인 것(고인화점위험물만을 100℃ 미만의 온도에서 취급하는 것 및 제48조의 위험물을 취급하는 것은 제외)
	별표 16 Ⅱ·Ⅲ·Ⅳ·Ⅴ·Ⅷ·Ⅸ·Ⅹ 또는 Ⅹ의2의 일반취급소로서 소화난이도등급 Ⅰ의 제조소등에 해당하지 아니하는 것(고인화점위험물만을 100℃ 미만의 온도에서 취급하는 것은 제외)
옥내저장소	단층건물 이외의 것
	별표 5 Ⅱ 또는 Ⅳ제1호의 옥내저장소
	지정수량의 10배 이상인 것(고인화점위험물만을 저장하는 것 및 제48조의 위험물을 저장하는 것은 제외)
	연면적 150m² 초과인 것
	별표 5 Ⅲ의 옥내저장소로서 소화난이도등급 Ⅰ의 제조소등에 해당하지 아니하는 것
옥외탱크저장소	소화난이도등급 Ⅰ의 제조소등 외의 것(고인화점위험물만을 100℃ 미만의 온도로 저장하는 것 및 제6류 위험물만을 저장하는 것은 제외)
옥외저장소	덩어리 상태의 유황을 저장하는 것으로서 경계표시 내부의 면적(2 이상의 경계표시가 있는 경우에는 각 경계표시의 내부의 면적을 합한 면적)이 5m² 이상 100m² 미만인 것
	별표 11 Ⅲ의 위험물을 저장하는 것으로서 지정수량의 10배 이상 100배 미만인 것
	지정수량의 100배 이상인 것(덩어리 상태의 유황 또는 고인화점위험물을 저장하는 것은 제외)
주유취급소	옥내주유취급소로서 소화난이도등급 Ⅰ의 제조소등에 해당하지 아니하는 것
판매취급소	제2종 판매취급소

비고 제조소등의 구분별로 오른쪽란에 정한 제조소등의 규모, 저장 또는 취급하는 위험물의 수량 및 최대수량 등의 어느 하나에 해당하는 제조소등은 소화난이도등급 Ⅱ에 해당하는 것으로 한다.

나. 소화난이도등급 Ⅱ의 제조소등에 설치하여야 하는 소화설비

제조소등의 구분	소화설비
제조소 옥내저장소 옥외저장소 주유취급소 판매취급소 일반취급소	방사능력범위 내에 당해 건축물, 그 밖의 공작물 및 위험물이 포함되도록 대형수동식소화기를 설치하고, 당해 위험물의 소요단위의 1/5 이상에 해당되는 능력단위의 소형수동식소화기등을 설치할 것
옥외탱크저장소	대형수동식소화기 및 소형수동식소화기등을 각각 1개 이상 설치할 것

비고

1. 옥내소화전설비, 옥외소화전설비, 스프링클러설비 또는 물분무등소화설비를 설치한 경우에는 당해 소화설비의 방사능력범위 내의 부분에 대해서는 대형수동식소화기를 설치하지 아니할 수 있다.
2. 소형수동식소화기등이란 제4호의 규정에 의한 소형수동식소화기 또는 기타 소화설비를 말한다. 이하 같다.

3. 소화난이도등급Ⅲ의 제조소등 및 소화설비

가. 소화난이도등급Ⅲ에 해당하는 제조소등

제조소등의 구분	제조소등의 규모, 저장 또는 취급하는 위험물의 품명 및 최대수량등
제조소 일반취급소	제48조의 위험물을 취급하는 것
	제48조의 위험물 외의 것을 취급하는 것으로서 소화난이도등급Ⅰ 또는 소화난이도등급Ⅱ의 제조소등에 해당하지 아니하는 것
옥내저장소	제48조의 위험물을 취급하는 것
	제48조의 위험물 외의 것을 취급하는 것으로서 소화난이도등급Ⅰ 또는 소화난이도등급Ⅱ의 제조소등에 해당하지 아니하는 것
지하 탱크저장소 간이 탱크저장소 이동 탱크저장소	모든 대상
옥외저장소	덩어리 상태의 유황을 저장하는 것으로서 경계표시 내부의 면적(2 이상의 경계표시가 있는 경우에는 각 경계표시의 내부의 면적을 합한 면적)이 $5m^2$ 미만인 것
	덩어리 상태의 유황외의 것을 저장하는 것으로서 소화난이도등급Ⅰ 또는 소화난이도등급Ⅱ의 제조소등에 해당하지 아니하는 것
주유취급소	옥내주유취급소 외의 것으로서 소화난이도등급 Ⅰ의 제조소등에 해당하지 아니하는 것
제1종 판매취급소	모든 대상

비고 제조소등의 구분별로 오른쪽란에 정한 제조소등의 규모, 저장 또는 취급하는 위험물의 수량 및 최대수량 등의 어느 하나에 해당하는 제조소등은 소화난이도등급Ⅲ에 해당하는 것으로 한다.

나. 소화난이도등급 Ⅲ의 제조소등에 설치하여야 하는 소화설비

<table>
<tr><th>제조소등의 구분</th><th>소화설비</th><th colspan="2">설치기준</th></tr>
<tr><td>지하탱크 저장소</td><td>소형수동식소화기등</td><td>능력단위의 수치가 3 이상</td><td>2개 이상</td></tr>
<tr><td rowspan="8">이동탱크저장소</td><td rowspan="6">자동차용소화기</td><td>무상의 강화액 8ℓ 이상</td><td rowspan="6">2개 이상</td></tr>
<tr><td>이산화탄소 3.2킬로그램 이상</td></tr>
<tr><td>일브롬화일염화이플루오르화메탄(CF_2ClBr) 2ℓ 이상</td></tr>
<tr><td>일브롬화삼플루오르화메탄(CF_3Br) 2ℓ 이상</td></tr>
<tr><td>이브롬화사플루오르화에탄 ($C_2F_4Br_2$) 1ℓ 이상</td></tr>
<tr><td>소화분말 3.3킬로그램 이상</td></tr>
<tr><td rowspan="2">마른 모래 및 팽창질석
또는 팽창진주암</td><td colspan="2">마른모래 150ℓ 이상</td></tr>
<tr><td colspan="2">팽창질석 또는 팽창진주암 640ℓ 이상</td></tr>
<tr><td>그 밖의 제조소등</td><td>소형수동식소화기등</td><td colspan="2">능력단위의 수치가 건축물 그 밖의 공작물및 위험물의 소요단위의 수치에 이르도록 설치할 것. 다만, 옥내소화전설비, 옥외소화전설비, 스프링클러설비, 물분무등소화설비 또는 대형수동식소화기를 설치한 경우에는 당해 소화설비의 방사능력범위 내의 부분에 대하여는 수동식소화기등을 그 능력단위의 수치가 당해 소요단위의 수치의 1/5 이상이 되도록 하는 것으로 족하다</td></tr>
</table>

비고 알킬알루미늄등을 저장 또는 취급하는 이동탱크저장소에 있어서는 자동차용소화기를 설치하는 외에 마른 모래나 팽창질석 또는 팽창진주암을 추가로 설치하여야 한다.

4. 소화설비의 적응성

소화설비의 구분			대상물 구분											
			건축물 · 그 밖의 공작물	전기설비	제1류 위험물		제2류 위험물			제3류 위험물		제4류 위험물	제5류 위험물	제6류 위험물
					알칼리금속과 산화물 등	그 밖의 것	철분 · 금속분 · 마그네슘 등	인화성 고체	그밖의 것	금수성 물품	그밖의 것			
옥내소화전 또는 옥외소화전설비			○			○		○	○		○		○	○
스프링클러설비			○			○		○	○		○	△	○	○
물분무등 소화설비	물분무소화설비		○	○		○		○	○		○	○	○	○
	포소화설비		○			○		○	○		○	○	○	○
	불활성가스소화설비			○				○				○		
	할로겐화합물소화설비			○				○				○		
	분말소화설비	인산염류등	○	○		○		○	○			○		○
		탄산수소염류등		○	○		○	○		○		○		
		그 밖의 것			○		○			○				
대형 · 소형 수동식 소화기	봉상수(棒狀水)소화기		○			○		○	○		○		○	○
	무상수(霧狀水)소화기		○	○		○		○	○		○		○	○
	봉상강화액소화기		○			○		○	○		○		○	○
	무상강화액소화기		○	○		○		○	○		○	○	○	○
	포소화기		○			○		○	○		○	○	○	○
	이산화탄소소화기			○				○				○		△
	할로겐화합물소화기			○				○				○		
	분말소화기	인산염류소화기	○	○		○		○	○			○		○
		탄산수소염류소화기	○	○		○	○		○		○			
		그 밖의 것		○		○			○					
기타	물통 또는 수조		○			○		○	○		○		○	○
	건조사				○	○	○	○	○	○	○	○	○	○
	팽창질석 또는 팽창진주암				○	○	○	○	○	○	○	○	○	○

비고

1. "○"표시는 당해 소방대상물 및 위험물에 대하여 소화설비가 적응성이 있음을 표시하고, "△"표시는 제4류 위험물을 저장 또는 취급하는 장소의 살수기준면적에 따라 스프링클러설비의 살수밀도가 다음 표에 정하는 기준 이상인 경우에는 당해 스프링클러설비가 제4류 위험물에 대하여 적응성이 있음을, 제6류 위험물을 저장 또는 취급하는 장소로서 폭발의 위험이 없는 장소에 한하여 이산화탄소소화기가 제6류 위험물에 대하여 적응성이 있음을 각각 표시한다.

살수기준면적(m^2)	방사밀도(ℓ/m^2분)		비고
	인화점 38℃ 미만	인화점 38℃ 이상	
279 미만 279 이상 372 미만 372 이상 465 미만 465 이상	16.3 이상 15.5 이상 13.9 이상 12.2 이상	12.2 이상 11.8 이상 9.8 이상 8.1 이상	살수기준면적은 내화구조의 벽 및 바닥으로 구획된 하나의 실의 바닥면적을 말하고, 하나의 실의 바닥면적이 465m^2 이상인 경우의 살수기준면적은 465m^2로 한다. 다만, 위험물의 취급을 주된 작업내용으로 하지 아니하고 소량의 위험물을 취급하는 설비 또는 부분이 넓게 분산되어 있는 경우에는 방사밀도는 8.2ℓ/m^2분 이상, 살수기준 면적은 279m^2 이상으로 할 수 있다.

2. 인산염류등은 인산염류, 황산염류 그 밖에 방염성이 있는 약제를 말한다.
3. 탄산수소염류등은 탄산수소염류 및 탄산수소염류와 요소의 반응생성물을 말한다.
4. 알칼리금속과산화물등은 알칼리금속의 과산화물 및 알칼리금속의 과산화물을 함유한 것을 말한다.
5. 철분 · 금속분 · 마그네슘등은 철분 · 금속분 · 마그네슘과 철분 · 금속분 또는 마그네슘을 함유한 것을 말한다.

5. 소화설비의 설치기준

가. 전기설비의 소화설비

제조소등에 전기설비(전기배선, 조명기구 등은 제외한다)가 설치된 경우에는 당해 장소의 면적 100m^2마다 소형수동식소화기를 1개 이상 설치할 것

나. 소요단위 및 능력단위

1) 소요단위: 소화설비의 설치대상이 되는 건축물 그 밖의 공작물의 규모 또는 위험물의 양의 기준단위
2) 능력단위: 1)의 소요단위에 대응하는 소화설비의 소화능력의 기준단위

다. 소요단위의 계산방법

건축물 그 밖의 공작물 또는 위험물의 소요단위의 계산방법은 다음의 기준에 의할 것

1) 제조소 또는 취급소의 건축물은 외벽이 내화구조인 것은 연면적(제조소등의 용도로 사용되는 부분 외의 부분이 있는 건축물에 설치된 제조소등에 있어서는 당해 건축물중 제조소등에 사용되는 부분의 바닥면적의 합계를 말한다. 이하 같다) 100m^2를 1소요단위로 하며, 외벽이 내화구조가 아닌 것은 연면적 50m^2를 1소요단위로 할 것
2) 저장소의 건축물은 외벽이 내화구조인 것은 연면적 150m^2를 1소요단위로 하고, 외벽이 내화구조가 아닌 것은 연면적 75m^2를 1소요단위로 할 것
3) 제조소등의 옥외에 설치된 공작물은 외벽이 내화구조인 것으로 간주하고 공작물의 최대수평투영면적을 연면적으로 간주하여 1) 및 2)의 규정에 의하여 소요단위를 산정할 것
4) 위험물은 지정수량의 10배를 1소요단위로 할 것

라. 소화설비의 능력단위

1) 수동식소화기의 능력단위는 수동식소화기의 형식승인 및 검정기술기준에 의하여 형식승인 받은 수치로 할 것
2) 기타 소화설비의 능력단위는 다음의 표에 의할 것

소화설비	용량	능력단위
소화전용(轉用)물통	8ℓ	0.3
수조(소화전용물통 3개 포함)	80ℓ	1.5
수조(소화전용물통 6개 포함)	190ℓ	2.5
마른 모래(삽 1개 포함)	50ℓ	0.5
팽창질석 또는 팽창진주암(삽 1개 포함)	160ℓ	1.0

마. 옥내소화전설비의 설치기준은 다음의 기준에 의할 것

1) 옥내소화전은 제조소등의 건축물의 층마다 당해 층의 각 부분에서 하나의 호스접속구까지의 수평거리가 25m 이하가 되도록 설치할 것. 이 경우 옥내소화전은 각 층의 출입구 부근에 1개 이상 설치하여야 한다.

2) 수원의 수량은 옥내소화전이 가장 많이 설치된 층의 옥내소화전 설치개수(설치개수가 5개 이상인 경우는 5개)에 7.8㎥를 곱한 양 이상이 되도록 설치할 것

3) 옥내소화전설비는 각층을 기준으로 하여 당해 층의 모든 옥내소화전(설치개수가 5개 이상인 경우는 5개의 옥내소화전)을 동시에 사용할 경우에 각 노즐선단의 방수압력이 350kPa 이상이고 방수량이 1분당 260ℓ 이상의 성능이 되도록 할 것

4) 옥내소화전설비에는 비상전원을 설치할 것

바. 옥외소화전설비의 설치기준은 다음의 기준에 의할 것

1) 옥외소화전은 방호대상물(당해 소화설비에 의하여 소화하여야 할 제조소등의 건축물, 그 밖의 공작물 및 위험물을 말한다. 이하 같다)의 각 부분(건축물의 경우에는 당해 건축물의 1층 및 2층의 부분에 한한다)에서 하나의 호스접속구까지의 수평거리가 40m 이하가 되도록 설치할 것. 이 경우 그 설치개수가 1개일 때는 2개로 하여야 한다.

2) 수원의 수량은 옥외소화전의 설치개수(설치개수가 4개 이상인 경우는 4개의 옥외소화전)에 13.5㎥를 곱한 양 이상이 되도록 설치할 것

3) 옥외소화전설비는 모든 옥외소화전(설치개수가 4개 이상인 경우는 4개의 옥외소화전)을 동시에 사용할 경우에 각 노즐선단의 방수압력이 350kPa 이상이고, 방수량이 1분당 450ℓ 이상의 성능이 되도록 할 것

4) 옥외소화전설비에는 비상전원을 설치할 것

사. 스프링클러설비의 설치기준은 다음의 기준에 의할 것

1) 스프링클러헤드는 방호대상물의 천장 또는 건축물의 최상부 부근(천장이 설치되지 아니한 경우)에 설치하되, 방호대상물의 각 부분에서 하나의 스프링클러헤드까지의 수평거리가 1.7m(제4호 비고 제1호의 표에 정한 살수밀도의 기준을 충족하는 경우에는 2.6m) 이하가 되도록 설치할 것

2) 개방형 스프링클러헤드를 이용한 스프링클러설비의 방사구역(하나의 일제개방밸브에 의하여 동시에 방사되는 구역을 말한다. 이하 같다)은 150m^2이상(방호대상물의 바닥면적이 150m^2 미만인 경우에는 당해 바닥면적)으로 할 것

3) 수원의 수량은 폐쇄형 스프링클러헤드를 사용하는 것은 30(헤드의 설치개수가 30 미만인 방호대상물인 경우에는 당해 설치개수), 개방형 스프링클러헤드를 사용하는 것은 스프링클러헤드가 가장 많이 설치된 방사구역의 스프링클러헤드 설치개수에 2.4㎥를 곱한 양 이상이 되도록 설치할 것

4) 스프링클러설비는 3)의 규정에 의한 개수의 스프링클러헤드를 동시에 사용할 경우에 각 선단의 방사압력이 100kPa(제4호 비고 제1호의 표에 정한 살수밀도의 기준을 충족하는 경우에는 50kPa) 이상이고, 방수량이 1분당 80ℓ(제4호 비고 제1호의 표에 정한 살수밀도의 기준을 충족하는 경우에는 56ℓ) 이상의 성능이 되도록 할 것

5) 스프링클러설비에는 비상전원을 설치할 것

아. 물분무소화설비의 설치기준은 다음의 기준에 의할 것

1) 분무헤드의 개수 및 배치는 다음 각 목에 의할 것

가) 분무헤드로부터 방사되는 물분무에 의하여 방호대상물의 모든 표면을 유효하게 소화할 수 있도록 설치할 것

나) 방호대상물의 표면적(건축물에 있어서는 바닥면적. 이하 이 목에서 같다) 1m^2당 3)의 규정에 의한 양의 비율로 계산한 수량을 표준방사량(당해 소화설비의 헤드의 설계압력에 의한 방사량을 말한다. 이하 같다)으로 방사할 수 있도록 설치할 것

2) 물분무소화설비의 방사구역은 150m^2 이상(방호대상물의 표면적이 150m^2 미만인 경우에는 당해 표면적)으로 할 것

3) 수원의 수량은 분무헤드가 가장 많이 설치된 방사구역의 모든 분무헤드를 동시에 사용할 경우에 당해 방사구역의 표면적 1m^2당 1분당 20ℓ의 비율로 계산한 양으로 30분간 방사할 수 있는 양 이상이 되도록 설치할 것

4) 물분무소화설비는 3)의 규정에 의한 분무헤드를 동시에 사용할 경우에 각 선단의 방사압력이 350kPa 이상으로 표준방사량을 방사할 수 있는 성능이 되도록 할 것

5) 물분무소화설비에는 비상전원을 설치할 것

자. 포소화설비의 설치기준은 다음의 기준에 의할 것

1) 고정식 포소화설비의 포방출구 등은 방호대상물의 형상, 구조, 성질, 수량 또는 취급방법에 따라 표준방사량으로 당해 방호대상물의 화재를 유효하게 소화할 수 있도록 필요한 개수를 적당한 위치에 설치할 것

2) 이동식 포소화설비(포소화전 등 고정된 포수용액 공급장치로부터 호스를 통하여 포수용액을 공급받아 이동식 노즐에 의하여 방사하도록 된 소화설비를 말한다. 이하 같다)의 포소화전은 옥내에 설치하는 것은 마목 1), 옥외에 설치하는 것은 바목 1)의 규정을 준용할 것

3) 수원의 수량 및 포소화약제의 저장량은 방호대상물의 화재를 유효하게 소화할 수 있는 양 이상이 되도록 할 것

4) 포소화설비에는 비상전원을 설치할 것

차. 불활성가스소화설비의 설치기준은 다음의 기준에 의할 것

1) 전역방출방식 불활성가스소화설비의 분사헤드는 불연재료의 벽 · 기둥 · 바닥 · 보 및 지붕(천장이 있는 경우에는 천장)으로 구획되고 개구부에 자동폐쇄장치(갑종방화문, 을종방화문 또는 불연재료의 문으로 이산화탄소소화약제가 방사되기 직전에 개구부를 자동적으로 폐쇄하는 장치를 말한다)가 설치되어 있는 부분(이하 "방호구역"이라 한다)에 당해 부분의 용적 및 방호대상물의 성질에 따라 표준방사량으로 방호대상물의 화재를 유효하게 소화할 수 있도록 필요한 개수를 적당한 위치에 설치할 것. 다만, 당해 부분에서 외부로 누설되는 양 이상의 불활성가스소화약제를 유효하게 추가하여 방출할 수 있는 설비가 있는 경우는 당해 개구부의 자동폐쇄장치를 설치하지 아니할 수 있다.

2) 국소방출방식 불활성가스소화설비의 분사헤드는 방호대상물의 형상, 구조, 성질, 수량 또는 취급방법에 따라 방호대상물에 이산화탄소소화약제를 직접 방사하여 표준방사량으로 방호대상물의 화재를 유효하게 소화할 수 있도록 필요한 개수를 적당한 위치에 설치할 것

3) 이동식 불활성가스소화설비(고정된 이산화탄소소화약제 공급장치로부터 호스를 통하여 이산화탄소소화약제를 공급받아 이동식 노즐에 의하여 방사하도록 된 소화설비를 말한다. 이하 같다)의 호스접속구는 모든 방호대상물에 대하여 당해 방호 대상물의 각 부분으로부터 하나의 호스접속구까지의 수평거리가 15m 이하가 되도록 설치할 것

4) 불활성가스소화약제용기에 저장하는 불활성가스소화약제의 양은 방호대상물의 화재를 유효하게 소화할 수 있는 양 이상이 되도록 할 것

5) 전역방출방식 또는 국소방출방식의 불활성가스소화설비에는 비상전원을 설치할 것

카. 할로겐화합물소화설비의 설치기준은 차목의 불활성가스소화설비의 기준을 준용할 것

타. 분말소화설비의 설치기준은 차목의 불활성가스소화설비의 기준을 준용할 것

파. 대형수동식소화기의 설치기준은 방호대상물의 각 부분으로부터 하나의 대형수동식소화기까지의 보행거리가 30m 이하가 되도록 설치할 것. 다만, 옥내소화전설비, 옥외소화전설비, 스프링클러설비 또는 물분무등소화설비와 함께 설치하는 경우에는 그러하지 아니하다.

하. 소형수동식소화기등의 설치기준은 소형수동식소화기 또는 그 밖의 소화설비는 지하탱크저장소, 간이탱크저장소, 이동탱크저장소, 주유취급소 또는 판매취급소에서는 유효하게 소화할 수 있는 위치에 설치하여야 하며, 그 밖의 제조소등에서는 방호대상물의 각 부분으로부터 하나의 소형수동식소화기까지의 보행거리가 20m 이하가 되도록 설치할 것. 다만, 옥내소화전설비, 옥외소화전설비, 스프링클러설비, 물분무등소화설비 또는 대형수동식소화기와 함께 설치하는 경우에는 그러하지 아니하다.

Ⅱ. 경보설비

1. 제조소등별로 설치하여야 하는 경보설비의 종류

제조소등의 구분	제조소등의 규모, 저장 또는 취급하는 위험물의 종류 및 최대수량 등	경보설비
1. 제조소 및 일반취급소	· 연면적 500m² 이상인 것 · 옥내에서 지정수량의 100배 이상을 취급하는 것(고인화점위험물만을 100℃ 미만의 온도에서 취급하는 것을 제외한다) · 일반취급소로 사용되는 부분 외의 부분이 있는건축물에 설치된 일반취급소(일반취급소와 일반취급소 외의 부분이 내화구조의 바닥 또는 벽으로 개구부 없이 구획된 것을 제외한다)	자동화재탐지설비
2. 옥내저장소	· 지정수수량의 100배 이상을 저장 또는 취급하는 것(고인화점위험물만을 저장 또는 취급하는 것을 제외한다) · 저장창고의 연면적이 150m²를 초과하는 것[당해 저장창고가 연면적 150m² 이내마다 불연재료의 격벽으로 개구부 없이 완전히 구획된 것과 제2류 또는 제4류의 위험물(인화성고체 및 인화점이 70℃ 미만인 제4류 위험물을 제외한다)만을 저장 또는 취급하는 것에 있어서는 저장창고의 연면적이 500m² 이상의 것에 한한다] · 처마높이가 6m 이상인 단층건물의 것 · 옥내저장소로 사용되는 부분 외의 부분이 있는건축물에 설치된 옥내저장소[옥내저장소와 옥내저장소 외의 부분이 내화구조의 바닥 또는 벽으로 개구부 없이 구획된 것과 제2류 또는 제4류의 위험물(인화성고체 및 인화점이 70℃ 미만인 제4류 위험물을 제외한다)만을 저장 또는 취급하는 것을 제외한다]	
3. 옥내탱크저장소	단층 건물 외의 건축물에 설치된 옥내탱크저장소로서 소화난이도등급 Ⅰ에 해당하는 것	자동화재탐지설비
4. 주유취급소	옥내주유취급소	
5. 옥외탱크 저장소	특수인화물, 제1석유류 및 알코올류를 저장 또는 취급하는 탱크의 용량이 1,000만리터 이상인 것	· 자동화재탐지설비 · 자동화재속보설비
6. 제1호 내지 제4호의 자동화재탐지설비 설치 대상에 해당하지 아니하는 제조소등	지정수량의 10배 이상을 저장 또는 취급하는 것	자동화재 탐지설비, 비상경보설비, 확성장치 또는 비상방송설비 중 1종 이상

비고 이송취급소의 경보설비는 별표 15 Ⅳ 제14호의 규정에 의한다.

2. 자동화재탐지설비의 설치기준
   가. 자동화재탐지설비의 경계구역(화재가 발생한 구역을 다른 구역과 구분하여 식별할 수 있는 최소단위의 구역을 말한다. 이하 이 호 및 제2호에서 같다)은 건축물 그 밖의 공작물의 2 이상의 층에 걸치지 아니하도록 할 것. 다만, 하나의 경계구역의 면적이 500m² 이하이면서 당해 경계구역이 두개의 층에 걸치는 경우이거나 계단 · 경사로 · 승강기의 승강로 그 밖에 이와 유사한 장소에 연기감지기를 설치하는 경우에는 그러하지 아니하다.
   나. 하나의 경계구역의 면적은 600m² 이하로 하고 그 한변의 길이는 50m(광전식분리형 감지기를 설치할 경우에는 100m)이하로 할 것. 다만, 당해 건축물 그 밖의 공작물의 주요한 출입구에서 그 내부의 전체를 볼 수 있는 경우에 있어서는 그 면적을 1,000m² 이하로 할 수 있다.
   다. 자동화재탐지설비의 감지기는 지붕(상층이 있는 경우에는 상층의 바닥) 또는 벽의 옥내에 면한 부분(천장이 있는 경우에는 천장 또는 벽의 옥내에 면한 부분 및 천장의 뒷 부분)에 유효하게 화재의 발생을 감지할 수 있도록 설치할 것
   라. 자동화재탐지설비에는 비상전원을 설치할 것

Ⅲ. 피난설비

1. 주유취급소 중 건축물의 2층 이상의 부분을 점포 · 휴게음식점 또는 전시장의 용도로 사용하는 것에 있어서는 당해 건축물의 2층 이상으로부터 주유취급소의 부지 밖으로 통하는 출입구와 당해 출입구로 통하는 통로 · 계단 및 출입구에 유도등을 설치하여야 한다.
2. 옥내주유취급소에 있어서는 당해 사무소 등의 출입구 및 피난구와 당해 피난구로 통하는 통로 · 계단 및 출입구에 유도등을 설치하여야 한다.
3. 유도등에는 비상전원을 설치하여야 한다.

15 [별표 18] 제조소등에서의 위험물의 저장 및 취급에 관한 기준(제49조관련)

시행규칙 제49조(제조소등에서의 위험물의 저장 및 취급의 기준) 법 제5조 제3항의 규정에 의한 제조소등에서의 위험물의 저장 및 취급에 관한 기준은 별표 18과 같다.

Ⅰ. 저장 · 취급의 공통기준

1. 제조소등에서 법 제6조 제1항의 규정에 의한 허가 및 법 제6조 제2항의 규정에 의한 신고와 관련되는 품명 외의 위험물 또는 이러한 허가 및 신고와 관련되는 수량 또는 지정수량의 배수를 초과하는 위험물을 저장 또는 취급하지 아니하여야 한다(중요기준).
2. 삭제
3. 삭제
4. 삭제
5. 삭제
6. 삭제
7. 위험물을 저장 또는 취급하는 건축물 그 밖의 공작물 또는 설비는 당해 위험물의 성질에 따라 차광 또는 환기를 실시하여야 한다.
8. 위험물은 온도계, 습도계, 압력계 그 밖의 계기를 감시하여 당해 위험물의 성질에 맞는 적정한 온도, 습도 또는 압력을 유지하도록 저장 또는 취급하여야 한다.
9. 삭제
10. 위험물을 저장 또는 취급하는 경우에는 위험물의 변질, 이물의 혼입 등에 의하여 당해 위험물의 위험성이 증대되지 아니하도록 필요한 조치를 강구하여야 한다.
11. 위험물이 남아 있거나 남아 있을 우려가 있는 설비, 기계 · 기구, 용기 등을 수리하는 경우에는 안전한 장소에서 위험물을 완전하게 제거한 후에 실시하여야 한다.
12. 위험물을 용기에 수납하여 저장 또는 취급할 때에는 그 용기는 당해 위험물의 성질에 적응하고 파손 · 부식 · 균열 등이 없는 것으로 하여야 한다.
13. 삭제
14. 가연성의 액체 · 증기 또는 가스가 새거나 체류할 우려가 있는 장소 또는 가연성의 미분이 현저하게 부유할 우려가 있는 장소에서는 전선과 전기기구를 완전히 접속하고 불꽃을 발하는 기계 · 기구 · 공구 · 신발 등을 사용하지 아니하여야 한다.
15. 위험물을 보호액 중에 보존하는 경우에는 당해 위험물이 보호액으로부터 노출되지 아니하도록 하여야 한다.

Ⅱ. 위험물의 유별 저장 · 취급의 공통기준(중요기준)

1. 제1류 위험물은 가연물과의 접촉 · 혼합이나 분해를 촉진하는 물품과의 접근 또는 과열 · 충격 · 마찰 등을 피하는 한편, 알카리금속의 과산화물 및 이를 함유한 것에 있어서는 물과의 접촉을 피하여야 한다.
2. 제2류 위험물은 산화제와의 접촉 · 혼합이나 불티 · 불꽃 · 고온체와의 접근 또는 과열을 피하는 한편, 철분 · 금속분 · 마그네슘 및 이를 함유한 것에 있어서는 물이나 산과의 접촉을 피하고 인화성 고체에 있어서는 함부로 증기를 발생시키지 아니하여야 한다.
3. 제3류 위험물 중 자연발화성물질에 있어서는 불티 · 불꽃 또는 고온체와의 접근 · 과열 또는 공기와의 접촉을 피하고, 금수성물질에 있어서는 물과의 접촉을 피하여야 한다.
4. 제4류 위험물은 불티 · 불꽃 · 고온체와의 접근 또는 과열을 피하고, 함부로 증기를 발생시키지 아니하여야 한다.
5. 제5류 위험물은 불티 · 불꽃 · 고온체와의 접근이나 과열 · 충격 또는 마찰을 피하여야 한다.
6. 제6류 위험물은 가연물과의 접촉 · 혼합이나 분해를 촉진하는 물품과의 접근 또는 과열을 피하여야 한다.
7. 제1호 내지 제6호의 기준은 위험물을 저장 또는 취급함에 있어서 당해 각 호의 기준에 의하지 아니하는 것이 통상인 경우는 당해 각 호를 적용하지 아니한다. 이 경우 당해 저장 또는 취급에 대하여는 재해의 발생을 방지하기 위한 충분한 조치를 강구하여야 한다.

Ⅲ. 저장의 기준

1. 저장소에는 위험물 외의 물품을 저장하지 아니하여야 한다. 다만, 다음 각 목의 1에 해당하는 경우에는 그러하지 아니하다(중요기준).
   가. 옥내저장소 또는 옥외저장소에서 다음의 규정에 의한 위험물과 위험물이 아닌 물품을 함께 저장하는 경우. 이 경우 위험물과 위험물이 아닌 물품은 각각 모아서 저장하고 상호간에는 1m 이상의 간격을 두어야 한다.
      1) 위험물(제2류 위험물 중 인화성고체와 제4류 위험물을 제외한다)과 영 별표 1에서 당해 위험물이 속하는 품명란에 정한 물품(동표 제1류의 품명란 제11호, 제2류의 품명란 제8호, 제3류의 품명란 제12호, 제5류의 품명란 제11호 및 제6류의 품명란 제5호의 규정에 의한 물품을 제외한다)을 주성분으로 함유한 것으로서 위험물에 해당하지 아니하는 물품
      2) 제2류 위험물 중 인화성고체와 위험물에 해당하지 아니하는 고체 또는 액체로서 인화점을 갖는 것 또는 합성수지류(소방기본법 시행령 별표 2 비고 제8호의 합성수지류를 말한다)(이하 Ⅲ에서 "합성수지류등"이라한다) 또는 이들 중 어느 하나 이상을 주성분으로 함유한 것으로서 위험물에 해당하지 아니하는 물품
      3) 제4류 위험물과 합성수지류등 또는 영 별표 1의 제4류의 품명란에 정한 물품을 주성분으로 함유한 것으로서 위험물에 해당하지 아니하는 물품
      4) 제4류 위험물 중 유기과산화물 또는 이를 함유한 것과 유기과산화물 또는 유기과산화물만을 함유한 것으로서 위험물에 해당하지 아니하는 물품
      5) 제48조의 규정에 의한 위험물과 위험물에 해당하지 아니하는 화약류(총포 · 도검 · 화약류 등 단속법에 의한 화약류에 해당하는 것을 말한다)
      6) 위험물과 위험물에 해당하지 아니하는 불연성의 물품(저장하는 위험물 및 위험물외의 물품과 위험한 반응을 일으키지 아니하는 것에 한한다)
   나. 옥외탱크저장소 · 옥내탱크저장소 · 지하탱크저장소 또는 이동탱크저장소(이하 이 목에서 "옥외탱크저장소등"이라 한다)에서 당해 옥외탱크저장소등의 구조 및 설비에 나쁜 영향을 주지 아니하면서 다음에서 정하는 위험물이 아닌 물품을 저장하는 경우
      1) 제4류 위험물을 저장 또는 취급하는 옥외탱크저장소등: 합성수지류등 또는 영 별표 1의 제4류의 품명란에 정한 물품을 주성분으로 함유한 것으로서 위험물에 해당하지 아니하는 물품 또는 위험물에 해당하지 아니하는 불연성 물품(저장 또는 취급하는 위험물 및 위험물 외의 물품과 위험한 반응을 일으키지 아니하는 것에 한한다)
      2) 제6류 위험물을 저장 또는 취급하는 옥외탱크저장소등: 영 별표 1의 제6류의 품명란에 정한 물품(동표 제6류의 품명란 제5호의 규정에 의한 물품을 제외한다)을 주성분으로 함유한 것으로서 위험물에 해당하지 아니하는 물품 또는 위험물에 해당하지 아니하는 불연성 물품(저장 또는 취급하는 위험물 및 위험물 외의 물품과 위험한 반응을 일으키지 아니하는 것에 한한다)
2. 영 별표 1의 유별을 달리하는 위험물은 동일한 저장소(내화구조의 격벽으로 완전히 구획된 실이 2 이상 있는 저장소에 있어서는 동일한 실. 이하 제3호에서 같다)에 저장하지 아니하여야 한다. 다만, 옥내저장소 또는 옥외저장소에 있어서 다음의 각 목의 규정에 의한 위험물을 저장하는 경우로서 위험물을 유별로 정리하여 저장하는 한편, 서로 1m 이상의 간격을 두는 경우에는 그러하지 아니하다(중요기준).
   가. 제1류 위험물(알칼리금속의 과산화물 또는 이를 함유한 것을 제외한다)과 제5류 위험물을 저장하는 경우
   나. 제1류 위험물과 제6류 위험물을 저장하는 경우
   다. 제1류 위험물과 제3류 위험물 중 자연발화성물질(황린 또는 이를 함유한 것에 한한다)을 저장하는 경우
   라. 제2류 위험물 중 인화성고체와 제4류 위험물을 저장하는 경우
   마. 제3류 위험물 중 알킬알루미늄등과 제4류 위험물(알킬알루미늄 또는 알킬리튬을 함유한 것에 한한다)을 저장하는 경우
   바. 제4류 위험물 중 유기과산화물 또는 이를 함유하는 것과 제5류 위험물 중 유기과산화물 또는 이를 함유한 것을 저장하는 경우
3. 제3류 위험물 중 황린 그 밖에 물속에 저장하는 물품과 금수성물질은 동일한 저장소에서 저장하지 아니하여야 한다(중요기준).
4. 옥내저장소에 있어서 위험물은 Ⅴ의 규정에 의한 바에 따라 용기에 수납하여 저장하여야 한다. 다만, 덩어리상태의 유황과 제48조의 규정에 의한 위험물에 있어서는 그러하지 아니하다.
5. 옥내저장소에서 동일 품명의 위험물이더라도 자연발화할 우려가 있는 위험물 또는 재해가 현저하게 중대할 우려가 있는 위험물을 다량 저장하는 경우에는 지정수량의 10배 이하마다 구분하여 상호간 0.3m 이상의 간격을 두어 저장하여야 한다. 다만, 제48조의 규정에 의한 위험물 또는 기계에 의하여 하역하는 구조로 된 용기에 수납한 위험물에 있어서는 그러하지 아니하다(중요기준).
6. 옥내저장소에서 위험물을 저장하는 경우에는 다음 각 목의 규정에 의한 높이를 초과하여 용기를 겹쳐 쌓지 아니하여야 한다.
   가. 기계에 의하여 하역하는 구조로 된 용기만을 겹쳐 쌓는 경우에 있어서는 6m
   나. 제4류 위험물 중 제3석유류, 제4석유류 및 동식물유류를 수납하는 용기만을 겹쳐 쌓는 경우에 있어서는 4m

다. 그 밖의 경우에 있어서는 3m

7. 옥내저장소에서는 용기에 수납하여 저장하는 위험물의 온도가 55℃를 넘지 아니하도록 필요한 조치를 강구하여야 한다(중요기준).
8. 삭제
9. 옥외저장탱크 · 옥내저장탱크 또는 지하저장탱크의 주된 밸브(액체의 위험물을 이송하기 위한 배관에 설치된 밸브중 탱크의 바로 옆에 있는 것을 말한다) 및 주입구의 밸브 또는 뚜껑은 위험물을 넣거나 빼낼 때 외에는 폐쇄하여야 한다.
10. 옥외저장탱크의 주위에 방유제가 있는 경우에는 그 배수구를 평상시 폐쇄하여 두고, 당해 방유제의 내부에 유류 또는 물이 괴었을 때에는 지체없이 이를 배출하여야 한다.
11. 이동저장탱크에는 당해 탱크에 저장 또는 취급하는 위험물의 위험성을 알리는 표지를 부착하고 잘 보일 수 있도록 관리하여야 한다.
12. 이동저장탱크 및 그 안전장치와 그 밖의 부속배관은 균열, 결합불량, 극단적인 변형, 주입호스의 손상 등에 의한 위험물의 누설이 일어나지 아니하도록 하고, 당해 탱크의 배출밸브는 사용시 외에는 완전하게 폐쇄하여야 한다.
13. 피견인자동차에 고정된 이동저장탱크에 위험물을 저장할 때에는 당해 피견인자동차에 견인자동차를 결합한 상태로 두어야 한다. 다만, 다음 각 목의 기준에 따라 피견인자동차를 철도 · 궤도상의 차량(이하 이 호에서 "차량"이라 한다)에 싣거나 차량으로부터 내리는 경우에는 그러하지 아니하다.
    가. 피견인자동차를 싣는 작업은 화재예방상 안전한 장소에서 실시하고, 화재가 발생하였을 경우에 그 피해의 확대를 방지할 수 있도록 필요한 조치를 강구할 것
    나. 피견인자동차를 실을 때에는 이동저장탱크에 변형 또는 손상을 주지 아니하도록 필요한 조치를 강구할 것
    다. 피견인자동차를 차량에 싣는 것은 견인자동차를 분리한 즉시 실시하고, 피견인자동차를 차량으로부터 내렸을 때에는 즉시 당해 피견인자동차를 견인자동차에 결합할 것
14. 컨테이너식 이동탱크저장소 외의 이동탱크저장소에 있어서는 위험물을 저장한 상태로 이동저장탱크를 옮겨 싣지 아니하여야 한다(중요기준).
15. 이동탱크저장소에는 당해 이동탱크저장소의 완공검사필증 및 정기점검기록을 비치하여야 한다.
16. 알킬알루미늄등을 저장 또는 취급하는 이동탱크저장소에는 긴급시의 연락처, 응급조치에 관하여 필요한 사항을 기재한 서류, 방호복, 고무장갑, 밸브 등을 죄는 결합공구 및 휴대용 확성기를 비치하여야 한다.
17. 옥외저장소(제20호의 규정에 의한 경우를 제외한다)에 있어서 위험물은 Ⅴ에 정하는 바에 따라 용기에 수납하여 저장하여야 한다.
18. 옥외저장소에서 위험물을 저장하는 경우에 있어서는 제6호 각목의 규정에 의한 높이를 초과하여 용기를 겹쳐 쌓지 아니하여야 한다.
19. 옥외저장소에서 위험물을 수납한 용기를 선반에 저장하는 경우에는 6m를 초과하여 저장하지 아니하여야 한다.
20. 유황을 용기에 수납하지 아니하고 저장하는 옥외저장소에서는 유황을 경계표시의 높이 이하로 저장하고, 유황이 넘치거나 비산하는 것을 방지할 수 있도록 경계표시 내부의 전체를 난연성 또는 불연성의 천막 등으로 덮고 당해 천막 등을 경계표시에 고정하여야 한다.
21. 알킬알루미늄등, 아세트알데히드등 및 디에틸에테르등(디에틸에테르 또는 이를 함유한 것을 말한다. 이하 같다)의 저장기준은 제1호 내지 제20호의 규정에 의하는 외에 다음 각 목과 같다(중요기준).
    가. 옥외저장탱크 또는 옥내저장탱크 중 압력탱크(최대상용압력이 대기압을 초과하는 탱크를 말한다. 이하 이 호에서 같다)에 있어서는 알킬알루미늄등의 취출에 의하여 당해 탱크 내의 압력이 상용압력 이하로 저하하지 아니하도록, 압력탱크 외의 탱크에 있어서는 알킬알루미늄등의 취출이나 온도의 저하에 의한 공기의 혼입을 방지할 수 있도록 불활성의 기체를 봉입할 것
    나. 옥외저장탱크 · 옥내저장탱크 또는 이동저장탱크에 새롭게 알킬알루미늄등을 주입하는 때에는 미리 당해 탱크안의 공기를 불활성기체와 치환하여 둘 것
    다. 이동저장탱크에 알킬알루미늄등을 저장하는 경우에는 20kPa 이하의 압력으로 불활성의 기체를 봉입하여 둘 것
    라. 옥외저장탱크 · 옥내저장탱크 또는 지하저장탱크 중 압력탱크에 있어서는 아세트알데히드등의 취출에 의하여 당해 탱크 내의 압력이 상용압력 이하로 저하하지 아니하도록, 압력탱크 외의 탱크에 있어서는 아세트알데히드등의 취출이나 온도의 저하에 의한 공기의 혼입을 방지할 수 있도록 불활성 기체를 봉입할 것
    마. 옥외저장탱크 · 옥내저장탱크 · 지하저장탱크 또는 이동저장탱크에 새롭게 아세트알데히드등을 주입하는 때에는 미리 당해 탱크안의 공기를 불활성 기체와 치환하여 둘 것
    바. 이동저장탱크에 아세트알데히드등을 저장하는 경우에는 항상 불활성의 기체를 봉입하여 둘 것

사. 옥외저장탱크 · 옥내저장탱크 또는 지하저장탱크 중 압력탱크 외의 탱크에 저장하는 디에틸에테르등 또는 아세트알데히드등의 온도는 산화프로필렌과 이를 함유한 것 또는 디에틸에테르등에 있어서는 30℃ 이하로, 아세트알데히드 또는 이를 함유한 것에 있어서는 15℃ 이하로 각각 유지할 것
아. 옥외저장탱크 · 옥내저장탱크 또는 지하저장탱크 중 압력탱크에 저장하는 아세트알데히드등 또는 디에틸에테르등의 온도는 40℃ 이하로 유지할 것
자. 보냉장치가 있는 이동저장탱크에 저장하는 아세트알데히드등 또는 디에틸에테르등의 온도는 당해 위험물의 비점 이하로 유지할 것
차. 보냉장치가 없는 이동저장탱크에 저장하는 아세트알데히드등 또는 디에틸에테르등의 온도는 40℃ 이하로 유지할 것

Ⅳ. 취급의 기준

1. 위험물의 취급 중 제조에 관한 기준은 다음 각 목과 같다(중요기준).
가. 증류공정에 있어서는 위험물을 취급하는 설비의 내부압력의 변동 등에 의하여 액체 또는 증기가 새지 아니하도록 할 것
나. 추출공정에 있어서는 추출관의 내부압력이 비정상으로 상승하지 아니하도록 할 것
다. 건조공정에 있어서는 위험물의 온도가 국부적으로 상승하지 아니하는 방법으로 가열 또는 건조할 것
라. 분쇄공정에 있어서는 위험물의 분말이 현저하게 부유하고 있거나 위험물의 분말이 현저하게 기계 · 기구 등에 부착하고 있는 상태로 그 기계 · 기구를 취급하지 아니할 것
2. 위험물의 취급 중 용기에 옮겨 담는데 대한 기준은 다음 각 목과 같다.
가. 위험물을 용기에 옮겨 담는 경우에는 Ⅴ에 정하는 바에 따라 수납할 것
나. 삭제
3. 위험물의 취급 중 소비에 관한 기준은 다음 각 목과 같다(중요기준).
가. 분사도장작업은 방화상 유효한 격벽 등으로 구획된 안전한 장소에서 실시할 것
나. 담금질 또는 열처리작업은 위험물이 위험한 온도에 이르지 아니하도록 하여 실시할 것
다. 삭제
라. 버너를 사용하는 경우에는 버너의 역화를 방지하고 위험물이 넘치지 아니하도록 할 것
4. 삭제
5. 주유취급소 · 판매취급소 · 이송취급소 또는 이동탱크저장소에서의 위험물의 취급기준은 다음 각 목과 같다.
가. 주유취급소(항공기주유취급소 · 선박주유취급소 및 철도주유취급소를 제외한다)에서의 취급기준
1) 자동차등에 주유할 때에는 고정주유설비를 사용하여 직접 주유할 것(중요기준)
2) 자동차등에 인화점 40℃ 미만의 위험물을 주유할 때에는 자동차등의 원동기를 정지시킬 것. 다만, 연료탱크에 위험물을 주유하는 동안 방출되는 가연성 증기를 회수하는 설비가 부착된 고정주유설비에 의하여 주유하는 경우에는 그러하지 아니하다.
3) 이동저장탱크에 급유할 때에는 고정급유설비를 사용하여 직접 급유할 것
4) 삭제
5) 삭제
6) 고정주유설비 또는 고정급유설비에 접속하는 탱크에 위험물을 주입할 때에는 당해 탱크에 접속된 고정주유설비 또는 고정급유설비의 사용을 중지하고, 자동차 등을 당해 탱크의 주입구에 접근시키지 아니할 것
7) 고정주유설비 또는 고정급유설비에는 해당 설비에 접속한 전용탱크 또는 간이탱크의 배관 외의 것을 통하여서는 위험물을 공급하지 아니할 것
8) 자동차 등에 주유할 때에는 고정주유설비 또는 고정주유설비에 접속된 탱크의 주입구로부터 4m 이내의 부분(별표 13 Ⅴ 제1호 다목 및 라목의 용도에 제공하는 부분 중 바닥 및 벽에서 구획된 것의 내부를 제외한다)에, 이동저장탱크로부터 전용탱크에 위험물을 주입할 때에는 전용탱크의 주입구로부터 3m 이내의 부분 및 전용탱크 통기관의 선단으로부터 수평거리 1.5m 이내의 부분에 있어서는 다른 자동차등의 주차를 금지하고 자동차등의 점검 · 정비 또는 세정을 하지 아니할 것
9) 삭제
10) 삭제
11) 주유원간이대기실 내에서는 화기를 사용하지 아니할 것

12) 전기자동차 충전설비를 사용하는 때에는 다음의 기준을 준수할 것
가) 충전기기와 전기자동차를 연결할 때에는 연장코드를 사용하지 아니할 것
나) 전기자동차의 전지 · 인터페이스 등이 충전기기의 규격에 적합한지 확인한 후 충전을 시작할 것
다) 충전 중에는 자동차 등을 작동시키지 아니할 것

나. 항공기주유취급소에서의 취급기준은 가목[1) 및 7)은 제외한다]의 규정을 준용하는 외에 다음의 기준에 의할 것
1) 항공기에 주유하는 때에는 고정주유설비, 주유배관의 선단부에 접속한 호스기기, 주유호스차 또는 주유탱크차를 사용하여 직접 주유할 것(중요기준)
2) 삭제
3) 고정주유설비에는 당해 주유설비에 접속한 전용탱크 또는 위험물을 저장 또는 취급하는 탱크의 배관외의 것을 통하여서는 위험물을 주입하지 아니할 것
4) 주유호스차 또는 주유탱크차에 의하여 주유하는 때에는 주유호스의 선단을 항공기의 연료탱크의 급유구에 긴밀히 결합할 것. 다만, 주유탱크차에서 주유호스 선단부에 수동개폐장치를 설치한 주유노즐에 의하여 주유하는 때에는 그러하지 아니하다.
5) 주유호스차 또는 주유탱크차에서 주유하는 때에는 주유호스차의 호스기기 또는 주유탱크차의 주유설비를 접지하고 항공기와 전기적인 접속을 할 것

다. 철도주유취급소에서의 취급기준은 가목[1) 및 7)은 제외한다]의 규정 및 나목 3)의 규정을 준용하는 외에 다음의 기준에 의할 것
1) 철도 또는 궤도에 의하여 운행하는 차량에 주유하는 때에는 고정주유설비 또는 주유배관의 선단부에 접속한 호스기기를 사용하여 직접 주유할 것(중요기준)
2) 철도 또는 궤도에 의하여 운행하는 차량에 주유하는 때에는 콘크리트 등으로 포장된 부분에서 주유할 것

라. 선박주유취급소에서의 취급기준은 가목[1) 및 7)은 제외한다]의 규정 및 나목 3)의 규정을 준용하는 외에 다음의 기준에 의할 것
1) 선박에 주유하는 때에는 고정주유설비 또는 주유배관의 선단부에 접속한 호스기기를 사용하여 직접 주유할 것(중요기준)
2) 선박에 주유하는 때에는 선박이 이동하지 아니하도록 계류시킬 것
3) 수상구조물에 설치하는 고정주유설비를 이용하여 주유작업을 할 때에는 5m 이내에 다른 선박의 정박 또는 계류를 금지할 것
4) 수상구조물에 설치하는 고정주유설비의 주위에 설치하는 집유설비 내에 고인 빗물 또는 위험물은 넘치지 않도록 수시로 수거하고, 수거물은 유분리장치를 이용하거나 폐기물 처리 방법에 따라 처리할 것
5) 수상구조물에 설치하는 고정주유설비를 이용한 주유작업은 위험물을 공급하는 배관 · 펌프 및 그 부속 설비의 안전을 확인한 후에 시작할 것(중요기준)
6) 수상구조물에 설치하는 고정주유설비를 이용한 주유작업이 종료된 후에는 별표 13 XIV 제3호 마목에 따른 차단밸브를 모두 잠글 것(중요기준)
7) 수상구조물에 설치하는 고정주유설비를 이용한 주유작업은 총 톤수가 300미만인 선박에 대해서만 실시할 것(중요기준)

마. 고객이 직접 주유하는 주유취급소에서의 기준
1) 셀프용고정주유설비 및 셀프용고정급유설비 외의 고정주유설비 또는 고정급유설비를 사용하여 고객에 의한 주유 또는 용기에 옮겨 담는 작업을 행하지 아니할 것(중요기준)
2) 삭제
3) 감시대에서 고객이 주유하거나 용기에 옮겨 담는 작업을 직시하는 등 적절한 감시를 할 것
4) 고객에 의한 주유 또는 용기에 옮겨 담는 작업을 개시할 때에는 안전상 지장이 없음을 확인한 후 제어장치에 의하여 호스기기에 대한 위험물의 공급을 개시할 것
5) 고객에 의한 주유 또는 용기에 옮겨 담는 작업을 종료한 때에는 제어장치에 의하여 호스기기에 대한 위험물의 공급을 정지할 것
6) 비상시 그 밖에 안전상 지장이 발생한 경우에는 제어장치에 의하여 호스기기에 위험물의 공급을 일제히 정지하고, 주유취급소 내의 모든 고정주유설비 및 고정급유설비에 의한 위험물 취급을 중단할 것
7) 감시대의 방송설비를 이용하여 고객에 의한 주유 또는 용기에 옮겨 담는 작업에 대한 필요한 지시를 할 것
8) 감시대에서 근무하는 감시원은 안전관리자 또는 위험물안전관리에 관한 전문지식이 있는 자일 것

바. 판매취급소에서의 취급기준
1) 판매취급소에서는 도료류, 제1류 위험물 중 염소산염류 및 염소산염류만을 함유한 것, 유황 또는 인화점이 38℃ 이상인 제4류 위험물을 배합실에서 배합하는 경우 외에는 위험물을 배합하거나 옮겨 담는 작업을 하지 아니할 것
2) 위험물은 별표 19 Ⅰ의 규정에 의한 운반용기에 수납한 채로 판매할 것

3) 판매취급소에서 위험물을 판매할 때에는 위험물이 넘치거나 비산하는 계량기(액용되를 포함한다)를 사용하지 아니할 것

사. 이송취급소에서의 취급기준

1) 위험물의 이송은 위험물을 이송하기 위한 배관·펌프 및 그에 부속한 설비(위험물을 운반하는 선박으로부터 육상으로 위험물의 이송취급을 하는 이송취급소에 있어서는 위험물을 이송하기 위한 배관 및 그에 부속된 설비를 말한다. 이하 나목에서 같다)의 안전을 확인한 후에 개시할 것(중요기준)

2) 위험물을 이송하기 위한 배관·펌프 및 이에 부속한 설비의 안전을 확인하기 위한 순찰을 행하고, 위험물을 이송하는 중에는 이송하는 위험물의 압력 및 유량을 항상 감시할 것(중요기준)

3) 이송취급소를 설치한 지역의 지진을 감지하거나 지진의 정보를 얻은 경우에는 소방청장이 정하여 고시하는 바에 따라 재해의 발생 또는 확대를 방지하기 위한 조치를 강구할 것

아. 이동탱크저장소(컨테이너식 이동탱크저장소를 제외한다)에서의 취급기준

1) 이동저장탱크로부터 위험물을 저장 또는 취급하는 탱크에 액체의 위험물을 주입할 경우에는 그 탱크의 주입구에 이동저장탱크의 주입호스를 견고하게 결합할 것. 다만, 주입호스의 선단부에 수동개폐장치를 한 주입노즐(수동개폐장치를 개방상태로 고정하는 장치를 한 것을 제외한다)을 사용하여 지정수량 미만의 양의 위험물을 저장 또는 취급하는 탱크에 인화점이 40℃ 이상인 위험물을 주입하는 경우에는 그러하지 아니하다.

2) 이동저장탱크로부터 액체위험물을 용기에 옮겨 담지 아니할 것. 다만, 주입호스의 선단부에 수동개폐장치를 한 주입노즐(수동개폐장치를 개방상태로 고정하는 장치를 한 것을 제외한다)을 사용하여 별표 19 Ⅰ의 기준에 적합한 운반용기에 인화점 40℃ 이상의 제4류 위험물을 옮겨 담는 경우에는 그러하지 아니하다.

3) 이동저장탱크로부터 위험물을 저장 또는 취급하는 탱크에 인화점이 40℃ 미만인 위험물을 주입할 때에는 이동탱크저장소의 원동기를 정지시킬 것

4) 이동저장탱크로부터 직접 위험물을 자동차(자동차관리법 제2조 제1호의 규정에 의한 자동차와 건설기계관리법 제2조 제1항 제1호의 규정에 의한 건설기계중 덤프트럭 및 콘크리트믹서트럭을 말한다)의 연료탱크에 주입하지 말 것. 다만, 건설산업기본법 제2조 제4호에 따른 건설공사를 하는 장소에서 별표 10 Ⅳ제3호에 따른 주입설비를 부착한 이동탱크저장소로부터 해당 건설공사와 관련된 자동차(건설기계관리법 제2조 제1항 제1호에 따른 건설기계 중 덤프트럭과 콘크리트믹서트럭으로 한정한다)의 연료탱크에 인화점 40℃ 이상의 위험물을 주입하는 경우에는 그러하지 아니하다.

5) 휘발유·벤젠 그 밖에 정전기에 의한 재해발생의 우려가 있는 액체의 위험물을 이동저장탱크에 주입하거나 이동저장탱크로부터 배출하는 때에는 도선으로 이동저장탱크와 접지전극 등과의 사이를 긴밀히 연결하여 당해 이동저장탱크를 접지할 것

6) 휘발유·벤젠·그 밖에 정전기에 의한 재해발생의 우려가 있는 액체의 위험물을 이동저장탱크의 상부로 주입하는 때에는 주입관을 사용하되, 당해 주입관의 선단을 이동저장탱크의 밑바닥에 밀착할 것

7) 휘발유를 저장하던 이동저장탱크에 등유나 경유를 주입할 때 또는 등유나 경유를 저장하던 이동저장탱크에 휘발유를 주입할 때에는 다음의 기준에 따라 정전기등에 의한 재해를 방지하기 위한 조치를 할 것

가) 이동저장탱크의 상부로부터 위험물을 주입할 때에는 위험물의 액표면이 주입관의 선단을 넘는 높이가 될 때까지 그 주입관내의 유속을 초당 1m 이하로 할 것

나) 이동저장탱크의 밑부분으로부터 위험물을 주입할 때에는 위험물의 액표면이 주입관의 정상부분을 넘는 높이가 될 때까지 그 주입배관 내의 유속을 초당 1m 이하로 할 것

다) 그 밖의 방법에 의한 위험물의 주입은 이동저장탱크에 가연성증기가 잔류하지 아니하도록 조치하고 안전한 상태로 있음을 확인한 후에 할 것

8) 이동탱크저장소는 별표 10 Ⅰ의 규정에 의한 상치장소에 주차할 것. 다만, 원거리 운행 등으로 상치장소에 주차할 수 없는 경우에는 다음의 장소에도 주차할 수 있다.

가) 다른 이동탱크저장소의 상치장소

나) 화물자동차 운수사업법에 의한 일반화물자동차운송사업을 위한 차고로서 별표 10 Ⅰ의 규정에 적합한 장소

다) 물류시설의 개발 및 운영에 관한 법률에 따른 물류터미널의 주차장으로서 별표 10 Ⅰ의 규정에 적합한 장소

라) 주차장법에 의한 주차장중 노외의 옥외주차장으로서 별표 10 Ⅰ의 규정에 적합한 장소

마) 제조소등이 설치된 사업장 내의 안전한 장소

바) 도로(길어깨 및 노상주차장을 포함한다) 외의 장소로서 화기취급장소 또는 건축물로부터 10m 이상 이격된 장소

사) 벽 · 기둥 · 바닥 · 보 · 서까래 및 지붕이 내화구조로 된 건축물의 1층으로서 개구부가 없는 내하구조의 격벽 등으로 당해 건축물의 다른 용도의 부분과 구획된 장소

아) 소방본부장 또는 소방서장으로부터 승인을 받은 장소

9) 이동저장탱크를 8)의 규정에 의한 상치장소 등에 주차시킬 때에는 완전히 빈 상태로 할 것. 다만, 당해 장소가 별표 6 Ⅰ · Ⅱ 및 Ⅸ의 규정에 적합한 경우에는 그러하지 아니하다.

10) 이동저장탱크로부터 직접 위험물을 선박의 연료탱크에 주입하는 경우에는 다음의 기준에 따를 것

가) 선박이 이동하지 아니하도록 계류(繫留)시킬 것

나) 이동탱크저장소가 움직이지 않도록 조치를 강구할 것

다) 이동탱크저장소의 주입호스의 선단을 선박의 연료탱크의 급유구에 긴밀히 결합할 것. 다만, 주입호스 선단부에 수동개폐장치를 설치한 주유노즐로 주입하는 때에는 그러하지 아니하다.

라) 이동탱크저장소의 주입설비를 접지할 것. 다만, 인화점 40℃ 이상의 위험물을 주입하는 경우에는 그러하지 아니하다.

자. 컨테이너식 이동탱크저장소에서의 위험물취급은 아목[1)을 제외한다]의 규정을 준용하는 외에 다음의 기준에 의할 것

1) 이동저장탱크에서 위험물을 저장 또는 취급하는 탱크에 액체위험물을 주입하는 때에는 주입구에 주입호스를 긴밀히 연결할 것. 다만, 주입호스의 선단부에 수동개폐장치를 설비한 주입노즐(수동개폐장치를 개방상태로 고정하는 장치를 한 것을 제외한다)에 의하여 지정수량 미만의 탱크에 인화점이 40℃ 이상인 제4류 위험물을 주입하는 때에는 그러하지 아니하다.

2) 이동저장탱크를 체결금속구, 변형금속구 또는 샤시프레임에 긴밀히 결합한 구조의 유(U)볼트를 이용하여 차량에 긴밀히 연결할 것

6. 알킬알루미늄등 및 아세트알데히드등의 취급기준은 제1호 내지 제5호에 정하는 것 외에 당해 위험물의 성질에 따라 다음 각 목에 정하는 바에 의한다(중요기준).

가. 알킬알루미늄등의 제조소 또는 일반취급소에 있어서 알킬알루미늄등을 취급하는 설비에는 불활성의 기체를 봉입할 것

나. 알킬알루미늄등의 이동탱크저장소에 있어서 이동저장탱크로부터 알킬알루미늄등을 꺼낼 때에는 동시에 200kPa 이하의 압력으로 불활성의 기체를 봉입할 것

다. 아세트알데히드등의 제조소 또는 일반취급소에 있어서 아세트알데히드등을 취급하는 설비에는 연소성 혼합기체의 생성에 의한 폭발의 위험이 생겼을 경우에 불활성의 기체 또는 수증기[아세트알데히드등을 취급하는 탱크(옥외에 있는 탱크 또는 옥내에 있는 탱크로서 그 용량이 지정수량의 5분의 1 미만의 것을 제외한다)에 있어서는 불활성의 기체]를 봉입할 것

라. 아세트알데히드등의 이동탱크저장소에 있어서 이동저장탱크로부터 아세트알데히드등을 꺼낼 때에는 동시에 100kPa 이하의 압력으로 불활성의 기체를 봉입할 것

Ⅴ. 위험물의 용기 및 수납

1. Ⅲ 제4호 및 제17호의 규정에 의하여 위험물을 용기에 수납할 때 또는 Ⅳ 제2호 가목의 규정에 의하여 위험물을 용기에 옮겨 담을 때에는 다음 각 목에 정하는 용기의 구분에 따라 당해 각 목에 정하는 바에 의한다. 다만, 제조소등이 설치된 부지와 동일한 부지 내에서 위험물을 저장 또는 취급하기 위하여 다음 각 목에 정하는 용기 외의 용기에 수납하거나 옮겨 담는 경우에 있어서 당해 용기의 저장 또는 취급이 화재의 예방상 안전하다고 인정될 때에는 그러하지 아니하다.

가. 나목에 정하는 용기 외의 용기: 고체의 위험물에 있어서는 부표 제1호, 액체의 위험물에 있어서는 부표 제2호에 정하는 기준에 적합한 내장용기(내장용기의 용기의 종류란이 공란인 것에 있어서는 외장용기) 또는 저장 또는 취급의 안전상 이러한 기준에 적합한 용기와 동등 이상이라고 인정하여 소방청장이 정하여 고시하는 것(이하 Ⅴ에서 "내장용기등"이라고 한다)으로서 별표 19 Ⅱ 제1호에 정하는 수납의 기준에 적합할 것

나. 기계에 의하여 하역하는 구조로 된 용기(기계에 의하여 들어 올리기 위한 고리 · 기구 · 포크리프트포켓 등이 있는 용기를 말한다. 이하 같다): 별표 19 Ⅰ 제3호 나목에 규정하는 운반용기로서 별표 19 Ⅱ 제2호에 정하는 수납의 기준에 적합할 것

2. 제1호 가목의 내장용기등(내장용기등을 다른 용기에 수납하는 경우에 있어서는 당해 용기를 포함한다. 이하 Ⅴ에서 같다)에 있어서는 별표 19 Ⅱ 제8호에 정하는 표시를, 제1호 나목의 용기에 있어서는 별표 19 Ⅱ 제8호 및 별표 19 Ⅱ 제13호에 정하는 표시를 각각 보기 쉬운 위치에 하여야 한다.

3. 제2호의 규정에 불구하고 제1류 · 제2류 또는 제4류의 위험물(별표 19 Ⅴ 제1호의 규정에 의한 위험등급 Ⅰ의 위험물을 제외한다)의 내장용기등으로서 최대용적이 1ℓ 이하의 것에 있어서는 별표 19 Ⅱ 제8호 가목 및 다목의 표시를 각각 위험물의 통칭명 및 동호의 규정에 의한 표시와 동일한 의미가 있는 다른 표시로 대신할 수 있다.

4. 제2호 및 제3호의 규정에 불구하고 제4류 위험물에 해당하는 화장품(에어졸을 제외한다)의 내장용기등으로서 최대용적이 150㎖ 이하의 것에 있어서는 별표 19 Ⅱ제8호 가목 및 다목에 정하는 표시를 아니할 수 있고 최대용적이 150㎖ 초과 300㎖ 이하의 것에 있어서는 별표 19 Ⅱ제8호 가목에 정하는 표시를 하지 아니할 수 있으며, 별표 19 Ⅱ제8호 다목의 주의사항은 동목의 규정에 의한 표시와 동일한 의미가 있는 다른 표시로 대신할 수 있다.
5. 제2호 및 제3호의 규정에 불구하고 제4류 위험물에 해당하는 에어졸의 내장용기등으로서 최대 용적이 300㎖ 이하의 것에 있어서는 별표 19 Ⅱ제8호 가목의 규정에 의한 표시를 하지 아니할 수 있고, 별표 19 Ⅱ제8호 다목의 주의사항을 동목의 규정에 의한 표시와 동일한 의미가 있는 다른 표시로 대신할 수 있다.
6. 제2호 및 제3호의 규정에 불구하고 제4류 위험물 중 동식물유류의 내장용기등으로서 최대용적이 3ℓ 이하의 것에 있어서는 별표 19 Ⅱ제8호 가목 및 다목의 표시를 각각 당해 위험물의 통칭명 및 동호의 규정에 의한 표시와 동일한 의미가 있는 다른 표시로 대신할 수 있다.

Ⅵ. 법 제5조 제3항의 규정에 의한 중요기준 및 세부기준은 다음 각 호의 구분에 의한다.

1. 중요기준: Ⅰ 내지 Ⅴ의 저장 또는 취급기준 중 "중요기준"이라 표기한 것
2. 세부기준: 중요기준 외의 것

16 [별표 19] 위험물의 운반에 관한 기준

시행규칙 제50조(위험물의 운반기준) 법 제20조 제1항의 규정에 의한 위험물의 운반에 관한 기준은 별표 19와 같다.

Ⅰ. 운반용기

1. 운반용기의 재질은 강판 · 알루미늄판 · 양철판 · 유리 · 금속판 · 종이 · 플라스틱 · 섬유판 · 고무류 · 합성섬유 · 삼 · 짚 또는 나무로 한다.
2. 운반용기는 견고하여 쉽게 파손될 우려가 없고, 그 입구로부터 수납된 위험물이 샐 우려가 없도록 하여야 한다.
3. 운반용기의 구조 및 최대용적은 다음 각 호의 규정에 의한 용기의 구분에 따라 당해 각 목에 정하는 바에 의한다.
   가. 나목의 규정에 의한 용기 외의 용기
      고체의 위험물을 수납하는 것에 있어서는 부표 1 제1호, 액체의 위험물을 수납하는 것에 있어서는 부표 1 제2호에 정하는 기준에 적합할 것. 다만, 운반의 안전상 이러한 기준에 적합한 운반용기와 동등 이상이라고 인정하여 소방청장이 정하여 고시하는 것에 있어서는 그러하지 아니하다.
   나. 기계에 의하여 하역하는 구조로 된 용기
      고체의 위험물을 수납하는 것에 있어서는 별표 20 제1호, 액체의 위험물을 수납하는 것에 있어서는 별표 20 제2호에 정하는 기준 및 1) 내지 6)에 정하는 기준에 적합할 것. 다만, 운반의 안전상 이러한 기준에 적합한 운반용기와 동등 이상이라고 인정하여 소방청장이 정하여 고시하는 것과 UN의 위험물 운송에 관한 권고(RTDG, Recommendations on the Transport of Dangerous Goods)에서 정한 기준에 적합한 것으로 인정된 용기에 있어서는 그러하지 아니하다.
      1) 운반용기는 부식 등의 열화에 대하여 적절히 보호될 것
      2) 운반용기는 수납하는 위험물의 내압 및 취급시와 운반시의 하중에 의하여 당해 용기에 생기는 응력에 대하여 안전할 것
      3) 운반용기의 부속설비에는 수납하는 위험물이 당해 부속설비로부터 누설되지 아니하도록 하는 조치가 강구되어 있을 것
      4) 용기본체가 틀로 둘러싸인 운반용기는 다음의 요건에 적합할 것
         가) 용기본체는 항상 틀 내에 보호되어 있을 것
         나) 용기본체는 틀과의 접촉에 의하여 손상을 입을 우려가 없을 것
         다) 운반용기는 용기본체 또는 틀의 신축 등에 의하여 손상이 생기지 아니할 것
      5) 하부에 배출구가 있는 운반용기는 다음의 요건에 적합할 것
         가) 배출구에는 개폐위치에 고정할 수 있는 밸브가 설치되어 있을 것
         나) 배출을 위한 배관 및 밸브에는 외부로부터의 충격에 의한 손상을 방지하기 위한 조치가 강구되어 있을 것
         다) 폐지판 등에 의하여 배출구를 이중으로 밀폐할 수 있는 구조일 것. 다만, 고체의 위험물을 수납하는 운반용기에 있어서는 그러하지 아니하다.
      6) 1) 내지 5)에 규정하는 것 외의 운반용기의 구조에 관하여 필요한 사항은 소방청장이 정하여 고시한다.
4. 제3호의 규정에 불구하고 승용차량(승용으로 제공하는 차실내에 화물용으로 제공하는 부분이 있는 구조의 것을 포함한다)으로 인화점이 40℃ 미만인 위험물중 소방청장이 정하여 고시하는 것을 운반하는 경우의 운반용기의 구조 및 최대용적의 기준은 소방청장이 정하여 고시한다.
5. 제3호의 규정에 불구하고 운반의 안전상 제한이 필요하다고 인정되는 경우에는 위험물의 종류, 운반용기의 구조 및 최대용적의 기준을 소방청장이 정하여 고시할 수 있다.
6. 제3호 내지 제5호의 운반용기는 다음 각 목의 규정에 의한 용기의 구분에 따라 당해 각목에 정하는 성능이 있어야 한다.
   가. 나목의 규정에 의한 용기 외의 용기
      소방청장이 정하여 고시하는 낙하시험, 기밀시험, 내압시험 및 겹쳐쌓기시험에서 소방청장이 정하여 고시하는 기준에 적합할 것. 다만, 수납하는 위험물의 품명, 수량, 성질과 상태 등에 따라 소방청장이 정하여 고시하는 용기에 있어서는 그러하지 아니하다.
   나. 기계에 의하여 하역하는 구조로 된 용기
      소방청장이 정하여 고시하는 낙하시험, 기밀시험, 내압시험, 겹쳐쌓기시험, 아랫부분 인상시험, 윗부분 인상시험, 파열전파시험, 넘어뜨리기시험 및 일으키기시험에서 소방청장이 정하여 고시하는 기준에 적합할 것. 다만, 수납하는 위험물의 품명, 수량, 성질과 상태 등에 따라 소방청장이 정하여 고시하는 용기에 있어서는 그러하지 아니하다.

Ⅱ. 적재방법

1. 위험물은 Ⅰ의 규정에 의한 운반용기에 다음 각 목의 기준에 따라 수납하여 적재하여야 한다. 다만, 덩어리 상태의 유황을 운반하기 위하여 적재하는 경우 또는 위험물을 동일구내에 있는 제조소등의 상호간에 운반하기 위하여 적재하는 경우에는 그러하지 아니하다(중요기준).
   가. 위험물이 온도변화 등에 의하여 누설되지 아니하도록 운반용기를 밀봉하여 수납할 것. 다만, 온도변화 등에 의한 위험물로부터의 가스의 발생으로 운반용기 안의 압력이 상승할 우려가 있는 경우(발생한 가스가 독성 또는 인화성을 갖는 등 위험성이 있는 경우를 제외한다)에는 가스의 배출구(위험물의 누설 및 다른 물질의 침투를 방지하는 구조로 된 것에 한한다)를 설치한 운반용기에 수납할 수 있다.
   나. 수납하는 위험물과 위험한 반응을 일으키지 아니하는 등 당해 위험물의 성질에 적합한 재질의 운반용기에 수납할 것
   다. 고체위험물은 운반용기 내용적의 95% 이하의 수납율로 수납할 것
   라. 액체위험물은 운반용기 내용적의 98% 이하의 수납율로 수납하되, 55도의 온도에서 누설되지 아니하도록 충분한 공간용적을 유지하도록 할 것
   마. 하나의 외장용기에는 다른 종류의 위험물을 수납하지 아니할 것
   바. 제3류 위험물은 다음의 기준에 따라 운반용기에 수납할 것
      1) 자연발화성물질에 있어서는 불활성 기체를 봉입하여 밀봉하는 등 공기와 접하지 아니하도록 할 것
      2) 자연발화성물질 외의 물품에 있어서는 파라핀 · 경유 · 등유 등의 보호액으로 채워 밀봉하거나 불활성 기체를 봉입하여 밀봉하는 등 수분과 접하지 아니하도록 할 것
      3) 라목의 규정에 불구하고 자연발화성물질 중 알킬알루미늄등은 운반용기의 내용적의 90% 이하의 수납율로 수납하되, 50℃의 온도에서 5% 이상의 공간용적을 유지하도록 할 것
2. 기계에 의하여 하역하는 구조로 된 운반용기에 대한 수납은 제1호(다목을 제외한다)의 규정을 준용하는 외에 다음 각 목의 기준에 따라야 한다(중요기준).
   가. 다음의 규정에 의한 요건에 적합한 운반용기에 수납할 것
      1) 부식, 손상 등 이상이 없을 것
      2) 금속제의 운반용기, 경질플라스틱제의 운반용기 또는 플라스틱내용기 부착의 운반용기에 있어서는 다음에 정하는 시험 및 점검에서 누설 등 이상이 없을 것
         가) 2년 6개월 이내에 실시한 기밀시험(액체의 위험물 또는 10kPa 이상의 압력을 가하여 수납 또는 배출하는 고체의 위험물을 수납하는 운반용기에 한한다)
         나) 2년 6개월 이내에 실시한 운반용기의 외부의 점검 · 부속설비의 기능점검 및 5년 이내의 사이에 실시한 운반용기의 내부의 점검
   나. 복수의 폐쇄장치가 연속하여 설치되어 있는 운반용기에 위험물을 수납하는 경우에는 용기본체에 가까운 폐쇄장치를 먼저 폐쇄할 것
   다. 휘발유, 벤젠 그 밖의 정전기에 의한 재해가 발생할 우려가 있는 액체의 위험물을 운반용기에 수납 또는 배출할 때에는 당해 재해의 발생을 방지하기 위한 조치를 강구할 것
   라. 온도변화 등에 의하여 액상이 되는 고체의 위험물은 액상으로 되었을 때 당해 위험물이 새지 아니하는 운반용기에 수납할 것
   마. 액체위험물을 수납하는 경우에는 55℃의 온도에서의 증기압이 130kPa 이하가 되도록 수납할 것
   바. 경질플라스틱제의 운반용기 또는 플라스틱내용기 부착의 운반용기에 액체위험물을 수납하는 경우에는 당해 운반용기는 제조된 때로부터 5년 이내의 것으로 할 것
   사. 가목 내지 바목에 규정하는 것 외에 운반용기에의 수납에 관하여 필요한 사항은 소방청장이 정하여 고시한다.
3. 위험물은 당해 위험물이 용기 밖으로 쏟아지거나 위험물을 수납한 운반용기가 전도 · 낙하 또는 파손되지 아니하도록 적재하여야 한다(중요기준).
4. 운반용기는 수납구를 위로 향하게 하여 적재하여야 한다(중요기준).
5. 적재하는 위험물의 성질에 따라 일광의 직사 또는 빗물의 침투를 방지하기 위하여 유효하게 피복하는 등 다음 각 목에 정하는 기준에 따른 조치를 하여야 한다(중요기준).
   가. 제1류 위험물, 제3류 위험물 중 자연발화성물질, 제4류 위험물 중 특수인화물, 제5류 위험물 또는 제6류 위험물은 차광성이 있는 피복으로 가릴 것

나. 제1류 위험물 중 알칼리금속의 과산화물 또는 이를 함유한 것, 제2류 위험물 중 철분 · 금속분 · 마그네슘 또는 이들중 어느 하나 이상을 함유한 것 또는 제3류 위험물 중 금수성물질은 방수성이 있는 피복으로 덮을 것

다. 제5류 위험물 중 55℃ 이하의 온도에서 분해될 우려가 있는 것은 보냉 컨테이너에 수납하는 등 적정한 온도관리를 할 것

라. 액체위험물 또는 위험등급Ⅱ의 고체위험물을 기계에 의하여 하역하는 구조로 된 운반용기에 수납하여 적재하는 경우에는 당해 용기에 대한 충격등을 방지하기 위한 조치를 강구할 것. 다만, 위험등급Ⅱ의 고체위험물을 플렉서블(flexible)의 운반용기, 파이버판제의 운반용기 및 목제의 운반용기 외의 운반용기에 수납하여 적재하는 경우에는 그러하지 아니하다.

6. 위험물은 다음 각 목의 규정에 의한 바에 따라 종류를 달리하는 그 밖의 위험물 또는 재해를 발생시킬 우려가 있는 물품과 함께 적재하지 아니하여야 한다(중요기준).
   가. 부표 2의 규정에서 혼재가 금지되고 있는 위험물
   나. 고압가스 안전관리법에 의한 고압가스(소방청장이 정하여 고시하는 것을 제외한다)
7. 위험물을 수납한 운반용기를 겹쳐 쌓는 경우에는 그 높이를 3m 이하로 하고, 용기의 상부에 걸리는 하중은 당해 용기 위에 당해 용기와 동종의 용기를 겹쳐 쌓아 3m의 높이로 하였을 때에 걸리는 하중 이하로 하여야 한다(중요기준).
8. 위험물은 그 운반용기의 외부에 다음 각 목에 정하는 바에 따라 위험물의 품명, 수량 등을 표시하여 적재하여야 한다. 다만, UN의 위험물 운송에 관한 권고(RTDG, Recommendations on the Transport of Dangerous Goods)에서 정한 기준 또는 소방청장이 정하여 고시하는 기준에 적합한 표시를 한 경우에는 그러하지 아니하다.
   가. 위험물의 품명 · 위험등급 · 화학명 및 수용성("수용성" 표시는 제4류 위험물로서 수용성인 것에 한한다)
   나. 위험물의 수량
   다. 수납하는 위험물에 따라 다음의 규정에 의한 주의사항
      1) 제1류 위험물 중 알칼리금속의 과산화물 또는 이를 함유한 것에 있어서는 "화기 · 충격주의", "물기엄금" 및 "가연물접촉주의", 그 밖의 것에 있어서는 "화기 · 충격주의" 및 "가연물접촉주의"
      2) 제2류 위험물 중 철분 · 금속분 · 마그네슘 또는 이들중 어느 하나 이상을 함유한 것에 있어서는 "화기주의" 및 "물기엄금", 인화성고체에 있어서는 "화기엄금", 그 밖의 것에 있어서는 "화기주의"
      3) 제3류 위험물 중 자연발화성물질에 있어서는 "화기엄금" 및 "공기접촉엄금", 금수성물질에 있어서는 "물기엄금"
      4) 제4류 위험물에 있어서는 "화기엄금"
      5) 제5류 위험물에 있어서는 "화기엄금" 및 "충격주의"
      6) 제6류 위험물에 있어서는 "가연물접촉주의"
9. 제8호의 규정에 불구하고 제1류 · 제2류 또는 제4류 위험물(위험등급 I 의 위험물을 제외한다)의 운반용기로서 최대용적이 1ℓ 이하인 운반용기의 품명 및 주의사항은 위험물의 통칭명 및 당해 주의사항과 동일한 의미가 있는 다른 표시로 대신할 수 있다.
10. 제8호 및 제9호의 규정에 불구하고 제4류 위험물에 해당하는 화장품(에어졸을 제외한다)의 운반용기중 최대용적이 150㎖ 이하인 것에 대하여는 제8호 가목 및 다목의 규정에 의한 표시를 하지 아니할 수 있고, 최대용적이 150㎖ 초과 300㎖ 이하의 것에 대하여는 제8호 가목의 규정에 의한 표시를 하지 아니할 수 있으며, 동호 다목의 규정에 의한 주의사항을 당해 주의사항과 동일한 의미가 있는 다른 표시로 대신할 수 있다.
11. 제8호 및 제9호의 규정에 불구하고 제4류 위험물에 해당하는 에어졸의 운반용기로서 최대용적이 300㎖ 이하의 것에 대하여는 제8호 가목의 규정에 의한 표시를 하지 아니할 수 있으며, 동호 다목의 규정에 의한 주의사항을 당해 주의사항과 동일한 의미가 있는 다른 표시로 대신할 수 있다.
12. 제8호 및 제9호의 규정에 불구하고 제4류 위험물 중 동식물유류의 운반용기로서 최대용적이 3ℓ 이하인 것에 대하여는 제8호 가목 및 다목의 표시에 대하여 각각 위험물의 통칭명 및 동호의 규정에 의한 표시와 동일한 의미가 있는 다른 표시로 대신할 수 있다.
13. 기계에 의하여 하역하는 구조로 된 운반용기의 외부에 행하는 표시는 제8호 각 목의 규정에 의하는 외에 다음 각 목의 사항을 포함하여야 한다. 다만, UN의 위험물 운송에 관한 권고(RTDG, Recommendations on the Transport of Dangerous Goods)에서 정한 기준 또는 소방청장이 정하여 고시하는 기준에 적합한 표시를 한 경우에는 그러하지 아니하다.
   가. 운반용기의 제조년월 및 제조자의 명칭
   나. 겹쳐쌓기시험하중
   다. 운반용기의 종류에 따라 다음의 규정에 의한 중량
      1) 플렉서블 외의 운반용기: 최대총중량(최대수용중량의 위험물을 수납하였을 경우의 운반용기의 전중량을 말한다)
      2) 플렉서블 운반용기: 최대수용중량

라. 가목 내지 다목에 규정하는 것 외에 운반용기의 외부에 행하는 표시에 관하여 필요한 사항으로서 소방청장이 정하여 고시하는 것

Ⅲ. 운반방법

1. 위험물 또는 위험물을 수납한 운반용기가 현저하게 마찰 또는 동요를 일으키지 아니하도록 운반하여야 한다(중요기준).
2. 지정수량 이상의 위험물을 차량으로 운반하는 경우에는 해당 차량에 소방청장이 정하여 고시하는 바에 따라 운반하는 위험물의 위험성을 알리는 표지를 설치하여야 한다.
3. 지정수량 이상의 위험물을 차량으로 운반하는 경우에 있어서 다른 차량에 바꾸어 싣거나 휴식 · 고장 등으로 차량을 일시 정차시킬 때에는 안전한 장소를 택하고 운반하는 위험물의 안전확보에 주의하여야 한다.
4. 지정수량 이상의 위험물을 차량으로 운반하는 경우에는 당해 위험물에 적응성이 있는 소형수동식소화기를 당해 위험물의 소요단위에 상응하는 능력단위 이상 갖추어야 한다.
5. 위험물의 운반도중 위험물이 현저하게 새는 등 재난발생의 우려가 있는 경우에는 응급조치를 강구하는 동시에 가까운 소방관서 그 밖의 관계기관에 통보하여야 한다.
6. 제1호 내지 제5호의 적용에 있어서 품명 또는 지정수량을 달리하는 2 이상의 위험물을 운반하는 경우에 있어서 운반하는 각각의 위험물의 수량을 당해 위험물의 지정수량으로 나누어 얻은 수의 합이 1 이상인 때에는 지정수량 이상의 위험물을 운반하는 것으로 본다.

Ⅳ. 법 제20조 제1항의 규정에 의한 중요기준 및 세부기준은 다음 각 호의 구분에 의한다.

1. 중요기준: Ⅰ 내지 Ⅲ의 운반기준 중 "중요기준"이라 표기한 것
2. 세부기준: 중요기준 외의 것

Ⅴ. 위험물의 위험등급

별표 18 Ⅴ, 이 표 Ⅰ 및 Ⅱ에 있어서 위험물의 위험등급은 위험등급Ⅰ · 위험등급Ⅱ 및 위험등급Ⅲ으로 구분하며, 각 위험등급에 해당하는 위험물은 다음 각 호와 같다.

1. 위험등급 Ⅰ의 위험물
   가. 제1류 위험물 중 아염소산염류, 염소산염류, 과염소산염류, 무기과산화물 그 밖에 지정수량이 50kg인 위험물
   나. 제3류 위험물 중 칼륨, 나트륨, 알킬알루미늄, 알킬리튬, 황린 그 밖에 지정수량이 10kg 또는 20kg인 위험물
   다. 제4류 위험물 중 특수인화물
   라. 제5류 위험물 중 유기과산화물, 질산에스테르류 그 밖에 지정수량이 10kg인 위험물
   마. 제6류 위험물
2. 위험등급 Ⅱ의 위험물
   가. 제1류 위험물 중 브롬산염류, 질산염류, 요오드산염류 그 밖에 지정수량이 300kg인 위험물
   나. 제2류 위험물 중 황화린, 적린, 유황 그 밖에 지정수량이 100kg인 위험물
   다. 제3류 위험물 중 알칼리금속(칼륨 및 나트륨을 제외한다) 및 알칼리토금속, 유기금속화합물(알킬알루미늄 및 알킬리튬을 제외한다) 그 밖에 지정수량이 50kg인 위험물
   라. 제4류 위험물 중 제1석유류 및 알코올류
   마. 제5류 위험물 중 제1호 라목에 정하는 위험물 외의 것
3. 위험등급 Ⅲ의 위험물: 제1호 및 제2호에 정하지 아니한 위험물

[부표 1] 운반용기의 최대용적 또는 중량

1. 고체위험물

운반 용기				수납 위험물의 종류									
내장 용기		외장 용기		제1류			제2류		제3류			제5류	
용기의 종류	최대용적 또는 중량	용기의 종류	최대용적 또는 중량	I	II	III	II	III	I	II	III	I	II
유리용기 또는 플라스틱 용기	10ℓ	나무상자 또는 플라스틱상자(필요에 따라 불활성의 완충재를 채울 것)	125kg	○	○	○	○	○	○	○	○	○	○
			225kg		○	○		○		○	○		○
		파이버판상자(필요에 따라 불활성의 완충재를 채울 것)	0kg	○	○	○	○	○	○	○	○	○	○
			55kg		○	○		○		○	○		○
금속제용기	30ℓ	나무상자 또는 플라스틱상자	125kg	○	○	○	○	○	○	○	○	○	○
			225kg		○	○		○		○	○		○
		파이버판상자	40kg	○	○	○	○	○	○	○	○	○	○
			55kg		○	○		○		○	○		○
플라스틱 필름포대 또는 종이포대	5kg	나무상자 또는 플라스틱상자	50kg	○	○	○	○	○		○	○	○	○
	50kg		50kg	○	○	○	○	○					○
	125kg		125kg		○	○	○	○					
	225kg		225kg			○		○					
	5kg	파이버판상자	0kg	○	○	○	○	○		○	○	○	○
	40kg		40kg	○	○	○	○	○					○
	55kg		55kg			○		○					
		금속제용기(드럼 제외)	60ℓ	○	○	○	○	○	○	○	○	○	○
		플라스틱용기(드럼 제외)	10ℓ		○	○	○	○		○	○		○
			30ℓ			○		○					○
		금속제드럼	250ℓ	○	○	○	○	○	○	○	○	○	○
		플라스틱드럼 또는 파이버드럼(방수성이 있는 것)	60ℓ	○	○	○	○	○	○	○	○	○	○
			250ℓ		○	○		○		○	○		○
		합성수지포대(방수성이 있는 것), 플라스틱필름포대, 섬유포대(방수성이 있는 것) 또는 종이포대(여러 겹으로서 방수성이 있는 것)	50kg		○	○	○	○		○	○		○

비고

1. "○" 표시는 수납위험물의 종류별 각 란에 정한 위험물에 대하여 당해 각 란에 정한 운반용기가 적응성이 있음을 표시한다.
2. 내장용기는 외장용기에 수납하여야 하는 용기로서 위험물을 직접 수납하기 위한 것을 말한다.
3. 내장용기의 용기의 종류란이 빈칸인 것은 외장용기에 위험물을 직접 수납하거나 유리용기, 플라스틱용기, 금속제용기, 폴리에틸렌포대 또는 종이포대를 내장용기로 할 수 있음을 표시한다.

2. 액체위험물

운반 용기				수납위험물의 종류								
내장 용기		외장 용기		제3류			제4류			제5류		제6류
용기의 종류	최대용적 또는 중량	용기의 종류	최대용적 또는 중량	I	II	III	I	II	III	I	II	I
유리용기	5ℓ	나무 또는 플라스틱상자(불활성의 완충재를 채울 것)	75kg	○	○	○	○	○	○	○	○	○
	10ℓ		125kg		○	○		○	○		○	
			225kg						○			
	5ℓ	파이버판상자(불활성의 완충재를 채울 것)	40kg	○	○	○	○	○	○	○	○	○
	10ℓ		55kg						○			
플라스틱 용기	10ℓ	나무 또는 플라스틱상자(필요에 따라 불활성의 완충재를 채울 것)	75kg	○	○	○	○	○	○	○	○	○
			125kg		○	○		○	○		○	
			225kg						○			
		파이버판상자(필요에 따라 불활성의 완충재를 채울 것)	40kg	○	○	○	○	○	○	○	○	○
			55kg						○			
금속제용기	30ℓ	나무 또는 플라스틱상자	125kg	○	○	○	○	○	○	○	○	○
			225kg						○			
		파이버판상자	40kg	○	○	○	○	○	○	○	○	○
			55kg		○	○		○	○		○	
		금속제용기(금속제드럼 제외)	60ℓ		○	○		○	○		○	
		플라스틱용기(플라스틱드럼 제외)	10ℓ		○	○		○	○		○	
			0ℓ					○	○			
			30ℓ						○		○	
		금속제드럼(뚜껑고정식)	250ℓ	○	○	○	○	○	○	○	○	○
		금속제드럼(뚜껑탈착식)	250ℓ					○	○			
		플라스틱또는파이버드럼(플라스틱내용기부착의 것)	250ℓ		○	○			○		○	

비고
1. "O" 표시는 수납위험물의 종류별 각 란에 정한 위험물에 대하여 해당 각 란에 정한 운반용기가 적응성이 있음을 표시한다.
2. 내장용기는 외장용기에 수납하여야 하는 용기로서 위험물을 직접 수납하기 위한 것을 말한다.
3. 내장용기의 용기의 종류란이 빈칸인 것은 외장용기에 위험물을 직접 수납하거나 유리용기, 플라스틱용기 또는 금속제용기를 내장용기로 할 수 있음을 표시한다.

[부표 2] 유별을 달리하는 위험물의 혼재기준

위험물의 구분	제1류	제2류	제3류	제4류	제5류	제6류
제1류		×	×	×	×	○
제2류	×		×	○	○	×
제3류	×	×		○	×	×
제4류	×	○	○		○	×
제5류	×	○	×	○		×
제6류	○	×	×	×	×	

비고

1. "×" 표시는 혼재할 수 없음을 표시한다.
2. "○" 표시는 혼재할 수 있음을 표시한다.
3. 이 표는 지정수량의 1/10 이하의 위험물에 대하여는 적용하지 아니한다.

17 [별표 20] 기계에 의하여 하역하는 구조로 된 운반용기의 최대용적

시행규칙 제51조(운반용기의 검사) ① 법 제20조 제3항 단서에서 "행정안전부령이 정하는 것"이란 별표 20에 따른 운반용기를 말한다.

1. 고체위험물

운반용기		수납위험물의 종류									
종류	최대용적	제1류			제2류		제3류			제5류	
		I	II	III	II	III	I	II	III	I	II
금속제	3,000ℓ	O	O	O	O	O	O	O	O		O
플렉시블(flexible) 합성수지제	3,000ℓ		O	O	O	O		O	O		O
플렉시블(flexible) 플라스틱필름제	3,000ℓ		O	O	O	O		O	O		O
플렉시블(flexible) 섬유제	3,000ℓ		O	O	O	O		O	O		O
플렉시블(flexible) 종이제(여러겹의 것)	3,000ℓ		O	O	O	O		O	O		O
경질플라스틱제	1,500ℓ	O	O	O	O	O		O	O		O
	3,000ℓ		O	O	O	O		O	O		O
플라스틱 내용기 부착	1,500ℓ	O	O	O	O	O		O	O		O
	3,000ℓ		O	O	O	O		O	O		O
파이버판제	3,000ℓ		O	O	O	O		O	O		O
목제(라이닝부착)	3,000ℓ		O	O	O	O		O	O		O

비고
1. "O"표시는 수납위험물의 종류별 각 란에 정한 위험물에 대하여 해당 각 란에 정한 운반용기가 적응성이 있음을 표시한다.
2. 플렉시블제, 파이버판제 및 목제의 운반용기에 있어서는 수납 및 배출방법을 중력에 의한 것에 한한다.

2. 액체위험물

운반용기		수납위험물의 종류								
종류	최대용적	제3류			제4류			제5류		제6류
		I	II	III	I	II	III	I	II	I
금속제	3,000ℓ		O	O		O	O		O	
경질플라스틱제	3,000ℓ		O	O		O	O		O	
플라스틱 내용기부착	3,000ℓ		O	O		O	O		O	

비고
"O"표시는 수납위험물의 종류별 각 란에 정한 위험물에 대하여 해당 각 란에 정한 운반용기가 적응성이 있음을 표시한다.

18 [별표 21] 위험물 운송책임자의 감독 또는 지원의 방법과 위험물의 운송시에 준수하여야 하는 사항

시행규칙 제52조(위험물의 운송기준) ② 법 제21조 제2항의 규정에 의한 위험물 운송책임자의 감독 또는 지원의 방법과 법 제21조 제3항의 규정에 의한 위험물의 운송시에 준수하여야 하는 사항은 별표 21과 같다.

1. 운송책임자의 감독 또는 지원의 방법은 다음 각 목의 1과 같다.
   가. 운송책임자가 이동탱크저장소에 동승하여 운송 중인 위험물의 안전확보에 관하여 운전자에게 필요한 감독 또는 지원을 하는 방법. 다만, 운전자가 운송책임자의 자격이 있는 경우에는 운송책임자의 자격이 없는 자가 동승할 수 있다.
   나. 운송의 감독 또는 지원을 위하여 마련한 별도의 사무실에 운송책임자가 대기하면서 다음의 사항을 이행하는 방법
      1) 운송경로를 미리 파악하고 관할소방관서 또는 관련업체(비상대응에 관한 협력을 얻을 수 있는 업체를 말한다)에 대한 연락체계를 갖추는 것
      2) 이동탱크저장소의 운전자에 대하여 수시로 안전확보 상황을 확인하는 것
      3) 비상시의 응급처치에 관하여 조언을 하는 것
      4) 그 밖에 위험물의 운송 중 안전확보에 관하여 필요한 정보를 제공하고 감독 또는 지원하는 것
2. 이동탱크저장소에 의한 위험물의 운송시에 준수하여야 하는 기준은 다음 각 목과 같다.
   가. 위험물운송자는 운송의 개시 전에 이동저장탱크의 배출밸브 등의 밸브와 폐쇄장치, 맨홀 및 주입구의 뚜껑, 소화기 등의 점검을 충분히 실시할 것
   나. 위험물운송자는 장거리(고속국도에 있어서는 340km 이상, 그 밖의 도로에 있어서는 200km 이상을 말한다)에 걸치는 운송을 하는 때에는 2명 이상의 운전자로 할 것. 다만, 다음의 1에 해당하는 경우에는 그러하지 아니하다.
      1) 제1호 가목의 규정에 의하여 운송책임자를 동승시킨 경우
      2) 운송하는 위험물이 제2류 위험물 · 제3류 위험물(칼슘 또는 알루미늄의 탄화물과 이것만을 함유한 것에 한한다)또는 제4류 위험물(특수인화물을 제외한다)인 경우
      3) 운송도중에 2시간 이내마다 20분 이상씩 휴식하는 경우
   다. 위험물운송자는 이동탱크저장소를 휴식 · 고장 등으로 일시 정차시킬 때에는 안전한 장소를 택하고 당해 이동탱크저장소의 안전을 위한 감시를 할 수 있는 위치에 있는 등 운송하는 위험물의 안전확보에 주의할 것
   라. 위험물운송자는 이동저장탱크로부터 위험물이 현저하게 새는 등 재해발생의 우려가 있는 경우에는 재난을 방지하기 위한 응급조치를 강구하는 동시에 소방관서 그 밖의 관계기관에 통보할 것

19 [별표 22] 안전관리대행기관의 지정기준

시행규칙 제57조(안전관리대행기관의 지정 등) ① 기업활동 규제완화에 관한 특별조치법 제40조 제1항 제3호의 규정에 의하여 위험물안전관리자의 업무를 위탁받아 수행할 수 있는 관리대행기관(이하 "안전관리대행기관"이라 한다)은 다음 각 호의 1에 해당하는 기관으로서 별표 22의 안전관리대행기관의 지정기준을 갖추어 소방청장의 지정을 받아야 한다.

1. 법 제16조 제2항의 규정에 의한 탱크시험자로 등록한 법인
2. 다른 법령에 의하여 안전관리업무를 대행하는 기관으로 지정·승인 등을 받은 법인

구분	기준
기술인력	1. 위험물기능장 또는 위험물산업기사 1인 이상 2. 위험물산업기사 또는 위험물기능사 2인 이상 3. 기계분야 및 전기분야의 소방설비기사 1인 이상
시설	전용사무실을 갖출 것
장비	1. 절연저항계(절연저항측정기) 2. 접지저항측정기(최소눈금 0.1Ω 이하) 3. 가스농도측정기(탄화수소계 가스의 농도측정이 가능할 것) 4. 정전기 전위측정기 5. 토크렌치(Torque Wrench: 볼트와 너트를 규정된 회전력에 맞춰 조이는 데 사용하는 도구) 6. 진동시험기 7. 삭제 8. 표면온도계(−10℃ ~ 300℃) 9. 두께측정기(1.5mm ~ 99.9mm) 10. 삭제 11. 안전용구(안전모, 안전화, 손전등, 안전로프 등) 12. 소화설비점검기구(소화전밸브압력계, 방수압력측정계, 포콜렉터, 헤드렌치, 포콘테이너)

비고

기술인력란의 각 호에 정한 2 이상의 기술인력을 동일인이 겸할 수 없다.

20 [별표 23] 화학소방자동차에 갖추어야 하는 소화능력 및 설비의 기준

시행규칙 제75조(화학소방차의 기준 등) ① 영 별표 8 비고의 규정에 의하여 화학소방자동차(내폭화학차 및 제독차를 포함한다)에 갖추어야 하는 소화능력 및 설비의 기준은 별표 23과 같다.

화학소방자동차의 구분	소화능력 및 설비의 기준
포수용액 방사차	포수용액의 방사능력이 매분 2,000ℓ 이상일 것
	소화약액탱크 및 소화약액혼합장치를 비치할 것
	10만ℓ 이상의 포수용액을 방사할 수 있는 양의 소화약제를 비치할 것
분말 방사차	분말의 방사능력이 매초 35kg 이상일 것
	분말탱크 및 가압용가스설비를 비치할 것
	1,400kg 이상의 분말을 비치할 것
할로겐화합물 방사차	할로겐화합물의 방사능력이 매초 40kg 이상일 것
	할로겐화합물탱크 및 가압용가스설비를 비치할 것
	1,000kg 이상의 할로겐화합물을 비치할 것
이산화탄소 방사차	이산화탄소의 방사능력이 매초 40kg 이상일 것
	이산화탄소저장용기를 비치할 것
	3,000kg 이상의 이산화탄소를 비치할 것
제독차	가성소오다 및 규조토를 각각 50kg 이상 비치할 것

21 [별표 24] 안전교육의 과정 · 기간과 그 밖의 교육의 실시에 관한 사항 등

시행규칙 제78조(안전교육) ② 법 제28조 제3항의 규정에 의한 안전교육의 과정 · 기간과 그 밖의 교육의 실시에 관한 사항은 별표 24와 같다.

1. 교육과정 · 교육대상자 · 교육시간 · 교육시기 및 교육기관

교육과정	교육대상자	교육시간	교육시기	교육기관
강습교육	안전관리자가 되려는 사람	24시간	최초 선임되기 전	안전원
	위험물운반자가 되려는 사람	8시간	최초 종사하기 전	안전원
	위험물운송자가 되려는 사람	16시간	최초 종사하기 전	안전원
실무교육	안전관리자	8시간 이내	가. 제조소등의 안전관리자로 선임된 날부터 6개월 이내 나. 가목에 따른 교육을 받은 후 2년마다 1회	안전원
	위험물운반자	4시간	가. 위험물운반자로 종사한 날부터 6개월 이내 나. 가목에 따른 교육을 받은 후 3년마다 1회	안전원
	위험물운송자	8시간 이내	가. 이동탱크저장소의 위험물운송자로 종사한 날부터 6개월 이내 나. 가목에 따른 교육을 받은 후 3년마다 1회	안전원
	탱크시험자의 기술인력	8시간 이내	가. 탱크시험자의 기술인력으로 등록한 날부터 6개월 이내 나. 가목에 따른 교육을 받은 후 2년마다 1회	기술원

비고
1. 안전관리자, 위험물운반자 및 위험물운송자 강습교육의 공통과목에 대하여 어느 하나의 강습교육 과정에서 교육을 받은 경우에는 나머지 강습교육 과정에서도 교육을 받은 것으로 본다.
2. 안전관리자, 위험물운반자 및 위험물운송자 실무교육의 공통과목에 대하여 어느 하나의 실무교육 과정에서 교육을 받은 경우에는 나머지 실무교육 과정에서도 교육을 받은 것으로 본다.
3. 안전관리자 및 위험물운송자의 실무교육 시간 중 일부(4시간 이내)를 사이버교육의 방법으로 실시할 수 있다. 다만, 교육대상자가 사이버교육의 방법으로 수강하는 것에 동의하는 경우에 한정한다.

2. 교육계획의 공고 등
   가. 안전원의 원장은 강습교육을 하고자 하는 때에는 매년 1월 5일까지 일시, 장소, 그 밖에 강습의 실시에 관한 사항을 공고할 것
   나. 기술원 또는 안전원은 실무교육을 하고자 하는 때에는 교육실시 10일 전까지 교육대상자에게 그 내용을 통보할 것
3. 교육신청
   가. 강습교육을 받고자 하는 자는 안전원이 지정하는 교육일정 전에 교육수강을 신청할 것
   나. 실무교육 대상자는 교육일정 전까지 교육수강을 신청할 것
4. 교육일시 통보
   기술원 또는 안전원은 제3호에 따라 교육신청이 있는 때에는 교육실시 전까지 교육대상자에게 교육장소와 교육일시를 통보하여야 한다.

5. 기타

기술원 또는 안전원은 교육대상자별 교육의 과목 · 시간 · 실습 및 평가, 강사의 자격, 교육의 신청, 교육수료증의 교부 · 재교부, 교육수료증의 기재사항, 교육수료자명부의 작성 · 보관 등 교육의 실시에 관하여 필요한 세부사항을 정하여 소방청장의 승인을 받아야 한다. 이 경우 안전관리자, 위험물운반자 및 위험물운송자 강습교육의 과목에는 각 강습교육별로 다음 표에 정한 사항을 포함하여야 한다.

<table>
<tr><th>교육과정</th><th colspan="2">교육내용</th></tr>
<tr><td>안전관리자 강습교육</td><td>제4류 위험물의 품명별 일반성질, 화재예방 및 소화의 방법</td><td rowspan="3">· 연소 및 소화에 관한 기초이론
· 모든 위험물의 유별 공통성질과 화재예방 및 소화의 방법
· 위험물안전관리법령 및 위험물의 안전관리에 관계된 법령</td></tr>
<tr><td>위험물운반자 강습교육</td><td>위험물운반에 관한 안전기준</td></tr>
<tr><td>위험물운송자 강습교육</td><td>· 이동탱크저장소의 구조 및 설비작동법
· 위험물운송에 관한 안전기준</td></tr>
</table>

22 [별표 25] 수수료 및 교육비

시행규칙 제79조(수수료 등) ① 법 제31조의 규정에 의한 수수료 및 교육비는 별표 25와 같다.

1. 법 제5조 제2항 제1호에 따른 임시저장 또는 취급의 승인: 2만 원
2. 법 제6조 제1항에 따른 제조소등의 설치허가 또는 변경허가
   가. 제조소등의 설치허가: 제조소등의 구분에 따라 다음 표에서 정하는 금액

<table>
<tr><th colspan="9">구분</th><th>수수료(원)</th></tr>
<tr><td rowspan="11">제조소</td><td colspan="2" rowspan="5">지정수량의 1천배 미만인 것</td><td colspan="6">지정수량의 10배 이하인 것</td><td>4만 원</td></tr>
<tr><td colspan="6">지정수량의 10배 초과 50배 이하인 것</td><td>5만 원</td></tr>
<tr><td colspan="6">지정수량의 50배 초과 100배 이하인 것</td><td>6만5천 원</td></tr>
<tr><td colspan="6">지정수량의 100배 초과 200배 이하인 것</td><td>7만5천 원</td></tr>
<tr><td colspan="6">지정수량의 200배 초과 1천배 미만인 것</td><td>9만 원</td></tr>
<tr><td colspan="2" rowspan="6">지정수량의 1천배 이상인 것</td><td rowspan="5">구조 · 설비의 기술검토</td><td>기술인력별 작업구분</td><td colspan="4">기준공량(지정수량의 1천배 이상 1만배 미만)</td><td rowspan="5">엔지니어링산업 진흥법 제31조에 따른 엔지니어링사업 대가의 기준의 실비정액가산 방식을 적용하여 산출한 금액</td></tr>
<tr><td>기술협의 및 서류검토(특급기술자)</td><td colspan="4">0.25</td></tr>
<tr><td>제조 · 취급시설의 설계심사(고급기술자)</td><td colspan="4">0.80</td></tr>
<tr><td>소화설비의 설계심사(고급기술자)</td><td colspan="4">1.32</td></tr>
<tr><td>보고서작성 및 기록관리(중급기술자)</td><td colspan="4">0.25</td></tr>
<tr><td colspan="6">그 밖의 사항의 심사</td><td>2만 원</td></tr>
<tr><td rowspan="12">저장소</td><td colspan="2" rowspan="5">옥내 저장소</td><td colspan="6">지정수량의 10배 이하인 것</td><td>2만 원</td></tr>
<tr><td colspan="6">지정수량의 10배 초과 50배 이하인 것</td><td>2만5천 원</td></tr>
<tr><td colspan="6">지정수량의 50배 초과 100배 이하인 것</td><td>4만 원</td></tr>
<tr><td colspan="6">지정수량의 100배 초과 200배 이하인 것</td><td>5만 원</td></tr>
<tr><td colspan="6">지정수량의 200배를 초과하는 것</td><td>6만5천 원</td></tr>
<tr><td rowspan="7">옥외 탱크 저장소</td><td rowspan="3">특정옥외탱크저장소 및 준특정옥외탱크저장소 외의 것</td><td colspan="6">지정수량의 100배 이하인 것</td><td>2만 원</td></tr>
<tr><td colspan="6">지정수량의 100배 초과 10,000배 이하인 것</td><td>2만5천 원</td></tr>
<tr><td colspan="6">지정수량의 10,000배를 초과하는 것</td><td>4만 원</td></tr>
<tr><td rowspan="4">특정옥외탱크저장소 및 준특정 옥외탱크저장소</td><td rowspan="4">기초 · 지반, 탱크 본체 및 소화설비의 기술 검토</td><td rowspan="2">기술인력별 작업구분</td><td colspan="4">기준공량
(1백만ℓ 이상 3백만ℓ 미만)</td><td rowspan="4">엔지니어링산업 진흥법 제31조에 따른 엔지니어링사업대가의 기준의 실비정액가산 방식을 적용하여 산출한 금액</td></tr>
<tr><td>합계</td><td>탱크본체 심사</td><td>기초지반 심사</td><td>소화설비 심사</td></tr>
<tr><td>기술협의 및 서류검토
(특급기술자)</td><td>0.313</td><td>0.125</td><td>0.125</td><td>0.063</td></tr>
<tr><td>기초 · 지반의 설계심사
(고급기술자)</td><td>1.250</td><td>0</td><td>1.250</td><td>0</td></tr>
</table>

구분									수수료(원)
저장소	옥외탱크저장소	특정옥외탱크저장소 및 준특정 옥외탱크저장소	기초·지반, 탱크 본체 및 소화설비의 기술 검토	탱크구조등의 설계심사(고급기술자)	0.833	0.833	0	0	엔지니어링산업 진흥법 제31조에 따른 엔지니어링사업대가의 기준의 실비정액가산 방식을 적용하여 산출한 금액
				소화설비 설계심사(고급기술자)	0.400	0	0	0.400	
				보고서작성 및 기록관리(중급기술자)	0.354	0.125	0.166	0.063	
			그 밖의 사항의 심사	용량이 50만ℓ 이상 100만ℓ 미만인 것					6만 원
				용량이 100만ℓ 이상 500만ℓ 미만인 것					8만 원
				용량이 500만ℓ 이상 1,000만ℓ 미만인 것					10만 원
				용량이 1,000만ℓ 이상 5,000만ℓ 미만인 것					12만 원
				용량이 5,000만ℓ 이상 1억ℓ 미만인 것					14만 원
				용량이 1억ℓ 이상인 것					16만 원
	암반탱크저장소		기초·지반, 탱크 본체 및 소화설비의 기술 검토	기술인력별 작업구분	기준공량(탱크용량이 4억ℓ 미만) 합계	탱크본체 심사	기초지반 심사	소화설비 심사	엔지니어링산업 진흥법 제31조에 따른 엔지니어링사업대가의 기준의 실비정액가산 방식을 적용하여 산출한 금액
				기술협의 및 서류검토(특급기술자)	2.063	1.000	1.000	0.063	
				기초·지반의 설계심사(고급기술자)	7.541	0	7.541	0	
				탱크구조등의 설계심사(고급기술자)	6.541	6.541	0	0	
				소화설비 설계심사(고급기술자)	0.400	0	0	0.400	
				보고서작성 및 기록관리(중급기술자)	0.563	0.250	0.250	0.063	
			그 밖의 사항의 심사	용량이 4억ℓ 미만인 것					18만 원
				용량이 4억ℓ 이상 5억ℓ 미만인 것					20만 원
				용량이 5억ℓ 이상인 것					22만 원
	옥내탱크저장소								2만5천 원
	지하탱크저장소			지정수량의 100배 이하인 것					2만5천 원
				지정수량의 100배를 초과하는 것					4만 원
	간이탱크저장소								1만5천 원
	이동탱크저장소			컨테이너식이동탱크저장소·항공기주유탱크차 외의 것					2만5천 원
				컨테이너식이동탱크저장소, 항공기주유탱크차					4만 원
	옥외저장소								1만5천 원

구분			금액
저장소	주유취급소	옥내주유취급소 외의 것	6만 원
		옥내주유취급소	7만 원
	판매취급소	제1종판매취급소	3만 원
		제2종판매취급소	4만 원
	이송취급소	특정이송취급소 외의 것으로서 배관의 연장(해당 배관의 기점 또는 종점이 2 이상인 경우에는 임의의 기점에서 임의의 종점까지의 해당 배관의 연장 중 최대의 것을 말한다. 이하 같다)이 15km 이하인 것	2만5천 원
		특정이송취급소로서 배관의 연장이 15km 이하인 것	8만 원
		배관의 연장이 15km를 초과하는 것	8만 원에 위험물을 이송하기 위한 배관의 연장이 15km 또는 15km 미만의 끝수가 증가할 때마다 2만 원을 더한 금액
	일반취급소	제조소의 수수료기준과 동일	

비고
1. 지정수량 1천배 이상의 제조소 또는 일반취급소 · 특정옥외탱크저장소 · 준특정옥외탱크저장소 · 암반탱크저장소의 설치허가 수수료는 이 표에 정하는 기술검토에 대한 수수료와 기타사항의 심사에 대한 수수료를 합한 금액으로 한다.
2. 지정수량 1천배 이상의 제조소 또는 일반취급소 · 특정옥외탱크저장소 · 준특정옥외탱크저장소 · 암반탱크저장소의 설치허가에 대한 수수료 중 기술검토에 대한 수수료는 이 표의 기준공량에 다음 각 목에 정하는 취급량별 또는 탱크의 용량별 보정계수를 곱하여 얻은 표준공량을 기준으로 하여 산출한 직접인건비 · 직접경비 · 제경비 및 기술료를 합한 금액으로 한다. 다만, 1천 원 미만은 버리며, 특정옥외탱크저장소 및 준특정옥외탱크저장소의 기술검토에 대한 수수료 중 기초 · 지반, 탱크본체 및 소화설비의 심사에 대한 것은 각각 190만 원을 초과할 수 없다.

가. 제조소 또는 일반취급소의 취급량별 보정계수

취급량(단위: kℓ 또는 ton)	보정계수
1,000 이하	1.00
1,000 초과 1,500 이하	1.15
1,500 초과 2,000 이하	1.34
2,000 초과	1.56

비고
지정수량의 단위가 다른 2 이상의 위험물에 있어서는 1kg을 1ℓ로 본다.

나. 특정옥외탱크저장소 및 준특정옥외탱크저장소의 탱크용량별 보정계수

탱크용량(ℓ)	보정계수	탱크용량(ℓ)	보정계수	탱크용량(ℓ)	보정계수
5십만 이상 1백만 미만	0.58	3천만 이상 4천만 미만	4.42	9천만 이상 1억 미만	9.48
1백만 이상 3백만 미만	1.00	4천만 이상 5천만 미만	5.22	1억 이상 1억 1천만 미만	9.97
3백만 이상 6백만 미만	1.42	5천만 이상 6천만 미만	6.21	1억 1천만 이상 1억 2천만 미만	10.06

6백만 이상 1천만 미만	2.36	6천만 이상 7천만 미만	7.36	1억 2천만 이상	11.6
1천만 이상 2천만 미만	3.03	7천만 이상 8천만 미만	8.03		
2천만 이상 3천만 미만	3.75	8천만 이상 9천만 미만	8.81		

다. 암반탱크저장소의 탱크용량별 보정계수

탱크용량(ℓ)	보정계수
4억 미만	1.00
4억 이상 5억 미만	1.26
5억 이상	1.86

3. 제2호의 직접인건비는 엔지니어링산업 진흥법 제31조에 따른 엔지니어링사업 대가 기준 중 건설 및 기타부문의 임금단가에 표준공량을 곱하여 산출하고, 직접경비 · 제경비 및 기술료는 다음 식에 의하여 산출한다.
   가. 직접경비 = 직접인건비 × 20%
   나. 제경비 = 직접인건비 × 110%
   다. 기술료 = (직접인건비 + 제경비) × 20%
4. 같은 시기에 설치장소와 설계조건이 같은 2개 이상의 제조소 · 일반취급소 또는 옥외탱크저장소에 대한 기술검토를 신청하는 경우에는 1개 외의 나머지 대상에 대한 기술검토 수수료는 이 표에 의한 수수료의 3/4에 해당하는 금액으로 한다.

나. 제조소등의 변경허가: 가목에 정하는 해당 제조소등의 설치허가 수수료의 1/2에 해당하는 금액. 다만, 기술검토에 대한 수수료는 변경이 있는 구조 · 설비 · 기초 · 지반 또는 탱크본체에 대한 설치허가에 따른 기술검토 수수료의 1/2에 해당하는 금액으로 한다.

3. 법 제8조의 규정에 의한 탱크안전성능검사

가. 법 제6조 제1항 전단의 규정에 의한 설치허가에 따른 탱크안전성능검사: 검사의 구분에 따라 다음표에 정하는 금액

구분		수수료
충수검사	용량이 1만ℓ 이하인 것	1만 원
	용량이 1만ℓ 초과 50만ℓ 이하인 것	2만 원
	용량이 50만ℓ 초과 100만ℓ 미만인 것	5만 원
	용량이 100만ℓ 이상인 것	35만 원에 10만ℓ 또는 10만ℓ 미만의 끝수가 증가할 때마다 2만1천 원을 가산한 금액. 다만, 150만 원을 초과할 수 없다.
수압검사	용량이 100ℓ 이하인 것	1만 원
	용량이 100ℓ 초과 10,000ℓ 이하인 것	2만 원
	용량이 10,000ℓ 초과 2만ℓ 이하인 것	3만 원
	용량이 2만ℓ를 초과하는 것	3만 원에 10,000ℓ 또는 10,000ℓ 미만의 끝수가 증가할 때마다 1만 원을 가산한 금액. 다만, 150만 원을 초과할 수 없다.
기초 · 지반검사		제2호의 규정에 의한 특정옥외탱크저장소 · 준특정옥외탱크저장소 및 암반탱크저장소의 설치허가에 따른 수수료 중 기술검토에 대한 수수료 산정의 예에 준하여 소방청장이 정하여 고시하는 방법에 따라 산출한 금액
용접부검사		
암반탱크검사		
이중벽탱크검사		

비고

1. 검사에 필요한 충수 · 가스충전 · 비계설치 등 검사준비에 소요되는 비용은 이 표의 수수료에 포함하지 아니한다.
2. 2기 이상의 탱크에 대한 충수검사 또는 수압검사를 같은 날 같은 장소에서 실시하는 경우에 있어서는 1기 외에 추가되는 탱크에 대한 수수료는 이 표에 의한 수수료의 1/2에 해당하는 금액으로 한다.
3. 이중벽탱크검사는 별표 8 Ⅱ의 이중벽탱크에 대한 탱크안전성능검사를 말한다. 이하 나목에서 같다.

나. 법 제6조 제1항 후단의 규정에 의한 변경허가에 따른 탱크안전성능검사: 검사의 구분에 따라 다음 표에 정하는 금액

구분	수수료
충수검사	가목의 구분에 따른 각 해당수수료와 동일한 액
수압검사	가목의 구분에 따른 각 해당수수료와 동일한 액
기초 · 지반검사	제2호의 규정에 의한 특정옥외탱크저장소 및 암반탱크저장소의 설치허가에 따른 수수료중 기술검토에 대한 수수료 산정의 예에 준하여 소방청장이 정하여 고시하는 방법에 따라 산출한 금액
용접부검사	
암반탱크검사	
이중벽탱크검사	

4. 법 제9조의 규정에 의한 제조소등의 완공검사: 다음 각 목에 정하는 금액. 다만, 기술원이 실시하는 완공검사에 대한 수수료는 제2호의 규정에 의한 특정옥외탱크저장소 · 준특정옥외탱크저장소 및 암반탱크저장소의 설치허가에 따른 수수료 중 기술검토에 대한 수수료 산정의 예에 준하여 소방청장이 정하여 고시하는 방법으로 산출한다.
   가. 제조소등의 설치에 따른 완공검사: 당해 제조소등의 설치허가 수수료의 1/2에 해당하는 금액
   나. 제조소등의 변경에 따른 완공검사: 당해 제조소등의 설치허가 수수료의 1/4에 해당하는 금액
5. 법 제10조 제3항의 규정에 의한 설치자의 지위승계신고: 2만 원
6. 법 제16조 제2항의 규정에 의한 탱크시험자의 등록: 8만 원
7. 법 제16조 제3항의 규정에 의한 탱크시험자의 등록사항 변경신고: 2만 원
8. 법 제18조 제3항에 따른 정기검사: 제2호에 따른 특정옥외탱크저장소 · 준특정옥외탱크저장소 및 암반탱크저장소의 설치허가에 따른 수수료 중 기술검토에 대한 수수료 산정의 예에 준하여 소방청장이 정하여 고시하는 방법에 따라 산출한 금액
9. 법 제20조 제3항에 따른 운반용기의 검사: 운반용기의 종류 및 크기별로 검사방법에 따른 실비용을 고려하여 소방청장이 정하여 고시하는 금액
10. 법 제28조에 따른 안전교육: 교육과정 및 교육대상자별로 교육내용에 따른 실비용을 고려하여 소방청장이 정하여 고시하는 금액

문제로 완성하기

01 위험물안전관리법 시행규칙상 위험물 제조소의 표지 및 게시판에 대한 내용으로 옳지 않은 것은? 22. 공채

① 게시판은 한변의 길이가 0.3m 이상, 다른 한변의 길이가 0.6m 이상인 직사각형으로 한다.

② 제4류 위험물에 있어서는 적색바탕에 백색문자로, “화기엄금”을 표시한다.

③ 알칼리금속의 과산화물은 청색바탕에 백색문자로, “물기엄금”을 표시한다.

④ 인화성고체에 있어서는 적색바탕에 백색문자로, “화기주의”를 표시한다.

02 위험물안전관리법 시행규칙상 제조소의 위치 · 구조 및 설비의 기준에 대한 설명으로 옳지 않은 것은? 19. 공채

① 환기설비는 자연배기 방식으로 하여야 한다.

② 제6류 위험물을 취급하는 제조소는 안전거리 적용제외 대상이다.

③ “위험물 제조소”라는 표시를 한 표지의 바탕은 흑색으로, 문자는 백색으로 하여야 한다.

④ 제5류 위험물을 저장 또는 취급하는 제조소에는 “화기엄금”을 표시한 게시판을 설치하여야 한다.

03 다음 중 채광 · 조명 및 환기설비에 관한 내용으로 옳지 않은 것은? 18. 상반기 공채

① 조명설비의 전선한 내화 · 내열전선으로 할 것

② 점멸스위치는 출입구 바깥부분에 설치할 것

③ 급기구는 높은 곳에 설치하고 가는 눈의 구리망 등으로 인화방지망을 설치할 것

④ 급기구는 당해 급기구가 설치된 실의 바닥면적 150 제곱미터마다 1개 이상으로 할 것

04 **위험물제조소의 채광 · 조명 및 환기설비의 내용으로 옳지 않은 것은?** 15. 공채

① 채광설비는 불연재료로 하고, 연소의 우려가 없는 장소에 설치하되 채광면적을 최대로 할 것

② 급기구는 낮은 곳에 설치하고 가는 눈의 구리망 등으로 인화방지망을 설치할 것

③ 점멸스위치는 출입구 바깥부분에 설치할 것

④ 환기설비에서 환기는 자연배기방식으로 할 것

05 **위험물안전관리법 시행규칙상 제조소의 환기설비의 기준에 대한 설명으로 옳지 않은 것은?** 21. 공채

① 환기는 기계배기방식으로 할 것

② 환기구는 지상 2m 이상의 높이에 루푸팬방식으로 설치할 것

③ 바닥면적이 $90m^2$일 경우 급기구의 면적은 $450cm^2$ 이상으로 할 것

④ 급기구는 낮은 곳에 설치하고 가는 눈의 구리망 등으로 인화방지망을 설치할 것

정답 및 해설

01 위험물 제조소
인화성고체에 있어서는 적색바탕에 백색문자로, “화기엄금”을 표시한다.

02 제조소
“위험물 제조소”라는 표시를 한 표지의 바탕은 백색으로, 문자는 흑색으로 하여야 한다.

03 채광, 조명 및 환기설비
급기구는 낮은 곳에 설치하고 가는 눈의 구리망 등으로 인화방지망을 설치할 것

04 위험물제조소
채광설비는 불연재료로 하고, 연소의 우려가 없는 장소에 설치하되 채광면적을 최소로 할 것

05 제조소의 환기설비의 기준
환기는 자연배기방식으로 할 것

정답 **01** ④ **02** ③ **03** ③ **04** ① **05** ①

06 위험물안전관리법 시행규칙상 고인화점위험물을 상온에서 취급하는 경우 제조소의 시설기준 중 일부 완화된 시설기준을 적용할 수 있는데, 고인화점위험물의 정의로 옳은 것은? 19. 공채

① 인화점이 250℃ 이상인 인화성 액체

② 인화점이 100℃ 이상인 제4류 위험물

③ 인화점이 70℃ 이상 200℃ 미만인 제4류 위험물

④ 인화점이 70℃ 이상이고 가연성 액체량이 40중량퍼센트 이상인 제4류 위험물

07 위험물안전관리법 시행규칙상 제조소의 위치·구조 및 설비의 기준에 근거하여 취급하는 위험물의 최대수량이 지정수량의 20배인 경우, 제조소 주위에 보유하여야 하는 공지의 너비는? 23. 공채·경채

① 2m 이상 ② 3m 이상

③ 4m 이상 ④ 5m 이상

08 위험물안전관리법 시행규칙상 옥외탱크저장소의 위치·구조 및 설비 기준에 대한 설명으로 옳지 않은 것은? 22. 공채

① 저장 또는 취급하는 위험물의 최대수량이 지정수량의 500배 이하인 경우 보유 공지너비는 5m 이상으로 해야 한다.

② 옥외탱크저장소 중 그 저장 또는 취급하는 액체위험물의 최대수량이 100만ℓ 이상의 것을 특정옥외탱크저장소라 한다.

③ 밸브 없는 통기관의 지름은 30 mm 이상으로 하고 끝부분은 수평면보다 45도 이상 구부려 빗물 등의 침투를 막는 구조로 한다.

④ 압력탱크(최대상용압력이 대기압을 초과하는 탱크를 말한다) 외의 탱크는 충수시험, 압력탱크는 최대상용압력의 1.5배의 압력으로 10분간 실시하는 수압시험에서 각각 새거나 변형되지 아니하여야 한다.

09 **위험물안전관리법 시행규칙상 옥외저장탱크의 위치 · 구조 및 설비 기준에 대한 설명으로 옳지 않은 것은?** 19. 공채

① 옥외저장탱크는 위험물의 폭발 등에 의하여 탱크 내의 압력이 비정상적으로 상승하는 경우에 내부의 가스 또는 증기를 상부로 방출할 수 있는 구조로 하여야 한다.

② 이황화탄소의 옥외저장탱크는 벽 및 바닥의 두께가 0.2m 이상이고 누수가 되지 아니하는 철근콘크리트의 수조에 넣어 보관하여야 한다.

③ 옥외저장탱크의 배수관은 탱크의 밑판에 설치하여야 한다. 다만, 탱크와 배수관과의 결합부분이 지진 등에 의하여 손상을 받을 우려가 없는 방법으로 배수관을 설치하는 경우에는 탱크의 옆판에 설치할 수 있다.

④ 제3류 위험물 중 금수성물질(고체에 한한다)의 옥외저장탱크에는 방수성의 불연재료로 만든 피복설비를 설치하여야 한다.

정답 및 해설

06 고인화점위험물
고인화점위험물의 정의는 인화점이 100℃ 이상인 제4류 위험물을 말한다.

07 보유공지
지정수량의 10배 초과는 공지의 너비는 5m 이상이다.

08 옥외탱크저장소
저장 또는 취급하는 위험물의 최대수량이 지정수량의 500배 이하인 경우 보유 공지너비는 3m 이상으로 해야 한다.

09 옥외저장탱크
옥외저장탱크의 배수관은 탱크의 옆판에 설치하여야 한다. 다만, 탱크와 배수관과의 결합부분이 지진 등에 의하여 손상을 받을 우려가 없는 방법으로 배수관을 설치하는 경우에는 탱크의 밑판에 설치할 수 있다.

정답 06 ② 07 ④ 08 ① 09 ③

10 **위험물안전관리법 시행규칙상 옥외탱크저장소의 위치·구조 및 설비의 기준에 관한 내용이다. 빈칸에 들어갈 숫자로 옳은 것은?** 21. 공채

> 가. 지정수량의 650배를 저장하는 옥외탱크저장소의 보유공지는 (ㄱ)m 이상이다.
> 나. 펌프설비의 주위에는 너비 (ㄴ)m 이상의 공지를 보유해야 한다. 다만, 방화상 유효한 격벽을 설치하는 경우와 제6류 위험물 또는 지정수량의 (ㄷ)배 이하 위험물의 옥외저장탱크의 펌프설비에 있어서는 그러하지 아니하다.

	(ㄱ)	(ㄴ)	(ㄷ)
①	3	3	20
②	3	5	10
③	5	3	10
④	5	5	20

11 **다음 중 옥외탱크저장소 방유제에 대한 내용으로 옳지 않은 것은?** 16. 공채

① 방유제내의 면적은 8만m^2 이하로 할 것

② 방유제의 용량은 방유제 안에 설치된 탱크가 하나인 때에는 그 탱크 용량의 110% 이상, 2기 이상인 때에는 그 탱크 중 용량이 최대인 것의 용량의 110% 이상으로 할 것

③ 방유제는 높이 0.5m 이상 3m 이하, 두께 0.2m 이상, 지하매설깊이 1m 이상으로 할 것. 다만, 방유제와 옥외저장탱크 사이의 지반면 아래에 불침윤성(不浸潤性) 구조물을 설치하는 경우에는 지하매설깊이를 해당 불침윤성 구조물까지로 할 수 있다.

④ 높이가 1m를 넘는 방유제 및 간막이 둑의 안팎에는 방유제 내에 출입하기 위한 계단 또는 경사로를 약 70m마다 설치할 것

12 **위험물안전관리법 시행규칙상 인화성액체 위험물(이황화탄소를 제외한다)을 저장하는 옥외탱크저장소의 주위에 설치하는 방유제의 설치기준으로 옳지 않은 것은?** 24. 공채·경채

① 방유제는 높이 0.3m 이상 3m 이하로 할 것

② 방유제 내의 면적은 8만㎡ 이하로 할 것

③ 방유제 내의 간막이 둑은 흙 또는 철근콘크리트로 할 것

④ 높이가 1m를 넘는 방유제 및 간막이 둑의 안팎에는 방유제 내에 출입하기 위한 계단 또는 경사로를 약 50m마다 설치할 것

13 **지하저장탱크의 주위에 당해 탱크로부터 액체위험물의 누설을 검사하기 위한 관을 설치하여야 하는 기준으로 옳지 않은 것은?** 18. 상반기 공채

① 이중관으로 할 것. 다만 소공(小功)이 없는 상부는 단관으로 할 수 있다.

② 재료는 금속관 또는 경질합성수지관으로 할 것

③ 관은 탱크전용실의 바닥 또는 탱크의 기초까지 닿게 할 것

④ 상부는 물이 침투하지 아니하는 구조로 하고, 뚜껑은 검사 시 쉽게 열 수 없도록 할 것

정답 및 해설

10 옥외탱크저장소

가. 지정수량의 650배를 저장하는 옥외탱크저장소의 보유공지는 (5)m 이상이다.

나. 펌프설비의 주위에는 너비 (3)m 이상의 공지를 보유해야 한다. 다만, 방화상 유효한 격벽을 설치하는 경우와 제6류 위험물 또는 지정수량의 (10)배 이하 위험물의 옥외저장탱크의 펌프설비에 있어서는 그러하지 아니하다.

11 옥외탱크저장소 방유제

높이가 1m를 넘는 방유제 및 간막이 둑의 안팎에는 방유제 내에 출입하기 위한 계단 또는 경사로를 약 50m마다 설치할 것

12 방유제

방유제는 높이 0.5m 이상 3m 이하

13 지하저장탱크

상부는 물이 침투하지 아니하는 구조로 하고, 뚜껑은 검사 시 쉽게 열 수 있어야 한다.

정답 **10** ③ **11** ④ **12** ① **13** ④

14 다음 중 옥외저장소 설치기준으로 옳지 않은 것은? 17. 하반기 공채

① 옥외저장소는 규정에 준하여 안전거리를 둘 것

② 선반의 높이는 6m를 초과하지 아니할 것

③ 옥외저장소에는 갑종 또는 을종방화문을 설치할 것

④ 과산화수소 또는 과염소산을 저장하는 옥외저장소에는 불연성 또는 난연성의 천막 등을 설치하여 햇빛을 가릴 것

15 주유공지 및 급유공지 제반사항으로 옳지 않은 것은? 16. 공채

① 고정주유설비의 주위에는 콘크리트 등으로 포장한 공지를 보유하여야 한다.

② 고정급유설비를 설치하는 경우에는 고정급유설비의 호스기기의 주위에 필요한 공지를 보유하여야 한다.

③ 규정에 의한 공지의 바닥은 주위 지면보다 낮게 하여야 한다.

④ 공지의 바닥표면을 적당하게 경사지게 하여 새어나온 기름 등이 공지의 외부로 유출되지 아니하도록 배수구 · 집유설비 및 유분리장치를 하여야 한다.

16 위험물안전관리법 시행규칙상 이동탱크저장소의 이동저장탱크 구조에 관한 설명이다. (　) 안에 들어갈 내용으로 옳은 것은? 24. 공채 · 경채

> 이동저장탱크는 그 내부에 (ㄱ) L 이하마다 (ㄴ) mm 이상의 강철판 또는 이와 동등 이상의 강도 · 내열성 및 내식성이 있는 금속성의 것으로 칸막이를 설치하여야 한다.

	ㄱ	ㄴ
①	3,000	1.6
②	4,000	1.6
③	3,000	3.2
④	4,000	3.2

17 다음 중 주유취급소에 대하여 옳은 것은? 17. 상반기 공채

① 주유를 받으려는 자동차 등이 출입할 수 있도록 너비 10m 이상, 길이 5m 이상의 콘크리트 등으로 포장한 공지를 보유하여야 한다.

② 흑색바탕에 황색문자로 "주유 중 엔진정지"라는 표시를 한 게시판을 설치하여야 한다.

③ 주유취급소의 주위에는 자동차 등이 출입하는 쪽 외의 부분에 높이 3m 이상의 내화구조 또는 불연재료의 담 또는 벽을 설치하여야 한다.

④ 고정주유설비 또는 고정급유설비의 주유관의 길이 5m 이내로 한다.

정답 및 해설

14 옥외저장소
옥외저장소에는 방화문 기준이 존재하지 않는다.

15 주유공지 및 급유공지
규정에 의한 공지의 바닥은 주위 지면보다 높게 하여야 한다.

16 이동저장탱크
이동저장탱크는 그 내부에 4,000ℓ 이하마다 3.2㎜ 이상의 강철판 또는 이와 동등 이상의 강도·내열성 및 내식성이 있는 금속성의 것으로 칸막이를 설치하여야 한다. 다만, 고체인 위험물을 저장하거나 고체인 위험물을 가열하여 액체 상태로 저장하는 경우에는 그러하지 아니하다.

17 주유취급소
① 주유를 받으려는 자동차 등이 출입할 수 있도록 너비 15m 이상, 길이 6m 이상의 콘크리트 등으로 포장한 공지를 보유하여야 한다.
② 황색 바탕에 흑색 문자로 "주유 중 엔진정지"라는 표시를 한 게시판을 설치하여야 한다.
③ 주유취급소의 주위에는 자동차 등이 출입하는 쪽 외의 부분에 높이 2m 이상의 내화구조 또는 불연재료의 담 또는 벽을 설치하여야 한다.

정답 14 ③ 15 ③ 16 ④ 17 ④

18 **주유취급소 셀프용 고정주유설비의 기준으로서 옳지 않은 것은?** 17. 하반기 공채

① 주유작업을 개시함에 있어서 주유노즐의 수동개폐장치가 개방상태에 있는 때에는 해당 수동개폐장치를 일단 폐쇄시켜야만 다시 주유를 개시할 수 있는 구조로 할 것

② 주유노즐이 자동차등의 주유구로부터 이탈된 경우 주유를 수동적으로 정지시키는 구조일 것

③ 주유노즐은 자동차등의 연료탱크가 가득 찬 경우 자동적으로 정지시키는 구조일 것

④ 휘발유와 경유 상호간의 오인에 의한 주유를 방지할 수 있는 구조일 것

19 **위험물안전관리법 시행규칙상 주유취급소의 고정주유설비 설치기준이다. ( ) 안에 들어갈 내용으로 옳은 것은?** 24. 경채

고정주유설비는 고정주유설비의 중심선을 기점으로 하여 도로경계선까지 ( ) m 이상의 거리를 유지할 것

① 1 ② 2

③ 3 ④ 4

20 **다음 중 판매취급소에 대하여 옳은 것은?** 17. 상반기 공채

① 제1종 판매취급소는 제2종 판매취급소보다 더 강화된 기준을 적용한다.

② 제2종 판매취급소는 건축물의 1층에 설치하여야 한다.

③ 위험물 배합실 출입구의 문턱의 높이는 바닥면으로부터 0.15m 이상으로 설치한다.

④ "위험물 판매취급소" 표지와 방화에 필요한 사항의 게시판을 설치하지 않아도 된다.

21 위험물안전관리법 시행규칙상 위험물 제조소등(이동탱크저장소를 제외한다)에 설치하는 경보설비로 옳지 않은 것은?

20. 공채 변형

① 확성장치
② 비상방송설비
③ 비상경보설비
④ 가스누설경보기

정답 및 해설

18 주유취급소 셀프용 고정주유설비
주유노즐이 자동차등의 주유구로부터 이탈된 경우 주유를 자동으로 정지시키는 구조일 것

19 주유취급소의 고정주유설비 설치기준
고정주유설비는 고정주유설비의 중심선을 기점으로 하여 도로경계선까지 4 m 이상의 거리를 유지할 것

20 판매취급소
① 제1종 판매취급소는 제2종 판매취급소보다 더 강화된 기준을 적용한다. → 제2종 판매취급소가 더 강화된 기준을 적용한다.
③ 위험물 배합실 출입구의 문턱의 높이는 바닥면으로부터 0.1m 이상으로 설치한다.
④ "위험물 판매취급소" 표지와 방화에 필요한 사항의 게시판을 설치하여야 한다.

21 경보설비
가스누설경보기는 해당하지 않는다.

정답 18 ② 19 ④ 20 ② 21 ④

22 **위험물안전관리법 시행규칙상 제조소등에 설치하는 소방시설 설치에 대한 내용으로 옳지 않은 것은?** 21. 공채

① 제조소등에는 화재발생 시 소화가 곤란한 정도에 따라 그 소화에 적응성이 있는 소화설비를 설치하여야 한다.

② 제조소등에는 화재발생 시 소방공무원이 화재를 진압하거나 인명구조 활동을 할 수 있도록 소화활동설비를 설치하여야 한다.

③ 주유취급소 중 건축물의 2층 이상의 부분을 점포 · 휴게 음식점 또는 전시장의 용도로 사용하는 것과 옥내주유취급소에는 피난설비를 설치하여야 한다.

④ 지정수량의 10배 이상의 위험물을 저장 또는 취급하는 제조소등(이동탱크저장소 제외)에는 화재발생 시 이를 알릴 수 있는 경보설비를 설치하여야 한다.

23 **위험물안전관리법 시행규칙상 위험물의 운반에 관한 기준 중 적재방법에 대한 내용으로 옳지 않은 것은? (다만, 덩어리 상태의 유황을 운반하기 위하여 적재하는 경우 또는 위험물을 동일구내에 있는 제조소등의 상호간에 운반하기 위하여 적재하는 경우는 제외한다)** 23. 공채 · 경채

① 하나의 외장용기에는 다른 종류의 위험물을 수납하지 아니할 것

② 고체 위험물은 운반용기 내용적의 95% 이하의 수납율로 수납할 것

③ 액체 위험물은 운반용기 내용적의 98% 이하의 수납율로 수납하되, 55℃의 온도에서 누설되지 아니하도록 충분한 공간용적을 유지하도록 할 것

④ 자연발화물질 중 알킬알루미늄등은 운반용기 내용적의 95% 이하의 수납율로 수납하되, 55℃의 온도에서 10% 이상의 공간용적을 유지하도록 할 것

24 **위험물안전관리법 시행규칙상 소화설비의 설치기준으로 옳지 않은 것은?** 24. 공채 · 경채

① 위험물은 지정수량의 10배를 1소요단위로 할 것

② 저장소의 건축물은 외벽이 내화구조인 것은 연면적 $100m^2$를 1소요단위로 할 것

③ 제조소등에 전기설비(전기배선, 조명기구 등은 제외한다)가 설치된 경우에는 당해 장소의 면적 $100m^2$마다 소형수동식소화기를 1개 이상 설치할 것

④ 옥내소화전은 제조소등의 건축물의 층마다 당해 층의 각 부분에서 하나의 호스접속구까지의 수평거리가 25m 이하가 되도록 설치할 것

25 **위험물안전관리법 시행규칙상 위험물의 저장기준에 관한 내용으로 옳지 않은 것은?** 24. 공채·경채

① 제3류 위험물 중 황린 그 밖에 물속에 저장하는 물품과 금수성물질은 동일한 저장소에서 저장하지 아니하여야 한다.

② 옥내저장소에서는 용기에 수납하여 저장하는 위험물의 온도가 55℃를 넘지 아니하도록 필요한 조치를 강구하여야 한다.

③ 옥외저장소에서 위험물을 수납한 용기를 선반에 저장하는 경우에는 10m 이하의 높이로 저장하여야 한다.

④ 보냉장치가 있는 이동저장탱크에 저장하는 아세트알데히드등 또는 디에틸에테르등의 온도는 당해 위험물의 비점 이하로 유지하여야 한다.

정답 및 해설

22 제조소등
제조소등에는 소화활동설비를 설치하지 않는다.

23 위험물의 운반에 관한 기준
자연발화성물질 중 알킬알루미늄등은 운반용기의 내용적의 90% 이하의 수납율로 수납하되, 50℃의 온도에서 5% 이상의 공간용적을 유지하도록 할 것

24 소화설비의 설치기준
소요단위의 계산방법: 저장소의 건축물은 외벽이 내화구조인 것은 연면적 150m^2를 1소요단위로 하고, 외벽이 내화구조가 아닌 것은 연면적 75m^2를 1소요단위로 할 것

25 위험물의 저장기준
옥외저장소에서 위험물을 수납한 용기를 선반에 저장하는 경우에는 6m 이하의 높이로 저장하여야 한다. 즉, 선반의 높이는 6m를 초과하지 아니할 것

정답 21 ④ 22 ② 23 ④ 24 ② 25 ③

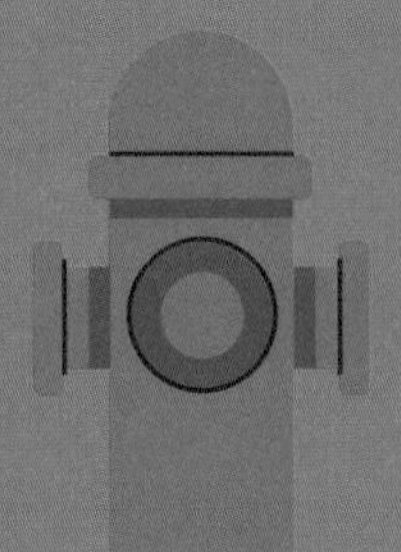

PART 6

소방시설공사업법

법[시행 2025.1.31.][법률 제20157호, 2024.1.30., 일부개정]

시행령[시행 2024.4.2.][대통령령 제34379호, 2024.4.2., 일부개정]

시행규칙[시행 2024.8.1.][행정안전부령 제447호, 2024.1.4., 일부개정]

CHAPTER 1 총칙

소방시설공사업법의 목적
1. 1차 목적: 소방시설업의 건전한 발전과 소방기술 진흥
2. 2차 목적: 공공의 안전확보, 국민경제 이바지

소방시설업
1. 소방시설업: 설계업, 공사업, 감리업, 방염처리업 → 등록을 하면 소방시설업자가 된다.
2. 소방시설공사등: 설계도서, 시공, 감리, 방염
3. 소방관리업을 할 경우 시·도지사에게 등록하지만, 소방시설업은 소방시설업자 협회를 통해 시·도지사에게 등록한다.
4. 만약, 등록하지 않고 업을 할 경우 관리업처럼 3년 이하의 징역 또는 3천만 원 이하의 벌금이다.
   - 소방관리업: 신청인(신청서) → 시·도지사 → 등록증 등 교부
   - 소방시설업: 신청인(신청서) ⇄ 소방시설업자 협회(제출) ⇄ 시·도지사(적합) ⇄ 등록증 등 발급

용어사전

❶ 기술계산서: 옥내소화전 수원의 양, 지진에 견딜수 있는 기술계산, 건물구조가 견딜 수 있는 기술계산 등을 의미한다.
❷ 정비: 기계기구 교체 등을 의미한다.
❸ 발주자: 소방업체에게 주문하는 사람
즉, 발주자 ⟷ 소방시설업자 <도급계약>
예 설계, 공사 등을 해달라고 주문하는 사람

방염물품
섬유류(선처리), 합성수지류(선처리), 합판목재류(선처리, 후처리)
1. 선처리: 제조가공공장에서 처리
2. 후처리: 현장에서 처리

제1조(목적)

이 법은 소방시설공사 및 소방기술의 관리에 필요한 사항을 규정함으로써 소방시설업을 건전하게 발전시키고 소방기술을 진흥시켜 화재로부터 공공의 안전을 확보하고 국민경제에 이바지함을 목적으로 한다.

제2조(정의)

① 이 법에서 사용하는 용어의 뜻은 다음과 같다.
1. "소방시설업"이란 다음 각 목의 영업을 말한다.
   가. 소방시설설계업: 소방시설공사에 기본이 되는 공사계획, 설계도면, 설계 설명서, 기술계산서[❶] 및 이와 관련된 서류(이하 "설계도서"라 한다)를 작성(이하 "설계"라 한다)하는 영업
   나. 소방시설공사업: 설계도서에 따라 소방시설을 신설, 증설, 개설, 이전 및 정비[❷](이하 "시공"이라 한다)하는 영업
   다. 소방공사감리업: 소방시설공사에 관한 발주자[❸]의 권한을 대행하여 소방시설공사가 설계도서와 관계 법령에 따라 적법하게 시공되는지를 확인하고, 품질·시공 관리에 대한 기술지도를 하는(이하 "감리"라 한다) 영업
   라. 방염처리업: 소방시설 설치 및 관리에 관한 법률 제20조 제1항에 따른 방염대상물품에 대하여 방염처리(이하 "방염"이라 한다)하는 영업
2. "소방시설업자"란 소방시설업을 경영하기 위하여 제4조에 따라 소방시설업을 등록한 자를 말한다.
3. "감리원"이란 소방공사감리업자에 소속된 소방기술자로서 해당 소방시설공사를 감리하는 사람을 말한다.
4. "소방기술자"란 제28조에 따라 소방기술 경력 등을 인정받은 사람과 다음 각 목의 어느 하나에 해당하는 사람으로서 소방시설업과 소방시설 설치 및 관리에 관한 법률에 따른 소방시설관리업의 기술인력으로 등록된 사람을 말한다.
   가. 소방시설 설치 및 관리에 관한 법률에 따른 소방시설관리사
   나. 국가기술자격 법령에 따른 소방기술사, 소방설비기사, 소방설비산업기사, 위험물기능장, 위험물산업기사, 위험물기능사
5. "발주자"란 소방시설의 설계, 시공, 감리 및 방염(이하 "소방시설공사등"이라 한다)을 소방시설업자에게 도급하는 자를 말한다. 다만, 수급인으로서 도급받은 공사를 하도급하는 자는 제외한다.

② 이 법에서 사용하는 용어의 뜻은 제1항에서 규정하는 것을 제외하고는 소방기본법, 화재의 예방 및 안전관리에 관한 법률, 소방시설 설치 및 관리에 관한 법률, 위험물안전관리법 및 건설산업기본법에서 정하는 바에 따른다.

소방기술자
1. 소방기술경력 등을 인정받는 인정자격수첩과 경력수첩이 있다.
   예 소방기술자는 등급이 있다(특급, 고급, 중급, 초급)
2. 인정자격수첩: 자격증은 없지만 소방과를 졸업하면 초급기술자 인정자격수첩을 발급받을 수 있다.
3. 경력수첩: 자격증을 의미한다.

제2조의2(소방시설공사등 관련 주체의 책무)

① 소방청장은 소방시설공사등의 품질과 안전이 확보되도록 소방시설공사등에 관한 기준 등을 정하여 보급하여야 한다.
② 발주자는 소방시설이 공공의 안전과 복리에 적합하게 시공되도록 공정한 기준과 절차에 따라 능력 있는 소방시설업자를 선정하여야 하고, 소방시설공사등이 적정하게 수행되도록 노력하여야 한다.
③ 소방시설업자는 소방시설공사등의 품질과 안전이 확보되도록 소방시설공사등에 관한 법령을 준수하고, 설계도서 · 시방서(示方書) 및 도급계약의 내용 등에 따라 성실하게 소방시설공사등을 수행하여야 한다.

발주자가 능력 있는 소방시설업자를 선정 → 선정이 된 소방시설업자는 성실하게 소방시설공사등을 수행

제3조(다른 법률과의 관계)

소방시설공사 및 소방기술의 관리에 관하여 이 법에서 규정하지 아니한 사항에 대하여는 화재의 예방 및 안전관리에 관한 법률, 소방시설 설치 및 관리에 관한 법률과 위험물안전관리법을 적용한다.

문제로 완성하기

01 소방시설공사업법상 '소방시설업'의 영업에 해당하지 않는 것은? 18. 하반기 공채

① 소방시설공사에 기본이 되는 공사계획, 설계도면, 설계증명서, 기술계산서 및 이와 관련된 서류를 작성하는 영업
② 설계도서에 따라 소방시설을 신설, 증설, 개설, 이전 및 정비하는 영업
③ 소방안전관리 업무의 대행 또는 소방시설등의 점검 및 유지 · 관리하는 영업
④ 방염대상물품에 대하여 방염처리하는 영업

02 다음 ㉠, ㉡에 들어갈 사항으로 바른 것은? 15. 공채

> 이 법은 소방시설공사 및 소방기술의 관리에 필요한 사항을 규정함으로써 소방시설업을 건전하게 발전시키고 (㉠)시켜 화재로부터 (㉡)하고 국민경제에 이바지함을 목적으로 한다.

	㉠	㉡
①	소방기술을 혁신	공공의 안전을 확보
②	소방기술을 혁신	국민의 생명, 신체를 보호
③	소방기술을 진흥	공공의 안전을 확보
④	소방기술을 진흥	국민의 생명, 신체를 보호

03 소방시설공사업법에서 규정한 용어의 정의로 옳지 않은 것은? 22. 공채

① "소방시설공사업"이란 설계도서에 따라 소방시설을 신설, 증설, 개설, 이전 및 정비하는 영업을 말한다.
② "소방시설설계업"이란 소방시설공사에 기본이 되는 공사계획, 설계도면, 설계 설명서, 기술계산서 및 이와 관련된 서류를 작성하는 영업을 말한다.
③ "발주자"란 소방시설의 설계, 시공, 감리 및 방염을 소방시설업자에게 도급한 자 및 도급받은 공사를 하도급하는 자를 말한다.
④ "소방공사감리업"이란 소방시설공사에 관한 발주자의 권한을 대행하여 소방시설공사가 설계도서와 관계법령에 따라 적법하게 시공되는지를 확인하고, 품질 · 시공 관리에 대한 기술지도를 하는 영업을 말한다.

정답 및 해설

01 소방시설업의 영업
③은 소방시설관리업에 대한 설명으로, 소방시설업에 해당하지 않는다.

02 목적
이 법은 소방시설공사 및 소방기술의 관리에 필요한 사항을 규정함으로써 소방시설업을 건전하게 발전시키고 (소방기술을 진흥)시켜 화재로부터 (공공의 안전을 확보)하고 국민경제에 이바지함을 목적으로 한다.

03 용어의 정의
"발주자"란 소방시설의 설계, 시공, 감리 및 방염을 소방시설업자에게 도급한 자 및 도급받은 공사를 하도급하는 자를 말한다. → 하도급하는 자는 제외한다.

정답 01 ③ 02 ③ 03 ③

CHAPTER 2 소방시설업

제4조(소방시설업의 등록)

영철쌤 tip
소방시설업 등록 → 변경 → 승계 → 취소·정지 순으로 학습한다.

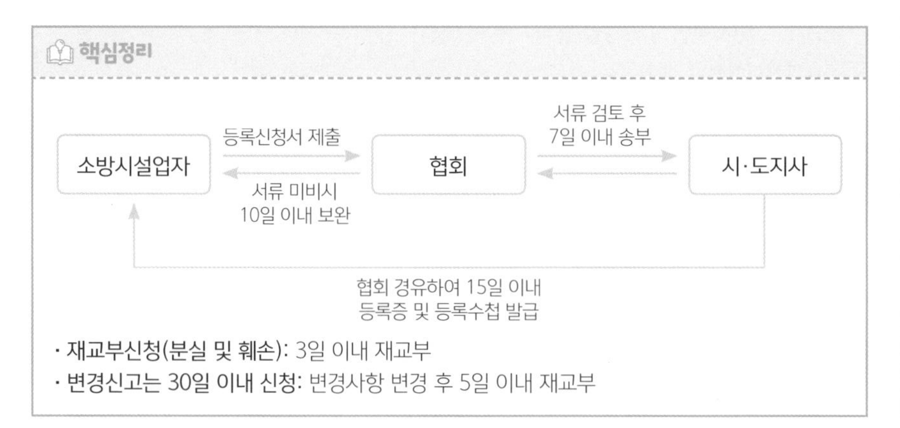

① 특정소방대상물의 소방시설공사 등을 하려는 자는 업종별로 자본금(개인인 경우에는 자산 평가액을 말한다), 기술인력 등 대통령령으로 정하는 요건을 갖추어 특별시장·광역시장·특별자치시장·도지사 또는 도지사(이하 "시·도지사"라 한다)에게 소방시설업을 등록하여야 한다.

영철쌤 tip
1. 일반적으로 등록, 영업범위 등: 대통령령
2. 일반적으로 신청, 발급 등: 행정안전부령

② 제1항에 따른 소방시설업의 업종별 영업범위는 대통령령으로 정한다.

③ 제1항에 따른 소방시설업의 등록신청과 등록증·등록수첩의 발급·재발급 신청, 그 밖에 소방시설업 등록에 필요한 사항은 행정안전부령으로 정한다.

④ 제1항에도 불구하고 공공기관의 운영에 관한 법률 제5조에 따른 공기업·준정부기관 및 지방공기업법 제49조에 따라 설립된 지방공사나 같은 법 제76조에 따라 설립된 지방공단이 다음 각 호의 요건을 모두 갖춘 경우에는 시·도지사에게 등록을 하지 아니하고 자체 기술인력을 활용하여 설계·감리를 할 수 있다. 이 경우 대통령령으로 정하는 기술인력을 보유하여야 한다.

1. 주택의 건설·공급을 목적으로 설립되었을 것
2. 설계·감리 업무를 주요 업무로 규정하고 있을 것

영철쌤 tip
공기업, 지방공사 등은 시·도지사에게 등록을 하지 아니하고 자체 기술인력을 활용하여 설계·감리를 할 수 있다.
1. 공기업: 국토개발부소속인 한국토지주택공사(LH)
2. 지방공사: 서울주택도시공사(SH), 경기주택도시공사(GH)

시행령 제2조(소방시설업의 등록기준 및 영업범위) ① 소방시설공사업법(이하 "법"이라 한다) 제4조 제1항 및 제2항에 따른 소방시설업의 업종별 등록기준 및 영업범위는 별표 1과 같다.

② 소방시설공사업의 등록을 하려는 자는 별표 1의 기준을 갖추어 소방청장이 지정하는 금융회사 또는 소방산업의 진흥에 관한 법률 제23조에 따른소방산업공제조합이 별표 1에 따른 자본금 기준금액의 100분의 20 이상에 해당하는 금액의 담보를 제공받거나 현금의 예치 또는 출자를 받은 사실을 증명하여 발행하는 확인서를 특별시장·광역시장·특별자치시장·도지사 또는 특별자치도지사(이하 "시·도지사"라 한다)에게 제출하여야 한다.

영철쌤 tip
소방시설공사업
자본금(1억 원 이상) + 기술인력(주된 인력, 보조인력)

③ 시 · 도지사는 법 제4조 제1항에 따른 등록신청이 다음 각 호의 어느 하나에 해당되는 경우를 제외하고는 등록을 해주어야 한다.
1. 제1항에 따른 등록기준을 갖추지 못한 경우
2. 제2항에 따른 확인서를 제출하지 아니한 경우
3. 등록을 신청한 자가 법 제5조 등록의 결격사유에 해당하는 경우
4. 그 밖에 법, 이 영 또는 다른 법령에 따른 제한에 위반되는 경우

별표 1. 소방시설업의 업종별 등록기준 및 영업범위

1. 소방시설설계업

항목 업종별		기술인력	영업범위
전문 **소방시설 설계업**		가. **주된 기술인력:** 소방기술사 1명 이상 나. **보조기술인력:** 1명 이상	모든 특정소방대상물에 설치되는 소방시설의 설계
일반 **소방 시설 설계업**	기계 분야	가. **주된 기술인력:** 소방기술사 또는 기계분야 소방설비기사 1명 이상 나. **보조기술인력:** 1명 이상	가. 아파트에 설치되는 기계분야 소방시설(제연설비는 제외한다)의 설계 나. 연면적 3만제곱미터(공장의 경우에는 1만제곱미터) 미만의 특정소방대상물(제연설비가 설치되는 특정소방대상물은 제외한다)에 설치되는 기계분야 소방시설의 설계 다. 위험물제조소등에 설치되는 기계분야 소방시설의 설계
	전기 분야	가. **주된 기술인력:** 소방기술사 또는 전기분야 소방설비기사 1명 이상 나. **보조기술인력:** 1명 이상	가. 아파트에 설치되는 전기분야 소방시설의 설계 나. 연면적 3만제곱미터(공장의 경우에는 1만제곱미터) 미만의 특정소방대상물에 설치되는 전기분야 소방시설의 설계 다. 위험물제조소등에 설치되는 전기분야 소방시설의 설계

비고
1. 위 표의 일반 소방시설설계업에서 기계분야 및 전기분야의 대상이 되는 소방시설의 범위는 다음 각 목과 같다.
   가. 기계분야
      1) 소화기구, 자동소화장치, 옥내소화전설비, 스프링클러설비등, 물분무등소화설비, 옥외소화전설비, 피난기구, 인명구조기구, 상수도소화용수설비, 소화수조 · 저수조, 그 밖의 소화용수설비, 제연설비, 연결송수관설비, 연결살수설비 및 연소방지설비
      2) 기계분야 소방시설에 부설되는 전기시설. 다만, 비상전원, 동력회로, 제어회로, 기계분야 소방시설을 작동하기 위하여 설치하는 화재감지기에 의한 화재감지장치 및 전기신호에 의한 소방시설의 작동장치는 제외한다.

나. 전기분야
   1) 단독경보형감지기, 비상경보설비, 비상방송설비, 누전경보기, 자동화재탐지설비, 시각경보기, 화재알림설비, 자동화재속보설비, 가스누설경보기, 통합감시시설, 유도등, 비상조명등, 휴대용비상조명등, 비상콘센트설비 및 무선통신보조설비
   2) 기계분야 소방시설에 부설되는 전기시설 중 가목 2) 단서의 전기시설

2. 일반 소방시설설계업의 기계분야 및 전기분야를 함께 하는 경우 주된 기술인력은 소방기술사 1명 또는 기계분야 소방설비기사와 전기분야 소방설비기사 자격을 함께 취득한 사람 1명 이상으로 할 수 있다.

3. 소방시설설계업을 하려는 자가 소방시설공사업, 소방시설 설치 및 관리에 관한 법률 제29조 제1항에 따른 소방시설관리업(이하 "소방시설관리업"이라 한다) 또는 다중이용업소의 안전관리에 관한 특별법 제16조에 따른 화재위험평가 대행 업무(이하 "화재위험평가 대행업"이라 한다) 중 어느 하나를 함께 하려는 경우 소방시설공사업, 소방시설관리업 또는 화재위험평가 대행업 기술인력으로 등록된 기술인력은 다음 각 목의 기준에 따라 소방시설설계업 등록 시 갖추어야 하는 해당 자격을 가진 기술인력으로 볼 수 있다.
   가. 전문 소방시설설계업과 소방시설관리업을 함께 하는 경우: 소방기술사 자격과 소방시설관리사 자격을 함께 취득한 사람
   나. 전문 소방시설설계업과 전문 소방시설공사업을 함께 하는 경우: 소방기술사 자격을 취득한 사람
   다. 전문 소방시설설계업과 화재위험평가 대행업을 함께 하는 경우: 소방기술사 자격을 취득한 사람
   라. 일반 소방시설설계업과 소방시설관리업을 함께 하는 경우 다음의 어느 하나에 해당하는 사람
      1) 소방기술사 자격과 소방시설관리사 자격을 함께 취득한 사람
      2) 기계분야 소방설비기사 또는 전기분야 소방설비기사 자격을 취득한 사람 중 소방시설관리사 자격을 취득한 사람
   마. 일반 소방시설설계업과 일반 소방시설공사업을 함께 하는 경우: 소방기술사 자격을 취득하거나 기계분야 또는 전기분야 소방설비기사 자격을 취득한 사람
   바. 일반 소방시설설계업과 전문 소방시설공사업을 함께 하는 경우: 소방기술사 자격을 취득하거나 기계분야 및 전기분야 소방설비기사 자격을 함께 취득한 사람
   사. 전문 소방시설설계업과 일반 소방시설공사업을 함께하는 경우: 소방기술사 자격을 취득한 사람

4. "**보조기술인력**"이란 다음 각 목의 어느 하나에 해당하는 사람을 말한다.
   가. 소방기술사, 소방설비기사 또는 소방설비산업기사 자격을 취득한 사람
   나. 소방공무원으로 재직한 경력이 3년 이상인 사람으로서 자격수첩을 발급받은 사람
   다. 법 제28조 제3항에 따라 행정안전부령으로 정하는 소방기술과 관련된 자격·경력 및 학력을 갖춘 사람으로서 자격수첩을 발급받은 사람

5. 위 표 및 제2호에도 불구하고 다음 각 목의 어느 하나에 해당하는 자가 소방시설설계업을 등록하는 경우 엔지니어링산업 진흥법, 건축사법, 기술사법 및 전력기술관리법에 따른 신고 또는 등록기준을 충족하는 기술인력을 확보한 경우로서 해당 기술인력이 위 표의 기술인력(주된 기술인력만 해당한다)의 기준을 충족하는 경우에는 위 표의 등록기준을 충족한 것으로 본다.
   가. 엔지니어링산업 진흥법 제21조 제1항에 따라 엔지니어링사업자 신고를 한 자
   나. 건축사법 제23조에 따른 건축사업무신고를 한 자
   다. 기술사법 제6조 제1항에 따른 기술사사무소 등록을 한 자
   라. 전력기술관리법 제14조 제1항에 따른 설계업 등록을 한 자

6. 가스계소화설비의 경우에는 해당 설비의 설계프로그램 제조사가 참여하여 설계(변경을 포함한다)할 수 있다.

2. 소방시설공사업

업종별 \ 항목		기술인력	자본금 (자산평가액)	영업범위
전문 **소방시설 설계업**		가. **주된 기술인력:** 소방기술사 또는 기계분야와 전기분야의 소방설비기사 각 1명(기계분야 및 전기분야의 자격을 함께 취득한 사람 1명) 이상 나. **보조기술인력:** 2명 이상	가. **법인:** 1억 원 이상 나. **개인:** 자산평가액 1억 원 이상	특정소방대상물에 설치되는 기계분야 및 전기분야 소방시설의 공사·개설·이전 및 정비
일반 **소방 시설 설계업**	기계 분야	가. **주된 기술인력:** 소방기술사 또는 기계분야 소방설비기사 1명 이상 나. **보조기술인력:** 1명 이상	가. **법인:** 1억 원 이상 나. **개인:** 자산평가액 1억 원 이상	가. 연면적 1만제곱미터 미만의 특정소방대상물에 설치되는 기계분야 소방시설의 공사·개설·이전 및 정비 나. 위험물제조소등에 설치되는 기계분야 소방시설의 공사·개설·이전 및 정비
	전기 분야	가. **주된 기술인력:** 소방기술사 또는 전기분야 소방설비 기사 1명 이상 나. **보조기술인력:** 1명 이상	가. **법인:** 1억 원 이상 나. **개인:** 자산평가액 1억 원 이상	가. 연면적 1만제곱미터 미만의 특정소방대상물에 설치되는 전기분야 소방시설의 공사·개설·이전·정비 나. 위험물제조소등에 설치되는 전기분야 소방시설의 공사·개설·이전·정비

비고

1. 위 표의 일반 소방시설공사업에서 기계분야 및 전기분야의 대상이 되는 소방시설의 범위는 이 표 제1호 비고 제1호 각 목과 같다.
2. 기계분야 및 전기분야의 일반 소방시설공사업을 함께 하는 경우 주된 기술인력은 소방기술사 1명 또는 기계분야 및 전기분야의 자격을 함께 취득한 소방설비기사 1명으로 한다.
3. 자본금(자산평가액)은 해당 소방시설공사업의 최근 결산일 현재(새로 등록한 자는 등록을 위한 기업진단기준일 현재)의 총자산에서 총부채를 뺀 금액을 말하고, 소방시설공사업 외의 다른 업(業)을 함께 하는 경우에는 자본금에서 겸업 비율에 해당하는 금액을 뺀 금액을 말한다.

4. “보조기술인력”이란 소방시설설계업의 등록기준 및 영업범위의 비고란 제4호 각 목의 어느 하나에 해당하는 사람을 말한다.
5. 소방시설공사업을 하려는 자가 소방시설설계업 또는 소방시설관리업 중 어느 하나를 함께 하려는 경우 소방시설설계업 또는 소방시설관리업 기술인력으로 등록된 기술인력은 다음 각 목의 기준에 따라 소방시설공사업 등록 시 갖추어야 하는 해당 자격을 가진 기술인력으로 볼 수 있다.
   가. 전문 소방시설공사업과 전문 소방시설설계업을 함께 하는 경우: 소방기술사 자격을 취득한 사람
   나. 전문 소방시설공사업과 일반 소방시설설계업을 함께 하는 경우: 소방기술사 자격을 취득하거나 기계분야 및 전기분야 소방설비기사 자격을 함께 취득한 사람
   다. 일반 소방시설공사업과 전문 소방시설설계업을 함께 하는 경우: 소방기술사 자격을 취득한 사람
   라. 일반 소방시설공사업과 일반 소방시설설계업을 함께 하는 경우: 소방기술사 자격을 취득하거나 기계분야 또는 전기분야 소방설비기사 자격을 취득한 사람
   마. 전문 소방시설공사업과 소방시설관리업을 함께 하는 경우: 소방시설관리사와 소방설비기사(기계분야 및 전기분야의 자격을 함께 취득한 사람) 또는 소방기술사 자격을 함께 취득한 사람
   바. 일반 소방시설공사업 기계분야와 소방시설관리업을 함께 하는 경우: 소방기술사 또는 기계분야 소방설비기사와 소방시설관리사 자격을 함께 취득한 사람
   사. 일반 소방시설공사업 전기분야와 소방시설관리업을 함께 하는 경우: 소방기술사 또는 전기분야 소방설비기사와 소방시설관리사 자격을 함께 취득한 사람
6. “개설”이란 이미 특정소방대상물에 설치된 소방시설등의 전부 또는 일부를 철거하고 새로 설치하는 것을 말한다.
7. “이전”이란 이미 설치된 소방시설등을 현재 설치된 장소에서 다른 장소로 옮겨 설치하는 것을 말한다.
8. “정비”란 이미 설치된 소방시설등을 구성하고 있는 기계 · 기구를 교체하거나 보수하는 것을 말한다.

3. 소방공사감리업

항목 업종별		기술인력	영업범위
전문 소방시설 설계업		가. 소방기술사 1명 이상 나. 기계분야 및 전기분야의 특급 감리원 각 1명(기계분야 및 전기분야의 자격을 함께 가지고 있는 사람이 있는 경우에는 그에 해당하는 사람 1명. 이하 다목부터 마목까지에서 같다) 이상 다. 기계분야 및 전기분야의 고급 감리원 이상의 감리원 각 1명 이상 라. 기계분야 및 전기분야의 중급 감리원 이상의 감리원 각 1명 이상 마. 기계분야 및 전기분야의 초급 감리원 이상의 감리원 각 1명 이상	모든 특정소방대상물에 설치되는 소방시설공사 감리
일반 소방 시설 설계업	기계 분야	가. 기계분야 특급 감리원 1명 이상 나. 기계분야 고급 감리원 또는 중급 감리원 이상의 감리원 1명 이상 다. 기계분야 초급 감리원 이상의 감리원 1명 이상	[설계업 동일] 가. 연면적 3만제곱미터(공장의 경우에는 1만제곱미터) 미만의 특정소방대상물(제연설비가 설치되는 특정소방대상물은 제외한다)에 설치되는 기계분야 소방시설의 감리 나. 아파트에 설치되는 기계분야 소방시설(제연설비는 제외한다)의 감리 다. 위험물제조소등에 설치되는 기계분야 소방시설의 감리
	전기 분야	가. 전기분야 특급 감리원 1명 이상 나. 전기분야 고급 감리원 또는 중급 감리원 이상의 감리원 1명 이상 다. 전기분야 초급 감리원 이상의 감리원 1명 이상	[설계업 동일] 가. 연면적 3만제곱미터(공장의 경우에는 1만제곱미터) 미만의 특정소방대상물에 설치되는 전기분야 소방시설의 감리 나. 아파트에 설치되는 전기분야 소방시설의 감리 다. 위험물제조소등에 설치되는 전기분야 소방시설의 감리

비고
1. 위 표의 일반 소방공사감리업에서 기계분야 및 전기분야의 대상이 되는 소방시설의 범위는 다음 각 목과 같다.
   가. 기계분야
      1) 이 표 제1호 비고 제1호 가목에 따른 기계분야 소방시설
      2) 실내장식물 및 방염대상물품
   나. 전기분야: 이 표 제1호 비고 제1호 나목에 따른 전기분야 소방시설
2. 위 표에서 "특급 감리원", "고급 감리원", "중급 감리원" 및 "초급 감리원"은 행정안전부령으로 정하는 소방기술과 관련된 자격·경력 및 학력을 갖춘 사람으로서 소방공사감리원의 기술등급 자격에 따른 경력수첩을 발급받은 사람을 말한다.
3. 일반 소방공사감리업의 기계분야 및 전기분야를 함께 하는 경우 기계분야 및 전기분야의 자격을 함께 취득한 감리원 각 1명 이상 또는 기계분야 및 전기분야 일반 소방공사감리업의 등록기준 중 각각의 분야에 해당하는 기술인력을 두어야 한다.
4. 소방공사감리업을 하려는 자가 엔지니어링산업 진흥법 제21조 제1항에 따른 엔지니어링사업, 건축사법 제23조에 따른 건축사사무소 운영, 건설기술 진흥법 제26조 제1항에 따른 건설기술용역업, 전력기술관리법 제14조 제1항에 따른 전력시설물공사감리업, 기술사법 제6조 제1항에 따른 기술사사무소 운영 또는 화재위험평가 대행업(이하 "엔지니어링사업등"이라 한다) 중 어느 하나를 함께 하려는 경우 엔지니어링사업등의 보유 기술인력으로 신고나 등록된 소방기술사는 전문 소방공사감리업 등록 시 갖추어야 하는 기술인력으로 볼 수 있고, 특급 감리원은 일반 소방공사감리업의 등록 시 갖추어야 하는 기술인력으로 볼 수 있다.
5. 기술인력 등록기준에서 기준등급보다 초과하여 상위등급의 기술인력을 보유하고 있는 경우 기준등급을 보유한 것으로 간주한다.

4. 방염처리업

업종별 \ 항목	실험실	방염처리시설 및 시험기기	영업범위
섬유류 방염업	1개 이상 갖출 것	부표에 따른 섬유류 방염업의 방염처리시설 및 시험기기를 모두 갖추어야 한다.	커튼·카펫 등 섬유류를 주된 원료로 하는 방염대상물품을 제조 또는 가공 공정에서 방염처리
합성수지류 방염업		부표에 따른 합성수지류 방염업의 방염처리시설 및 시험기기를 모두 갖추어야 한다.	합성수지류를 주된 원료로 하는 방염대상물품을 제조 또는 가공 공정에서 방염처리
합판·목재류 방염업		부표에 따른 합판·목재류 방염업의 방염처리시설 및 시험기기를 모두 갖추어야 한다.	합판 또는 목재류를 제조·가공 공정 또는 설치 현장에서 방염처리

비고
1. 방염처리업자가 2개 이상의 방염업을 함께 하는 경우 갖춰야 하는 실험실은 1개 이상으로 한다.
2. 방염처리업자가 2개 이상의 방염업을 함께 하는 경우 공통되는 방염처리시설 및 시험기기는 중복하여 갖추지 않을 수 있다.

시행규칙 제2조(소방시설업의 등록신청) ① 소방시설공사업법(이하 "법"이라 한다) 제4조 제1항에 따라 소방시설업을 등록하려는 자는 별지 제1호서식의 소방시설업 등록신청서(전자문서로 된 소방시설업 등록신청서를 포함한다)에 다음 각 호의 서류(전자문서를 포함한다)를 첨부하여 소방시설공사업법 시행령(이하 "영"이라 한다) 제20조 제3항에 따라 법 제30조의2에 따른 소방시설업자협회(이하 "협회"라 한다)에 제출해야 한다. 다만, 전자정부법 제36조 제1항에 따른 행정정보의 공동이용을 통하여 첨부서류에 대한 정보를 확인할 수 있는 경우에는 그 확인으로 첨부서류를 갈음할 수 있다.

1. 신청인(외국인을 포함하되, 법인의 경우에는 대표자를 포함한 임원을 말한다)의 성명, 주민등록번호 및 주소지 등의 인적사항이 적힌 서류
2. 등록기준 중 기술인력에 관한 사항을 확인할 수 있는 다음 각 목의 어느 하나에 해당하는 서류(이하 "기술인력 증빙서류"라 한다)
   가. 국가기술자격증
   나. 법 제28조 제2항에 따라 발급된 소방기술 인정 자격수첩(이하 "자격수첩"이라 한다) 또는 소방기술자 "경력수첩"이라 한다)
3. 영 제2조 제2항에 따라 소방청장이 지정하는 금융회사 또는 소방산업공제조합에 출자 · 예치 · 담보한 금액 확인서(이하 "출자 · 예치 · 담보 금액 확인서"라 한다) 1부(소방시설공사업만 해당한다). 다만, 소방청장이 지정하는 금융회사 또는 소방산업공제조합에 해당 금액을 확인할 수 있는 경우에는 그 확인으로 갈음할 수 있다.
4. 다음 각 목의 어느 하나에 해당하는 자가 신청일 전 최근 90일 이내에 작성한 자산평가액 또는 소방청장이 정하여 고시하는 바에 따라 작성된 기업진단 보고서(소방시설공사업만 해당한다)
   가. 공인회계사법 제7조에 따라 금융위원회에 등록한 공인회계사
   나. 세무사법 제6조에 따라 기획재정부에 등록한 세무사
   다. 건설산업기본법 제49조 제2항에 따른 전문경영진단기관
5. 신청인(법인인 경우에는 대표자를 말한다)이 외국인인 경우에는 법 제5조 각 호의 어느 하나에 해당하는 사유와 같거나 비슷한 사유에 해당하지 아니함을 확인할 수 있는 서류로서 다음 각 목의 어느 하나에 해당하는 서류
   가. 해당 국가의 정부나 공증인(법률에 따른 공증인의 자격을 가진 자만 해당한다), 그 밖의 권한이 있는 기관이 발행한 서류로서 해당 국가에 주재하는 우리나라 영사가 확인한 서류
   나. 외국공문서에 대한 인증의 요구를 폐지하는 협약을 체결한 국가의 경우에는 해당 국가의 정부나 공증인(법률에 따른 공증인의 자격을 가진 자만 해당한다), 그 밖의 권한이 있는 기관이 발행한 서류로서 해당 국가의 아포스티유(Apostille) 확인서 발급 권한이 있는 기관이 그 확인서를 발급한 서류

② 제1항에 따른 신청서류는 업종별로 제출하여야 한다.

③ 제1항에 따라 등록신청을 받은 협회는 전자정부법 제36조 제1항에 따른 행정정보의 공동이용을 통하여 다음 각 호의 서류를 확인하여야 한다. 다만, 신청인이 제2호부터 제4호까지의 서류의 확인에 동의하지 아니하는 경우에는 해당 서류를 제출하도록 하여야 한다.

1. 법인등기사항 전부증명서(법인인 경우만 해당한다)
2. 사업자등록증(개인인 경우만 해당한다)

3. 출입국관리법 제88조 제2항에 따른 외국인등록 사실증명(외국인인 경우만 해당한다)
4. 국민연금법 제16조에 따른 국민연금가입자 증명서(이하 "국민연금가입자 증명서"라 한다) 또는 국민건강보험법 제11조에 따라 건강보험의 가입자로서 자격을 취득하고 있다는 사실을 확인할 수 있는 증명서("건강보험자격취득 확인서"라 한다)

제2조의2(등록신청 서류의 보완) 협회는 제2조에 따라 받은 소방시설업의 등록신청 서류가 다음 각 호의 어느 하나에 해당되는 경우에는 10일 이내의 기간을 정하여 이를 보완하게 할 수 있다.
1. 첨부서류(전자문서를 포함한다)가 첨부되지 아니한 경우
2. 신청서(전자문서로 된 소방시설업 등록신청서를 포함한다) 및 첨부서류(전자문서를 포함한다)에 기재되어야 할 내용이 기재되어 있지 아니하거나 명확하지 아니한 경우

제2조의3(등록신청 서류의 검토·확인 및 송부) ① 협회는 제2조에 따라 소방시설업 등록신청 서류를 받았을 때에는 영 제2조 및 영 별표 1에 따른 등록기준에 맞는지를 검토·확인하여야 한다.
② 협회는 제1항에 따른 검토·확인을 마쳤을 때에는 제2조에 따라 받은 소방시설업 등록신청 서류에 그 결과를 기재한 별지 제1호의2서식에 따른 소방시설업 등록신청서 서면심사 및 확인 결과를 첨부하여 접수일(제2조의2에 따라 신청서류의 보완을 요구한 경우에는 그 보완이 완료된 날을 말한다. 이하 같다)부터 7일 이내에 특별시장·광역시장·특별자치시장·도지사 또는 특별자치도지사(이하 "시·도지사"라 한다)에게 보내야 한다.

제3조(소방시설업등록증 및 등록수첩의 교부 등) 시·도지사는 제2조에 따른 접수일부터 15일 이내에 협회를 경유하여 별지 제3호서식에 따른 소방시설업 등록증 및 별지 제4호서식에 따른 소방시설업 등록수첩을 신청인에게 발급해 주어야 한다.

제4조(소방시설업등록증 또는 등록수첩의 재교부 및 반납) ① 소방시설업자는 소방시설업 등록증 또는 등록수첩을 잃어버리거나, 소방시설업 등록증 또는 등록수첩이 헐어 못 쓰게 된 경우에는 시·도지사에게 소방시설업 등록증 또는 등록수첩의 재발급을 신청할 수 있다.
② 소방시설업자는 재발급을 신청하는 경우에는 소방시설업등록증(등록수첩)재발급신청서[전자문서로 된 소방시설업 등록증(등록수첩) 재발급신청서를 포함한다]를 협회를 경유하여 시·도지사에게 제출하여야 한다.
③ 시·도지사는 재발급신청서[전자문서로 된 소방시설업 등록증(등록수첩) 재발급신청서를 포함한다]를 제출받은 경우에는 3일 이내에 협회를 경유하여 소방시설업 등록증 또는 등록수첩을 재발급하여야 한다.
④ 소방시설업자는 다음 각 호의 어느 하나에 해당하는 경우에는 지체 없이 협회를 경유하여 시·도지사에게 그 소방시설업 등록증 및 등록수첩을 반납하여야 한다.
1. 법 제9조에 따라 소방시설업 등록이 취소된 경우
2. 삭제
3. 제1항에 따라 재발급을 받은 경우(다만, 소방시설업 등록증 또는 등록수첩을 잃어버리고 재발급을 받은 경우에는 이를 다시 찾은 경우에만 해당한다)

제4조의2(등록관리) ① 시·도지사는 제3조에 따라 소방시설업 등록증 및 등록수첩을 발급(제4조에 따른 재발급, 제6조 제4항 단서 및 제7조 제5항에 따른 발급을 포함한다) 하였을 때에는 별지 제4호의2서식에 따른 소방시설업 등록증 및 등록수첩 발급(재발급) 대장에 그 사실을 일련번호 순으로 작성하고 이를 관리(전자문서를 포함)하여야 한다.

② 협회는 제1항에 따라 발급한 사항에 대하여 별지 제5호서식에 따른 소방시설업 등록대장에 등록사항을 작성하여 관리(전자문서를 포함한다)하여야 한다. 이 경우 협회는 다음 각 호의 사항을 협회 인터넷 홈페이지를 통하여 공시하여야 한다.

1. 등록업종 및 등록번호
2. 등록 연월일
3. 상호(명칭) 및 성명(법인의 경우에는 대표자의 성명을 말한다)
4. 영업소 소재지

핵심정리 소방시설업의 등록

1. **등록:** 시·도지사
2. **서류제출:** 소방시설업 등록신청서를 첨부 소방시설업자협회(이하 "협회"라 한다)에 제출
3. **소방시설설계업의 등록기준 및 영업 범위**

업종별 \ 항목		기술인력	영업범위
전문 설계업		가. 주: 기술사 1명 이상 나. 보조: 1명 이상	모든 설계
일반 설계업	기계	가. 주: 기술사 또는 소방설비 기사 기계 1명 이상 나. 보조: 1명 이상	가. 아파트에 설치 기계 소방(제연 제외) 설계 나. 연면적 3만m^2(공장: 1만m^2)↓에 설치되는 기계 소방(제연 제외) 설계 다. 위험물제조소등 설치 기계 소방 설계
	전기	가. 주: 기술사 또는 소방설비 기사 전기 1명 이상 나. 보조: 1명 이상	가. 아파트에 설치 전기 소방 설계 나. 연면적 3만m^2(공장: 1만m^2)↓에 설치되는 전기 소방 설계 다. 위험물제조소등 설치 전기 소방 설계

4. 소방시설공사업의 등록기준 및 영업 범위

업종별 \ 항목		기술인력	자본금 (자산평가액)	영업범위
전문 공사업		가. 주: 소방기술사 또는 기계, 전기 소방설비기사 각 1명 (쌍기사 1명) 이상 나. 보조: 2명 이상	가. 법인: 1억 원 이상 나. 개인: 자산평가액 1억 원 이상	모든 공사·개설·이전 및 정비
일반 공사업	기계 분야	가. 주: 소방기술사 또는 소방설비기사 기계 1명 이상 나. 보조: 1명 이상	가. 법인: 1억 원 이상 나. 개인: 자산평가액 1억 원 이상	가. 연면적 1만m^2 ↓ 기계 소방의 공사·개설·이전 및 정비 나. 위험물제조소등 설치 기계 소방시설 공사·개설·이전 및 정비
	전기 분야	가. 주: 소방기술사 또는 소방설비기사 전기 1명 이상 나. 보조: 1명 이상	가. 법인: 1억 원 이상 나. 개인: 자산평가액 1억 원 이상	가. 연면적 1만m^2 ↓ 전기 소방의 공사·개설·이전 및 정비 나. 위험물제조소등 설치 전기 소방시설 공사·개설·이전 및 정비

5. 소방공사감리업의 등록기준 및 영업 범위

업종별 \ 항목		기술인력	영업범위
전문 감리업		가. 소방기술사 1명 이상 나. 기계 및 전기 특급 감리원 각 1명 (기계+전기 특급 감리원 1명이상) 다. 기계 및 전기 고급 감리원 각 1명 라. 기계 및 전기 중급 감리원 각 1명 마. 기계 및 전기 초급 감리원 각 1명	모든 공사 감리
일반 설계업	기계	가. 기계 특급 감리원 1명 이상 나. 기계 고급 감리원 또는 중급 감리원 1명 이상 다. 기계 초급 감리원 감리원 1명 이상	설계업 기준 동일
	전기	가. 전기 특급 감리원 1명 이상 나. 전기 고급 감리원 또는 중급 감리원 1명 이상 다. 전기 초급 감리원 감리원 1명 이상	설계업 기준 동일

6. **방염처리업 영업 범위:** 섬유류 방염업, 합성수지류 방염업, 합판·목재류 방염업

제5조(등록의 결격사유)

다음 각 호의 어느 하나에 해당하는 자는 소방시설업을 등록할 수 없다.

1. 피성년 후견인
2. 삭제
3. 이 법, 소방기본법, 화재의 예방 및 안전관리에 관한 법률, 소방시설 설치 및 관리에 관한 법률 또는 위험물안전관리법에 따른 금고 이상의 실형을 선고받고 그 집행이 끝나거나(집행이 끝난 것으로 보는 경우를 포함한다) 면제된 날부터 2년이 지나지 아니한 사람
4. 이 법, 소방기본법, 화재의 예방 및 안전관리에 관한 법률, 소방시설 설치 및 관리에 관한 법률 또는 위험물안전관리법에 따른 금고 이상의 형의 집행유예를 선고받고 그 유예기간 중에 있는 사람
5. 등록하려는 소방시설업 등록이 취소(제1호에 해당하여 등록이 취소된 경우는 제외한다)된 날부터 2년이 지나지 아니한 자
6. 법인의 대표자가 제1호부터 제5호까지의 규정에 해당하는 경우 그 법인
7. 법인의 임원이 제3호부터 제5호까지의 규정에 해당하는 경우 그 법인

영철쌤 tip

거짓신고, 지연신고, 신고를 안할 경우 과태료

제6조(등록사항의 변경신고)

소방시설업자는 제4조에 따라 등록한 사항 중 행정안전부령으로 정하는 중요 사항을 변경할 때에는 행정안전부령으로 정하는 바에 따라 시·도지사에게 신고하여야 한다.

시행규칙 제5조(등록사항의 변경신고사항) 법 제6조에서 "행정안전부령으로 정하는 중요 사항"이란 다음 각 호의 어느 하나에 해당하는 사항을 말한다.

1. 상호(명칭) 또는 영업소 소재지
2. 대표자
3. 기술인력

제6조(등록사항의 변경신고 등) ① 법 제6조에 따라 소방시설업자는 제5조 각 호의 어느 하나에 해당하는 등록사항이 변경된 경우에는 변경일부터 30일 이내에 별지 제7호 서식의 소방시설업 등록사항 변경신고서(전자문서로 된 소방시설업 등록사항 변경신고서를 포함한다)에 변경사항별로 다음 각 호의 구분에 따른 서류(전자문서를 포함한다)를 첨부하여 협회에 제출하여야 한다. 다만, 전자정부법 제36조 제1항에 따른 행정정보의 공동이용을 통하여 첨부서류에 대한정보를 확인할 수 있는 경우에는 그 확인으로 첨부서류를 갈음할 수 있다.

1. 상호(명칭) 또는 영업소 소재지가 변경된 경우: 소방시설업 등록증 및 등록수첩
2. 대표자가 변경된 경우: 다음 각 목의 서류
   가. 소방시설업 등록증 및 등록수첩
   나. 변경된 대표자의 성명, 주민등록번호 및 주소지 등의 인적사항이 적힌 서류
   다. 외국인인 경우에는 제2조 제1항 제5호 각 목의 어느 하나에 해당하는 서류
3. 기술인력이 변경된 경우: 다음 각 목의 서류
   가. 소방시설업 등록수첩
   나. 기술인력 증빙서류

② 제1항에 따른 신고서를 제출받은 협회는 전자정부법 제36조 제1항에 따라 행정정보의 공동이용을 통하여 다음 각 호의 서류를 확인하여야 한다. 다만, 신청인이 제2호부터 제4호까지의 서류의 확인에 동의하지 아니하는 경우에는 해당 서류를 제출하도록 하여야 한다.
1. 법인등기사항 전부증명서(법인인 경우만 해당한다)
2. 사업자등록증(개인인 경우만 해당한다)
3. 출입국관리법 제88조 제2항에 따른 외국인등록 사실증명(외국인인 경우만 해당한다)
4. 국민연금가입자 증명서 또는 건강보험자격취득 확인서(기술인력을 변경하는 경우에만 해당한다)

③ 제1항에 따라 변경신고 서류를 제출받은 협회는 등록사항의 변경신고 내용을 확인하고 5일 이내에 제1항에 따라 제출된 소방시설업 등록증 · 등록수첩 및 기술인력 증빙서류에 그 변경된 사항을 기재하여 발급하여야 한다.
④ 제3항에도 불구하고 영업소 소재지가 등록된 특별시 · 광역시 · 특별자치시 · 도 및 특별자치도(이하 "시 · 도"라 한다)에서 다른 시 · 도로 변경된 경우에는 제1항에 따라 제출받은 변경신고 서류를 접수일로부터 7일 이내에 해당 시 · 도지사에게 보내야 한다. 이 경우 해당 시 · 도지사는 소방시설업 등록증 및 등록수첩을 협회를 경유하여 신고인에게 새로 발급하여야 한다.
⑤ 제1항에 따라 변경신고 서류를 제출받은 협회는 별지 제5호서식의 소방시설업 등록대장에 변경사항을 작성하여 관리(전자문서를 포함한다)하여야 한다.
⑥ 협회는 등록사항의 변경신고 접수현황을 매월 말일을 기준으로 작성하여 다음 달 10일까지 별지 제7호의2서식에 따라 시 · 도지사에게 알려야 한다.
⑦ 변경신고 서류의 보완에 관하여는 제2조의2를 준용한다. 이 경우 "소방시설업의 등록신청 서류"는 "소방시설업의 등록사항 변경신고 서류"로 본다.

제6조의2(휴업 · 폐업 등의 신고)

① 소방시설업자는 소방시설업을 휴업❶ · 폐업❷ 또는 재개업❸하는 때에는 행정안전부령으로 정하는 바에 따라 시 · 도지사에게 신고하여야 한다.
② 제1항에 따른 폐업신고를 받은 시 · 도지사는 소방시설업 등록을 말소하고 그 사실을 행정안전부령으로 정하는 바에 따라 공고하여야 한다.
③ 제1항에 따른 폐업신고를 한 자가 제2항에 따라 소방시설업 등록이 말소된 후 6개월 이내에 같은 업종의 소방시설업을 다시 제4조에 따라 등록한 경우 해당 소방시설업자는 폐업신고 전 소방시설업자의 지위를 승계한다.
④ 제3항에 따라 소방시설업자의 지위를 승계한 자에 대해서는 폐업신고 전의 소방시설업자에 대한 행정처분의 효과가 승계된다.

용어사전

❶ **휴업**: 일반적으로 회사에 사정이 생겨 회사의 업무를 일정 기간 동안 쉬는 것을 말한다.
❷ **폐업**: 소방시설업을 그만두는 것을 말한다.
❸ **재개업**: 휴업을 한 회사가 다시 사업을 운영하는 것을 말한다.

시행규칙 제6조의2(소방시설업의 휴업·폐업 등의 신고) ① 소방시설업자는 법 제6조의2 제1항에 따라 휴업·폐업 또는 재개업 신고를 하려면 휴업·폐업 또는 재개업일부터 30일 이내에 별지 제7호의3서식의 소방시설업 휴업·폐업·재개업 신고서(전자문서로 된 신고서를 포함한다)에 다음 각 호의 구분에 따른 서류(전자문서를 포함한다)를 첨부하여 협회를 경유하여 시·도지사에게 제출하여야 한다. 다만, 전자정부법 제36조 제1항에 따른 행정정보의 공동이용을 통하여 첨부서류에 대한 정보를 확인할 수 있는 경우에는 그 확인으로 첨부서류를 갈음할 수 있다.

1. 휴업·폐업의 경우: 등록증 및 등록수첩
2. 재개업의 경우: 제2조 제1항 제2호 및 제3호에 해당하는 서류

② 제1항에 따른 신고서를 제출받은 협회는 전자정부법 제36조 제1항에 따라 행정정보의 공동이용을 통하여 국민연금가입자 증명서 또는 건강보험자격취득 확인서를 확인하여야 한다. 다만, 신고인이 서류의 확인에 동의하지 아니하는 경우에는 해당 서류를 제출하도록 하여야 한다.

③ 제1항에 따른 신고서를 제출받은 협회는 법 제6조의2 제2항에 따라 다음 각 호의 사항을 협회 인터넷 홈페이지에 공고하여야 한다.

1. 등록업종 및 등록번호
2. 휴업·폐업 또는 재 개업 연월일
3. 상호(명칭) 및 성명(법인의 경우에는 대표자의 성명을 말한다)
4. 영업소 소재지

제7조(소방시설업자의 지위승계)

① 다음 각 호의 어느 하나에 해당하는 자가 종전의 소방시설업자의 지위를 승계하려는 경우에는 그 상속일, 양수일 또는 합병일부터 30일 이내에 행정안전부령으로 정하는 바에 따라 그 사실을 시·도지사에게 신고하여야 한다.

1. 소방시설업자가 사망한 경우 그 상속인
2. 소방시설업자가 그 영업을 양도한 경우 그 양수인
3. 법인인 소방시설업자가 다른 법인과 합병한 경우 합병 후 존속하는 법인이나 합병으로 설립되는 법인
4. 삭제

소방시설업자의 소방시설의 전부를 인수한 자를 말한다. 일부분 인수는 해당사항 없다.

② 다음 각 호의 어느 하나에 해당하는 절차에 따라 소방시설업자의 소방시설의 전부를 인수한 자가 종전의 소방시설업자의 지위를 승계하려는 경우에는 그 인수일부터 30일 이내에 행정안전부령으로 정하는 바에 따라 그 사실을 시·도지사에게 신고하여야 한다.

1. 민사집행법에 따른 경매
2. 채무자 회생 및 파산에 관한 법률에 따른 환가(換價)
3. 국세징수법, 관세법 또는 지방세징수법에 따른 압류재산의 매각
4. 그 밖에 제1호부터 제3호까지의 규정에 준하는 절차

③ 시·도지사는 제1항 또는 제2항에 따른 신고를 받은 경우 그 내용을 검토하여 이 법에 적합하면 신고를 수리하여야 한다.

④ 제1항이나 제2항에 따른 지위승계에 관하여는 제5조를 준용한다. 다만, 상속인이 제5조 각 호의 어느 하나에 해당하는 경우 상속받은 날부터 3개월 동안은 그러하지 아니하다.

⑤ 제1항 또는 제2항에 따른 신고가 수리된 경우에는 제1항 각 호에 해당하는 자 또는 소방시설업자의 소방시설의 전부를 인수한 자는 그 상속일, 양수일, 합병일 또는 인수일부터 종전의 소방시설업자의 지위를 승계한다.

시행규칙 제7조(지위승계신고 등) ① 법 제7조 제1항 및 제2항에 따라 소방시설업자 지위 승계를 신고하려는 자는 그 상속일, 양수일, 합병일 또는 인수일부터 30일 이내에 다음 각 호의 구분에 따른 서류(전자문서를 포함한다)를 협회에 제출해야 한다.

1. 양도·양수의 경우(분할 또는 분할합병에 따른 양도·양수의 경우를 포함한다. 이하 이 조에서 같다): 다음 각 목의 서류
   가. 소방시설업 지위승계신고서
   나. 양도인 또는 합병 전 법인의 소방시설업 등록증 및 등록수첩
   다. 양도·양수 계약서 사본, 분할계획서 사본 또는 분할합병계약서 사본(법인의 경우 양도·양수에 관한 사항을 의결한 주주총회 등의 결의서 사본을 포함한다)
   라. 제2조 제1항 각 호에 해당하는 서류. 이 경우 같은 항 제1호 및 제5호의 "신청인"을 "신고인"으로 본다.
   마. 양도·양수 공고문 사본
2. 상속의 경우: 다음 각 목의 서류
   가. 소방시설업 지위승계신고서
   나. 피상속인의 소방시설업 등록증 및 등록수첩
   다. 제2조 제1항 각 호에 해당하는 서류. 이 경우 같은 항 제1호 및 제5호의 "신청인"을 "신고인"으로 본다.
   라. 상속인임을 증명하는 서류
3. 합병의 경우: 다음 각 목의 서류
   가. 소방시설업 합병신고서
   나. 합병 전 법인의 소방시설업 등록증 및 등록수첩
   다. 합병계약서 사본(합병에 관한 사항을 의결한 총회 또는 창립총회 결의서 사본을 포함한다)
   라. 제2조 제1항 각 호에 해당하는 서류. 이 경우 같은 항 제1호 및 제5호의 "신청인"을 "신고인"으로 본다.
   마. 합병공고문 사본

② 제1항에 따라 소방시설업자 지위 승계를 신고하려는 상속인이 법 제6조의2 제1항에 따른 폐업 신고를 함께 하려는 경우에는 제1항 제2호 다목 전단의 서류 중 제2조 제1항 제1호 및 제5호의 서류만을 첨부하여 제출할 수 있다. 이 경우 같은 항 제1호 및 제5호의 "신청인"은 "신고인"으로 본다.

③ 제1항에 따른 신고서를 제출받은 협회는 전자정부법 제36조 제1항에 따라 행정정보의 공동이용을 통하여 다음 각 호의 서류를 확인하여야 하며, 신고인이 제2호부터 제4호까지의 서류의 확인에 동의하지 아니하는 경우에는 해당 서류를 첨부하게 하여야 한다.

1. 법인등기사항 전부증명서(지위승계인이 법인인 경우에만 해당한다)
2. 사업자등록증(지위승계인이 개인인 경우에만 해당한다)
3. 외국인등록 사실증명(지위승계인이 외국인인 경우에만 해당한다)
4. 국민연금가입자 증명서 또는 건강보험자격취득 확인서

③ 제1항에 따른 지위승계 신고 서류를 제출받은 협회는 접수일부터 7일 이내에 지위를 승계한 사실을 확인한 후 그 결과를 시 · 도지사에게 보고하여야 한다.

④ 시 · 도지사는 제4항에 따라 소방시설업의 지위승계 신고의 확인 사실을 보고받은 날부터 3일 이내에 협회를 경유하여 법 제7조 제1항에 따른 지위승계인에게 등록증 및 등록수첩을 발급하여야 한다.

⑤ 제1항에 따라 지위승계 신고 서류를 제출받은 협회는 별지 제5호서식에 따른 소방시설업 등록대장에 지위승계에 관한 사항을 작성하여 관리(전자문서를 포함한다)하여야 한다.

⑥ 지위승계 신고 서류의 보완에 관하여는 제2조의2를 준용한다. 이 경우 "소방시설업의 등록신청 서류"는 "소방시설업의 지위승계 신고 서류"로 본다.

제8조(소방시설업의 운영)

① 소방시설업자는 다른 자에게 자기의 성명이나 상호를 사용하여 소방시설공사등을 수급 또는 시공하게 하거나 소방시설업의 등록증 또는 등록수첩을 빌려 주어서는 아니 된다.

② 제9조 제1항에 따라 영업정지처분이나 등록취소 처분을 받은 소방시설업자는 그 날부터 소방시설공사 등을 하여서는 아니 된다. 다만, 소방시설의 착공신고가 수리(受理)되어 공사를 하고 있는 자로서 도급계약이 해지되지 아니한 소방시설공사업자 또는 소방공사감리업자가 그 공사를 하는 동안이나 방염처리업자가 도급을 받아 방염 중인 것으로서 도급계약이 해지되지 아니한 상태에서 그 방염을 하는 동안에는 그러하지 아니하다.

③ 소방시설업자는 다음 각 호의 어느 하나에 해당하는 경우에는 소방시설공사 등을 맡긴 특정소방대상물의 관계인에게 지체 없이 그 사실을 알려야 한다.
1. 제7조에 따라 소방시설업자의 지위를 승계한 경우
2. 제9조 제1항에 따라 소방시설업의 등록취소처분 또는 영업정지처분을 받은 경우
3. 휴업하거나 폐업한 경우

④ 소방시설업자는 행정안전부령으로 정하는 관계 서류를 제15조 제1항에 따른 하자보수 보증기간 동안 보관하여야 한다.

시행규칙 제8조(소방시설업자가 보관하여야 하는 관계서류) 법 제8조 제4항에서 "행정안전부령으로 정하는 관계 서류"란 다음 각 호의 구분에 따른 해당 서류(전자문서를 포함한다)를 말한다.
1. 소방시설설계업: 소방시설 설계기록부 및 소방시설 설계도서
2. 소방시설공사업: 소방시설공사 기록부
3. 소방공사감리업: 소방공사 감리기록부, 소방공사 감리일지 및 소방시설의 완공 당시 설계도서

1. 소방시설업자의 지위승계 등의 사실을 관계인에게 알려야 관계인이 신속히 대응하여 피해를 최소화 할 수 있다.
2. 관계인이 알려야 하는 사항
 · 지위승계
 · 등록취소, 영업정지
 · 휴업, 폐업
 * 재개업은 해당사항 없다. 즉 관계인에게 알릴 필요 없다.

제9조(등록취소와 영업정지 등)

① 시·도지사는 소방시설업자가 다음 각 호의 어느 하나에 해당하면 행정안전부령으로 정하는 바에 따라 그 등록을 취소하거나 6개월 이내의 기간을 정하여 시정이나 그 영업의 정지를 명할 수 있다. 다만, 제1호·제3호 또는 제7호에 해당하는 경우에는 그 등록을 취소하여야 한다.

1. 거짓이나 그 밖의 부정한 방법으로 등록한 경우
2. 제4조 제1항에 따른 등록기준에 미달하게 된 후 30일이 경과한 경우. 다만, 자본금기준에 미달한 경우 중 채무자 회생 및 파산에 관한 법률에 따라 법원이 회생절차의 개시의 결정을 하고 그 절차가 진행 중인 경우 등 대통령령으로 정하는 경우는 30일이 경과한 경우에도 예외로 한다.
3. 제5조 각 호의 등록 결격사유에 해당하게 된 경우. 다만, 제5조 제6호 또는 제7호에 해당하게 된 법인이 그 사유가 발생한 날부터 3개월 이내에 그 사유를 해소한 경우는 제외한다.
4. 등록을 한 후 정당한 사유 없이 1년이 지날 때까지 영업을 시작하지 아니하거나 계속하여 1년 이상 휴업한 때
5. 삭제
6. 제8조 제1항을 위반하여 다른 자에게 자기의 성명이나 상호를 사용하여 소방시설공사등을 수급 또는 시공하게 하거나 소방시설업의 등록증 또는 등록수첩을 빌려준 경우
7. 제8조 제2항을 위반하여 영업정지 기간 중에 소방시설공사등을 한 경우
8. 제8조 제3항 또는 제4항을 위반하여 통지를 하지 아니하거나 관계서류를 보관하지 아니한 경우
9. 제11조나 제12조 제1항을 위반하여 소방시설 설치 및 관리에 관한 법률 제2조 제1항 제6호에 따른 화재안전기준(이하 "화재안전기준"이라 한다) 등에 적합하게 설계·시공을 하지 아니하거나, 제16조 제1항에 따라 적합하게 감리를 하지 아니한 경우
10. 제11조, 제12조 제1항, 제16조 제1항 또는 제20조의2에 따른 소방시설공사등의 업무수행의무 등을 고의 또는 과실로 위반하여 다른 자에게 상해를 입히거나 재산피해를 입힌 경우
11. 제12조 제2항을 위반하여 소속 소방기술자를 공사현장에 배치하지 아니하거나 거짓으로 한 경우
12. 제13조나 제14조를 위반하여 착공신고(변경신고를 포함한다)를 하지 아니하거나 거짓으로 한 때 또는 완공검사(부분완공검사를 포함한다)를 받지 아니한 경우
13. 제13조 제2항 후단을 위반하여 착공신고사항 중 중요한 사항에 해당하지 아니하는 변경사항을 같은 항 각 호의 어느 하나에 해당하는 서류에 포함하여 보고하지 아니한 경우
14. 제15조 제3항을 위반하여 하자보수 기간 내에 하자보수를 하지 아니하거나 하자보수계획을 통보하지 아니한 경우

14의2. 제16조 제3항에 따른 감리의 방법을 위반한 경우

일반적으로 등록취소와 영업정지등은 청문을 실시한다. 그러나 위험물안전관리법에서는 취소만 청문한다.

등록취소 사유

1. 거짓이나 그 밖의 부정한 방법으로 등록한 경우
2. 결격사유에 해당하게 된 경우
3. 영업정지 기간 중에 소방시설공사등을 한 경우

* 소방시설업의 등록증 또는 등록수첩을 빌려준 경우는 취소사유가 아닌 영업정지에 해당한다.

15. 제17조 제3항을 위반하여 인수 · 인계를 거부 · 방해 · 기피한 경우
16. 제18조 제1항을 위반하여 소속 감리원을 공사현장에 배치하지 아니하거나 거짓으로 한 경우
17. 제18조 제3항의 감리원 배치기준을 위반한 경우
18. 제19조 제1항에 따른 요구에 따르지 아니한 경우
19. 제19조 제3항을 위반하여 보고하지 아니한 경우
20. 제20조를 위반하여 감리 결과를 알리지 아니하거나 거짓으로 알린 경우 또는 공사감리 결과보고서를 제출하지 아니하거나 거짓으로 제출한 경우

20의2. 제20조의2를 위반하여 방염을 한 경우

20의3. 제20조의3 제2항에 따른 방염처리능력 평가에 관한 서류를 거짓으로 제출한 경우

20의4. 제21조의3 제4항을 위반하여 하도급 등에 관한 사항을 관계인과 발주자에게 알리지 아니하거나 거짓으로 알린 경우

20의5. 제21조의5 제1항 또는 제3항을 위반하여 부정한 청탁을 받고 재물 또는 재산상의 이익을 취득하거나 부정한 청탁을 하면서 재물 또는 재산상의 이익을 제공한 경우

21. 제22조 제1항 본문을 위반하여 도급받은 소방시설의 설계, 시공, 감리를 하도급한 경우

21의2. 제22조 제2항을 위반하여 하도급받은 소방시설공사를 다시 하도급한 경우

22. [제22호는 제20호의4로 이동]
23. 제22조의2 제2항을 위반하여 정당한 사유 없이 하수급인 또는 하도급 계약내용의 변경요구에 따르지 아니한 경우

23의2. 제22조의3을 위반하여 하수급인에게 대금을 지급하지 아니한 경우

24. 제24조를 위반하여 시공과 감리를 함께 한 경우

24의2. 제26조 제2항에 따른 시공능력 평가에 관한 서류를 거짓으로 제출한 경우

24의3. 제26조의2 제2항에 따른 사업수행능력 평가에 관한 서류를 위조하거나 변조하는 등 거짓이나 그 밖의 부정한 방법으로 입찰에 참여한 경우

25. 제31조에 따른 명령을 위반하여 보고 또는 자료 제출을 하지 아니하거나 거짓으로 보고 또는 자료 제출을 한 경우
26. 정당한 사유 없이 제31조에 따른 관계 공무원의 출입 또는 검사 · 조사를 거부 · 방해 또는 기피한 경우

② 제7조에 따라 소방시설업자의 지위를 승계한 상속인이 제5조 각 호의 어느 하나에 해당할 때에는 상속을 개시한 날부터 6개월 동안은 제1항 제3호를 적용하지 아니한다.

제1항 제3호
결격사유에 해당하게 된 경우

③ 발주자는 소방시설업자가 제1항 각 호의 어느 하나에 해당하는 경우 그 사실을 시 · 도지사에게 통보하여야 한다.

④ 시 · 도지사는 제1항 또는 제10조 제1항에 따라 등록취소, 영업정지 또는 과징금 부과 등의 처분을 하는 경우 해당 발주자에게 그 내용을 통보하여야 한다.

시행령 제2조의2(일시적인 등록기준 미달에 관한 예외) 법 제9조 제1항 제2호 단서에서 "채무자 회생 및 파산에 관한 법률에 따라 법원이 회생절차의 개시의 결정을 하고 그 절차가 진행 중인 경우 등 대통령령으로 정하는 경우"란 다음 각 호의 어느 하나에 해당하는 경우를 말한다.

1. 상법 제542조의8 제1항 단서의 적용 대상인 상장회사[1]가 최근 사업연도 말 현재의 자산 총액 감소에 따라 등록기준에 미달하는 기간이 50일 이내인 경우
2. 제2조 제1항에 따른 업종별 등록기준 중 자본금 기준에 미달하는 경우로서 다음 각 목의 어느 하나에 해당하는 경우
   가. 채무자 회생 및 파산에 관한 법률에 따라 법원이 회생절차 개시의 결정을 하고, 그 절차가 진행 중인 경우
   나. 채무자 회생 및 파산에 관한 법률에 따라 법원이 회생계획의 수행에 지장이 없다고 인정하여 해당 소방시설업자에 대한 회생절차 종결의 결정을 하고, 그 회생계획을 수행 중인 경우
   다. 기업구조조정 촉진법에 따라 채권금융기관협의회가 채권금융기관 공동관리절차 개시의 의결을 하고, 그 절차가 진행 중인 경우

용어사전

[1] 상장회사: 회사의 발행 주식이 증권 시장에 상장되어 있는 회사

시행규칙 제9조(소방시설업의 행정처분기준) 법 제9조 제1항에 따른 소방시설업의 등록취소 등의 행정처분에 대한 기준은 별표 1과 같다.

별표 1. 소방시설업에 대한 행정처분기준

1. 일반기준
   가. 위반행위가 동시에 둘 이상 발생한 경우에는 그 중 중한 처분기준(중한 처분기준이 동일한 경우에는 그 중 하나의 처분기준을 말한다. 이하 같다)에 따르되, 둘 이상의 처분기준이 동일한 영업정지인 경우에는 중한 처분의 2분의 1까지 가중하여 처분할 수 있다.
   나. 영업정지 처분기간 중 영업정지에 해당하는 위반사항이 있는 경우에는 종전의 처분기간 만료일의 다음날부터 새로운 위반사항에 대한 영업정지의 행정처분을 한다.
   다. 위반행위의 차수에 따른 행정처분기준은 최근 1년간 같은 위반행위로 행정처분을 받은 경우에 적용하되, 제2호 처목에 따른 위반행위의 차수는 재물 또는 재산상의 이익을 취득하거나 제공한 횟수로 산정한다. 이 경우 기준 적용일은 위반사항에 대한 행정처분일과 그 처분 후 다시 적발한 날을 기준으로 한다.
   라. 다목에 따라 가중된 행정처분을 하는 경우 가중처분의 적용차수는 그 위반행위 전 행정처분 차수(다목에 따른 기간 내에 행정처분이 둘 이상 있었던 경우에는 높은 차수를 말한다)의 다음 차수로 한다. 다만, 적발된 날부터 소급하여 1년이 되는 날 전에 한 행정처분은 가중처분의 차수 산정 대상에서 제외한다.
   마. 영업정지 등에 해당하는 위반사항으로서 위반행위의 동기·내용·횟수·사유 또는 그 결과를 고려하여 다음 각 목에 해당하는 경우 그 처분을 가중하거나 감경할 수 있다. 이 경우 그 처분이 영업정지일 때에는 그 처분기준의 2분의 1의 범위에서 가중하거나 감경할 수 있고, 그 처분이 등록취소(법 제9조 제1항 제1호, 제3호, 제6호 및 제7호를 위반하여 등록취소가 된 경우는 제외한다)인 경우에는 등록취소 전 차수의 행정처분이 영업정지일 경우 처분기준의 2배 이상의 영업정지처분으로 감경할 수 있다.

1) 가중사유
   가) 위반행위가 사소한 부주의나 오류가 아닌 고의나 중대한 과실에 의한 것으로 인정되는 경우
   나) 위반의 내용 · 정도가 중대하여 관계인에게 미치는 피해가 크다고 인정되는 경우

2) 감경 사유
   가) 위반행위가 고의나 중대한 과실이 아닌 사소한 부주의나 오류로 인한 것으로 인정되는 경우
   나) 위반의 내용 · 정도가 경미하여 관계인에게 미치는 피해가 적다고 인정되는 경우
   다) 위반행위자의 위반행위가 처음이며 5년 이상 소방시설업을 모범적으로 해 온 사실이 인정되는 경우
   라) 위반행위자가 그 위반행위로 인하여 검사로부터 기소유예 처분을 받거나 법원으로부터 선고유예 판결을 받은 경우

바. 시 · 도지사는 고의 또는 중과실이 없는 위반행위자가 소상공인기본법 제2조에 따른 소상공인인 경우에는 다음의 사항을 고려하여 제2호의 개별기준에 따른 처분을 감경할 수 있다. 이 경우 그 처분이 영업정지인 경우에는 그 처분기준의 100분의 70 범위에서 감경할 수 있고, 그 처분이 등록취소(법 제9조 제1항 제1호, 제3호, 제6호 및 제7호를 위반하여 등록취소가 된 경우는 제외한다)인 경우에는 등록취소 전 차수의 행정처분이 영업정지일 경우 그 처분기준의 영업정지 처분으로 감경할 수 있다. 다만, 마목에 따른 감경과 중복하여 적용하지 않는다.

바. 시 · 도지사는 고의 또는 중과실이 없는 위반행위자가 소상공인기본법 제2조에 따른 소상공인인 경우에는 다음의 사항을 고려하여 제2호의 개별기준에 따른 처분을 감경할 수 있다. 이 경우 그 처분이 영업정지인 경우에는 그 처분기준의 100분의 70 범위에서 감경할 수 있고, 그 처분이 등록취소(법 제9조 제1항 제1호, 제3호, 제6호 및 제7호를 위반하여 등록취소가 된 경우는 제외한다)인 경우에는 등록취소 전 차수의 행정처분이 영업정지일 경우 그 처분기준의 영업정지 처분으로 감경할 수 있다. 다만, 마목에 따른 감경과 중복하여 적용하지 않는다.

1) 해당 행정처분으로 위반행위자가 더 이상 영업을 영위하기 어렵다고 객관적으로 인정되는지 여부
2) 경제위기 등으로 위반행위자가 속한 시장 · 산업 여건이 현저하게 변동되거나 지속적으로 악화된 상태인지 여부

2. 개별기준

위반사항	근거법령	행정처분기준		
		1차	2차	3차
가. 거짓이나 그 밖의 부정한 방법으로 등록한 경우	법 제9조	등록취소		
나. 법 제4조 제1항에 따른 등록기준에 미달하게 된 후 30일이 경과한 경우(법 제9조 제1항 제2호 단서에 해당하는 경우는 제외한다)	법 제9조	경고 (시정명령)	영업정지 3개월	등록취소
다. 법 제5조 각 호의 등록 결격사유에 해당하게 된 경우	법 제9조	등록취소		

라. 등록을 한 후 정당한 사유 없이 1년이 지날 때까지 영업을 시작하지 아니하거나 계속하여 1년 이상 휴업한 때	법 제9조	경고(시정명령)	등록취소	
마. 법 제8조 제1항을 위반하여 다른 자에게 자기의 성명이나 상호를 사용하여 소방시설공사등을 수급 또는 시공하게 하거나 소방시설업의 등록증 또는 등록수첩을 빌려준 경우	법 제9조	영업정지 6개월	등록취소	
바. 법 제8조 제2항을 위반하여 영업정지 기간 중에 소방시설공사등을 한 경우	법 제9조	등록취소		
사. 법 제8조 제3항 또는 제4항을 위반하여 통지를 하지 아니하거나 관계서류를 보관하지 아니한 경우	법 제9조	경고(시정명령)	영업정지 1개월	등록취소
아. 법 제11조 또는 제12조 제1항을 위반하여 화재안전기준 등에 적합하게 설계·시공을 하지 아니하거나, 법 제16조 제1항에 따라 적합하게 감리를 하지 아니한 경우	법 제9조	영업정지 1개월	영업정지 3개월	등록취소
자. 법 제11조, 제12조 제1항, 제16조 제1항 또는 제20조의2에 따른 소방시설공사등의 업무수행의무 등을 고의 또는 과실로 위반하여 다른 자에게 상해를 입히거나 재산피해를 입힌 경우	법 제9조	영업정지 6개월	등록취소	등록취소
차. 법 제12조 제2항을 위반하여 소속 소방기술자를 공사현장에 배치하지 아니하거나 거짓으로 한 경우	법 제9조	경고(시정명령)	영업정지 1개월	등록취소
카. 법 제13조 또는 제14조를 위반하여 착공신고(변경신고를 포함한다)를 하지 아니하거나 거짓으로 한 때 또는 완공검사(부분완공검사를 포함한다)를 받지 아니한 경우	법 제9조	경고(시정명령)	영업정지 3개월	등록취소
타. 법 제13조 제2항 후단을 위반하여 착공신고사항 중 중요한 사항에 해당하지 아니하는 변경사항을 같은 항 각 호의 어느 하나에 해당하는 서류에 포함하여 보고하지 아니한 경우	법 제9조	경고(시정명령)	영업정지 1개월	등록취소
파. 법 제15조 제3항을 위반하여 하자보수 기간 내에 하자보수를 하지 아니하거나 하자보수계획을 통보하지 아니한 경우	법 제9조	경고(시정명령)	영업정지 1개월	등록취소
하. 법 제16조 제3항에 따른 감리의 방법을 위반한 경우	법 제9조	경고(시정명령)	영업정지 1개월	등록취소
거. 법 제17조 제3항을 위반하여 인수·인계를 거부·방해·기피한 경우	법 제9조	영업정지 1개월	영업정지 3개월	등록취소

위반사항	근거법령	행정처분기준		
		1차	2차	3차
너. 법 제18조 제1항을 위반하여 소속 감리원을 공사현장에 배치하지 아니하거나 거짓으로 한 경우	법 제9조	영업정지 1개월	영업정지 3개월	등록취소
더. 법 제18조 제3항의 감리원 배치기준을 위반한 경우	법 제9조	경고 (시정명령)	영업정지 1개월	등록취소
러. 법 제19조 제1항에 따른 요구에 따르지 아니한 경우	법 제9조	영업정지 1개월	영업정지 3개월	등록취소
머. 법 제19조 제3항을 위반하여 보고하지 아니한 경우	법 제9조	경고 (시정명령)	영업정지 1개월	등록취소
버. 법 제20조를 위반하여 감리 결과를 알리지 아니하거나 거짓으로 알린 경우 또는 공사감리 결과보고서를 제출하지 아니하거나 거짓으로 제출한 경우	법 제9조	경고 (시정명령)	영업정지 3개월	등록취소
서. 법 제20조의2를 위반하여 방염을 한 경우	법 제9조	영업정지 3개월	영업정지 6개월	등록취소
어. 법 제20조의3 제2항에 따른 방염처리능력 평가에 관한 서류를 거짓으로 제출한 경우	법 제9조	영업정지 3개월	영업정지 6개월	등록취소
저. 법 제21조의3 제4항을 위반하여 하도급 등에 관한 사항을 관계인과 발주자에게 알리지 아니하거나 거짓으로 알린 경우	법 제9조	경고 (시정명령)	영업정지 1개월	등록취소
처. 법 제21조의5 제1항 또는 제3항을 위반하여 부정한 청탁을 받고 재물 또는 재산상의 이익을 취득하거나 부정한 청탁을 하면서 재물 또는 재산상의 이익을 제공한 경우	법 제9조			
1) 취득하거나 제공한 재물 또는 재산상 이익의 가액(價額)이 1천만 원 이상인 경우	법 제9조	영업정지 3개월	영업정지 6개월	등록취소
2) 취득하거나 제공한 재물 또는 재산상 이익의 가액이 1백만 원 이상 1천만 원 미만인 경우	법 제9조	영업정지 2개월	영업정지 5개월	등록취소
3) 취득하거나 제공한 재물 또는 재산상 이익의 가액이 1백만 원 미만인 경우	법 제9조	영업정지 1개월	영업정지 4개월	등록취소
커. 법 제22조 제1항 본문을 위반하여 도급받은 소방시설의 설계, 시공, 감리를 하도급한 경우	법 제9조	영업정지 3개월	영업정지 6개월	등록취소
터. 법 제22조 제2항을 위반하여 하도급받은 소방시설공사를 다시 하도급한 경우	법 제9조	영업정지 3개월	영업정지 6개월	등록취소

퍼. 법 제22조의2 제2항을 위반하여 정당한 사유 없이 하수급인 또는 하도급 계약내용의 변경요구에 따르지 아니한 경우	법 제9조	경고 (시정명령)	영업정지 1개월	등록취소
허. 제22조의3을 위반하여 하수급인에게 대금을 지급하지 아니한 경우	법 제9조	영업정지 1개월	영업정지 3개월	등록취소
고. 법 제24조를 위반하여 시공과 감리를 함께 한 경우	법 제9조	영업정지 3개월	등록취소	
노. 법 제26조 제2항에 따른 시공능력 평가에 관한 서류를 거짓으로 제출한 경우	법 제9조	영업정지 3개월	영업정지 6개월	등록취소
도. 법 제26조의2 제1항 후단에 따른 사업수행능력 평가에 관한 서류를 위조하거나 변조하는 등 거짓이나 그 밖의 부정한 방법으로 입찰에 참여한 경우	법 제9조	영업정지 3개월	영업정지 6개월	등록취소
로. 법 제31조에 따른 명령을 위반하여 보고 또는 자료 제출을 하지 아니하거나 거짓으로 보고 또는 자료 제출을 한 경우	법 제9조	영업정지 3개월	영업정지 6개월	등록취소
모. 정당한 사유 없이 법 제31조에 따른 관계 공무원의 출입 또는 검사·조사를 거부·방해 또는 기피한 경우	법 제9조	영업정지 3개월	영업정지 6개월	등록취소

제10조(과징금처분)

① 시·도지사는 제9조 제1항 각 호의 어느 하나에 해당하는 경우로서 영업정지가 그 이용자에게 불편을 주거나 그 밖에 공익을 해칠 우려가 있을 때에는 영업정지처분을 갈음하여 2억 원 이하의 과징금을 부과할 수 있다.

② 제1항에 따른 과징금을 부과하는 위반행위의 종류와 위반 정도 등에 따른 과징금과 그 밖에 필요한 사항은 행정안전부령으로 정한다.

③ 시·도지사는 제1항에 따른 과징금을 내야 할 자가 납부기한까지 과징금을 내지 아니하면 지방세외수입금의 징수 등에 관한 법률에 따라 징수한다.

과징금

2억 원 이하의 과징금 부여(단, 관리업은 3천만 원 이하)

1. **과태료**: 대통령령
2. **과징금**: 행정안전부령

시행규칙 제10조(과징금을 부과하는 위반행위의 종별과 과징금의 부과기준) 법 제10조 제2항에 따라 과징금을 부과하는 위반행위의 종류와 그에 대한 과징금의 금액은 다음 각 호의 기준에 따라 산정한다.

1. 2021년 6월 10일부터 2023년 12월 31일까지의 기간 중에 위반행위를 한 경우: 별표 2
2. 2024년 1월 1일 이후에 위반행위를 한 경우: 별표 2의2

별표 2. 과징금의 부과기준

1. 일반기준
   가. 영업정지 1개월은 30일로 계산한다.
   나. 과징금 산정은 별표 1 제2호의 영업정지기간(일)에 제2호에 따른 1일 과징금 금액을 곱하여 얻은 금액으로 한다.

다. 위반행위가 둘 이상 발생한 경우 과징금 부과에 따른 영업정지기간(일) 산정은 별표 1 제2호의 개별기준에 따른 각각의 영업정지처분기간을 합산한 기간으로 한다.

라. 영업정지에 해당하는 위반사항으로서 위반행위의 동기 · 내용 · 횟수 또는 그 결과를 고려하여 그 처분기준의 2분의 1까지 감경한 경우 과징금 부과에 따른 영업정지기간(일) 산정은 감경한 영업정지기간으로 한다.

마. 제2호에 따른 연간 매출액은 해당 업체에 대한 행정처분일이 속한 연도의 전년도 1년간 총 매출액을 기준으로 하며, 신규사업 · 휴업 등에 따라 전년도 1년간의 총매출액을 산출할 수 없는 경우에는 분기별 · 월별 또는 일별 매출액을 기준으로 하여 연간 매출액을 산정한다.

바. 별표 1 제2호 행정처분 개별기준 중 나목 · 바목 · 거목 · 노목 · 도목 및 로목의 위반사항에는 법 제10조 제1항에 따른 영업정지를 갈음하여 과징금을 부과할 수 없다.

2. 개별기준

등급	연간 매출액	1일 과징금 금액(단위: 원)
1	1억 원 이하	10,000
2	1억 원 초과 ~ 2억 원 이하	20,500
3	2억 원 초과 ~ 3억 원 이하	34,000
4	3억 원 초과 ~ 5억 원 이하	55,000
5	5억 원 초과 ~ 7억 원 이하	80,000
6	7억 원 초과 ~ 10억 원 이하	100,000
7	10억 원 초과 ~ 13억 원 이하	120,000
8	13억 원 초과 ~ 16억 원 이하	140,000
9	16억 원 초과 ~ 20억 원 이하	160,000
10	20억 원 초과 ~ 25억 원 이하	180,000
11	25억 원 초과 ~ 30억 원 이하	200,000
12	30억 원 초과 ~ 40억 원 이하	220,000
13	40억 원 초과 ~ 50억 원 이하	240,000
14	50억 원 초과 ~ 70억 원 이하	260,000
15	70억 원 초과 ~ 100억 원 이하	280,000
16	100억 원 초과 ~ 150억 원 이하	370,000
17	150억 원 초과 ~ 200억 원 이하	515,000
18	200억 원 초과 ~ 300억 원 이하	736,000
19	300억 원 초과 ~ 500억 원 이하	1,030,000
20	500억 원 초과 ~ 1,000억 원 이하	1,058,000
21	1,000억 원 초과 ~ 5,000억 원 이하	1,068,000
22	5,000억 원 초과	1,100,000

별표 2의2. 과징금의 부과기준

1. 일반기준

가. 영업정지 1개월은 30일로 계산한다.

나. 과징금 산정은 별표 1 제2호의 영업정지기간(일)에 1일 평균 매출액을 기준으로 제2호 각 목의 기준에 따라 산정한다.

다. 위반행위가 둘 이상 발생한 경우 과징금 부과에 따른 영업정지기간(일) 산정은 별표 1 제2호의 개별기준에 따른 각각의 영업정지처분기간을 합산한 기간으로 한다.

라. 영업정지에 해당하는 위반사항으로서 위반행위의 동기 · 내용 · 횟수 또는 그 결과를 고려하여 그 처분기준의 2분의 1까지 감경한 경우 과징금 부과에 따른 영업정지기간(일) 산정은 감경한 영업정지기간으로 한다.

마. 제2호에 따른 1일 평균 매출액은 해당 업체에 대한 행정처분일이 속한 연도의 전년도 1년간 총 매출액을 365로 나눈 금액으로 한다. 다만, 신규사업 · 휴업 등에 따라 전년도 1년간의 총매출액을 산출할 수 없는 경우에는 분기별 · 월별 또는 일별 매출액을 기준으로 하여 1일 평균 매출액을 산정한다.

바. 별표 1 제2호 행정처분 개별기준 중 나목 · 바목 · 거목 · 너목 · 도목 및 로목의 위반사항에는 법 제10조 제1항에 따른 영업정지를 갈음하여 과징금을 부과할 수 없다.

2. 개별기준

가. 소방시설설계업 및 소방공사감리업의 과징금 산정기준

- 과징금 부과금액 = 1일 평균 매출액 × 영업정지 일수 × 0.0205

나. 소방시설공사업 및 방염처리업의 과징금 산정기준

- 과징금 부과금액 = 1일 평균 매출액 × 영업정지 일수 × 0.0423

제11조(과징금 징수절차) 법 제10조 제2항에 따른 과징금의 징수절차는 국고금관리법 시행규칙을 준용한다.

제11조의2(소방시설업자 등의 처분통지) 소방청장 또는 시 · 도지사는 다음 각 호의 경우에는 처분일부터 7일 이내에 협회에 그 사실을 알려주어야 한다.

1. 법 제9조 제1항에 따라 등록취소 · 시정명령 또는 영업정지를 하는 경우
2. 법 제10조 제1항에 따라 과징금을 부과하는 경우
3. 법 제28조 제4항에 따라 자격을 취소하거나 정지하는 경우

핵심정리 소방시설업 등록사항 변경신고

1. **변경신고:** 시 · 도지사
2. **변경신고서류제출:** 30일 이내에 서류 첨부하여 협회에 제출
3. **변경 중요 사항**
   ① 상호(명칭) 또는 영업소 소재지
   ② 대표자
   ③ 기술인력
4. 변경사항 기재하여 5일 이내 재발급(분실 훼손 시 재발급 3일 이내)
5. 영업소 소재지 시 · 도가 변경되는 경우 7일 이내에 해당 시 · 도지사에게 보내야함(이 경우 시 · 도지사는 소방시설업 등록증 및 등록수첩 협회 경유하여 새로 발급)
6. 협회는 등록사항의 변경신고 접수현황을 매월 말일을 기준으로 작성하여 다음 달 10일까지 시 · 도지사에게 알림

핵심정리 소방시설업의 휴업·폐업 등의 신고

휴업·폐업 또는 재개업 신고를 하려면 휴업·폐업 또는 재개업일부터 30일 이내에 소방시설업 휴업·폐업·재개업 신고서에 서류(전자문서 포함)를 첨부하여 협회를 경유하여 시·도지사에게 제출

핵심정리 지위승계 신고

상속일, 양수일 또는 합병일부터 30일 이내에 시·도지사에게 신고

1. 소방시설업자가 사망한 경우 그 상속인
2. 소방시설업자가 그 영업을 양도한 경우 그 양수인
3. 법인인 소방시설업자가 다른 법인과 합병한 경우 합병 후 존속하는 법인이나 합병으로 설립되는 법인

핵심정리 소방시설업의 운영

1. 등록증 또는 등록수첩 대여 금지
2. 영업정지처분이나 등록취소 시 소방시설공사 등 금지
3. **관계인에게 지체없이 통보 사항**
   ① 지위승계
   ② 등록취소처분 또는 영업정지처분
   ③ 휴업·폐업

핵심정리 등록취소와 영업정지 등 - 등록취소 사항

1. 거짓이나 부정한 방법으로 등록
2. 결격사유 해당
3. 영업정지 기간 중 소방시설 공사 등

핵심정리 과징금 처분

시·도지사는 영업정지가 그 이용자에게 불편을 주거나 그 밖에 공익을 해칠 우려가 있을 때에는 영업정지처분을 갈음하여 2억 원 이하의 과징금을 부과

문제로 완성하기

01 다음 중 소방시설공사업의 등록기준으로 옳은 것은? 18. 상반기 공채

① 기술인력, 기술장비, 국가기술자격증
② 기술인력, 자본금
③ 공사실적, 장비, 시설
④ 도급실적, 자본금

02 소방시설공사업법상 소방시설업 등록의 결격사유에 해당하지 않는 사람은? 22. 공채

① 피성년후견인
② 등록하려는 소방시설업 등록이 취소된 날부터 3년이 지난 사람
③ 소방기본법에 따른 금고 이상의 형의 집행유예를 선고받고 그 유예기간 중에 있는 사람
④ 위험물안전관리법에 따른 금고 이상의 실형을 선고 받고, 그 집행이 끝나거나(집행이 끝난 것으로 보는 경우를 포함한다) 면제된 날부터 1년이 지난 사람

03 다음 중 소방시설업 등록사항에서 변경신고사항이 아닌 것은? 17. 상반기 공채

① 상호(명칭)
② 대표자
③ 자본금
④ 기술인력

정답 및 해설

01 소방시설공사업의 등록기준
소방시설공사업의 등록기준에는 기술인력과 자본금이 존재한다.

02 소방시설업 등록의 결격사유
등록하려는 소방시설업 등록이 취소된 날부터 2년이 지나지 않은 사람이 결격사유에 해당한다.

03 소방시설업 등록사항
소방시설업 등록사항의 변경신고사항은 명칭·상호, 영업소 소재지, 기술인력, 대표자 변경 시 변경신고를 한다.

정답 01 ② 02 ② 03 ③

04 소방시설공사업법상 소방시설업자가 소방시설공사등을 맡긴 특정소방대상물의 관계인에게 지체 없이 그 사실을 알려야 하는 사항으로 옳지 않은 것은? 19. 공채

① 소방시설업을 휴업한 경우

② 소방시설업자의 지위를 승계한 경우

③ 소방시설업에 대한 행정처분 중 등록취소 처분을 받은 경우

④ 소방시설업에 대한 행정처분 중 영업정지 또는 경고 처분을 받은 경우

05 소방시설업의 등록의 취소와 영업정지 등에서 옳지 않은 것은? 17. 하반기 공채

① 시 · 도지사는 소방시설업자에게 시정이나 그 영업의 정지를 명할 수 있다.

② 소방시설업자가 등록기준에 미달하게 된 후 30일이 경과한 경우 그 영업정지를 명할 수 있다.

③ 감리업자가 정당한 사유 없이 계속하여 1년 이상 휴업한 때는 그 영업정지를 명할 수 있다.

④ 소방본부장 또는 소방서장은 등록 결격사유에 해당하게 된 경우에는 등록을 취소하여야 한다.

06 시 · 도지사는 소방시설업자가 그 등록을 취소하거나 6개월 이내의 기간을 정하여 시정이나 그 영업의 정지를 명할 수 있다. 등록의 취소 요건이 아닌 것은? 16. 공채

① 거짓으로 등록한 경우

② 영업정지기간 중 영업을 한 자

③ 등록 결격사유에 해당하게 된 경우

④ 부정한 방법으로 등록한 경우

07 **소방시설공사업법상 소방시설업의 등록, 휴·폐업과 소방시설업자의 지위승계에 대한 내용으로 옳지 않은 것은?** 22. 공채

① 특정소방대상물의 소방시설공사등을 하려는 자는 업종별로 자본금, 기술인력 등 행정안전부령으로 정하는 요건을 갖추어 시·도지사에게 소방시설업을 등록하여야 한다.

② 소방시설업자가 사망하여 그 상속인이 종전의 소방시설업자의 지위를 승계하려는 경우에는 그 상속일, 양수일 또는 합병일부터 30일 이내에 행정안전부령으로 정하는 바에 따라 그 사실을 시·도지사에게 신고하여야 한다.

③ 소방시설업자는 소방시설업을 폐업하는 때에는 행정안전부령으로 정하는 바에 따라 시·도지사에게 신고하여야 하고 폐업신고를 받은 시·도지사는 소방시설업 등록을 말소하고 그 사실을 행정안전부령으로 정하는 바에 따라 공고하여야 한다.

④ 민사집행법에 따른 경매에 따라 소방시설업자의 소방시설의 전부를 인수한 자가 종전의 소방시설업자의 지위를 승계하려는 경우에는 그 인수일부터 30일 이내에 행정안전부령으로 정하는 바에 따라 그 사실을 시·도지사에게 신고하여야 한다.

08 **소방시설공사업법상 (   ) 안에 들어갈 내용으로 옳은 것은?** 19. 공채

> 시·도지사는 소방시설공사업자가 소방시설 공사현장에 감리원 배치기준을 위반한 경우로서 영업정지가 그 이용자에게 불편을 주거나 그 밖에 공익을 해칠 우려가 있을 때에는 영업정지 처분을 갈음하여 (   ) 이하의 과징금을 부과할 수 있다.

① 1억 원
② 2억 원
③ 3억 원
④ 4억 원

정답 및 해설

04 지체 없이 알려야 하는 사항
소방시설업의 경고 처분은 지체없이 알리는 사항에 해당하지 않는다.

05 소방시설업의 등록의 취소와 영업정지
소방시설업 결격사유에 해당 시 등록취소를 하는 사람은 시·도지사이다.

06 등록의 취소 요건
영업정지기간 중 영업을 한 자는 등록의 취소사유에 해당하지 않는다. → 영업정지기간 중 공사 등을 한 자가 취소사유에 해당한다.

07 등록, 휴·폐업 및 지위승계
특정소방대상물의 소방시설공사등을 하려는 자는 업종별로 자본금, 기술인력 등 대통령령으로 정하는 요건을 갖추어 시·도지사에게 소방시설업을 등록하여야 한다.

08 과징금
시·도지사는 소방시설공사업자가 소방시설 공사현장에 감리원 배치기준을 위반한 경우로서 영업정지가 그 이용자에게 불편을 주거나 그 밖에 공익을 해칠 우려가 있을 때에는 영업정지 처분을 갈음하여 (2억 원) 이하의 과징금을 부과할 수 있다.

정답 04 ④ 05 ④ 06 ② 07 ① 08 ②

CHAPTER 3 소방시설공사 등

제1절 설계

영철쌤 tip

설계 위반 시 1년 이하의 징역 또는 1천만 원 이하의 벌금

화재안전기준
1. 화재안전성능기준(NFPC): 소방청 고시
2. 화재안전기술기준(NFTC): 소방청 공고
3. 특수한 설계: 화재안전기준을 따르지 않는다.
   예 평택에 있는 주한 미군부대 등

성능위주설계
용도, 위치, 구조, 수용 인원, 가연물(可燃物)의 종류 및 양 등을 고려하여 설계
예 롯데타워

제11조(설계)

① 제4조 제1항에 따라 소방시설설계업을 등록한 자(이하 "설계업자"라 한다)는 이 법이나 이 법에 따른 명령과 화재안전기준에 맞게 소방시설을 설계하여야 한다. 다만, 소방시설 설치 및 관리에 관한 법률 제18조 제1항에 따른 중앙소방기술심의위원회의 심의를 거쳐 소방시설의 구조와 원리 등에서 특수한 설계로 인정된 경우는 화재안전기준을 따르지 아니할 수 있다.

② 제1항 본문에도 불구하고 소방시설 설치 및 관리에 관한 법률 제8조 제1항에 따른 특정소방대상물(신축하는 것만 해당한다)에 대해서는 그 용도, 위치, 구조, 수용 인원, 가연물(可燃物)의 종류 및 양 등을 고려하여 설계(이하 "성능위주설계"라 한다)하여야 한다.

③ 성능위주설계를 할 수 있는 자의 자격, 기술인력 및 자격에 따른 설계의 범위와 그 밖에 필요한 사항은 대통령령으로 정한다.

④ 삭제

시행령 제2조의3(성능위주설계를 할 수 있는 자의 자격 등) 법 제11조 제3항에 따른 성능위주설계를 할 수 있는 자의 자격 · 기술인력 및 자격에 따른 설계범위는 별표 1의2와 같다.

별표 1의2. 성능위주설계를 할 수 있는 자의 자격 · 기술인력 및 자격에 따른 설계범위

성능위주설계자의 자격	기술인력	설계범위
1. 법 제4조에 따라 전문 소방시설설계업을 등록한 자 2. 전문 소방시설설계업 등록기준에 따른 기술인력을 갖춘 자로서 소방청장이 정하여 고시하는 연구기관 또는 단체	소방기술사 2명 이상	소방시설 설치 및 관리에 관한 법률 시행령 제9조에 따라 성능위주설계를 하여야 하는 특정소방대상물

제2절 시공

제12조(시공)

① 제4조 제1항에 따라 소방시설공사업을 등록한 자(이하 "공사업자"라 한다)는 이 법이나 이 법에 따른 명령과 화재안전기준에 맞게 시공하여야 한다. 이 경우 소방시설의 구조와 원리 등에서 그 공법이 특수한 시공에 관하여는 제11조 제1항 단서를 준용한다.

② 공사업자는 소방시설공사의 책임시공 및 기술관리를 위하여 대통령령으로 정하는 바에 따라 소속 소방기술자를 공사 현장에 배치하여야 한다.

시공(공사)절차 등
감리업자 지정 → 감리원 배치 → 착공신고 → 공사시작 → 공사완료 → 완공검사 합격 → 완공검사증명서 → 사용승인 → 종합점검 [60일 이내 최초점검, 이후 연 1회 이상 점검(특급: 반기별 1회)]

시행령 제3조(소방기술자의 배치기준 및 배치기간) 법 제4조 제1항에 따라 소방시설공사업을 등록한 자(이하 "공사업자"라 한다)는 법 제12조 제2항에 따라 별표 2의 배치기준 및 배치기간에 맞게 **소속 소방기술자를 소방시설공사 현장에 배치하여야 한다.**

1. **배치기준:** 책임시공을 하기 위해 현장에 배치하여야 한다.
2. **배치기간:** 소방감리기간과 동일하다.

별표 2. 소방기술자의 배치기준

1. 소방기술자의 배치기준

소방기술자의 배치기준	소방시설공사 현장의 기준
가. 행정안전부령으로 정하는 특급기술자인 소방기술자(기계분야 및 전기분야)	1) 연면적 20만제곱미터 이상인 특정소방대상물의 공사 현장 2) 지하층을 포함한 층수가 40층 이상인 특정소방대상물의 공사 현장
나. 행정안전부령으로 정하는 고급기술자 이상의 소방기술자(기계분야 및 전기분야)	1) 연면적 3만제곱미터 이상 20만제곱미터 미만인 특정소방대상물(아파트는 제외한다)의 공사 현장 2) 지하층을 포함한 층수가 16층 이상 40층 미만인 특정소방대상물의 공사 현장
다. 행정안전부령으로 정하는 중급기술자 이상의 소방기술자(기계분야 및 전기분야)	1) 물분무등소화설비(호스릴 방식의 소화설비는 제외한다) 또는 제연설비가 설치되는 특정소방대상물의 공사 현장 2) 연면적 5천제곱미터 이상 3만제곱미터 미만인 특정소방대상물(아파트는 제외한다)의 공사 현장 3) 연면적 1만제곱미터 이상 20만제곱미터 미만인 아파트의 공사 현장
라. 행정안전부령으로 정하는 초급기술자 이상의 소방기술자(기계분야 및 전기분야)	1) 연면적 1천제곱미터 이상 5천제곱미터 미만인 특정소방대상물(아파트는 제외한다)의 공사 현장 2) 연면적 1천제곱미터 이상 1만제곱미터 미만인 아파트의 공사 현장 3) 지하구(地下溝)의 공사 현장
마. 법 제28조 제2항에 따라 자격수첩을 발급받은 소방기술자	연면적 1천제곱미터 미만인 특정소방대상물의 공사 현장

비고

가. 다음의 어느 하나에 해당하는 기계분야 소방시설공사의 경우에는 소방기술자의 배치기준에 따른 기계분야의 소방기술자를 공사 현장에 배치해야 한다.
  1) 옥내소화전설비, 스프링클러설비등, 물분무등소화설비 또는 옥외소화전설비의 공사
  2) 상수도소화용수설비, 소화수조·저수조 또는 그 밖의 소화용수설비의 공사

3) 제연설비, 연결송수관설비, 연결살수설비 또는 연소방지설비의 공사
4) 기계분야 소방시설에 부설되는 전기시설의 공사. 다만, 비상전원, 동력회로, 제어회로, 기계분야의 소방시설을 작동하기 위해 설치하는 화재감지기에 의한 화재감지장치 및 전기신호에 의한 소방시설의 작동장치의 공사는 제외한다.

나. 다음의 어느 하나에 해당하는 전기분야 소방시설공사의 경우에는 소방기술자의 배치기준에 따른 전기분야의 소방기술자를 공사 현장에 배치해야 한다.
1) 비상경보설비, 시각경보기, 자동화재탐지설비, 비상방송설비, 자동화재속보설비 또는 통합감시시설의 공사
2) 비상콘센트설비 또는 무선통신보조설비의 공사
3) 기계분야 소방시설에 부설되는 전기시설 중 가목 4) 단서의 전기시설 공사

다. 가목 및 나목에도 불구하고 기계분야 및 전기분야의 자격을 모두 갖춘 소방기술자가 있는 경우에는 소방시설공사를 분야별로 구분하지 않고 그 소방기술자를 배치할 수 있다.

라. 가목 및 나목에도 불구하고 소방공사감리업자가 감리하는 소방시설공사가 다음의 어느 하나에 해당하는 경우에는 소방기술자를 소방시설공사 현장에 배치하지 않을 수 있다.
1) 소방시설의 비상전원을 전기공사업법에 따른 전기공사업자가 공사하는 경우
2) 상수도소화용수설비, 소화수조·저수조 또는 그 밖의 소화용수설비를 건설산업기본법 시행령 별표 1에 따른 기계가스설비공사업자 또는 상·하수도설비공사업자가 공사하는 경우
3) 소방 외의 용도와 겸용되는 제연설비를 건설산업기본법 시행령 별표 1에 따른 기계가스설비공사업자가 공사하는 경우
4) 소방 외의 용도와 겸용되는 비상방송설비 또는 무선통신보조설비를 정보통신공사업법에 따른 정보통신공사업자가 공사하는 경우

마. 공사업자는 다음의 경우를 제외하고는 1명의 소방기술자를 2개의 공사 현장을 초과하여 배치해서는 안 된다. 다만, 연면적 3만제곱미터 이상의 특정소방대상물(아파트는 제외한다)이거나 지하층을 포함한 층수가 16층 이상으로서 500세대 이상인 아파트에 대한 소방시설 공사의 경우에는 1개의 공사 현장에만 배치해야 한다.
1) 건축물의 연면적이 5천제곱미터 미만인 공사 현장에만 배치하는 경우. 다만, 그 연면적의 합계는 2만제곱미터를 초과해서는 안 된다.
2) 건축물의 연면적이 5천제곱미터 이상인 공사 현장 2개 이하와 5천제곱미터 미만인 공사 현장에 같이 배치하는 경우. 다만, 5천제곱미터 미만의 공사 현장의 연면적의 합계는 1만제곱미터를 초과해서는 안 된다.

바. 특정 공사 현장이 2개 이상의 공사 현장 기준에 해당하는 경우에는 해당 공사 현장 기준에 따라 배치해야 하는 소방기술자를 각각 배치하지 않고 그 중 상위 등급 이상의 소방기술자를 배치할 수 있다.

2. **소방기술자의 배치기간**

가. 공사업자는 제1호에 따른 소방기술자를 소방시설공사의 착공일부터 소방시설 완공검사증명서 발급일까지 배치한다.

나. 공사업자는 가목에도 불구하고 시공관리, 품질 및 안전에 지장이 없는 경우로서 다음의 어느 하나에 해당하여 발주자가 서면으로 승낙하는 경우에는 해당 공사가 중단된 기간 동안 소방기술자를 공사 현장에 배치하지 않을 수 있다.
1) 민원 또는 계절적 요인 등으로 해당 공정의 공사가 일정 기간 중단된 경우
2) 예산의 부족 등 발주자(하도급의 경우에는 수급인을 포함한다. 이하 이 목에서 같다)의 책임 있는 사유 또는 천재지변 등 불가항력으로 공사가 일정기간 중단된 경우
3) 발주자가 공사의 중단을 요청하는 경우

핵심정리 소방기술자 배치기준

소방기술자의 배치기준	소방시설공사 현장의 기준
특급소방기술자 (기계 및 전기)	· 연 20만m^2 ↑ · 지하 포함 층수 40층↑
고급소방기술자 (기계 및 전기)	· 연 3만m^2 ↑ 20만m^2 ↓(아파트 제외) · 지하포함 층수 16층 ↑ 40층 ↓
중급소방기술자 (기계 및 전기)	· 물분무등소화설비(호스릴 제외) 또는 제연설비 설치 · 연 5천m^2 ↑ 3만m^2 ↓(아파트 제외) · 연 1만m^2 ↑ 20만m^2 ↓ 아파트
초급소방기술자 (기계 및 전기)	· 연 1천m^2 ↑ 5천m^2 ↓(아파트 제외) · 연 1천m^2 ↑ 1만m^2 ↓ 아파트 · 지하구
자격수첩을 발급받은 소방기술자	연 1천m^2 ↓

영철쌤 tip

1. 인정자격수첩: 자격수첩을 발급받은 소방기술자
2. 경력자격수첩: 특급, 고급, 중급, 초급 소방기술자

제13조(착공[1] 신고)

① 공사업자는 대통령령으로 정하는 소방시설공사를 하려면 행정안전부령으로 정하는 바에 따라 그 공사의 내용, 시공 장소, 그 밖에 필요한 사항을 소방본부장이나 소방서장에게 신고하여야 한다.

② 공사업자가 제1항에 따라 신고한 사항 가운데 행정안전부령으로 정하는 중요한 사항을 변경하였을 때에는 행정안전부령으로 정하는 바에 따라 변경신고를 하여야 한다. 이 경우 중요한 사항에 해당하지 아니하는 변경 사항은 다음 각 호의 어느 하나에 해당하는 서류에 포함하여 소방본부장이나 소방서장에게 보고하여야 한다.

1. 제14조 제1항 또는 제2항에 따른 완공검사 또는 부분완공검사를 신청하는 서류
2. 제20조에 따른 공사감리 결과보고서

③ 소방본부장 또는 소방서장은 제1항 또는 제2항 전단에 따른 착공신고 또는 변경신고를 받은 날부터 2일 이내에 신고수리 여부를 신고인에게 통지하여야 한다.

④ 소방본부장 또는 소방서장이 제3항에서 정한 기간 내에 신고수리 여부 또는 민원처리 관련 법령에 따른 처리기간의 연장을 신고인에게 통지하지 아니하면 그 기간(민원처리 관련 법령에 따라 처리기간이 연장 또는 재연장된 경우에는 해당 처리기간을 말한다)이 끝난 날의 다음 날에 신고를 수리한 것으로 본다.

용어사전

[1] 착공: 공사를 시작한다는 의미이다.

영철쌤 tip

착고신고 등

공사업자(신고) → 소방본부장, 소방서장 → 소방본부장, 소방서장 수리 → 중요한 사항이 변경 → 변경신고서 제출 → 소방본부장, 소방서장(착공신고, 변경신고) 2일 이내 신고인에게 통지

착공신고 대상
1. 신설공사
2. 증설공사
3. 개설, 이전, 정비 공사
   - **개설**: 기존에 설치한 것을 철거하고 그 자리에 다시 설치하는 것
   - **이전**: 기계기구를 옮기는 것
   - **정비**: 수리 등을 하는 것

신설공사
1. **공통**: 피난구조설비는 착공신고 대상이 아니다.
2. **기계분야**: 소화기구, 자동소화장치를 제외하고 착공신고 대상이다.
3. **전기분야**: 경보설비 중 자동화재탐지설비, 비상경보설비, 비상방송설비만 착공신고 대상이다.

증설공사(설비 또는 구역 등)
1. **설비**: 옥내외소화전설비
2. **구역**: 방호구역(화재조기진압용은 해당사항 없음), 경계구역, 제연구역, 살수구역, 송수구역
3. **기타**: 비상콘센트의 전용회로

개설, 이전, 정비 공사
1. 수신반
2. 소화펌프(충압펌프는 해당사항 없음)
3. 동력(감시)제어반

시행령 제4조(소방시설공사의 착공신고 대상) 법 제13조 제1항에서 "대통령령으로 정하는 소방시설공사"란 다음 각 호의 어느 하나에 해당하는 소방시설공사를 말한다. 다만, 위험물안전관리법 제2조 제1항 제6호에 따른 제조소등 또는 다중이용업소의 안전관리에 관한 특별법 제2조 제1항 제4호에 따른 다중이용업소에서의 소방시설공사는 제외한다.

1. 특정소방대상물에 다음 각 목의 어느 하나에 해당하는 설비를 신설하는 공사
   가. 옥내소화전설비(호스릴옥내소화전설비를 포함한다. 이하 같다), 옥외소화전설비, 스프링클러설비 · 간이스프링클러설비(캐비닛형 간이스프링클러설비를 포함한다. 이하 같다) 및 화재조기진압용 스프링클러설비(이하 "스프링클러설비등"이라 한다), 물분무소화설비 · 포소화설비 · 이산화탄소소화설비 · 할론소화설비 · 할로겐화합물 및 불활성기체 소화설비 · 미분무소화설비 · 강화액소화설비 및 분말소화설비(이하 "물분무등소화설비"라 한다), 연결송수관설비, 연결살수설비, 제연설비(소방용 외의 용도와 겸용되는 제연설비를 건설산업기본법 시행령 별표 1에 따른 기계설비 · 가스공사업자가 공사하는 경우는 제외한다), 소화용수설비(소화용수설비를 건설산업기본법 시행령 별표 1에 따른 기계설비 · 가스공사업자 또는 상 · 하수도설비공사업자가 공사하는 경우는 제외한다) 또는 연소방지설비
   나. 자동화재탐지설비, 비상경보설비, 비상방송설비(소방용 외의 용도와 겸용되는 비상방송설비를 정보통신공사업법에 따른 정보통신공사업자가 공사하는 경우는 제외한다), 비상콘센트설비(비상콘센트설비를 전기공사업법에 따른 전기공사업자가 공사하는 경우는 제외한다) 또는 무선통신보조설비(소방용 외의 용도와 겸용되는 무선통신보조설비를 정보통신공사업법에 따른 정보통신공사업자가 공사하는 경우는 제외한다)
2. 특정소방대상물에 다음 각 목의 어느 하나에 해당하는 설비 또는 구역 등을 증설하는 공사
   가. 옥내 · 옥외소화전설비
   나. 스프링클러설비 · 간이스프링클러설비 또는 물분무등소화설비의 방호구역, 자동화재탐지설비의 경계구역, 제연설비의 제연구역(소방용 외의 용도와 겸용되는 제연설비를 건설산업기본법 시행령 별표 1에 따른 기계설비 · 가스공사업자가 공사하는 경우는 제외한다), 연결살수설비의 살수구역, 연결송수관설비의 송수구역, 비상콘센트설비의 전용회로, 연소방지설비의 살수구역
3. 특정소방대상물에 설치된 소방시설등을 구성하는 다음 각 목의 어느 하나에 해당하는 것의 전부 또는 일부를 개설(改設), 이전(移轉) 또는 정비(整備)하는 공사. 다만, 고장 또는 파손 등으로 인하여 작동시킬 수 없는 소방시설을 긴급히 교체하거나 보수하여야 하는 경우에는 신고하지 않을 수 있다.
   가. 수신반(受信盤)
   나. 소화펌프
   다. 동력(감시)제어반

시행규칙 제12조(착공신고 등) ① 법 제4조 제1항에 따라 소방시설공사업을 등록한 자(이하 "공사업자"라 한다)는 소방시설공사를 하려면 법 제13조 제1항에 따라 해당 소방시설공사의 착공 전까지 별지 제14호서식의 소방시설공사 착공(변경)신고서[전자문서로 된 소방시설공사 착공(변경)신고서를 포함한다]에 다음 각 호의 서류(전자문서를 포함한다)를 첨부하여 소방본부장 또는 소방서장에게 신고해야 한다. 다만, 전자정부법 제36조 제1항에 따른 행정정보의 공동이용을 통하여 첨부서류에 대한 정보를 확인할 수 있는 경우에는 그 확인으로 첨부서류를 갈음할 수 있다.

1. 공사업자의 소방시설공사업 등록증 사본 1부 및 등록수첩 사본 1부
2. 해당 소방시설공사의 책임시공 및 기술관리를 하는 기술인력의 기술등급을 증명하는 서류 사본 1부
3. 법 제21조의3 제2항에 따라 체결한 소방시설공사 계약서 사본 1부
4. 설계도서(설계설명서를 포함한다) 1부. 다만, 영 제4조 제3호에 해당하는 소방시설공사인 경우 또는 소방시설 설치 및 관리에 관한 법률 시행규칙 제3조 제2항에 따라 건축허가등의 동의요구서에 첨부된 서류 중 설계도서가 변경되지 않은 경우에는 설계도서를 첨부하지 않을 수 있다.
5. 소방시설공사를 하도급하는 경우 다음 각 목의 서류
   가. 제20조 제1항 및 별지 제31호서식에 따른 소방시설공사등의 하도급통지서 사본 1부
   나. 하도급대금 지급에 관한 다음의 어느 하나에 해당하는 서류
      1) 하도급거래 공정화에 관한 법률 제13조의2에 따라 공사대금 지급을 보증한 경우에는 하도급대금 지급보증서 사본 1부
      2) 하도급거래 공정화에 관한 법률 제13조의2 제1항 각 호 외의 부분 단서 및 같은 법 시행령 제8조 제1항에 따라 보증이 필요하지 않거나 보증이 적합하지 않다고 인정되는 경우에는 이를 증빙하는 서류 사본 1부

② 법 제13조 제2항에서 "행정안전부령으로 정하는 중요한 사항"이란 다음 각 호의 어느 하나에 해당하는 사항을 말한다.

1. 시공자
2. 설치되는 소방시설의 종류
3. 책임시공 및 기술관리 소방기술자

③ 법 제13조 제2항에 따라 공사업자는 제2항 각 호의 어느 하나에 해당하는 사항이 변경된 경우에는 변경일부터 30일 이내에 별지 제14호서식의 소방시설공사 착공(변경)신고서[전자문서로 된 소방시설공사 착공(변경)신고서를 포함한다]에 제1항 각 호의 서류(전자문서를 포함한다) 중 변경된 해당 서류를 첨부하여 소방본부장 또는 소방서장에게 신고하여야 한다.

④ 소방본부장 또는 소방서장은 소방시설공사 착공신고 또는 변경신고를 받은 경우에는 2일 이내에 처리하고 그 결과를 신고인에게 통보하며, 소방시설공사현장에 배치되는 소방기술자의 성명, 자격증 번호 · 등급, 시공현장의 명칭 · 소재지 · 면적 및 현장 배치기간을 법 제26조의3 제1항에 따른 소방시설업 종합정보시스템에 입력해야 한다. 이 경우 소방본부장 또는 소방서장은 별지 제15호서식의 소방시설 착공 및 완공대장에 필요한 사항을 기록하여 관리하여야 한다.

⑤ 소방본부장 또는 소방서장은 소방시설공사 착공신고 또는 변경신고를 받은 경우에는 공사업자에게 별지 제16호서식의 소방시설공사현황 표지에 따른 소방시설공사현황의 게시를 요청할 수 있다.

핵심정리 착공신고

1. **착공신고:** 소방본부장이나 소방서장에게 신고(30일 이내)
2. **착공신고대상**
   ① 특정소방대상물에 다음의 설비를 신설하는 공사(위험물 제조소등 제외)

기계	옥내(호스릴 포함), 옥외, S/P등(캐비넷형 간이 포함) , 물분무등, 연·송, 연·살, 제연(기계설비업자가 공사하는 경우 제외), 용수(기계설비공사업자 또는 상·하수도설비공사업자가 공사하는 경우는 제외) 또는 연·방
전기	자·탐, 비·경, 비·방(정보통신공사업자가 공사하는 경우는 제외), 비·콘(전기공사업자가 공사하는 경우는 제외) 또는 무·통(정보통신공사업자가 공사하는 경우는 제외)

   ② **특정소방대상물에 설비 또는 구역 등을 증설하는 공사**
   ㉠ 옥내, 옥외
   ㉡ **S/P, 간이S/P, 물분무등소화설비:** 방호구역
   ㉢ **자·탐:** 경계구역
   ㉣ **제연:** 제연구역(기계설비공사업자가 공사 제외)
   ㉤ **연·살:** 살수구역
   ㉥ **연·송:** 송수구역
   ㉦ **비·콘:** 전용회로
   ㉧ **연·방:** 살수구역
   ③ **전부 또는 일부 개설, 이전 또는 정비 공사:** 수신반, 소화펌프, 동력(감시)제어반
3. **착공신고 등**
   ① **착공신고:** 착공 전까지 서류 첨부하여 소방본부장 또는 소방서장에게 신고
   ② **착공 변경신고:** 변경일부터 30일 이내 소방본부장 또는 소방서장에게 신고
   ㉠ 시공자
   ㉡ 설치되는 소방시설의 종류
   ㉢ 책임시공 및 기술관리 소방기술자
   ③ **변경사항 기재 재발급 기한:** 2일 이내(7일 이내에 협회 또는 소방기술과 관련된 자격·학력 및 경력의 인정업무를 위탁받은 소방기술과 관련된 법인 또는 단체에 통보)

제14조(완공검사)

① 공사업자는 소방시설공사를 완공하면 소방본부장 또는 소방서장의 완공검사를 받아야 한다. 다만, 제17조 제1항에 따라 공사감리자가 지정되어 있는 경우에는 공사감리 결과보고서로완공검사를 갈음하되, 대통령령으로 정하는 특정소방대상물의 경우에는 소방본부장이나 소방서장이 소방시설공사가 공사감리 결과보고서대로 완공되었는지를 현장에서 확인할 수 있다.

② 공사업자가 소방대상물 일부분의 소방시설공사를 마친 경우로서 전체 시설이 준공되기 전에 부분적으로 사용할 필요가 있는 경우에는 그 일부분에 대하여 소방본부장이나 소방서장에게 완공검사(이하 "부분완공검사"라 한다)를 신청할 수 있다. 이 경우 소방본부장이나 소방서장은 그 일부분의 공사가 완공되었는지를 확인하여야 한다.

③ 소방본부장이나 소방서장은 제1항에 따른 완공검사나 제2항에 따른 부분완공검사를 하였을 때에는 완공검사증명서나 부분완공검사증명서를 발급하여야 한다.

영철쌤 tip

1. 공사완료 → 감리자 지정여부(지정대상) → 감리결과보고서 제출(완공검사신청으로 갈음할 수 있음)(소방본부장, 소방서장) → 현장확인
2. 공사완료 → 감리자 지정여부(지정대상 아님) → 공사업자가 완공검사신청서 제출(소방본부장, 소방서장)

④ 제1항부터 제3항까지의 규정에 따른 완공검사 및 부분완공검사의 신청과 검사증명서의 발급, 그 밖에 완공검사 및 부분완공검사에 필요한 사항은 **행정안전부령**으로 정한다.

시행령 제5조(완공검사를 위한 현장 확인대상 특정소방대상물의 범위) 법 제14조 제1항 단서에서 "**대통령령으로 정하는 특정소방대상물**"이란 특정소방대상물 중 다음 각 호의 대상물을 말한다.

1. 문화 및 집회시설, 종교시설, 판매시설, 노유자(老幼者)시설, 수련시설, 운동시설, 숙박시설, 창고시설, 지하상가 및 다중이용업소의 안전관리에 관한 특별법에 따른 다중이용업소
2. 다음 각 목의 어느 하나에 해당하는 설비가 설치되는 특정소방대상물
   가. 스프링클러설비등
   나. 물분무등소화설비(**호스릴 방식의 소화설비는 제외한다**)
3. 연면적 1만제곱미터 이상이거나 11층 이상인 특정소방대상물(**아파트는 제외한다**)
4. 가연성가스를 제조·저장 또는 취급하는 시설 중 **지상에 노출된** 가연성가스탱크의 저장용량 합계가 1천톤 이상인 시설

영철쌤 tip

1. **심신미약:** 노유자시설, 수련시설
2. **다중시설:** 문화, 종교, 운동시설
3. **불특정:** 다중이용업소
4. **기타:** 판매시설, 지하상가, 창고시설

시행규칙 제13조(소방시설의 완공검사 신청 등) ① **공사업자는 소방시설공사의 완공검사 또는 부분완공검사를 받으려면 소방시설공사 완공검사신청서(전자문서 포함) 또는 소방시설 부분완공검사신청서(전자문서 포함)를 소방본부장 또는 소방서장에게 제출하여야** 한다. 다만, 행정정보의 공동이용을 통하여 첨부서류에 대한 정보를 확인할 수 있는 경우에는 그 확인으로 첨부서류를 갈음할 수 있다.

② 소방시설 완공검사신청 또는 부분완공검사신청을 받은 소방본부장 또는 소방서장은 현장 확인 결과 또는 감리 결과보고서를 검토한 결과 해당 소방시설공사가 법령과 화재안전기준에 적합하다고 인정하면 소방시설 완공검사증명서 또는 소방시설 부분완공검사증명서를 공사업자에게 발급하여야 한다.

핵심정리 완공검사 및 부분완공검사

1. **완공검사 및 부분완공검사:** 소방본부장 또는 소방서장이 증명서 발급
2. **현장확인대상**
   ① 문화·집회, 종교, 판매, 노유자, 수련, 운동, 숙박, 창고, 지하상가 및 다중
   ② **다음 설비 설치 특정소방대상물:** S/P 등, 물분무등(호스릴 제외)
   ③ 연면적 1만m^2↑ or 11층↑(아파트 제외)
   ④ 지상 노출 가연성가스탱크의 저장용량 1천톤↑

제15조(공사의 하자보수 등)

① 공사업자는 소방시설공사 결과 자동화재탐지설비 등 대통령령으로 정하는 소방시설에 하자가 있을 때에는 대통령령으로 정하는 기간 동안 그 하자를 보수하여야 한다.

② 삭제

③ 관계인은 제1항에 따른 기간에 소방시설의 하자가 발생하였을 때에는 공사업자에게 그 사실을 알려야 하며, 통보를 받은 공사업자는 3일 이내에 하자를 보수하거나 보수 일정을 기록한 하자보수계획을 관계인에게 서면으로 알려야 한다.

④ 관계인은 공사업자가 다음 각 호의 어느 하나에 해당하는 경우에는 소방본부장이나 소방서장에게 그 사실을 알릴 수 있다.

1. 제3항에 따른 기간에 하자보수를 이행하지 아니한 경우
2. 제3항에 따른 기간에 하자보수계획을 서면으로 알리지 아니한 경우
3. 하자보수계획이 불합리하다고 인정되는 경우

⑤ 소방본부장이나 소방서장은 제4항에 따른 통보를 받았을 때에는 소방시설 설치 및 관리에 관한 법률 제18조 제2항에 따른 지방소방기술심의위원회에 심의를 요청하여야 하며, 그 심의 결과 제4항 각 호의 어느 하나에 해당하는 것으로 인정할 때에는 시공자에게 기간을 정하여 하자보수를 명하여야 한다.

⑥ 삭제

1. 사용승인 → 사용 중 하자 생김 → 보증기간 내 공사업자는 3일 이내 하자보수함[일반적으로 전기 2년(피난기구 포함), 기계 3년(자탐, 비콘 포함)]
2. 사용승인 → 사용 중 하자 생김 → 공사업자가 하자가 아니라고 함 → 관계인이 소방기관(소방본부장, 소방서장) 알림 → 기술심의[중앙소방기술심의위원회(하자판단기준 심의), 지방소방기술심의위원회(하자판단 심의)] → 하자보수 유무 결정

시행령 제6조(하자보수대상 소방시설과 하자보수보증기간) 법 제15조 제1항에 따라 하자를 보수하여야 하는 소방시설과 소방시설별 하자보수 보증기간은 다음 각 호의 구분과 같다.

1. 비상경보설비, 비상방송설비, 피난기구, 유도등, 유도표지, 비상조명등 및 무선통신보조 설비: 2년
2. 자동소화장치, 옥내소화전설비, 옥외소화전설비, 스프링클러설비, 간이스프링클러설비, 물분무등소화설비, 자동화재탐지설비, 상수도소화용수설비 및 소화활동설비(무선통신보조설비는 제외한다): 3년

1. 기계 3년(자탐, 비콘 포함), 소화활동설비(무통 제외)
2. 전기 2년(피난기구 포함)

핵심정리 공사의 하자보수 등

1. **하자보수:** 관계인이 공사업자한테 요청
2. **하자보수계획:** 공사업자는 관계인에게 서면으로 3일 이내 알려줘야 함(하자보수계획)
3. **공사업자가 소방본부장이나 소방서장에게 알릴수 있는 경우**
   ① 하자보수를 이행하지 아니한 경우
   ② 하자보수계획을 서면으로 알리지 아니한 경우
   ③ 하자보수계획이 불합리하다고 인정되는 경우
4. **하자보수 대상과 보증기간**
   ① 피·구, 유도등, 유도표지, 비·경, 비·조, 비·방 및 무·통: 2년
   ② 자동소화, 옥내, S/P, 간이, 물분무등, 옥외, 자·탐, 소화용수 및 소·활(무·통 제외): 3년

제3절 감리

제16조(감리)

① 제4조 제1항에 따라 소방공사감리업을 등록한 자(이하 "감리업자"라 한다)는 소방공사를 감리할 때 다음 각 호의 업무를 수행하여야 한다.

1. 소방시설 등의 설치계획표의 적법성 검토
2. 소방시설 등 설계도서의 적합성(적법성과 기술상의 합리성을 말한다. 이하 같다) 검토
3. 소방시설 등 설계 변경 사항의 적합성 검토
4. 소방시설 설치 및 관리에 관한 법률 제2조 제1항 제7호의 소방용품의 위치 · 규격 및 사용 자재의 적합성 검토
5. 공사업자가 한 소방시설 등의 시공이 설계도서와 화재안전기준에 맞는지에 대한 지도 · 감독
6. 완공된 소방시설 등의 성능시험
7. 공사업자가 작성한 시공상세도면의 적합성 검토
8. 피난시설 및 방화시설의 적법성 검토
9. 실내장식물의 불연화(不燃化)와 방염 물품의 적법성 검토

② 용도와 구조에서 특별히 안전성과 보안성이 요구되는 소방대상물로서 대통령령으로 정하는 장소에서 시공되는 소방시설물에 대한 감리는 감리업자가 아닌 자도 할 수 있다.

③ 감리업자는 제1항 각 호의 업무를 수행할 때에는 대통령령으로 정하는 감리의 종류 및 대상에 따라 공사기간 동안 소방시설공사 현장에 소속 감리원을 배치하고 업무수행 내용을 감리일지에 기록하는 등 대통령령으로 정하는 감리의 방법에 따라야 한다.

시행령 제8조(감리업자가 아닌 자가 감리할 수 있는 보안성 등이 요구되는 소방대상물의 시공 장소) 법 제16조 제2항에서 "대통령령으로 정하는 장소"란 원자력안전법 제2조 제10호에 따른 관계시설이 설치되는 장소를 말한다.

제9조(소방공사감리의 종류와 방법) 법 제16조 제3항에 따른 소방공사감리의 종류, 방법 및 대상은 별표 3과 같다.

감리
발주자권한대행으로 품질, 시공관리한다.

표준설계
1. 설계도서는 표준설계를 의미한다.
2. 상세도면은 표준설계로 하면 장애가 발생할 경우 현장시공자가 현장에서 상세도면설계를 한다. → 감리원이 적합성 검토 (예 인테리어 장식등으로 인해 스프링클러설비 헤드의 살수반경 장애 등)

적법성과 적합성
1. 적법성: 법에 적합성
2. 적합성: 적법성 + 기술의 합리성
3. 도면관련: 적합성, 그 외는 적법성
4. 감리자의 업무
   - 소방시설 등의 설치계획표(적법)
   - 피난시설 및 방화시설(적법)
   - 실내장식물의 불연화와 방염 물품(적법)
   - 소방시설 등 설계도서(적합)
   - 소방시설 등 설계 변경사항(적합)
   - 소방용품의 위치 · 규격 및 사용 자재(적합)
   - 공사업자가 작성한 시공 상세 도면(적합)
   - 공사업자가 지도 · 감독
   - 성능시험

감리원
1. 상주공사감리원: 현장에 상주
2. 일반공사감리원: 주 1회 방문
3. 공사감리원 배치: 공사기간 동안[소방시설용 배관(전선관)을 설치하거나 매립하는 때부터 완공검사증명서 받을 때까지]
4. 감리일지: 매일 기록한다.

별표 3. 소방공사 감리의 종류, 방법 및 대상

종류	대상	방법
상주 공사 감리	1. 연면적 3만제곱미터 이상의 특정소방대상물(아파트는 제외한다)에 대한 소방시설의 공사 2. 지하층을 포함한 층수가 16층 이상으로서 500세대 이상인 아파트에 대한 소방시설의 공사	1. 감리원은 행정안전부령으로 정하는 기간 동안 공사 현장에 상주하여 법 제16조 제1항 각 호에 따른 업무를 수행하고 감리일지에 기록해야 한다. 다만, 법 제16조 제1항 제9호에 따른 업무는 행정안전부령으로 정하는 기간 동안 공사가 이루어지는 경우만 해당한다.
상주 공사 감리		2. 감리원이 행정안전부령으로 정하는 기간 중 부득이한 사유로 1일 이상 현장을 이탈하는 경우에는 감리일지 등에 기록하여 발주청 또는 발주자의 확인을 받아야 한다. 이 경우 감리업자는 감리원의 업무를 대행할 사람을 감리현장에 배치하여 감리업무에 지장이 없도록 해야 한다. 3. 감리업자는 감리원이 행정안전부령으로 정하는 기간 중 법에 따른 교육이나 민방위기본법 또는 예비군법에 따른 교육을 받는 경우나 근로기준법에 따른 유급휴가로 현장을 이탈하게 되는 경우에는 감리업무에 지장이 없도록 감리원의 업무를 대행할 사람을 감리현장에 배치해야 한다. 이 경우 감리원은 새로 배치되는 업무대행자에게 업무 인수·인계 등의 필요한 조치를 해야 한다.
일반 공사 감리	상주 공사감리에 해당하지 않는 소방시설의 공사	1. 감리원은 공사 현장에 배치되어 법 제16조 제1항 각 호에 따른 업무를 수행한다. 다만, 법 제16조 제1항 제9호에 따른 업무는 행정안전부령으로 정하는 기간 동안 공사가 이루어지는 경우만 해당한다. 2. 감리원은 행정안전부령으로 정하는 기간 중에는 주 1회 이상 공사 현장에 배치되어 제1호의 업무를 수행하고 감리일지에 기록해야 한다. 3. 감리업자는 감리원이 부득이한 사유로 14일 이내의 범위에서 제2호의 업무를 수행할 수 없는 경우에는 업무대행자를 지정하여 그 업무를 수행하게 해야 한다. 4. 제3호에 따라 지정된 업무대행자는 주 2회 이상 공사 현장에 배치되어 제1호의 업무를 수행하며, 그 업무수행 내용을 감리원에게 통보하고 감리일지에 기록해야 한다.

비고

감리업자는 제연설비 등 소방시설의 공사 감리를 위해 소방시설 성능시험(확인, 측정 및 조정을 포함한다)에 관한 전문성을 갖춘 기관·단체 또는 업체에 성능시험을 의뢰할 수 있다. 이 경우 해당 **소방시설공사의 감리를 위해 별표 4에 따라 배치된 감리원**(책임감리원을 배치해야 하는 소방시설공사의 경우에는 책임감리원을 말한다)**은 성능시험 현장에 참석하여 성능시험이 적정하게 실시되는지 확인해야 한다.**

핵심정리 감리의 종류

종류	대상	방법
상주 공사 감리	· 연면적 3만m^2↑ (아파트 제외) · 층수 16층↑(지하 포함) + 500세대↑ 아파트	· 감리원은 행정안전부령으로 정하는 기간 동안 공사 현장에 상주하여 감리 업무를 수행하고 감리일지에 기록해야 함 · 감리원이 부득이한 사유로 1일 이상 현장을 이탈하는 경우에는 감리일지 등에 기록하여 발주청 또는 발주자의 확인을 받아야 하며, 이 경우 감리업자는 감리원의 업무를 대행할 사람을 감리현장에 배치하여 감리업무에 지장이 없도록 해야 함
일반 공사 감리	상주 공사감리에 해당하지 않는 소방시설의 공사	· 공사 현장에 배치되어 감리업무를 수행 · 주 1회 이상 공사 현장에 배치 및 업무 수행하고 감리일지 기록 · 감리업자는 감리원이 부득이한 사유로 14일 이내의 범위에서 업무를 수행할 수 없는 경우에는 업무대행자를 지정 · 업무대행자는 주 2회 이상 공사 현장에 배치되어 감리 업무를 수행하며, 그 업무수행 내용을 감리원에게 통보하고 감리일지에 기록해야 함

제17조(공사감리자의 지정 등)

① 대통령령으로 정하는 특정소방대상물의 관계인이 특정소방대상물에 대하여 자동화재탐지설비, 옥내소화전설비 등 대통령령으로 정하는 소방시설을 시공할 때에는 소방시설공사의 감리를 위하여 감리업자를 공사감리자로 지정하여야 한다. 다만, 제26조의2 제2항에 따라 시·도지사가 감리업자를 선정한 경우에는 그 감리업자를 공사감리자로 지정한다.

② 관계인은 제1항에 따라 공사감리자를 지정하였을 때에는 행정안전부령으로 정하는 바에 따라 소방본부장이나 소방서장에게 신고하여야 한다. 공사감리자를 변경하였을 때에도 또한 같다.

③ 관계인이 공사감리자를 변경하였을 때에는 새로 지정된 공사감리자와 종전의 공사감리자는 감리 업무 수행에 관한 사항과 관계 서류를 인수·인계하여야 한다.

④ 소방본부장 또는 소방서장은 제2항에 따른 공사감리자 지정신고 또는 변경신고를 받은 날부터 2일 이내에 신고수리 여부를 신고인에게 통지하여야 한다.

영철쌤 tip

공사감리자 지정
1. 공사감리자 지정: 큰 공사
2. 공사감리자 지정하지 않음: 작은 공사
3. 관계인(발주자)이 감리업자 지정 → 소방본부장, 소방서장한테 지정신고 → 지정받은 감리업자는 소방본부장, 소방서장한테 감리원 배치 신고

공사감리자 지정 위반 시
1년 이하의 징역 또는 1천만 원 이하의 벌금

⑤ 소방본부장 또는 소방서장이 제4항에서 정한 기간 내에 신고수리 여부 또는 민원처리 관련 법령에 따른 처리기간의 연장을 신고인에게 통지하지 아니하면 그 기간(민원처리 관련 법령에 따라 처리기간이 연장 또는 재연장된 경우에는 해당 처리기간을 말한다)이 끝난 날의 다음 날에 신고를 수리한 것으로 본다.

시공(착공신고)	감리지정
신설	신설
증설	증설
개설	개설
이전	×
정비	×

착공신고대상
1. 스프링클러설비등(캐비닛형 간이스프링클러설비는 포함한다)
2. 자동화재탐지설비 경계구역 증설
3. 통합감시시설은 착공대상이 아니다.
4. 연결송수관설비 증설 있다.
5. 연결살수설비 살수구역 증설

시행령 제10조(공사감리자 지정대상 특정소방대상물의 범위) ① 법 제17조 제1항 본문에서 "대통령령으로 정하는 특정소방대상물"이란 소방시설 설치 및 관리에 관한 법률 제2조 제1항 제3호의 특정소방대상물을 말한다.

② 법 제17조 제1항 본문에서 "자동화재탐지설비, 옥내소화전설비 등 대통령령으로 정하는 소방시설을 시공할 때"란 다음 각 호의 어느 하나에 해당하는 소방시설을 시공할 때를 말한다.

1. 옥내소화전설비를 신설·개설 또는 증설할 때
2. 스프링클러설비등(캐비닛형 간이스프링클러설비는 제외한다)을 신설·개설하거나 방호·방수 구역을 증설할 때
3. 물분무등소화설비(호스릴 방식의 소화설비는 제외한다)를 신설·개설하거나 방호·방수 구역을 증설할 때
4. 옥외소화전설비를 신설·개설 또는 증설할 때
5. 자동화재탐지설비를 신설 또는 개설할 때

5의2. 비상방송설비를 신설 또는 개설할 때

6. 통합감시시설을 신설 또는 개설할 때

6의2. 삭제

7. 소화용수설비를 신설 또는 개설할 때
8. 다음 각 목에 따른 소화활동설비에 대하여 각 목에 따른 시공을 할 때
   가. 제연설비를 신설·개설하거나 제연구역을 증설할 때
   나. 연결송수관설비를 신설 또는 개설할 때
   다. 연결살수설비를 신설·개설하거나 송수구역을 증설할 때
   라. 비상콘센트설비를 신설·개설하거나 전용회로를 증설할 때
   마. 무선통신보조설비를 신설 또는 개설할 때
   바. 연소방지설비를 신설·개설하거나 살수구역을 증설할 때
9. 삭제

시행규칙 제15조(소방공사감리자의 지정신고 등) ① 법 제17조 제2항에 따라 특정소방대상물의 관계인은 공사감리자를 지정한 경우에는 해당 소방시설공사의 착공 전까지 별지 제21호서식의 소방공사감리자 지정신고서에 다음 각 호의 서류(전자문서를 포함한다)를 첨부하여 소방본부장 또는 소방서장에게 제출해야 한다. 다만, 전자정부법 제36조 제1항에 따른 행정정보의 공동이용을 통하여 첨부서류에 대한 정보를 확인할 수 있는 경우에는 그 확인으로 첨부서류를 갈음할 수 있다.

1. 소방공사감리업 등록증 사본 1부 및 등록수첩 사본 1부
2. 해당 소방시설공사를 감리하는 소속 감리원의 감리원 등급을 증명하는 서류(전자문서를 포함한다) 각 1부
3. 별지 제22호서식의 소방공사감리계획서 1부

4. 법 제21조의3 제2항에 따라 체결한 소방시설설계 계약서 사본(소방시설 설치 및 관리에 관한 법률 시행규칙 제3조 제2항에 따라 건축허가등의 동의요구서에 소방시설설계 계약서가 첨부되지 않았거나 첨부된 서류 중 소방시설설계 계약서가 변경된 경우에만 첨부한다) 1부 및 소방공사감리 계약서 사본 1부

② 특정소방대상물의 관계인은 공사감리자가 변경된 경우에는 법 제17조 제2항 후단에 따라 변경일부터 30일 이내에 별지 제23호서식의 소방공사감리자 변경신고서(전자문서로 된 소방공사감리자 변경신고서를 포함한다)에 제1항 각 호의 서류(전자문서를 포함한다)를 첨부하여 소방본부장 또는 소방서장에게 제출하여야 한다. 다만, 전자정부법 제36조 제1항에 따른 행정정보의 공동이용을 통하여 첨부서류에 대한 정보를 확인할 수 있는 경우에는 그 확인으로 첨부서류를 갈음할 수 있다.

③ 소방본부장 또는 소방서장은 제1항 및 제2항에 따라 공사감리자의 지정신고 또는 변경신고를 받은 경우에는 2일 이내에 처리하고 그 결과를 신고인에게 통보해야 한다.

핵심정리 공사감리자의 지정

1. **공사감리자의 지정:** 관계인
2. **공사감리자 지정 및 변경 신고:** 소방본부장 또는 소방서장
3. **공사감리자 지정대상 특정소방대상물**
   ① **옥내:** 신설 · 개설 또는 증설
   ② **S/P 등(캐비닛 제외):** 신설 · 개설 또는 방호 · 방수 구역 증설
   ③ **물분무등(호스릴 제외):** 신설 · 개설 또는 방호 · 방수 구역 증설
   ④ **옥외:** 신설 · 개설 또는 증설
   ⑤ **자 · 탐:** 신설 또는 개설
   ⑤-2. **비 · 방:** 신설 또는 개설
   ⑥ **통합:** 신설 또는 개설
   ⑦ **소화용수:** 신설 또는 개설
   ⑧ 소화활동
      ㉠ **제연:** 신설 · 개설 또는 제연구역 증설
      ㉡ **연 · 송:** 신설 또는 개설
      ㉢ **연 · 살:** 신설 · 개설 또는 송수구역 증설
      ㉣ **비 · 콘:** 신설 · 개설 또는 전용회로 증설
      ㉤ **무 · 통:** 신설 또는 개설
      ㉥ **연 · 방:** 신설 · 개설 또는 살수구역 증설
4. **소방공사감리자의 지정신고**
   ① 관계인은 공사감리자를 지정한 경우에는 착공신고일까지 소방공사감리자 지정신고서에 서류(전자문서 포함)를 첨부하여 소방본부장 또는 소방서장에게 제출
   ② **공사감리자 변경 시:** 변경일부터 30일 이내에 소방본부장 또는 소방서장에게 제출
   ③ **처리 기한:** 2일 이내에 처리

1. 현장크기에 따라 감리원(감리자)을 배치한다[특급(소방기술사, 기사), 고급, 중급, 초급감리원].
2. 소방기술사는 기계분야, 전기분야가 없다. 즉, 통합이다. 나머지는 기계분야, 전기분야로 구분하여 배치한다.

감리원 배치하지 아니한 자
300만 원 이하의 벌금

제18조(감리원의 배치 등)

① 감리업자는 소방시설공사의 감리를 위하여 소속 감리원을 대통령령으로 정하는 바에 따라 소방시설공사 현장에 배치하여야 한다.

② 감리업자는 제1항에 따라 소속 감리원을 배치하였을 때에는 행정안전부령으로 정하는 바에 따라 소방본부장이나 소방서장에게 통보하여야 한다. 감리원의 배치를 변경하였을 때에도 또한 같다.

③ 제1항에 따른 감리원의 세부적인 배치 기준은 행정안전부령으로 정한다.

시행령 제11조(소방공사 감리원의 배치기준 및 배치기간) 법 제18조 제1항에 따라 감리업자는 별표 4의 배치기준 및 배치기간에 맞게 소속 감리원을 소방시설공사 현장에 배치하여야 한다.

별표 4. 소방공사 감리원의 배치기준 및 배치기간

1. 소방공사 감리원의 배치기준

감리원의 배치기준		소방시설공사 현장의 기준
책임감리원	보조감리원	
가. 행정안전부령으로 정하는 특급감리원 중 소방기술사	행정안전부령으로 정하는 초급감리원 이상의 소방공사 감리원(기계분야 및 전기분야)	1) 연면적 20만제곱미터 이상인 특정소방대상물의 공사 현장 2) 지하층을 포함한 층수가 40층 이상인 특정소방대상물의 공사 현장
나. 행정안전부령으로 정하는 특급감리원 이상의 소방공사 감리원(기계분야 및 전기분야)	행정안전부령으로 정하는 초급감리원 이상의 소방공사 감리원(기계분야 및 전기분야)	1) 연면적 3만제곱미터 이상 20만제곱미터 미만인 특정소방대상물(아파트는 제외한다)의 공사 현장 2) 지하층을 포함한 층수가 16층 이상 40층 미만인 특정소방대상물의 공사 현장
다. 행정안전부령으로 정하는 고급감리원 이상의 소방공사 감리원(기계분야 및 전기분야)	행정안전부령으로 정하는 초급감리원 이상의 소방공사 감리원(기계분야 및 전기분야)	1) 물분무등소화설비(호스릴 방식의 소화설비는 제외한다) 또는 제연설비가 설치되는 특정소방대상물의 공사 현장 2) 연면적 3만제곱미터 이상 20만제곱미터 미만인 아파트의 공사 현장
라. 행정안전부령으로 정하는 중급감리원 이상의 소방공사 감리원(기계분야 및 전기분야)		연면적 5천제곱미터 이상 3만제곱미터 미만인 특정소방대상물의 공사 현장
마. 행정안전부령으로 정하는 초급감리원 이상의 소방공사 감리원(기계분야 및 전기분야)		1) 연면적 5천제곱미터 미만인 특정소방대상물의 공사 현장 2) 지하구의 공사 현장

비고
가. "책임감리원"이란 해당 공사 전반에 관한 감리업무를 총괄하는 사람을 말한다.
나. "보조감리원"이란 책임감리원을 보좌하고 책임감리원의 지시를 받아 감리업무를 수행하는 사람을 말한다.

예 소방시설공사 현장의 연면적 합계가 45만제곱미터이라면?
1. 20만제곱미터: 1명
2. 25만제곱미터/10만제곱미터 = 2.5 = 3명 추가배치
∴ 총 4명 배치

다. 소방시설공사 현장의 연면적 합계가 20만제곱미터 이상인 경우에는 20만제곱미터를 초과하는 연면적에 대하여 10만제곱미터(20만제곱미터를 초과하는 연면적이 10만제곱미터에 미달하는 경우에는 10만제곱미터로 본다)마다 보조감리원 1명 이상을 추가로 배치해야 한다.

라. 위 표에도 불구하고 상주 공사감리에 해당하지 않는 소방시설의 공사에는 보조감리원을 배치하지 않을 수 있다.

마. 특정 공사 현장이 2개 이상의 공사 현장 기준에 해당하는 경우에는 해당 공사 현장 기준에 따라 배치해야 하는 감리원을 각각 배치하지 않고 그 중 상위 등급 이상의 감리원을 배치할 수 있다.

2. 소방공사 감리원의 배치기간

가. 감리업자는 제1호의 기준에 따른 소방공사 감리원을 상주 공사감리 및 일반 공사감리로 구분하여 소방시설공사의 착공일부터 소방시설 완공검사증명서 발급일까지의 기간 중 행정안전부령으로 정하는 기간 동안 배치한다.

나. 감리업자는 가목에도 불구하고 시공관리, 품질 및 안전에 지장이 없는 경우로서 다음의 어느 하나에 해당하여 발주자가 서면으로 승낙하는 경우에는 해당 공사가 중단된 기간 동안 감리원을 공사현장에 배치하지 않을 수 있다.

1) 민원 또는 계절적 요인 등으로 해당 공정의 공사가 일정 기간 중단된 경우

2) 예산의 부족 등 발주자(하도급의 경우에는 수급인을 포함한다. 이하 이 목에서 같다)의 책임 있는 사유 또는 천재지변 등 불가항력으로 공사가 일정기간 중단된 경우

3) 발주자가 공사의 중단을 요청하는 경우

시행규칙 제16조(감리원의 세부배치기준 등) ① 법 제18조 제3항에 따른 감리원의 세부적인 배치 기준은 다음 각 호의 구분에 따른다.

1. 영 별표 3에 따른 상주 공사감리 대상인 경우

가. 기계분야의 감리원 자격을 취득한 사람과 전기분야의 감리원 자격을 취득한 사람 각 1명 이상을 감리원으로 배치할 것. 다만, 기계분야 및 전기분야의 감리원 자격을 함께 취득한 사람이 있는 경우에는 그에 해당하는 사람 1명 이상을 배치할 수 있다.

나. **소방시설용 배관(전선관을 포함한다. 이하 같다)을 설치하거나 매립하는 때부터 소방시설 완공검사증명서를 발급받을 때까지 소방공사감리현장에 감리원을 배치할 것**

2. 영 별표 3에 따른 일반 공사감리 대상인 경우

가. 기계분야의 감리원 자격을 취득한 사람과 전기분야의 감리원 자격을 취득한 사람 각 1명 이상을 감리원으로 배치할 것. 다만, 기계분야 및 전기분야의 감리원 자격을 함께 취득한 사람이 있는 경우에는 그에 해당하는 사람 1명 이상을 배치할 수 있다.

나. 별표 3에 따른 기간 동안 감리원을 배치할 것

다. **감리원은 주 1회 이상 소방공사감리현장에 배치되어 감리할 것**

라. **1명의 감리원이 담당하는 소방공사감리현장은 5개 이하**(자동화재탐지설비 또는 옥내소화전설비 중 어느 하나만 설치하는 2개의 소방공사감리현장이 최단 차량주행거리로 30킬로미터 이내에 있는 경우에는 1개의 소방공사감리현장으로 본다)로서 **감리현장 연면적의 총 합계가 10만m^2 이하**일 것. 다만, 일반 공사감리 대상인 아파트의 경우에는 연면적의 합계에 관계없이 1명의 감리원이 5개 이내의 공사현장을 감리할 수 있다.

② 영 별표 3 상주 공사감리의 방법 란 각 호에서 "행정안전부령으로 정하는 기간"이란 소방시설용 배관을 설치하거나 매립하는 때부터 소방시설 완공검사증명서를 발급받을 때까지를 말한다.

③ 영 별표 3 일반공사감리의 방법 란 제1호 및 제2호에서 "행정안전부령으로 정하는 기간"이란 별표 3에 따른 기간을 말한다.

별표3. 일반공사감리기간

1. 옥내소화전설비 · 스프링클러설비 · 포소화설비 · 물분무소화설비 · 연결살수설비 및 연소방지설비의 경우: 가압송수장치의 설치, 가지배관의 설치, 개폐밸브 · 유수검지장치 · 체크밸브 · 템퍼스위치의 설치, 앵글밸브 · 소화전함의 매립, 스프링클러헤드 · 포헤드 · 포방출구 · 포노즐 · 포호스릴 · 물분무헤드 · 연결살수헤드 · 방수구의 설치, 포소화약제 탱크 및 포혼합기의 설치, 포소화약제의 충전, 입상배관과 옥상탱크의 접속, 옥외 연결송수구의 설치, 제어반의 설치, 동력전원 및 각종 제어회로의 접속, 음향장치의 설치 및 수동조작함의 설치를 하는 기간
2. 이산화탄소소화설비 · 할로겐화합물소화설비 · 청정소화약제소화설비 및 분말소화설비의 경우: 소화약제 저장용기와 집합관의 접속, 기동용기 등 작동장치의 설치, 제어반 · 화재표시반의 설치, 동력전원 및 각종 제어회로의 접속, 가지배관의 설치, 선택밸브의 설치, 분사헤드의 설치, 수동기동장치의 설치 및 음향경보장치의 설치를 하는 기간
3. 자동화재탐지설비 · 시각경보기 · 비상경보설비 · 비상방송설비 · 통합감시시설 · 유도등 · 비상콘센트설비 및 무선통신보조설비의 경우: 전선관의 매립, 감지기 · 유도등 · 조명등 및 비상콘센트의 설치, 증폭기의 접속, 누설동축케이블 등의 부설, 무선기기의 접속단자 · 분배기 · 증폭기의 설치 및 동력전원의 접속공사를 하는 기간
4. 피난기구의 경우: 고정금속구를 설치하는 기간
5. 제연설비의 경우: 가동식 제연경계벽 · 배출구 · 공기유입구의 설치, 각종 댐퍼 및 유입구 폐쇄장치의 설치, 배출기 및 공기유입기의 설치 및 풍도와의 접속, 배출풍도 및 유입풍도의 설치 · 단열조치, 동력전원 및 제어회로의 접속, 제어반의 설치를 하는 기간
6. 비상전원이 설치되는 소방시설의 경우: 비상전원의 설치 및 소방시설과의 접속을 하는 기간

비고

각 호에 따른 소방시설의 일반공사 감리기간은 소방시설의 성능시험, 소방시설 완공검사증명서의 발급 · 인수인계 및 소방공사의 정산을 하는 기간을 포함한다.

감리원의 배치통보
감리업자(감리원배치일부터 7일 이내 통보)
→ 소방본부장, 소방서장

제17조(감리원배치통보 등) ① 소방공사감리업자는 법 제18조 제2항에 따라 감리원을 소방공사감리현장에 배치하는 경우에는 별지 제24호서식의 소방공사감리원 배치통보서(전자문서로 된 소방공사감리원 배치통보서를 포함한다)에, 배치한 감리원이 변경된 경우에는 별지 제25호서식의 소방공사감리원 배치변경통보서(전자문서로 된 소방공사감리원 배치변경통보서를 포함한다)에 다음 각 호의 구분에 따른 해당 서류(전자문서를 포함한다)를 첨부하여 감리원 배치일부터 7일 이내에 소방본부장 또는 소방서장에게 알려야 한다. 이 경우 소방본부장 또는 소방서장은 배치되는 감리원의 성명, 자격증 번호 · 등급, 감리현장의 명칭 · 소재지 · 면적 및 현장 배치기간을 법 제26조의3 제1항에 따른 소방시설업 종합정보시스템에 입력해야 한다.

1. 소방공사감리원 배치통보서에 첨부하는 서류(전자문서를 포함한다)
   가. 별표 4의2 제3호 나목에 따른 감리원의 등급을 증명하는 서류
   나. 법 제21조의3 제2항에 따라 체결한 소방공사 감리계약서 사본 1부
   다. 삭제
2. 소방공사감리원 배치변경통보서에 첨부하는 서류(전자문서를 포함한다)
   가. 변경된 감리원의 등급을 증명하는 서류(감리원을 배치하는 경우에만 첨부한다)
   나. 변경 전 감리원의 등급을 증명하는 서류
   다. 삭제

② 삭제
③ 삭제
④ 삭제

핵심정리 소방공사 감리원의 배치기준

감리원의 배치기준		소방시설공사 현장의 기준
책임감리원	보조감리원	
특급감리원 중 소방기술사	초급감리원 이상 (기계 및 전기)	· 연면적 20만m^2 ↑ · 지하 포함 층수가 40층 ↑ **영철쌤 tip** 특급소방기술자와 동일
특급감리원 이상 (기계 및 전기)	초급감리원 이상 (기계 및 전기)	· 연면적 3만m^2 ↑ 20만m^2 ↓ (아파트 제외) · 지하 포함 층수 16층 ↑ 40층 ↓ **영철쌤 tip** 고급소방기술자와 동일
고급감리원 이상 (기계 및 전기)	초급감리원 이상 (기계 및 전기)	· 물분무등(호스릴 제외) 또는 제연설비 설치 · 연면적 3만m^2 ↑ 20만m^2 ↓ (아파트) **영철쌤 tip** 중급소방기술자와 유사
중급감리원 이상(기계 및 전기)		연면적 5천m^2 ↑ 3만m^2 ↓
초급감리원 이상(기계 및 전기)		연면적 5천m^2 ↓, 지하구

제19조(위반사항에 대한 조치)

① 감리업자는 감리를 할 때 소방시설공사가 설계도서나 화재안전기준에 맞지 아니할 때에는 관계인에게 알리고, 공사업자에게 그 공사의 시정 또는 보완 등을 요구하여야 한다.
② 공사업자가 제1항에 따른 요구를 받았을 때에는 그 요구에 따라야 한다.
③ 감리업자는 공사업자가 제1항에 따른 요구를 이행하지 아니하고 그 공사를 계속할 때에는 행정안전부령으로 정하는 바에 따라 소방본부장이나 소방서장에게 그 사실을 보고하여야 한다.

감리업자
발주자 대행하는 업자이다. 그러므로 공사의 시정, 보완 등을 요구할 수 있으나 공사를 정지시킬 수는 없다.

보완요구에 따르지 아니한 자
300만 원 이하의 벌금

거짓 보고
1년 이하의 징역 또는 1천만 원 이하의 벌금

불이익을 준 자
300만 원 이하의 벌금

④ 관계인은 감리업자가 제3항에 따라 소방본부장이나 소방서장에게 보고한 것을 이유로 감리계약을 해지하거나 감리의 대가 지급을 거부하거나 지연시키거나 그 밖의 불이익을 주어서는 아니 된다.

시행규칙 제18조(위반사항의 보고 등) 소방공사감리업자는 법 제19조 제1항에 따라 공사업자에게 해당 공사의 시정 또는 보완을 요구하였으나 이행하지 아니하고 그 공사를 계속할 때에는 법 제19조 제3항에 따라 시정 또는 보완을 이행하지 아니하고 공사를 계속하는 날부터 3일 이내에 소방시설공사 위반사항보고서(전자문서로 된 소방시설공사 위반사항보고서를 포함한다)를 소방본부장 또는 소방서장에게 제출하여야 한다. 이 경우 공사업자의 위반사항을 확인할 수 있는 사진 등 증명서류(전자문서를 포함한다)가 있으면 이를 소방시설공사 위반사항보고서(전자문서로 된 소방시설공사 위반사항 보고서를 포함한다)에 첨부하여 제출하여야 한다. 다만, 행정정보의 공동이용을 통하여 첨부서류에 대한 정보를 확인할 수 있는 경우에는 그 확인으로 첨부서류를 갈음할 수 있다.

제20조(공사감리결과의 통보 등)

감리업자는 소방공사의 감리를 마쳤을 때에는 행정안전부령으로 정하는 바에 따라 그 감리 결과를 그 특정소방대상물의 관계인, 소방시설공사의 도급인, 그 특정소방대상물의 공사를 감리한 건축사에게 서면으로 알리고, 소방본부장이나 소방서장에게 공사감리 결과보고서를 제출하여야 한다.

영철쌤 tip

위반 시 1년 이하의 징역 또는 1천만 원 이하의 벌금

감리업자는 감리결과 7일 이내 통보

1. 관계인, 도급인, 건축사(서면), 공사감리결과보고서를 소방본부장, 소방서장에게 제출
2. 도급인은 발주자를 의미한다.

시행규칙 제19조(감리결과의 통보 등) 법 제20조에 따라 감리업자가 소방공사의 감리를 마쳤을 때에는 별지 제29호서식의 소방공사감리 결과보고(통보)서[전자문서로 된 소방공사감리 결과보고(통보)서를 포함한다]에 다음 각 호의 서류(전자문서를 포함한다)를 첨부하여 공사가 완료된 날부터 7일 이내에 특정소방대상물의 관계인, 소방시설공사의 도급인 및 특정소방대상물의 공사를 감리한 건축사에게 알리고, 소방본부장 또는 소방서장에게 보고해야 한다.

1. 소방청장이 정하여 고시하는 소방시설 성능시험조사표 1부
2. 착공신고 후 변경된 소방시설설계도면(변경사항이 있는 경우에만 첨부하되, 법 제11조에 따른 설계업자가 설계한 도면만 해당된다) 1부
3. 별지 제13호서식의 소방공사 감리일지(소방본부장 또는 소방서장에게 보고하는 경우에만 첨부한다) 1부
4. 특정소방대상물의 사용승인(건축법 제22조에 따른 사용승인으로서 주택법 제49조에 따른 사용검사 또는 학교시설사업 촉진법 제13조에 따른 사용승인을 포함한다. 이하 같다) 신청서 등 사용승인 신청을 증빙할 수 있는 서류 1부

제3절의2 방염

제20조의2(방염)

방염처리업자는 소방시설 설치 및 관리에 관한 법률 제20조 제3항에 따른 방염성능기준 이상이 되도록 방염을 하여야 한다.

방염처리업 업종
1. 섬유류 방염업
2. 합성수지류 방염업
3. 합판·목재류 방염업

제20조의3(방염처리능력 평가 및 공시)

① 소방청장은 방염처리업자의 방염처리능력 평가 요청이 있는 경우 해당 방염처리업자의 방염처리 실적 등에 따라 방염처리능력을 평가하여 공시할 수 있다.
② 제1항에 따른 평가를 받으려는 방염처리업자는 전년도 방염처리 실적이나 그 밖에 행정안전부령으로 정하는 서류를 소방청장에게 제출하여야 한다.
③ 제1항 및 제2항에 따른 방염처리능력 평가신청 절차, 평가방법 및 공시방법 등에 필요한 사항은 행정안전부령으로 정한다.

점검능력평가, 공시
요청이 있는 경우에만 해당된다. 즉, 선택사항이다.
1. 점검업: 점검능력평가, 공시
2. 공사업: 시공능력평가, 공시
3. 방염처리업: 방염처리능력평가, 공시

시행규칙 제19조의2(방염처리능력 평가의 신청) ① 법 제4조 제1항에 따라 방염처리업을 등록한 자(이하 "방염처리업자"라 한다)는 법 제20조의3 제2항에 따라 방염처리능력을 평가받으려는 경우에는 별지 제30호의2서식의 방염처리능력 평가 신청서(전자문서를 포함한다)를 협회에 매년 2월 15일까지 제출해야 한다. 다만, 제2항 제4호의 서류의 경우에는 법인은 매년 4월 15일, 개인은 매년 6월 10일(소득세법 제70조의2 제1항에 따른 성실신고확인대상사업자는 매년 7월 10일)까지 제출해야 한다.
② 별지 제30호의2서식의 방염처리능력 평가 신청서에는 다음 각 호의 서류(전자문서를 포함한다)를 첨부해야 하며, 협회는 방염처리업자가 첨부해야 할 서류를 갖추지 못한 경우에는 15일의 보완기간을 부여하여 보완하게 해야 한다. 이 경우 전자정부법 제36조 제1항에 따른 행정정보의 공동이용을 통하여 첨부서류에 대한 정보를 확인할 수 있는 경우에는 그 확인으로 첨부서류를 갈음할 수 있다.
1. 방염처리 실적을 증명하는 다음 각 목의 구분에 따른 서류
   가. 제조·가공 공정에서의 방염처리 실적
      1) 소방시설 설치 및 관리에 관한 법률 제21조 제1항에 따른 방염성능검사 결과를 증명하는 서류 사본
      2) 부가가치세법령에 따른 세금계산서(공급자 보관용) 사본 또는 소득세법령에 따른 계산서(공급자 보관용) 사본
   나. 현장에서의 방염처리 실적
      1) 소방용품의 품질관리 등에 관한 규칙 제5조 및 별지 제4호서식에 따라 시·도지사가 발급한 현장처리물품의 방염성능검사 성적서 사본
      2) 부가가치세법령에 따른 세금계산서(공급자 보관용) 사본 또는 소득세법령에 따른 계산서(공급자 보관용) 사본
   다. 가목 및 나목 외의 방염처리 실적
      1) 별지 제30호의3서식의 방염처리 실적증명서
      2) 부가가치세법령에 따른 세금계산서(공급자 보관용) 사본 또는 소득세법령에 따른 계산서(공급자 보관용) 사본

라. 해외 수출 물품에 대한 제조 · 가공 공정에서의 방염처리 실적 및 해외 현장에서의 방염처리 실적: 방염처리 계약서 사본 및 외국환은행이 발행한 외화입금증명서

마. 주한국제연합군 또는 그 밖의 외국군의 기관으로부터 도급받은 방염처리 실적: 방염처리 계약서 사본 및 외국환은행이 발행한 외화입금증명서

2. 별지 제30호의4서식의 방염처리업 분야 기술개발투자비 확인서(해당하는 경우만 제출한다) 및 증빙서류

3. 별지 제30호의5서식의 방염처리업 신인도평가신고서(다음 각 목의 어느 하나에 해당하는 경우만 제출한다) 및 증빙서류

가. 품질경영인증(ISO 9000) 취득

나. 우수방염처리업자 지정

다. 방염처리 표창 수상

4. 경영상태 확인을 위한 다음 각 목의 어느 하나에 해당하는 서류

가. 법인세법 또는 소득세법에 따라 관할 세무서장에게 제출한 조세에 관한 신고서(세무사법 제6조에 따라 등록한 세무사가 확인한 것으로서 재무상태표 및 손익계산서가 포함된 것을 말한다)

나. 주식회사 등의 외부감사에 관한 법률에 따라 외부감사인의 회계감사를 받은 재무제표

다. 공인회계사법 제7조에 따라 등록한 공인회계사 또는 같은 법 제24조에 따라 등록한 회계법인이 감사한 회계서류

③ 제1항에 따른 기간 내에 방염처리능력 평가를 신청하지 못한 방염처리업자가 다음 각 호의 어느 하나에 해당하는 경우에는 제1항의 신청 기간에도 불구하고 다음 각 호의 어느 하나의 경우에 해당하게 된 날부터 6개월 이내에 방염처리능력 평가를 신청할 수 있다.

1. 법 제4조 제1항에 따라 방염처리업을 등록한 경우

2. 법 제7조 제1항 또는 제2항에 따라 방염처리업을 상속 · 양수 · 합병하거나 소방시설 전부를 인수한 경우

3. 법 제9조에 따른 방염처리업 등록취소 처분의 취소 또는 집행정지 결정을 받은 경우

④ 제1항부터 제3항까지에서 규정한 사항 외에 방염처리능력 평가 신청에 필요한 세부규정은 협회가 정하되, 소방청장의 승인을 받아야 한다.

제19조의3(방염처리능력의 평가 및 공시 등) ① 법 제20조의3 제1항에 따른 방염처리능력 평가의 방법은 별표 3의2와 같다.

② 협회는 방염처리능력을 평가한 경우에는 그 사실을 해당 방염처리업자의 등록수첩에 기재하여 발급해야 한다.

③ 협회는 제19조의2에 따라 제출된 서류가 거짓으로 확인된 경우에는 확인된 날부터 10일 이내에 해당 방염처리업자의 방염처리능력을 새로 평가하고 해당 방염처리업자의 등록수첩에 그 사실을 기재하여 발급해야 한다.

④ 협회는 방염처리능력을 평가한 경우에는 법 제20조의3 제1항에 따라 다음 각 호의 사항을 매년 7월 31일까지 협회의 인터넷 홈페이지에 공시해야 한다. 다만, 제19조의2 제3항 또는 제3항에 따라 방염처리능력을 평가한 경우에는 평가완료일부터 10일 이내에 공시해야 한다.

1. 상호 및 성명(법인인 경우에는 대표자의 성명을 말한다)
2. 주된 영업소의 소재지
3. 업종 및 등록번호
4. 방염처리능력 평가 결과

⑤ 방염처리능력 평가의 유효기간은 공시일부터 1년간으로 한다. 다만, 제19조의2 제3항 또는 제3항에 따라 방염처리능력을 평가한 경우에는 해당 방염처리능력 평가 결과의 공시일부터 다음 해의 정기 공시일(제4항 본문에 따라 공시한 날을 말한다)의 전날까지로 한다.

⑥ 제1항부터 제5항까지에서 규정한 사항 외에 방염처리능력 평가 및 공시에 필요한 세부규정은 협회가 정하되, 소방청장의 승인을 받아야 한다.

제4절 도급

제21조(공사의 도급)

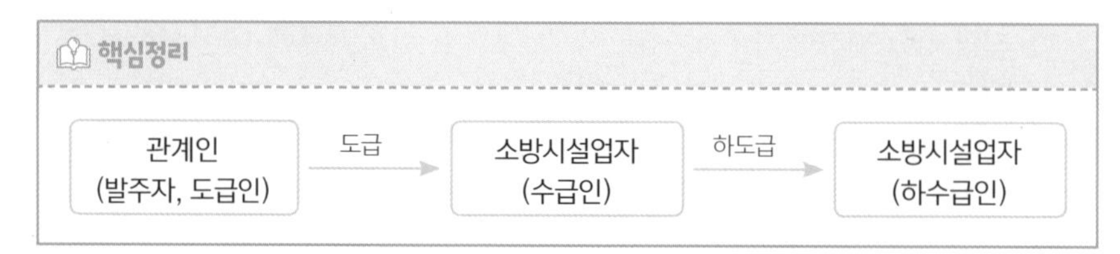

① 특정소방대상물의 관계인 또는 발주자는 소방시설공사등을 도급할 때에는 해당 소방시설업자에게 도급하여야 한다.

② 소방시설공사는 다른 업종의 공사와 분리하여 도급하여야 한다. 다만, 공사의 성질상 또는 기술관리상 분리하여 도급하는 것이 곤란한 경우로서 대통령령으로 정하는 경우에는 다른 업종의 공사와 분리하지 아니하고 도급할 수 있다.

시행령 제11조의2(소방시설공사 분리 도급의 예외) 제21조 제2항 단서에서 "대통령령으로 정하는 경우"란 다음 각 호의 어느 하나에 해당하는 경우를 말한다.
1. 재난 및 안전관리 기본법 제3조 제1호에 따른 재난의 발생으로 긴급하게 착공해야 하는 공사인 경우
2. 국방 및 국가안보 등과 관련하여 기밀을 유지해야 하는 공사인 경우
3. 제4조 각 호에 따른 소방시설공사에 해당하지 않는 공사인 경우(착공신고 대상)
4. 연면적이 1천제곱미터 이하인 특정소방대상물에 비상경보설비를 설치하는 공사인 경우
5. 다음 각 목의 어느 하나에 해당하는 입찰로 시행되는 공사인 경우
   가. 국가를 당사자로 하는 계약에 관한 법률 시행령 제79조 제1항 제4호 또는 제5호 및 지방자치단체를 당사자로 하는 계약에 관한 법률 시행령 제95조 제4호 또는 제5호에 따른 대안입찰 또는 일괄입찰
   나. 국가를 당사자로 하는 계약에 관한 법률 시행령 제98조 제2호 또는 제3호 및 지방자치단체를 당사자로 하는 계약에 관한 법률 시행령 제127조 제2호 또는 제3호에 따른 실시설계 기술제안입찰 또는 기본설계 기술제안입찰

5의2. 국가첨단전략산업 경쟁력 강화 및 보호에 관한 특별조치법 제2조 제1호에 따른 국가첨단전략기술 관련 연구시설 · 개발시설 또는 그 기술을 이용하여 제품을 생산하는 시설 공사인 경우

6. 그 밖에 문화재수리 및 재개발 · 재건축 등의 공사로서 공사의 성질상 분리하여 도급하는 것이 곤란하다고 소방청장이 인정하는 경우

제21조의2(임금에 대한 압류의 금지)

① 공사업자가 도급받은 소방시설공사의 도급금액 중 그 공사(하도급한 공사를 포함한다)의 근로자에게 지급하여야 할 임금에 해당하는 금액은 압류할 수 없다.

② 제1항의 임금에 해당하는 금액의 범위와 산정방법은 대통령령으로 정한다.

소방의 원칙

하도급은 안 된다. 그러나 매우 제한적으로 시공에만 한정해서 일부만 하도급한다.

예 발주자가 발주예정가격
1. 공공기관 등: 발주예정가격 공고
2. 공공기관 외: 발주예정가격 공고를 안 할 수 있음 또는 수의 계약함

만약 발주예정가격 100억 원이라면, 경쟁입찰해서 도급계약한다.

분리도급

설계, 공사, 감리, 방염처리업은 분리도급하여야 한다.

도급
1. 대상: 해당 소방시설업자에게 도급
2. 원칙: 분리도급
3. 분리도급을 하지 않아도 되는 경우
   - 재난발생으로 긴급착공
   - 국방, 국가안보상 기밀유지
   - 연면적 1천제곱미터 이하의 비상경보설비 설치공사
4. 해당 소방시설업자가 아닌 업자에게 도급하면 1년 이하 징역, 1천만 원 이하 벌금

시행령 제11조의3(압류대상에서 제외되는 노임) 법 제21조의2에 따라 압류할 수 없는 노임(勞賃)[1]에 해당하는 금액은 해당 소방시설공사의 도급 또는 하도급 금액 중 설계도서에 기재된 노임을 합산하여 산정한다.

제21조의3(도급의 원칙 등)

① 소방시설공사 등의 도급 또는 하도급의 계약당사자는 서로 대등한 입장에서 합의에 따라 공정하게 계약을 체결하고, 신의에 따라 성실하게 계약을 이행하여야 한다.

② 소방시설공사 등의 도급 또는 하도급의 계약당사자는 그 계약을 체결할 때 도급 또는 하도급 금액, 공사기간, 그 밖에 대통령령으로 정하는 사항을 계약서에 분명히 밝혀야 하며, 서명 날인[2]한 계약서를 서로 내주고 보관하여야 한다.

③ 수급인은 하수급인에게 하도급과 관련하여 자재구입처의 지정 등 하수급인에게 불리하다고 인정되는 행위를 강요하여서는 아니 된다.

④ 제21조에 따라 도급을 받은 자가 해당 소방시설공사 등을 하도급할 때에는 행정안전부령으로 정하는 바에 따라 미리 관계인과 발주자에게 알려야 한다. 하수급인을 변경하거나 하도급 계약을 해지할 때에도 또한 같다.

⑤ 하도급에 관하여 이 법에서 규정하는 것을 제외하고는 그 성질에 반하지 아니하는 범위에서 하도급거래 공정화에 관한 법률의 해당 규정을 준용한다.

시행령 제11조의4(도급계약서의 내용) ① 법 제21조의3 제2항에서 "그 밖에 대통령령으로 정하는 사항"이란 다음 각 호의 사항을 말한다.

1. 소방시설의 설계, 시공, 감리 및 방염(이하 "소방시설공사 등"이라 한다)의 내용
2. 도급(하도급을 포함한다. 이하 이 항에서 같다) 금액 중 "노임(勞賃)"에 해당하는 금액
3. 소방시설공사등의 착수 및 완성 시기
4. 도급금액의 선급금이나 기성금 지급을 약정한 경우에는 각각 그 지급의 시기·방법 및 금액
5. 도급계약당사자 어느 한쪽에서 설계변경, 공사 중지 또는 도급계약의 해제를 요청하는 경우 손해부담에 관한 사항
6. 천재지변이나 그 밖의 불가항력으로 인한 면책의 범위에 관한 사항
7. 설계변경, 물가변동 등에 따른 도급금액 또는 소방시설공사 등의 내용 변경에 관한 사항
8. 하도급거래 공정화에 관한 법률 제13조의2에 따른 하도급대금 지급보증서의 발급에 관한 사항(하도급계약의 경우만 해당한다)
9. 하도급거래 공정화에 관한 법률 제14조에 따른 하도급대금의 직접 지급 사유와 그 절차(하도급계약의 경우만 해당한다)
10. 산업안전보건법 제30조에 따른 산업안전보건관리비 지급에 관한 사항(소방시설공사업의 경우만 해당한다)
11. 해당 공사와 관련하여 고용보험 및 산업재해보상보험의 보험료징수 등에 관한 법률, 국민연금법 및 국민건강보험법에 따른 보험료 등 관계 법령에 따라 부담하는 비용에 관한 사항(소방시설공사업의 경우만 해당한다)

용어사전

① 노임(勞賃): 노동자의 임금

도급의 원칙

1. 대등한 입장에서 합의에 따라 체결
2. 체결 시에는 신의에 따라 성실하게 계약 이행

용어사전

② 서명 날인: 서명은 사인, 날인은 도장을 의미한다.

12. 도급목적물의 인도를 위한 검사 및 인도 시기
13. 소방시설공사 등이 완성된 후 도급금액의 지급시기
14. 계약 이행이 지체되는 경우의 위약금 및 지연이자 지급 등 손해배상에 관한 사항
15. 하자보수 대상 소방시설과 하자보수 보증기간 및 하자담보 방법(소방시설공사업의 경우만 해당한다)
16. 해당 공사에서 발생된 폐기물의 처리방법과 재활용에 관한 사항(소방시설공사업의 경우만 해당한다)
17. 그 밖에 다른 법령 또는 계약 당사자 양쪽의 합의에 따라 명시되는 사항

② 소방청장은 계약 당사자가 대등한 입장에서 공정하게 계약을 체결하도록 하기 위하여 소방시설공사등의 도급 또는 하도급에 관한 표준계약서(하도급의 경우에는 하도급거래 공정화에 관한 법률에 따라 공정거래위원회가 권장하는 소방시설공사업종 표준하도급계약서를 말한다)를 정하여 보급할 수 있다.

시행규칙 제20조(하도급의 통지) ① 소방시설업자는 소방시설의 설계, 시공, 감리 및 방염(이하 "소방시설공사등"이라 한다)을 하도급하려고 하거나 하수급인을 변경하는 경우에는 법 제21조의3 제4항에 따라 별지 제31호서식의 소방시설공사등의 하도급통지서(전자문서로 된 소방시설공사등의 하도급통지서를 포함한다)에 다음 각 호의 서류(전자문서를 포함한다)를 첨부하여 미리 관계인 및 발주자에게 알려야 한다.

1. 하도급계약서(안) 1부
2. 예정공정표 1부
3. 하도급내역서 1부
4. 하수급인의 소방시설업 등록증 사본 1부

② 제1항에 따라 하도급을 하려는 소방시설업자는 관계인 및 발주자에게 통지한 소방시설공사등의 하도급통지서(전자문서로 된 소방시설공사등의 하도급통지서를 포함한다) 사본을 하수급자에게 주어야 한다.

③ 소방시설업자는 하도급계약을 해지하는 경우에는 법 제21조의3 제4항에 따라 하도급계약 해지사실을 증명할 수 있는 서류(전자문서를 포함한다)를 관계인 및 발주자에게 알려야 한다.

공공기관등이 아닌 경우
발주자는 수급인에게 공사대금의 지급보증, 담보제공 → 곤란한 경우 수급인은 그에 상응하는 보험, 공제에 가입 → 30일 이내 발주자는 수급인에게 보험료, 공제료(보험료 등) 지급. 만약, 발주자가 공사대금의 지급보증, 담보제공, 보험료 등 이행하지 않음 → 수급인은 10일 이내 기간을 정하여 발주자에게 이행촉구, 공사를 중지할 수 있음

제21조의4(공사대금의 지급보증 등)

① 수급인이 국가, 지방자치단체 또는 대통령령으로 정하는 공공기관 외의 자가 발주하는 공사를 도급받은 경우로서 수급인이 발주자에게 계약의 이행을 보증하는 때에는 발주자도 수급인에게 공사대금의 **지급을 보증**하거나 **담보를 제공하여야 한다**. 다만, 발주자는 공사대금의 지급보증 또는 담보 제공을 하기 **곤란한 경우에는** 수급인이 그에 상응하는 **보험 또는 공제에 가입**할 수 있도록 계약의 이행보증을 받은 날부터 **30일 이내에 보험료 또는 공제료**(이하 "보험료등"이라 한다)를 **지급**하여야 한다.

② 발주자 및 수급인은 **소규모공사 등** 대통령령으로 정하는 소방시설공사의 경우 제1항에 따른 계약이행의 보증이나 공사대금의 지급보증, 담보의 제공 또는 보험료등의 **지급을 아니할 수 있다**.

③ 발주자가 제1항에 따른 공사대금의 지급보증, 담보의 제공 또는 보험료등의 지급을 하지 아니한 때에는 수급인은 10일 이내 기간을 정하여 발주자에게 그 이행을 촉구하고 공사를 중지할 수 있다. 발주자가 촉구한 기간 내에 그 이행을 하지 아니한 때에는 수급인은 도급계약을 해지할 수 있다.

④ 제3항에 따라 수급인이 공사를 중지하거나 도급계약을 해지한 경우에는 발주자는 수급인에게 공사 중지나 도급계약의 해지에 따라 발생하는 손해배상을 청구하지 못한다.

⑤ 제1항에 따른 공사대금의 지급보증, 담보의 제공 또는 보험료등의 지급 방법이나 절차 및 제3항에 따른 촉구의 방법 등에 필요한 사항은 행정안전부령으로 정한다.

시행령 제11조의5(공사대금의 지급보증 등의 예외가 되는 공공기관의 범위) 법 제21조의4 제1항 본문에서 "대통령령으로 정하는 공공기관"이란 다음 각 호의 공공기관을 말한다.

1. 공공기관의 운영에 관한 법률 제5조에 따른 공기업 및 준정부기관
2. 지방공기업법 제49조에 따른 지방공사 및 같은 법 제76조에 따른 지방공단

제11조의6(공사대금의 지급보증 등의 예외가 되는 소방시설공사의 범위) 법 제21조의4 제2항에서 "소규모공사 등 대통령령으로 정하는 소방시설공사"란 다음 각 호의 소방시설공사를 말한다.

1. 공사 1건의 도급금액이 1천만 원 미만인 소규모 소방시설공사
2. 공사기간이 3개월 이내인 단기의 소방시설공사

시행규칙 제20조의2(공사대금의 지급보증 등의 방법 및 절차) ① 법 제21조의4 제1항 본문에 따라 발주자가 수급인에게 공사대금의 지급을 보증하거나 담보를 제공해야 하는 금액은 다음 각 호의 구분에 따른 금액으로 한다.

1. 공사기간이 4개월 이내인 경우: 도급금액에서 계약상 선급금을 제외한 금액
2. 공사기간이 4개월을 초과하는 경우로서 기성부분에 대한 대가를 지급하지 않기로 약정하거나 그 대가의 지급주기가 2개월 이내인 경우: 다음의 계산식에 따라 산출된 금액

$$\frac{\text{도급금액} - \text{계약상 선급금}}{\text{공사기간(월)}} \times 4$$

3. 공사기간이 4개월을 초과하는 경우로서 기성부분에 대한 대가의 지급주기가 2개월을 초과하는 경우: 다음의 계산식에 따라 산출된 금액

$$\frac{\text{도급금액} - \text{계약상 선급금}}{\text{공사기간(월)}} \times \frac{\text{기성부분에 대한 대가의}}{\text{지급주기(월수)}} \times 2$$

② 제1항에 따른 공사대금의 지급 보증 또는 담보의 제공은 수급인이 발주자에게 계약의 이행을 보증한 날부터 30일 이내에 해야 한다.

③ 공사대금의 지급 보증은 현금(체신관서 또는 은행법에 따른 은행이 발행한 자기앞수표를 포함한다)의 지급 또는 다음 각 호의 기관이 발행하는 보증서의 교부에 따른다.

1. 소방산업의 진흥에 관한 법률에 따른 소방산업공제조합
2. 보험업법에 따른 보험회사

3. 신용보증기금법에 따른 신용보증기금
4. 은행법에 따른 은행
5. 주택도시기금법에 따른 주택도시보증공사
④ 법 제21조의4 제1항 단서에 따라 발주자가 공사대금의 지급을 보증하거나 담보를 제공하기 곤란한 경우에 지급하는 보험료 또는 공제료는 제1항에 따라 산정된 금액을 기초로 발주자의 신용도 등을 고려하여 제3항 각 호의 기관이 정하는 금액으로 한다.
⑤ 법 제21조의4 제3항 전단에 따른 이행촉구의 통지는 다음 각 호의 어느 하나에 해당하는 방법으로 한다.
1. 우편법 시행규칙 제25조 제1항 제4호 가목의 내용증명
2. 전자문서 및 전자거래 기본법에 따른 전자문서로서 다음 각 목의 어느 하나에 해당하는 요건을 갖춘 것
가. 전자서명법에 따른 전자서명(서명자의 실지명의를 확인할 수 있는 것으로 한정한다)이 있을 것
나. 전자문서 및 전자거래 기본법에 따른 공인전자주소를 이용할 것
3. 그 밖에 이행촉구의 내용 및 수신 여부를 객관적으로 확인할 수 있는 방법

제21조의5(부정한 청탁에 의한 재물 등의 취득 및 제공 금지)

① 발주자·수급인·하수급인(발주자, 수급인 또는 하수급인이 법인인 경우 해당 법인의 임원 또는 직원을 포함한다) 또는 이해관계인은 도급계약의 체결 또는 소방시설공사등의 시공 및 수행과 관련하여 부정한 청탁을 받고 재물 또는 재산상의 이익을 취득하거나 부정한 청탁을 하면서 재물 또는 재산상의 이익을 제공하여서는 아니 된다.
② 국가, 지방자치단체 또는 대통령령으로 정하는 공공기관이 발주한 소방시설공사등의 업체 선정에 심사위원으로 참여한 사람은 그 직무와 관련하여 부정한 청탁을 받고 재물 또는 재산상의 이익을 취득하여서는 아니 된다.
③ 국가, 지방자치단체 또는 대통령령으로 정하는 공공기관이 발주한 소방시설공사등의 업체 선정에 참여한 법인, 해당 법인의 대표자, 상업사용인, 그 밖의 임원 또는 직원은 그 직무와 관련하여 부정한 청탁을 받고 재물 또는 재산상의 이익을 취득하거나 부정한 청탁을 하면서 재물 또는 재산상의 이익을 제공하여서는 아니 된다.

제21조의6(위반사실의 통보)

국가, 지방자치단체 또는 대통령령으로 정하는 공공기관은 소방시설업자가 제21조의5를 위반한 사실을 발견하면 시·도지사가 제9조 제1항에 따라 그 등록을 취소하거나 6개월 이내의 기간을 정하여 그 영업의 정지를 명할 수 있도록 그 사실을 시·도지사에게 통보하여야 한다.

제22조(하도급의 제한)

① 제21조에 따라 도급을 받은 자는 소방시설의 설계, 시공, 감리를 제3자에게 하도급할 수 없다. 다만, 시공의 경우에는 대통령령으로 정하는 바에 따라 도급받은 소방시설공사의 일부를 다른 공사업자에게 하도급할 수 있다.

② 하수급인은 제1항 단서에 따라 하도급받은 소방시설공사를 제3자에게 다시 하도급할 수 없다.

③ 삭제

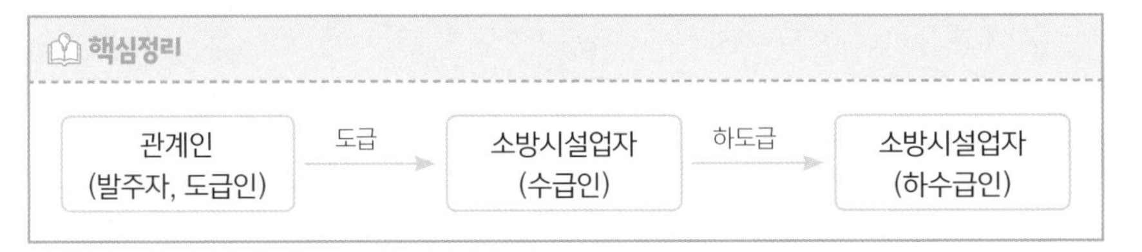

시행령 제12조(소방시설공사의 시공을 하도급할 수 있는 경우) ① 법 제22조 제1항 단서에서 "대통령령으로 정하는 경우"란 소방시설공사업과 다음 각 호의 어느 하나에 해당하는 사업을 함께 하는 공사업자가 소방시설공사와 해당 사업의 공사를 함께 도급받은 경우를 말한다.

1. 주택법 제4조에 따른 주택건설사업
2. 건설산업기본법 제9조에 따른 건설업
3. 전기공사업법 제4조에 따른 전기공사업
4. 정보통신공사업법 제14조에 따른 정보통신공사업

② 공사업자가 제1항에 따라 다른 공사업자에게 그 일부를 하도급할 수 있는 소방시설공사는 제4조 제1호 각 목의 소방설비 중 하나 이상의 소방설비를 설치하는 공사로 한다.

제22조의2(하도급계약의 적정성 심사 등)

① 발주자는 하수급인이 계약내용을 수행하기에 현저하게 부적당하다고 인정되거나 하도급계약금액이 대통령령으로 정하는 비율에 따른 금액에 미달하는 경우에는 하수급인의 시공 및 수행능력, 하도급계약 내용의 적정성 등을 심사할 수 있다. 이 경우 국가, 지방자치단체 또는 대통령령으로 정하는 공공기관이 발주자인 때에는 적정성 심사를 실시하여야 한다.

② 발주자는 제1항에 따라 심사한 결과 하수급인의 시공 및 수행능력 또는 하도급계약 내용이 적정하지 아니한 경우에는 그 사유를 분명하게 밝혀 수급인에게 하수급인 또는 하도급계약 내용의 변경을 요구할 수 있다. 이 경우 제1항 후단에 따라 적정성 심사를 하였을 때에는 하수급인 또는 하도급계약 내용의 변경을 요구하여야 한다.

③ 발주자는 수급인이 정당한 사유 없이 제2항에 따른 요구에 따르지 아니하여 공사 등의 결과에 중대한 영향을 끼칠 우려가 있는 경우에는 해당 소방시설공사 등의 도급계약을 해지할 수 있다.

소방의 원칙
하도급은 안 된다. 그러나 매우 제한적으로 시공에만 한정해서 일부만 하도급한다(한번만 하도급함).

하도급대상
1. 주택건설사업
2. 건설업
3. 전기공사업
4. 정보통신공사업

하도급계약의 적정성 심사를 법으로 의무화(시공만 해당)
1. 공공기관 등 한정
2. 심사대상
   - 도급금액의 100분의 82 미달(82% 미달)
   - 발주예정가격의 100분의 60 미달(60% 미달)

   예 발주예정가격이 100억이라면, 발주예정가격은 60억 미달 입찰, 도급금액은 82억 미달 입찰 받으면 하도급 심사대상이 된다.

하도급계약심사위원회
1. 구성: 위원장 1명과 부위원장 1명을 포함하여 10명 이내의 위원
2. 위원장: 발주기관의 장
   - 발주기관이 시·도인 경우: 2급 또는 3급 공무원 중
   - 발주기관이 공공기관인 경우: 1급 이상 임직원 중에서 발주기관의 장이 지명하는 사람
3. 위원의 자격 중 소방분야 연구기관의 연구원 이상은 해당사항 없다.
4. 임기: 3년(한차례만 연임 가능)
5. 의결: 과반수 출석개의, 과반수 찬성

④ 제1항 후단에 따른 발주자는 하수급인의 시공 및 수행능력, 하도급계약 내용의 적정성 등을 심사하기 위하여 하도급계약심사위원회를 두어야 한다.

⑤ 제1항 및 제2항에 따른 하도급계약의 적정성 심사기준, 하수급인 또는 하도급계약 내용의 변경 요구 절차, 그 밖에 필요한 사항 및 제4항에 따른 하도급계약심사위원회의 설치 · 구성 및 심사방법 등에 관하여 필요한 사항은 대통령령으로 정한다.

시행령 제12조의2(하도급계약의 적정성 심사 등) ① 법 제22조의2 제1항 전단에서 "하도급계약금액이 대통령령으로 정하는 비율에 따른 금액에 미달하는 경우"란 다음 각 호의 어느 하나에 해당하는 경우를 말한다.

1. 하도급계약금액이 도급금액 중 하도급부분에 상당하는 금액[하도급하려는 소방시설공사 등에 대하여 수급인의 도급금액 산출내역서의 계약단가(직접 · 간접 노무비, 재료비 및 경비를 포함한다)를 기준으로 산출한 금액에 일반관리비, 이윤 및 부가가치세를 포함한 금액을 말하며, 수급인이 하수급인에게 직접 지급하는 자재의 비용 등 관계 법령에 따라 수급인이 부담하는 금액은 제외한다]의 100분의 82에 해당하는 금액에 미달하는 경우
2. 하도급계약금액이 소방시설공사 등에 대한 발주자의 예정가격의 100분의 60에 해당하는 금액에 미달하는 경우

② 법 제22조의2 제1항 후단에서 "대통령령으로 정하는 공공기관"이란 제11조의5 각 호의 공공기관을 말한다.

1. 삭제
2. 삭제

③ 소방청장은 법 제22조의2 제1항에 따라 하수급인의 시공 및 수행능력, 하도급계약내용의 적정성 등을 심사하는 경우에 활용할 수 있는 기준을 정하여 고시하여야 한다.

④ 발주자는 법 제22조의2 제2항에 따라 하수급인 또는 하도급계약 내용의 변경을 요구하려는 경우에는 법 제21조의3 제4항에 따라 하도급에 관한 사항을 통보받은 날 또는 그 사유가 있음을 안 날부터 30일 이내에 서면으로 하여야 한다.

제12조의3(하도급계약심사위원회의 구성 및 운영) ① 법 제22조의2 제4항에 따른 하도급계약심사위원회(이하 "위원회"라 한다)는 위원장 1명과 부위원장 1명을 포함하여 10명 이내의 위원으로 구성한다.

② 위원회의 위원장(이하 "위원장"이라 한다)은 발주기관의 장(발주기관이 특별시 · 광역시 · 특별자치시 · 도 및 특별자치도인 경우에는 해당 기관 소속 2급 또는 3급 공무원 중에서, 발주기관이 제11조의5 각 호의 공공기관인 경우에는 1급 이상 임직원 중에서 발주기관의 장이 지명하는 사람을 각각 말한다)이 되고, 부위원장과 위원은 다음 각 호의 어느 하나에 해당하는 사람 중에서 위원장이 임명하거나 성별을 고려하여 위촉한다.

1. 해당 발주기관의 과장급 이상 공무원(제11조의5 각 호의 공공기관의 경우에는 2급 이상의 임직원을 말한다)
2. 소방 분야 연구기관의 연구위원급 이상인 사람
3. 소방 분야의 박사학위를 취득하고 그 분야에서 3년 이상 연구 또는 실무경험이 있는 사람
4. 대학(소방 분야로 한정한다)의 조교수 이상인 사람
5. 국가기술자격법에 따른 소방기술사 자격을 취득한 사람

③ 제2항 제2호부터 제5호까지의 규정에 해당하는 위원의 임기는 3년으로 하며, 한 차례만 연임할 수 있다.

④ 위원회의 회의는 재적위원 과반수의 출석으로 개의(開議)하고, 출석위원 과반수의 찬성으로 의결한다.

⑤ 제1항부터 제4항까지에서 규정한 사항 외에 위원회의 운영에 필요한 사항은 위원회의 의결을 거쳐 위원장이 정한다.

제12조의4(위원회 위원의 제척 · 기피 · 회피) ① 위원회의 위원은 다음 각 호의 어느 하나에 해당하는 경우에는 해당 하도급계약심사에서 제척(除斥)된다.

1. 위원 또는 그 배우자나 배우자이었던 사람이 해당 안건의 당사자(당사자가 법인 · 단체 등인 경우에는 그 임원을 포함한다. 이하 이 호 및 제2호에서 같다)가 되거나 그 안건의 당사자와 공동권리자 또는 공동의무자인 경우
2. 위원이 해당 안건의 당사자와 친족이거나 친족이었던 경우
3. 위원이 해당 안건에 대하여 진술이나 감정을 한 경우
4. 위원이나 위원이 속한 법인 · 단체 등이 해당 안건의 당사자의 대리인이거나 대리인이었던 경우
5. 위원이 해당 안건의 원인이 된 처분 또는 부작위에 관여한 경우

② 해당 안건의 당사자는 위원에게 공정한 심사를 기대하기 어려운 사정이 있는 경우에는 위원회에 기피 신청을 할 수 있으며, 위원회는 의결로 이를 결정한다. 이 경우 기피 신청의 대상인 위원은 그 의결에 참여하지 못한다.

③ 위원이 제1항 각 호에 따른 제척 사유에 해당하는 경우에는 스스로 해당 안건의 심사에서 회피(回避)하여야 한다.

제22조의3(하도급대금의 지급 등)

① 수급인은 발주자로부터 도급받은 소방시설공사 등에 대한 준공금(竣工金)[1]을 받은 경우에는 하도급대금의 전부를, 기성금(既成金)[2]을 받은 경우에는 하수급인이 시공하거나 수행한 부분에 상당한 금액을 각각 지급받은 날(수급인이 발주자로부터 대금을 어음으로 받은 경우에는 그 어음만기일을 말한다)부터 15일 이내에 하수급인에게 현금으로 지급하여야 한다.

② 수급인은 발주자로부터 선급금[3]을 받은 경우에는 하수급인이 자재의 구입, 현장근로자의 고용, 그 밖에 하도급 공사 등을 시작할 수 있도록 그가 받은 선급금의 내용과 비율에 따라 하수급인에게 선금을 받은 날(하도급 계약을 체결하기 전에 선급금을 받은 경우에는 하도급 계약을 체결한 날을 말한다)부터 15일 이내에 선급금을 지급하여야 한다. 이 경우 수급인은 하수급인이 선급금을 반환하여야 할 경우에 대비하여 하수급인에게 보증을 요구할 수 있다.

③ 수급인은 하도급을 한 후 설계변경 또는 물가변동 등의 사정으로 도급금액이 조정되는 경우에는 조정된 금액과 비율에 따라 하수급인에게 하도급 금액을 증액하거나 감액하여 지급할 수 있다.

용어사전

❶ 준공금: 준공금은 공사가 준공된 후 기존에 받은 돈을 제외하고 남은 마지막 기성금. 즉, 공사가 끝나면 주는 금액

❷ 기성금: 건설에서, 공사 중간에 공사가 이루어진 만큼 계산하여 주는 돈

❸ 선급금: 공사가 시작하기 전에 주는 금액으로, 자재 구입, 기술자 고용 등에 사용한다.

영철쌤 tip

하도급대금 지급

수급인이 발주자로부터 대금을 지급받은 날부터 15일 이내에 하수급인에게 현금으로 지급한다. 단, 대금을 어음으로 받은 경우에는 어음 만기일로부터 15일 이내에 지급하여야 한다.

제22조의4(하도급계약 자료의 공개)

① 국가·지방자치단체 또는 대통령령으로 정하는 공공기관이 발주하는 소방시설공사 등을 하도급한 경우 해당 발주자는 다음 각 호의 사항을 누구나 볼 수 있는 방법으로 공개하여야 한다.

1. 공사명
2. 예정가격 및 수급인의 도급금액 및 낙찰률
3. 수급인(상호 및 대표자, 영업소 소재지, 하도급 사유)
4. 하수급인(상호 및 대표자, 업종 및 등록번호, 영업소 소재지)
5. 하도급 공사업종
6. 하도급 내용(도급금액 대비 하도급 금액 비교명세, 하도급률)
7. 선급금 지급 방법 및 비율
8. 기성금 지급 방법(지급 주기, 현금지급 비율)
9. 설계변경 및 물가변동에 따른 대금 조정 여부
10. 하자담보 책임기간
11. 하도급대금 지급보증서 발급 여부(발급하지 아니한 경우에는 그 사유를 말한다)
12. 표준하도급계약서 사용 유무
13. 하도급계약 적정성 심사 결과

② 제1항에 따른 하도급계약 자료의 공개와 관련된 절차 및 방법, 공개대상 계약규모 등에 관하여 필요한 사항은 대통령령으로 정한다.

시행령 제12조의5(하도급계약 자료의 공개) ① 법 제22조의4 제1항 각 호 외의 부분에서 "대통령령으로 정하는 공공기관"이란 제11조의5 각 호의 공공기관을 말한다.
② 법 제22조의4 제1항에 따른 소방시설공사 등의 하도급계약 자료의 공개는 법 제21조의3 제4항에 따라 하도급에 관한 사항을 통보받은 날부터 30일 이내에 해당 소방시설공사 등을 발주한 기관의 인터넷 홈페이지에 게재하는 방법으로 하여야 한다.
③ 법 제22조의4 제1항에 따른 소방시설공사 등의 하도급계약 자료의 공개대상 계약규모는 하도급계약금액[하수급인의 하도급금액 산출내역서의 계약단가(직접·간접 노무비, 재료비및 경비를 포함한다)를 기준으로 산출한 금액에 일반관리비, 이윤 및 부가가치세를 포함한 금액을 말하며, 수급인이 하수급인에게 직접 지급하는 자재의 비용 등 관계 법령에 따라 수급인이 부담하는 금액은 제외한다]이 1천만 원 이상인 경우로 한다.

제23조(도급계약의 폐지)

도급계약해지
승계는 해당사항 없다.

특정소방대상물의 관계인 또는 발주자는 해당 도급계약의 수급인이 다음 각 호의 어느 하나에 해당하는 경우에는 도급계약을 해지할 수 있다.

1. 소방시설업이 등록취소 되거나 영업정지 된 경우
2. 소방시설업을 휴업하거나 폐업한 경우
3. 정당한 사유 없이 30일 이상 소방시설공사를 계속하지 아니하는 경우
4. 제22조의2 제2항에 따른 요구에 정당한 사유 없이 따르지 아니하는 경우

핵심정리 공사의 도급

관계인 또는 발주자는 소방시설공사등을 도급할 때에는 해당 소방시설업자에게 도급

핵심정리 하도급의 제한

1. 하도급의 제한
   도급을 받은 자는 소방시설의 설계, 시공, 감리를 제3자에게 하도급할 수 없다. 다만, 시공의 경우에는 대통령령으로 정하는 바에 따라 도급받은 소방시설공사의 일부를 다른 공사업자에게 하도급할 수 있다.
2. 하도급계약 심사위원회
   ① 하도급계약심사위원회(이하 "위원회"라 한다)는 위원장 1명과 부위원장 1명을 포함하여 10명 이내의 위원으로 구성
   ② 위원장은 발주기관의 장이 되고, 부위원장과 위원은 다음의 어느 하나에 해당하는 사람 중에서 위원장이 임명하거나 성별을 고려하여 위촉
      ㉠ 해당 발주기관의 과장급 이상 공무원
      ㉡ 소방 분야 연구기관의 연구위원급 이상인 사람
      ㉢ 소방 분야의 박사학위를 취득하고 그 분야에서 3년 이상 연구 또는 실무경험이 있는 사람
      ㉣ 대학(소방 분야 한정)의 조교수 이상인 사람
      ㉤ 소방기술사 자격을 취득한 사람
   ③ 위원의 임기는 3년으로 하며, 한 차례만 연임

핵심정리 도급계약의 해지

1. 소방시설업이 등록취소 되거나 영업정지 된 경우
2. 소방시설업을 휴업하거나 폐업한 경우
3. 정당한 사유 없이 30일 이상 소방시설공사를 계속하지 아니하는 경우
4. 하도급 계약 변경요구에 따르지 아니하는 경우

제24조(공사업자의 감리 제한)

다음 각 호의 어느 하나에 해당되면 동일한 특정소방대상물의 소방시설에 대한 시공과 감리를 함께 할 수 없다.

1. 공사업자(법인인 경우 법인의 대표자 또는 임원을 말한다. 이하 제4호에서 같다)와 감리업자(법인인 경우 법인의 대표자 또는 임원을 말한다. 이하 제4호에서 같다)가 같은 자인 경우
2. 독점규제 및 공정거래에 관한 법률 제2조 제11호에 따른 기업집단의 관계인 경우
3. 법인과 그 법인의 임직원의 관계인 경우
4. 공사업자와 감리업자가 민법 제777조에 따른 친족관계인 경우

공사업자의 감리 제한

1. 시공과 감리를 함께함으로써 발생할 수 있는 부실시공을 방지하고자 공사업자의 감리제한을 하고 있다.
2. 공사업자의 감리제한
   - 공사업자와 감리업자가 같은 자인 경우
   - 기업집단의 관계인 경우
   - 법인과 그 법인의 임직원의 관계인 경우
   - 친족관계인 경우

제25조(소방기술용역의 대가기준)

소방시설공사의 설계와 감리에 관한 약정을 할 때 그 대가는 엔지니어링산업 진흥법 제31조에 따른 엔지니어링사업의 대가 기준 가운데 행정안전부령으로 정하는 방식에 따라 산정한다.

영철쌤 tip
일반적으로 대가기준은 행정안전부령으로 정한다.

시행규칙 제21조(소방기술용역의 대가기준 산정방식) 법 제25조에서 "행정안전부령으로 정하는 방식"이란 엔지니어링산업 진흥법 제31조 제2항에 따라 산업통상자원부장관이 고시한 엔지니어링사업대가의 기준 중 다음 각 호에 따른 방식을 말한다.
1. 소방시설설계의 대가: 통신부문에 적용하는 공사비 요율에 따른 방식
2. 소방공사감리의 대가: 실비정액 가산방식

제26조(시공능력평가 및 공시)

① 소방청장은 관계인 또는 발주자가 적절한 공사업자를 선정할 수 있도록 하기 위하여 공사업자의 신청이 있으면 그 공사업자의 소방시설공사 실적, 자본금 등에 따라 시공능력을 평가하여 공시할 수 있다.

② 시공능력평가를 받으려는 공사업자는 전년도 소방시설공사 실적, 자본금, 그 밖에 행정안전부령으로 정하는 사항을 소방청장에게 제출하여야 한다.

③ 제1항 및 제2항에 따른 시공능력 평가신청 절차, 평가방법, 공시방법 및 수수료 등에 관하여 필요한 사항은 행정안전부령으로 정한다.

시행규칙 제22조(소방시설공사 시공능력 평가의 신청) ① 법 제26조 제1항에 따라 소방시설공사의 시공능력을 평가받으려는 공사업자는 법 제26조 제2항에 따라 별지 제32호서식의 소방시설공사 시공능력평가신청서(전자문서로 된 소방시설공사 시공능력평가신청서를 포함한다)에 다음 각 호의 서류(전자문서를 포함한다)를 첨부하여 협회에 매년 2월 15일[제5호의 서류는 법인의 경우에는 매년 4월 15일, 개인의 경우에는 매년 6월 10일(소득세법 제70조의2 제1항에 따른 성실신고확인대상사업자는 매년 7월 10일)]까지 제출해야 하며, 이 경우 협회는 공사업자가 첨부해야 할 서류를 갖추지 못하였을 때에는 15일의 보완기간을 부여하여 보완하게 해야 한다. 다만, 전자정부법 제36조 제1항에 따른 행정정보의 공동이용을 통하여 첨부서류에 대한 정보를 확인할 수 있는 경우에는 그 확인으로 첨부서류를 갈음할 수 있다.
1. 소방공사실적을 증명하는 다음 각 목의 구분에 따른 해당 서류(전자문서를 포함한다)
   가. 국가, 지방자치단체, 공기업 · 준정부기관 또는 지방공사나 지방공단이 발주한 국내 소방시설공사의 경우: 해당 발주자가 발행한 소방시설공사 실적증명서
   나. 가목, 라목 또는 마목 외의 국내 소방시설공사의 경우: 해당 발주자가 발행한 소방시설공사 실적증명서 및 부가가치세법령에 따른 세금계산서(공급자 보관용) 사본이나 소득세법령에 따른 계산서(공급자 보관용) 사본. 다만, 유지 · 보수공사는 공사시공명세서로 갈음할 수 있다.
   다. 해외 소방시설공사의 경우: 재외공관장이 발행한 해외공사 실적증명서 또는 공사계약서 사본이 첨부된 외국환은행이 발행한 외화입금증명서

라. 주한국제연합군 또는 그 밖의 외국군의 기관으로부터 도급받은 소방시설공사의 경우: 거래하는 외국환은행이 발행한 외화입금증명서 및 도급계약서 사본
마. 공사업자의 자기수요에 따른 소방시설공사의 경우: 그 공사의 감리자가 확인한 별지 제33호서식의 소방시설공사 실적증명서
2. 평가를 받는 해의 전년도 말일 현재의 소방시설공사업 등록수첩 사본
3. 소방기술자보유현황
4. 신인도평가신고서(다음 각 목의 어느 하나에 해당하는 사실이 있는 경우에만 해당된다)
가. 품질경영인증(ISO 9000) 취득
나. 우수소방시설공사업자 지정
다. 소방시설공사 표창 수상
5. 다음 각 목의 어느 하나에 해당하는 서류
가. 법인세법 및 소득세법에 따라 관할 세무서장에게 제출한 조세에 관한 신고서(세무사법 제6조에 따라 등록한 세무사가 확인한 것으로서 대차대조표 및 손익계산서가 포함된 것을 말한다)
나. 주식회사의 외부감사에 관한 법률에 따라 외부감사인의 회계감사를 받은 재무제표
다. 공인회계사법 제7조에 따라 등록한 공인회계사 또는 같은 법 제24조에 따라 등록한 회계법인이 감사한 회계서류
라. 출자 · 예치 · 담보 금액 확인서(다만, 소방청장이 지정하는 금융회사 또는 소방산업공제조합에서 통보하는 경우에는 생략할 수 있다)

② 제1항에서 규정한 사항 외에 시공능력 평가 및 수수료 등 업무수행에 필요한 세부규정은 협회가 정하되, 소방청장의 승인을 받아야 한다. 이 경우 수수료의 승인에 관한 사항은 소방청장이 고시하여야 한다.

제23조(시공능력의 평가) ① 법 제26조 제3항에 따른 시공능력 평가의 방법은 별표 4와 같다.

② 제1항에 따라 평가된 시공능력은 공사업자가 도급받을 수 있는 1건의 공사도급금액으로 하고, 시공능력 평가의 유효기간은 공시일부터 1년간으로 한다. 다만, 다음 각 호의 어느 하나에 해당하는 사유로 평가된 시공능력의 유효기간은 그 시공능력 평가 결과의 공시일부터 다음 해의 정기 공시일(제3항 본문에 따라 공시한 날을 말한다)의 전날까지로 한다.
1. 소방시설공사업을 등록한 경우
2. 소방시설공사업을 상속 · 양수 · 합병하거나 소방시설 전부를 인수한 경우
3. 제22조 제1항 각 호의 서류가 거짓으로 확인되어 제4항에 따라 새로 평가한 경우

③ 협회는 시공능력을 평가한 경우에는 그 사실을 해당 공사업자의 등록수첩에 기재하여 발급하고, 매년 7월 31일까지 각 공사업자의 시공능력을 일간신문(신문 등의 진흥에 관한 법률 제2조 제1호 가목 또는 나목에 해당하는 일간신문으로서 같은 법 제9조 제1항에 따른 등록 시 전국을 보급지역으로 등록한 일간신문을 말한다. 이하 같다) 또는 인터넷 홈페이지를 통하여 공시하여야 한다. 다만, 제2항 각 호의 어느 하나에 해당하는 사유로 시공능력을 평가한 경우에는 인터넷 홈페이지를 통하여 공시하여야 한다.

④ 협회는 시공능력평가 및 공시를 위하여 제22조에 따라 제출된 자료가 거짓으로 확인된 경우에는 그 확인된 날부터 10일 이내에 제3항에 따라 공시된 해당 공사업자의 시공능력을 새로 평가하고 해당 공사업자의 등록수첩에 그 사실을 기재하여 발급하여야 한다.

별표 4. 시공능력 평가의 방법

소방시설공사업자의 시공능력 평가는 다음 계산식으로 산정하되, 10만 원 미만의 숫자는 버린다. 이 경우 산정기준일은 평가를 하는 해의 전년도 말일로 한다.

시공능력평가액 = 실적평가액 + 자본금평가액 + 기술력평가액 + 경력평가액 ± 신인도평가액

1. 실적평가액은 다음 계산식으로 산정한다.

실적평가액 = 연평균공사실적액

가. 공사실적액(발주자가 공급하는 자재비를 제외한다)은 해당 업체의 수급금액 중 하수급금액은 포함하고 하도급금액은 제외한다.
나. 공사업을 한 기간이 산정일을 기준으로 3년 이상인 경우에는 최근 3년간의 공사실적을 합산하여 3으로 나눈 금액을 연평균공사실적액으로 한다.
다. 공사업을 한 기간이 산정일을 기준으로 1년 이상 3년 미만인 경우에는 그 기간의 공사실적을 합산한 금액을 그 기간의 개월수로 나눈 금액에 12를 곱한 금액을 연평균공사실적액으로 한다.
라. 공사업을 한 기간이 산정일을 기준으로 1년 미만인 경우에는 그 기간의 공사실적액을 연평균공사실적액으로 한다.
마. 다음의 어느 하나에 해당하는 경우에 실적은 종전 공사업자의 실적과 공사업을 승계한 자의 실적을 합산한다.
  1) 공사업자인 법인이 분할에 의하여 설립되거나 분할합병한 회사에 그가 경영하는 소방시설공사업 전부를 양도하는 경우
  2) 개인이 경영하던 소방시설공사업을 법인사업으로 전환하기 위하여 소방시설공사업을 양도하는 경우(소방시설공사업의 등록을 한 개인이 당해 법인의 대표자가 되는 경우에만 해당한다)
  3) 합명회사와 합자회사 간, 주식회사와 유한회사 간의 전환을 위하여 소방시설공사업을 양도하는 경우
  4) 공사업자는 법인 간에 합병을 하는 경우 또는 공사업자인 법인과 공사업자가 아닌 법인이 합병을 하는 경우
  5) 공사업자가 영 제2조 별표 1 제2호에 따른 소방시설공사업의 업종 중 일반 소방시설공사업에서 전문 소방시설공사업으로 전환하거나 전문 소방시설공사업에서 일반 소방시설공사업으로 전환하는 경우
  6) 법 제6조의2에 따른 폐업신고로 소방시설공사업의 등록이 말소된 후 6개월 이내에 다시 소방시설공사업을 등록하는 경우

2. 자본금평가액은 다음 계산식으로 산정한다.

자본금평가액 = (실질자본금 × 실질자본금의 평점 + 소방청장이 지정한 금융회사 또는 소방산업공제조합에 출자 · 예치 · 담보한 금액) × 70/100

가. 실질자본금은 해당 공사업체 최근 결산일 현재(새로 등록한 자는 등록을 위한 기업진단기준일 현재)의 총자산에서 총부채를 뺀 금액을 말하며, 소방시설공사업 외의 다른 업을 겸업하는 경우에는 실질자본금에서 겸업비율에 해당하는 금액을 공제한다.

나. 실질자본금의 평점은 다음 표에 따른다.

실질 자본금의 규모	등록기준 자본금의 2배 미만	등록기준 자본금의 2배 이상 3배 미만	등록기준 자본금의 3배 이상 4배 미만	등록기준 자본금의 4배 이상 5배 미만	등록기준 자본금의 5배 이상
평점	1.2	1.5	1.8	2.1	2.4

다. 출자금액은 평가연도의 직전연도 말 현재 출자한 좌수에 소방청장이 지정한 금융회사 또는 소방산업공제조합이 평가한 지분액을 곱한 금액으로 한다. 다만, 제23조 제2항 각 호의 어느 하나의 사유로 시공능력을 평가하는 경우에는 시공능력 평가의 신청일을 기준으로 한다.

3. 기술력평가액은 다음 계산식으로 산정한다.

기술력평가액 = 전년도 공사업계의 기술자1인당 평균생산액 × 보유기술인력 가중치합계 × 30/100 + 전년도 기술개발투자액

가. 전년도 공사업계의 기술자 1인당 평균생산액은 공사업계의 국내 총기성액을 공사업계에 종사하는 기술자의 총수로 나눈 금액으로 하되, 이 경우 국내 총기성액 및 기술자 총수는 협회가 관리하고 있는 정보를 기준으로 한다(전년도 공사업계 기술자 1인당 평균생산액이 산출되지 아니하는 경우에는 전전년도 공사업계의 기술자 1인당 평균생산액을 적용한다)

나. 보유기술인력 가중치의 계산은 다음의 방법에 따른다.

1) 보유기술인력은 해당 공사업체의 소방시설공사업 기술인력으로 등록되어 6개월 이상 근무한 사람(신규등록 · 신규양도 · 합병 후 공사업을 한 기간이 6개월 미만인 경우에는 등록신청서 · 양도신고서 · 합병신고서에 적혀 있는 기술인력자로 한다)만 해당한다.

2) 보유기술인력의 등급은 특급기술자, 고급기술자, 중급기술자 및 초급기술자로 구분하되, 등급구분의 기준은 별표4의2 제3호 가목과 같다.

3) 보유기술인력의 등급별 가중치는 다음 표와 같다.

보유기술인력	특급기술자	고급기술자	중급기술자	초급기술자
가중치	2.5	2	1.5	1

4) 보유기술인력 1명이 기계분야 기술과 전기분야 기술을 함께 보유한 경우에는 3)의 가중치에 0.5를 가산한다.

다. 전년도 기술개발투자액은 조세특례제한법 시행령 별표 6에 규정된 비용 중 소방시설공사업 분야에 실제로 사용된 금액으로 한다.

4. 경력평가액은 다음 계산식으로 산정한다.

경력평가액 = 실적평가액 × 사업 경영기간 평점 × 20/100

가. 공사업경영기간은 등록일 · 양도신고일 또는 합병신고일부터 산정기준일까지로 한다.

나. 종전 공사업자의 공사업 경영기간과 공사업을 승계한 자의 공사업 경영기간의 합산에 관해서는 제1호 마목을 준용한다.

다. 공사업경영기간 평점은 다음 표에 따른다.

공사업 경영기간	2년 미만	2년 이상 4년 미만	4년 이상 6년 미만	6년 이상 8년 미만	8년 이상 10년 미만
평점	1.0	1.1	1.2	1.3	1.4

10년 이상 12년 미만	12년 이상 14년 미만	14년 이상 16년 미만	16년 이상 18년 미만	18년 이상 20년 미만	20년 이상
1.5	1.6	1.7	1.8	1.9	2.0

5. 신인도평가액은 다음 계산식으로 산정하되, 신인도평가액은 실적평가액 · 자본금평가액 · 기술력평가액 · 경력평가액을 합친 금액의 ±10%의 범위를 초과할 수 없으며, 가점요소와 감점요소가 있는 경우에는 이를 상계한다.

신인도평가액 = (실적평가액 + 자본금평가액 + 기술력평가액 + 경력평가액)
× 신인도 반영비율 합계

가. 신인도 반영비율 가점요소는 다음과 같다.
  1) 최근 1년간 국가기관 · 지방자치단체 · 공공기관으로부터 우수시공업자로 선정된 경우(+3%)
  2) 최근 1년간 국가기관 · 지방자치단체 및 공공기관으로부터 공사업과 관련한 표창을 받은 경우
     - 대통령 표창(+3%)
     - 그 밖의 표창(+2%)
  3) 공사업자의 공사 시공상 환경관리 및 공사폐기물의 처리실태가 우수하여 환경부장관으로부터 시공능력의 증액 요청이 있는 경우(+2%)
  4) 소방시설공사업에 관한 국제품질경영인증(ISO)을 받은 경우(+2%)

나. 신인도 반영비율 감점요소는 아래와 같다.
  1) 최근 1년간 국가기관 · 지방자치단체 · 공공기관으로부터 부정당업자로 제재처분을 받은 사실이 있는 경우(-3%)
  2) 최근 1년간 부도가 발생한 사실이 있는 경우(-2%)
  3) 최근 1년간 법 제9조 또는 제10조에 따라 영업정지처분 및 과징금처분을 받은 사실이 있는 경우
     - 1개월 이상 3개월 이하(-2%)
     - 3개월 초과(-3%)
  4) 최근 1년간 법 제40조에 따라 사유로 과태료처분을 받은 사실이 있는 경우(-2%)
  5) 최근 1년간 환경관리법령에 따른 과태료 처분, 영업정지 처분 및 과징금 처분을 받은 사실이 있는 경우(-2%)

제26조의2(설계 · 감리업자의 선정)

① 국가, 지방자치단체 또는 대통령령으로 정하는 공공기관은 그가 발주하는 소방시설의 설계 · 공사 감리 용역 중 소방청장이 정하여 고시하는 금액 이상의 사업에 대하여는 대통령령으로 정하는 바에 따라 집행 계획을 작성하여 공고하여야 한다. 이 경우 공고된 사업을 하려면 기술능력, 경영능력, 그 밖에 대통령령으로 정하는 사업수행능력 평가기준에 적합한 설계 · 감리업자를 선정하여야 한다.

② 시 · 도지사 또는 시장 · 군수가 주택법 제15조 제1항에 따라 주택건설사업계획을 승인하거나 특별자치시장, 특별자치도지사, 시장, 군수 또는 자치구의 구청장이 도시 및 주거환경정비법 제50조 제1항에 따라 사업시행계획을 인가할 때에는 그 주택건설공사에서 소방시설공사의 감리를 할 감리업자를 제1항 후단에 따른 사업수행능력 평가기준에 따라 선정하여야 한다. 이 경우 감리업자를 선정하는 주택건설공사의 규모 및 대상 등에 관하여 필요한 사항은 대통령령으로 정한다.

③ 제1항 및 제2항에 따른 설계 · 감리업자의 선정 절차 등에 필요한 사항은 대통령령으로 정한다.

시행령 제12조의6(설계 및 감리 용역사업의 집행계획 작성 · 공고 대상자) 법 제26조의2 제1항 전단에서 "대통령령으로 정하는 공공기관"이란 제11조의5 각 호의 공공기관을 말한다.

제12조의7(설계 및 감리 용역사업의 집행계획의 내용 등) ① 법 제26조의2 제1항 전단에 따른 집행 계획에는 다음 각 호의 사항이 포함되어야 한다.

1. 설계 · 공사 감리 용역명
2. 설계 · 공사 감리 용역사업 시행 기관명
3. 설계 · 공사 감리 용역사업의 주요 내용
4. 총사업비 및 해당 연도 예산 규모
5. 입찰 예정시기
6. 그 밖에 입찰 참가에 필요한 사항

② 법 제26조의2 제1항에 따른 집행 계획의 공고는 입찰공고와 함께 할 수 있다.

제12조의8(설계 · 감리업자의 선정절차 등) ① 법 제26조의2 제1항 후단에서 "대통령령으로 정하는 사업수행능력 평가기준"이란 다음 각 호의 사항에 대한 평가기준을 말한다.

1. 참여하는 소방기술자의 실적 및 경력
2. 입찰참가 제한, 영업정지 등의 처분 유무 또는 재정상태 건실도 등에 따라 평가한 신용도
3. 기술개발 및 투자 실적
4. 참여하는 소방기술자의 업무 중첩도
5. 그 밖에 행정안전부령으로 정하는 사항

② 국가, 지방자치단체 또는 제12조의6에 따른 공공기관(이하 "국가등"이라 한다. 이하 이 조에서 같다)은 법 제26조의2 제1항 전단에 따라 공고된 소방시설의 설계 · 공사감리 용역을 발주하는 경우(시 · 도지사가 제12조의9 제2항에 따라 감리업자를 선정하기 위하여 모집공고를 하는 경우를 포함한다)에는 입찰에 참가하려는 자를 제1항에 따른 사업수행능력 평가기준에 따라 평가하여 입찰에 참가할 자를 선정해야 한다.

③ 국가등이 소방시설의 설계·공사감리 용역을 발주할 때 특별히 기술이 뛰어난 자를 낙찰자로 선정하려는 경우에는 제2항에 따라 선정된 입찰에 참가할 자에게 기술과 가격을 분리하여 입찰하게 하여 기술능력을 우선적으로 평가한 후 기술능력 평가점수가 높은 업체의 순서로 협상하여 낙찰자를 선정할 수 있다.

④ 제1항부터 제3항까지의 규정에 따른 사업수행능력 평가의 세부 기준 및 방법, 기술능력 평가 기준 및 방법, 협상 방법 등 설계·감리업자의 선정에 필요한 세부적인 사항은 행정안전부령으로 정한다.

제12조의9(감리업자를 선정하는 주택건설공사의 규모 및 대상 등) ① 법 제26조의2 제2항 전단에 따라 시·도지사가 감리업자를 선정해야 하는 주택건설공사의 규모 및 대상은 주택법에 따른 공동주택(기숙사는 제외한다)으로서 300세대 이상인 것으로 한다.

② 시·도지사는 법 제26조의2 제2항 전단에 따라 감리업자를 선정하려는 경우에는 주택건설사업계획을 승인한 날부터 7일 이내에 다른 공사와는 별도로 소방시설공사의 감리를 할 감리업자의 모집공고를 해야 한다.

③ 시·도지사는 제2항에도 불구하고 주택법 시행령 제31조에 따른 공사 착수기간의 연장 등 부득이한 사유가 있어 사업주체가 요청하는 경우에는 그 사유가 없어진 날부터 7일 이내에 제2항에 따른 모집공고를 할 수 있다.

④ 제2항에 따른 모집공고에는 다음 각 호의 사항이 포함되어야 한다.

1. 접수기간
2. 낙찰자 결정방법
3. 사업내용 및 제출서류
4. 감리원 응모자격 기준시점(신청접수 마감일을 원칙으로 한다)
5. 감리업자 실적과 감리원 경력의 기준시점(모집공고일을 원칙으로 한다)
6. 입찰의 전자적 처리에 관한 사항
7. 그 밖에 감리업자 모집에 필요한 사항

⑤ 제2항에 따른 모집공고는 일간신문에 싣거나 해당 특별시·광역시·특별자치시·도 또는 특별자치도의 게시판과 인터넷 홈페이지에 7일 이상 게시하는 등의 방법으로 한다.

시행규칙 제23조의2(설계업자 또는 감리업자의 선정 등) ① 사업수행능력 평가의 세부기준은 다음 각 호의 평가기준을 말한다.

1. 설계용역의 경우: 별표 4의3의 사업수행능력 평가기준
2. 공사감리용역의 경우: 별표 4의4의 사업수행능력 평가기준

② 소방청장은 설계업자 또는 감리업자가 사업수행능력을 평가받을 때 제출하는 서류 등의 표준서식을 정하여 국가 등이 이를 이용하게 할 수 있다.

③ 설계업자 및 감리업자는 그가 수행하거나 수행한 설계용역 또는 공사감리용역의 실적관리를 위하여 협회에 설계용역 또는 공사감리용역의 실적 현황을 제출할 수 있다.

④ 협회는 제3항에 따라 설계용역 또는 공사감리용역의 현황을 접수받았을 때에는 그 내용을 기록·관리하여야 하며, 설계업자 또는 감리업자가 요청하면 설계용역 수행현황확인서 또는 공사감리용역 수행현황확인서를 발급하여야 한다.

⑤ 협회는 제4항에 따라 설계용역 또는 공사감리용역의 기록 · 관리를 하는 경우나 설계용역 수행현황확인서, 공사감리용역 수행현황확인서를 발급할 때에는 그 신청인으로부터 실비(實費)의 범위에서 소방청장의 승인을 받아 정한 수수료를 받을 수 있다.

제23조의3(기술능력 평가기준 · 방법) ① 국가 등은 법 제26조의2 및 영 제12조의 8제3항에 따라 기술과 가격을 분리하여 낙찰자를 선정하려는 경우에는 다음 각 호의 기준에 따라야 한다.

1. 설계용역의 경우: 평가기준에 따른 평가 결과 국가 등이 정하는 일정 점수 이상을 얻은 자를 입찰참가자로 선정한 후 기술제안서(입찰금액이 적힌 것을 말한다)를 제출하게 하고, 기술제안서를 제출한 자를 평가기준에 따라 평가한 결과 그 점수가 가장 높은 업체부터 순서대로 기술제안서에 기재된 입찰금액이 예정가격 이내인 경우 그 업체와 협상하여 낙찰자를 선정한다.
2. 공사감리용역의 경우: 별표 4의4의 평가기준에 따른 평가 결과 국가 등이 정하는 일정 점수 이상을 얻은 자를 입찰참가자로 선정한 후 기술제안서를 제출하게 하고, 기술제안서를 제출한 자를 평가기준에 따라 평가한 결과 그 점수가 가장 높은 업체부터 순서대로 기술제안서에 기재된 입찰금액이 예정가격 이내인 경우 그 업체와 협상하여 낙찰자를 선정한다.

② 국가 등은 낙찰된 업체의 기술제안서를 설계용역 또는 감리용역 계약문서에 포함시켜야 한다.

별표 4의3. 설계업자의 사업수행능력 평가기준

평가항목	배점범위	평가방법
1. 참여소방기술자	50	참여한 소방기술자의 등급 · 실적 및 경력 등에 따라 평가
2. 유사용역 수행 실적	15	업체의 수행 실적에 따라 평가
3. 신용도	10	관계 법령에 따른 입찰참가 제한, 영업정지 등의 처분내용에 따라 평가 및 재정상태 건실도(健實度)에 따라 평가
4. 기술개발 및 투자 실적 등	15	기술개발 실적, 투자 실적 및 교육 실적에 따라 평가
5. 업무 중첩도	10	참여소방기술자의 업무 중첩 정도에 따라 평가

비고

1. 위 표에 따른 평가항목 · 배점범위 · 평가방법 등에 관한 세부 사항은 소방청장이 정하여 고시한다.
2. 법 제26조의2 제1항에 따라 설계 · 감리 용역을 발주하는 자(이하 이 표에서 "발주자"라 한다)는 설계용역의 특성에 맞도록 평가항목 · 배점범위 · 평가방법 등을 보완하여 설계용역 사업 수행능력 평가기준(이하 이 표에서 "설계용역평가기준"이라 한다)을 작성하여 적용할 수 있다. 이 경우 평가항목별 배점범위는 위 표의 배점에서 ±10% 범위에서 조정하여 적용할 수 있다.
3. 삭제
4. 발주자는 설계용역평가기준을 입찰공고와 함께 공고할 수 있으며 입찰공고기간 중에 배부하거나 공람하도록 해야 한다.
5. 공동도급으로 설계용역을 수행하는 경우에는 공동수급체 구성원별로 설계용역평가기준 또는 평가항목별 배점에 용역참여 지분율을 곱하여 배점을 산정한 후 이를 합산한다.

별표 4의4. 감리업자의 사업수행능력 평가기준

평가항목	배점범위	평가방법
1. 참여감리원	50	참여감리원의 등급·실적 및 경력 등에 따라 평가
2. 유사용역 수행 실적	10	참여업체의 공사감리용역 수행 실적에 따라 평가
3. 신용도	10	관계 법령에 따른 입찰참가 제한, 영업정지 등의 처분내용에 따라 평가 및 재정상태 건실도(健實度)에 따라 평가
4. 기술개발 및 투자 실적 등	10	기술개발 실적, 투자 실적 및 교육 실적에 따라 평가
5. 업무 중첩도	10	참여감리원의 업무 중첩 정도에 따라 평가
6. 교체 빈도	5	감리원의 교체 빈도에 따라 평가
7. 작업계획 및 기법	5	공사감리 업무수행계획의 적정성 등에 따라 평가

비고

1. 위 표에 따른 평가항목·배점범위·평가방법 등에 관한 세부 사항은 소방청장이 정하여 고시한다.
2. 법 제26조의2 제1항에 따라 설계·감리 용역을 발주하는 자(이하 이 표에서 "발주자"라 한다)는 공사감리용역의 특성에 맞도록 평가항목·배점범위·평가방법 등을 보완하여 공사감리용역사업 수행능력 평가기준(이하 이 표에서 "공사감리용역평가기준"이라 한다)을 작성하여 적용할 수 있다. 이 경우 평가항목별 배점범위는 ±10% 범위에서 조정하여 적용할 수 있다.
3. 발주자는 다음 각 목에 해당하는 경우 2점의 범위에서 가점을 줄 수 있다. 이 경우 이 표에 따른 평가 점수와 가점을 준 점수의 합이 100점을 초과할 수 없다.
   가. 해당 지역에 주된 사무소가 등록된 경우
   나. 책임감리원이 국가기술자격법에 따른 안전관리 분야 중 소방분야 자격자인 경우
4. 발주자는 공사감리용역평가기준 등을 입찰공고 또는 모집공고와 함께 공고할 수 있으며 입찰공고 또는 모집공고기간 중에 배부하거나 공람하도록 해야 한다.
5. 공동도급으로 공사감리용역을 수행하는 경우에는 공동수급체 구성원별로 공사감리용역평가기준 또는 평가항목별 배점 및 지역가산 등에 용역참여 지분율을 곱하여 배점을 산정한 후 이를 합산한다.

제26조의3(소방시설업 종합정보시스템의 구축 등)

① 소방청장은 다음 각 호의 정보를 종합적이고 체계적으로 관리 · 제공하기 위하여 소방시설업 종합정보시스템을 구축 · 운영할 수 있다.

1. 소방시설업자의 자본금 · 기술인력 보유 현황, 소방시설공사등 수행상황, 행정처분 사항 등 소방시설업자에 관한 정보
2. 소방시설공사등의 착공 및 완공에 관한 사항, 소방기술자 및 감리원의 배치 현황 등 소방시설공사등과 관련된 정보

② 소방청장은 제1항에 따른 정보의 종합관리를 위하여 소방시설업자, 발주자, 관련 기관 및 단체 등에게 필요한 자료의 제출을 요청할 수 있다. 이 경우 요청을 받은 자는 특별한 사유가 없으면 이에 따라야 한다.

③ 소방청장은 제1항에 따른 정보를 필요로 하는 관련 기관 또는 단체에 해당 정보를 제공할 수 있다.

④ 제1항에 따른 소방시설업 종합정보시스템의 구축 및 운영 등에 필요한 사항은 행정안전부령으로 정한다.

시행규칙 제23조의4(소방시설업 종합정보시스템의 구축 · 운영) ① 소방청장은 법 제26조의3 제1항에 따른 소방시설업 종합정보시스템(이하 "소방시설업 종합정보시스템"이라 한다)의 구축 및 운영 등을 위하여 다음 각 호의 업무를 수행할 수 있다.

1. 소방시설업 종합정보시스템의 구축 및 운영에 관한 연구개발
2. 법 제26조의3 제1항 각 호의 정보에 대한 수집 · 분석 및 공유
3. 소방시설업 종합정보시스템의 표준화 및 공동활용 촉진

② 소방청장은 소방시설업 종합정보시스템의 효율적인 구축과 운영을 위하여 협회, 소방기술과 관련된 법인 또는 단체와 협의체를 구성 · 운영할 수 있다.

③ 소방청장은 법 제26조의3 제2항 전단에 따라 필요한 자료의 제출을 요청하는 경우에는 그 범위, 사용 목적, 제출기한 및 제출방법 등을 명시한 서면으로 해야 한다.

④ 법 제26조의3 제3항에 따른 관련 기관 또는 단체는 소방청장에게 필요한 정보의 제공을 요청하는 경우에는 그 범위, 사용 목적 및 제공방법 등을 명시한 서면으로 해야 한다.

핵심정리 시공능력 평가 및 공시

구분	내용
시공능력 평가 및 공시	소방청장
시공능력 평가방법	시공능력평가액 = 실적평가액 + 자본금평가액 + 기술력평가액 + 경력평가액 ± 신인도평가액

문제로 완성하기

01 **소방시설공사업법 및 같은 법 시행령상 소방시설설계에 관한 내용으로 옳지 않은 것은?** 24. 경채

① 소방시설설계업을 등록한 자는 이 법이나 이 법에 따른 명령과 화재안전기준에 맞게 소방시설을 설계하여야 한다.

② 지방소방기술심의위원회의 심의를 거쳐 소방시설의 구조와 원리 등에서 특수한 특정소방대상물로 인정된 경우는 화재안전기준을 따르지 아니할 수 있다.

③ 소방기술사 2명을 기술인력으로 보유한 전문소방시설설계업을 등록한 자는 성능위주설계를 할 수 있다.

④ 일반소방시설설계업(기계분야)을 등록한 자는 위험물제조소등에 설치되는 기계분야 소방시설을 설계할 수 있다.

02 **소방시설공사업법 및 같은 법 시행령상 소방공사업자는 소방기술자를 소방공사 현장에 배치하는 것이 원칙이지만, 발주자가 서면으로 승낙하는 경우에는 해당 공사가 중단된 기간 동안 소방기술자를 공사 현장에 배치하지 않을 수 있도록 되어 있는 예외사항이 있다. 다음 중 예외사항으로 옳지 않은 것은?** 21. 공채

① 발주자가 공사 중단을 요청하는 경우

② 소방공사감리원이 공사 중단을 요청하는 경우

③ 민원 또는 계절적 요인 등으로 해당 공정의 공사가 일정 기간 중단된 경우

④ 예산 부족 등 발주자의 책임 있는 사유 또는 천재지변 등 불가항력으로 공사가 일정 기간 중단된 경우

03 **소방시설공사업법 시행령상 소방시설공사의 착공신고 대상으로 옳지 않은 것은?** 22. 공채

① 창고시설에 스프링클러설비의 방호구역을 증설하는 공사

② 공동주택에 자동화재탐지설비의 경계구역을 증설하는 공사

③ 위험물 제조소에 할로겐화합물 및 불활성기체 소화설비를 신설하는 공사

④ 업무시설에 옥내소화전설비(호스릴옥내소화전설비를 포함한다)를 신설하는 공사

04 **소방시설공사업법 시행령상 소방시설공사의 착공신고 대상으로 옳지 않은 것은?** 18. 하반기 공채

① 비상경보설비를 신설하는 특정소방대상물 신축공사

② 자동화재속보설비를 신설하는 특정소방대상물 신축공사

③ 연결송수관설비의 송수구역을 증설하는 특정소방대상물 증축공사

④ 자동화재탐지설비의 경계구역을 증설하는 특정소방대상물 증축공사

05 **다음 중 착공신고 대상에 대하여 옳은 것은?** 17. 상반기 공채

① 비상경보설비 증설공사

② 대형유도등 신설공사

③ 자동화재탐지설비 경계구역 증설

④ 비상방송설비(소방용 외의 용도와 겸용되는 정보통신공사업자가 공사하는 경우 포함) 신설공사

정답 및 해설

01 소방시설설계
중앙소방기술심의위원회의 심의를 거쳐 소방시설의 구조와 원리 등에서 특수한 설계로 인정된 경우는 화재안전기준을 따르지 아니할 수 있다.

02 소방기술자의 배치 예외사항
발주자가 공사 중단을 요청하는 경우 예외사항에 해당한다.

03 착공신고 대상
착공신고 대상에서 위험물 제조소에 설치하는 설비는 대상에 해당하지 않는다.

04 착공신고 대상
자동화재속보설비는 착공신고 대상이 아니다.

05 착공신고 대상
① 비상경보설비 증설공사 → 비상경보설비는 증설 시 착공신고 대상이 아니다.
② 대형유도등 신설공사 → 대형유도등은 착공신고 대상이 아니다.
④ 비상방송설비(소방용 외의 용도와 겸용되는 정보통신공사업자가 공사하는 경우 포함) 신설공사 → 정보통신공사업자가 공사하는 경우는 제외한다.

정답 01 ② 02 ② 03 ③ 04 ② 05 ③

06 **소방시설공사업법에 규정한 내용으로 옳지 않은 것은?** 21. 공채

① 특정소방대상물의 관계인 또는 발주자는 소방시설공사 등을 도급할 때에는 해당 소방시설업자에게 도급하여야 한다.

② 소방본부장이나 소방서장은 완공검사나 부분완공검사를 하였을 때에는 완공검사증명서나 부분완공검사증명서를 발급하여야 한다.

③ 관계인은 하자보수기간에 소방시설의 하자가 발생하였을 때에는 공사업자에게 그 사실을 알려야 하며, 통보를 받은 공사업자는 7일 이내에 하자를 보수하거나 보수 일정을 기록한 하자보수계획을 관계인에게 서면으로 알려야 한다.

④ 소방시설업의 등록을 한 후 정당한 사유 없이 1년이 지날 때까지 영업을 시작하지 아니하거나 계속하여 1년 이상 휴업함으로써 그 이용자에게 불편을 줄 때에는 영업정지처분을 갈음하여 3천만 원 이하의 과징금을 부과할 수 있다.

07 **다음 중 완공검사에 대하여 옳지 않은 것은?** 17. 하반기 공채

① 공사업자는 소방시설공사를 완공하면 소방본부장, 소방서장의 완공검사를 받는다.

② 공사업자가 전체 시설이 준공되기 전에 부분적으로 사용할 필요가 있는 경우에는 그 일부분에 대하여 소방본부장이나 소방서장에게 완공검사를 신청할 수 없다.

③ 소방본부장이나 소방서장은 완공검사나 부분완공검사를 하였을 때에는 완공검사증명서나 부분완공검사증명서를 발급하여야 한다.

④ 규정에 따른 완공검사 및 부분완공검사의 신청과 검사증명서의 발급, 그 밖에 완공검사 및 부분완공검사에 필요한 사항은 행정안전부령으로 정한다.

08 **소방시설공사업법 시행령상 소방본부장 또는 소방서장의 소방시설공사 완공검사를 위한 현장확인 대상 특정소방 대상물로 옳지 않은 것은?** 20. 공채

① 창고시설

② 스프링클러설비등이 설치되는 특정소방대상물

③ 연면적 1만제곱미터 이상이거나 11층 이상인 아파트

④ 가연성가스를 제조 · 저장 또는 취급하는 시설 중 지상에 노출된 가연성가스탱크의 저장용량 합계가 1천톤 이상인 시설

09 **소방시설공사업법 시행령상 완공검사를 위한 현장확인 대상 특정소방대상물의 범위로 옳지 않은 것은?** 24. 공채·경채

① 스프링클러설비등이 설치되는 특정소방대상물

② 지하상가 및 다중이용업소의 안전관리에 관한 특별법에 따른 다중이용업소

③ 물분무등소화설비(호스릴 방식의 소화설비 제외)가 설치되는 특정소방대상물

④ 연면적 5천 제곱미터 이상이거나 10층 이상인 특정소방대상물(아파트는 제외)

10 **소방시설공사업법 시행령상 소방시설공사가 공사감리 결과보고서대로 완공되었는지를 현장에서 확인할 수 있는 대상으로 옳은 것은?** 19. 공채

① 창고시설 또는 수련시설

② 호스릴소화설비를 설치하는 소방시설공사

③ 연면적 1만제곱미터 이상의 아파트에 설치하는 소방시설공사

④ 가연성 가스를 제조·저장 또는 취급하는 시설 중 지하에 매립된 가연성 가스탱크의 저장용량 합계가 1천톤 이상인 시설

정답 및 해설

06 소방시설공사업법
관계인은 하자보수기간에 소방시설의 하자가 발생하였을 때에는 공사업자에게 그 사실을 알려야 하며, 통보를 받은 공사업자는 3일 이내에 하자를 보수하거나 보수 일정을 기록한 하자보수계획을 관계인에게 서면으로 알려야 한다.

07 완공검사
공사업자가 전체 시설이 준공되기 전에 부분적으로 사용할 필요가 있는 경우에는 그 일부분에 대하여 소방본부장이나 소방서장에게 완공검사를 신청할 수 없다. → 신청할 수 있다.

08 완공검사
연면적 1만제곱미터 이상이거나 11층 이상인 아파트 → 아파트는 제외한다.

09 현장확인 대상 특정소방대상물의 범위
연면적 1만제곱미터 이상이거나 11층 이상인 특정소방대상물(아파트는 제외한다)

10 공사감리 결과보고서
② 호스릴소화설비를 설치하는 소방시설공사 → 호스릴 방식은 제외한다.
③ 연면적 1만제곱미터 이상의 아파트에 설치하는 소방시설공사 → 아파트는 제외한다.
④ 가연성 가스를 제조·저장 또는 취급하는 시설 중 지하에 매립된 가연성 가스탱크의 저장용량 합계가 1천톤 이상인 시설 → 지상에 노출된 것만 해당한다.

정답 06 ③ 07 ② 08 ③ 09 ④ 10 ①

11 소방시설공사업법상 소방공사감리업자의 업무범위로 옳지 않은 것은? 21. 공채

① 완공된 소방시설등의 성능시험

② 소방시설등의 설치계획표의 적법성 검토

③ 소방시설등 설계 변경 사항의 적합성 검토

④ 설계업자가 작성한 시공 상세 도면의 적합성 검토

12 다음 중 감리자 업무로서 옳지 않은 것은? 17. 하반기 공채

① 소방시설등의 설치계획표의 적법성 검토

② 소방시설등 설계도서의 적합성 검토

③ 소방시설의 유지 · 관리

④ 소방시설등 설계 변경 사항의 적합성 검토

13 하자보수 대상 소방시설 중 하자보수 보증기간이 다른 것은? 20. 공채

① 비상조명등

② 비상방송설비

③ 비상콘센트설비

④ 무선통신보조설비

14 소방시설공사업법 시행령상 소방시설공사 결과 하자보수 대상과 하자보수 보증기간의 연결이 옳은 것은? 19. 공채

① 비상경보설비, 자동소화장치: 2년

② 무선통신보조설비, 비상조명등: 2년

③ 피난기구, 소화활동설비: 3년

④ 비상방송설비, 간이스프링클러설비: 3년

15 **소방시설공사업법상 소방시설공사의 하자보수에 관한 설명이다. (　　) 안에 들어갈 내용으로 옳은 것은?** 24. 경채

> (ㄱ)은/는 정해진 기간에 소방시설의 하자가 발생하였을 때에는 공사업자에게 그 사실을 알려야 하며, 통보를 받은 공사업자는 (ㄴ)일 이내에 하자를 보수하거나 보수 일정을 기록한 하자보수계획을 (ㄱ)에게 (ㄷ)(으)로 알려야 한다.

	ㄱ	ㄴ	ㄷ
①	소방본부장 또는 소방서장	5	서면
②	감리업자	3	서면
③	관계인	5	구두
④	관계인	3	서면

16 **다음 중 소방시설공사업법에서 상주감리 대상으로 옳은 것은?** 17. 하반기 공채

① 연면적 1만m^2 이상
② 연면적 2만m^2 이상
③ 연면적 3만m^2 이상
④ 연면적 5만m^2 이상

정답 및 해설

11 소방공사감리업자
공사업자가 작성한 시공 상세 도면의 적합성 검토

12 감리자
소방시설의 유지·관리는 관계인 또는 소방안전관리자의 업무이다.

13 하자보수 보증기간
①, ②, ④: 2년
③: 3년

14 하자보수
① 비상경보설비(2년), 자동소화장치(3년)
③ 피난기구(2년), 소화활동설비(3년)
④ 비상방송설비(2년), 간이스프링클러설비(3년)

15 소방시설공사의 하자보수
관계인은 제1항에 따른 기간에 소방시설의 하자가 발생하였을 때에는 공사업자에게 그 사실을 알려야 하며, 통보를 받은 공사업자는 3일 이내에 하자를 보수하거나 보수 일정을 기록한 하자보수계획을 관계인에게 서면으로 알려야 한다.

16 상주감리 대상
상주감리 대상은 연면적 3만m^2 이상 시 해당한다.

정답 11 ④ 12 ③ 13 ③ 14 ② 15 ④ 16 ③

17 **다음 중 공사감리자 지정대상 특정소방대상물이 아닌 것은?** 17. 상반기 공채

① 소화용수설비 · 통합감시시설을 신설 또는 개설할 때

② 옥내 · 외소화전설비를 신설 · 개설 또는 증설할 때

③ 캐비닛형 간이스프링클러설비를 신설 · 개설하거나, 방호 · 방수구역 증설할 때

④ 자동화재탐지설비를 신설 · 개설하거나 경계구역 증설할 때

18 **소방시설공사업법 시행령상 상주공사감리를 해야 하는 대상으로 옳은 것만을 [보기]에서 고른 것은?** 24. 공채 · 경채

[보기]

ㄱ. 연면적 3만 제곱미터인 의료시설

ㄴ. 지하층을 포함한 층수가 20층이고 1,000세대인 아파트

ㄷ. 연면적 1만 제곱미터인 복합건축물

ㄹ. 연면적 2만 제곱미터인 판매시설

① ㄱ, ㄴ

② ㄱ, ㄷ

③ ㄴ, ㄹ

④ ㄷ, ㄹ

19 **소방시설공사업법 시행령 별표 4 소방공사 감리원의 배치기준 및 배치기간에 따라 복합건축물(지하 5층, 지상 35층 규모)인 특정소방대상물 소방시설 공사현장의 소방 공사 책임감리원으로 옳은 것은?** 22. 공채

① 특급감리원 중 소방기술사

② 특급감리원 이상의 소방공사 감리원(기계분야 및 전기분야)

③ 고급감리원 이상의 소방공사 감리원(기계분야 및 전기분야)

④ 중급감리원 이상의 소방공사 감리원(기계분야 및 전기분야)

20 소방공사감리원의 배치기준 중 고급감리원을 배치하여야 하는 대상으로 옳은 것은? 18. 상반기 공채

① 연면적 30,000제곱미터 이상 200,000제곱미터 이하의 특정소방대상물(아파트는 제외)의 공사현장

② 지하층을 포함한 층수가 16층 이상 40층 미만인 특정소방대상물의 공사현장

③ 물분무등소화설비 또는 호스릴소화설비가 설치되는 특정소방시설물의 공사현장

④ 물분무등소화설비(호스릴 방식의 소화설비는 제외한다) 또는 제연설비가 설치되는 특정소방시설물의 공사현장

정답 및 해설

17 공사감리자 지정대상

캐비닛형 간이스프링클러설비를 신설·개설하거나, 방호·방수구역 증설할 때 → 캐비닛형은 제외한다.

18 상주공사감리

대상	방법
1. 연면적 3만제곱미터 이상의 특정소방대상물(아파트는 제외한다)에 대한 소방시설의 공사 2. 지하층을 포함한 층수가 16층 이상으로서 500세대 이상인 아파트에 대한 소방시설의 공사	1. 감리원은 행정안전부령으로 정하는 기간 동안 공사 현장에 상주하여 법 제16조 제1항 각 호에 따른 업무를 수행하고 감리일지에 기록해야 한다. 다만, 법 제16조 제1항 제9호에 따른 업무는 행정안전부령으로 정하는 기간 동안 공사가 이루어지는 경우만 해당한다. 2. 감리원이 행정안전부령으로 정하는 기간 중 부득이한 사유로 1일 이상 현장을 이탈하는 경우에는 감리일지 등에 기록하여 발주청 또는 발주자의 확인을 받아야 한다. 이 경우 감리업자는 감리원의 업무를 대행할 사람을 감리현장에 배치하여 감리업무에 지장이 없도록 해야 한다. 3. 감리업자는 감리원이 행정안전부령으로 정하는 기간 중 법에 따른 교육이나 민방위기본법 또는 예비군법에 따른 교육을 받는 경우나 근로기준법에 따른 유급휴가로 현장을 이탈하게 되는 경우에는 감리업무에 지장이 없도록 감리원의 업무를 대행할 사람을 감리현장에 배치해야 한다. 이 경우 감리원은 새로 배치되는 업무대행자에게 업무 인수·인계 등의 필요한 조치를 해야 한다.

19 소방공사책임감리원

지하층을 포함한 40층 이상인 복합건축물이므로 특급감리원 중 소방기술사를 책임감리원으로 배치한다.

20 고급감리원

① 특급감리원 이상의 소방감리원

② 특급감리원 이상의 소방감리원

③ 호스릴 방식은 제외

정답 17 ③ 18 ① 19 ① 20 ④

21 **소방시설공사업법 및 같은 법 시행령, 시행규칙상 공사 감리에 관한 내용으로 옳은 것은?** 21. 공채

① 감리업자가 감리원을 배치하였을 때에는 소방본부장 또는 소방서장의 동의를 받아야 한다.

② 소방본부장 또는 소방서장은 특정소방대상물에 대해서 감리업자를 공사감리자로 지정하여야 한다.

③ 지하층을 포함한 층수가 16층 이상으로서 300세대 이상인 아파트에 대한 소방시설 공사는 상주공사감리 대상이다.

④ 상주공사감리 대상인 경우 소방시설용 배관을 설치하거나 매립하는 때부터 완공검사증명서를 발급받을 때까지 소방공사감리현장에 감리원을 배치하여야 한다.

22 **다음 중 일반공사감리에 대한 내용으로서 옳지 않은 것은?** 16. 공채

① 상주공사감리에 해당하지 아니하는 소방시설의 공사에 해당한다.

② 감리원은 행정안전부령이 정하는 기간 중에는 주 1회 이상 공사현장을 방문한다.

③ 한 사람이 5곳 이하로서 총 10만m^2 이하를 감리할 수 있다.

④ 아파트는 지하층을 포함한 16층 미만인 경우 면적 관계없이 6개 이내를 감리할 수 있다.

23 **감리업자가 감리를 할 때 위반 사항에 대하여 조치하여야 할 사항이다. (　) 안에 들어갈 용어로 옳은 것은?** 20. 공채

> 감리업자는 감리를 할 때 소방시설공사가 설계도서나 화재안전기준에 맞지 아니할 때에는 (가)에게 알리고, (나)에게 그 공사의 시정 또는 보완 등을 요구하여야 한다.

	(가)	(나)
①	관계인	공사업자
②	관계인	소방서장
③	소방본부장	공사업자
④	소방본부장	소방서장

24 소방시설공사업법 시행규칙상 감리업자가 소방공사의 감리를 마쳤을 때, 소방공사감리 결과 보고(통보)서를 알려야 하는 대상으로 옳지 않은 것은? 18. 하반기 공채

① 소방시설공사의 도급인

② 특정소방대상물의 관계인

③ 소방시설설계업의 설계사

④ 특정소방대상물의 공사를 감리한 건축사

25 소방시설공사업법상 공사의 도급에 관한 사항으로 옳지 않은 것은? 20. 공채

① 특정소방대상물의 관계인 또는 발주자는 소방시설공사 등을 도급할 때에는 해당 소방시설업자에게 도급하여야 한다.

② 공사업자가 도급받은 소방시설공사의 도급금액 중 그 공사(하도급한 공사를 포함한다)의 근로자에게 지급하여야 할 노임(勞賃)에 해당하는 금액은 압류할 수 없다.

③ 도급을 받은 자는 소방시설공사의 전부를 한 번만 제3자에게 하도급할 수 있다.

④ 도급을 받은 자가 해당 소방시설공사등을 하도급할 때에는 행정안전부령으로 정하는 바에 따라 미리 관계인과 발주자에게 알려야 한다.

정답 및 해설

21 공사 감리

① 감리업자가 감리원을 배치하였을 때에는 소방본부장 또는 소방서장의 동의를 받아야 한다. → 통보하여야 한다.

② 소방본부장 또는 소방서장은 특정소방대상물에 대해서 감리업자를 공사감리자로 지정하여야 한다. → 관계인은 감리업자를 공사감리자로 지정하여야 한다.

③ 지하층을 포함한 층수가 16층 이상으로서 300세대 이상인 아파트에 대한 소방시설 공사는 상주공사감리 대상이다. → 500세대 이상인 아파트가 해당한다.

22 일반공사감리

아파트는 지하층을 포함한 층수가 16층 미만일 때 면적 관계없이 5개 이내를 감리할 수 있다.

23 감리업자

감리업자는 감리를 할 때 소방시설공사가 설계도서나 화재안전기준에 맞지 아니할 때에는 (관계인)에게 알리고, (공사업자)에게 그 공사의 시정 또는 보완 등을 요구하여야 한다.

24 소방감리결과보고

공사감리를 마치면 소방시설공사의 도급인, 특정소방대상물의 관계인, 특정소방대상물의 공사를 감리한 건축사에게 통보한다.

25 공사의 도급

도급을 받은 자는 소방시설공사의 일부를 한 번만 제3자에게 하도급할 수 있다.

정답 21 ④ 22 ④ 23 ① 24 ③ 25 ③

26 소방시설공사업법상 정당한 사유 없이 ( )일 이상 소방시설공사를 계속하지 않은 경우에는 관계인은 수급인에게 도급계약을 해지할 수 있다. ( ) 속에 숫자는? 17. 상반기 공채

① 7
② 15
③ 30
④ 60

27 다음 중 소방시설업 시공능력평가 공시자는? 16. 공채

① 소방본부장
② 소방청장
③ 한국소방안전원장
④ 소방시설업자 협회장

28 소방시설공사업법 시행규칙상 감리업자가 소방 공사의 감리를 마쳤을 때 소방공사감리 결과보고(통보)서에 첨부하는 서류가 아닌 것은? 23. 공채·경채

① 착공신고 후 변경된 건축설계도면 1부
② 소방청장이 정하여 고시하는 소방시설 성능시험조사표 1부
③ 소방공사 감리일지(소방본부장 또는 소방서장에게 보고하는 경우에만 첨부) 1부
④ 특정소방대상물의 사용승인 신청서 등 사용승인 신청을 증빙할 수 있는 서류 1부

29 소방시설공사업법 시행령상 상주 공사감리 대상을 설명한 것이다. ( ) 안에 들어갈 내용으로 옳은 것은? 23. 공채·경채

> • 연면적 (ㄱ) 이상의 특정소방대상물(아파트는 제외한다)에 대한 소방시설의 공사
> • 지하층을 포함한 층수가 (ㄴ) 이상인 아파트에대한 소방시설의 공사

	ㄱ	ㄴ
①	3만제곱미터	16층 이상으로서 300세대
②	3만제곱미터	16층 이상으로서 500세대
③	5만제곱미터	16층 이상으로서 300세대
④	5만제곱미터	16층 이상으로서 500세대

30 소방시설공사업법 시행령상 소방시설공사 분리 도급의 예외에 해당하는 것만을 [보기]에서 고른 것은? 23. 공채·경채

[보기]

ㄱ. 재난 및 안전관리 기본법에 따른 재난의 발생으로 긴급하게 착공해야 하는 공사인 경우
ㄴ. 국방 및 국가안보 등과 관련하여 기밀을 유지해야 하는 공사인 경우
ㄷ. 연면적이 3천제곱미터 이하인 특정소방대상물에 비상경보설비를 설치하는 공사인 경우
ㄹ. 국가를 당사자로 하는 계약에 관한 법률 시행령 및 지방자치단체를 당사자로 하는 계약에 관한 법률 시행령에 따른 원안입찰 또는 일부입찰
ㅁ. 국가를 당사자로 하는 계약에 관한 법률 시행령 및 지방자치단체를 당사자로 하는 계약 관한 법률 시행령에 따른 실시설계 기술제안입찰 또는 기본설계 기술제안입찰
ㅂ. 문화재수리 및 재개발·재건축 등의 공사로서 공사의 성질상 분리하여 도급하는 것이 곤란하다고 시·도지사가 인정하는 경우

① ㄱ, ㄴ, ㄷ
② ㄱ, ㄴ, ㅁ
③ ㄴ, ㄷ, ㅁ
④ ㄹ, ㅁ, ㅂ

정답 및 해설

26 도급계약
정당한 사유 없이 (30)일 이상 소방시설공사를 계속하지 않은 경우에 관계인은 수급인에게 도급계약을 해지할 수 있다.

27 소방시설업 시공능력평가 공시자
소방청장이 시공능력평가를 공시한다.

28 소방공사감리 결과보고
착공신고 후 변경된 소방시설설계도면 1부

29 상주 공사감리
- 연면적 (3만제곱미터) 이상의 특정소방대상물(아파트는 제외한다)에 대한 소방시설의 공사
- 지하층을 포함한 층수가 (16층 이상으로서 500세대) 이상인 아파트에 대한 소방시설의 공사

30 분리 도급
ㄷ. 연면적이 1천제곱미터 이하인 특정소방대상물에 비상경보설비를 설치하는 공사인 경우
ㄹ. 국가를 당사자로 하는 계약에 관한 법률 시행령 및 지방자치단체를 당사자로 하는 계약에 관한 법률 시행령에 따른 대안입찰 또는 일괄입찰
ㅂ. 문화재수리 및 재개발·재건축 등의 공사로서 공사의 성질상 분리하여 도급하는 것이 곤란하다고 소방청장이 인정하는 경우

정답 26 ③ 27 ② 28 ① 29 ② 30 ②

31 소방시설공사업법 시행령상 소방기술자의 배치기준을 설명한 것으로 옳지 않은 것은?

① 연면적 20만제곱미터 이상인 특정소방대상물의 공사 현장에는 행정안전부령으로 정하는 특급기술자인 소방기술자(기계분야 및 전기분야)를 배치하여야 한다.

② 지하층을 포함한 층수가 16층 이상 40층 미만인 특정소방대상물의 공사 현장에는 행정안전부령으로 정하는 고급기술자 이상의 소방기술자(기계분야 및 전기분야)를 배치하여야 한다.

③ 연면적 5천제곱미터 이상 3만제곱미터 미만인 특정소방대상물(아파트는 제외)의 공사 현장에는 행정안전부령으로 정하는 중급기술자 이상의 소방기술자(기계분야 및 전기분야)를 배치하여야 한다.

④ 물분무등소화설비(호스릴 방식의 소화설비는 제외) 또는 제연설비가 설치되는 특정소방대상물의 공사현장에는 행정안전부령으로 정하는 초급기술자 이상의 소방기술자(기계분야 및 전기분야)를 배치하여야 한다

32 소방시설공사업법 시행령상 하자보수 대상 소방시설과 하자보수 보증기간으로 옳지 않은 것은?

① 피난기구, 유도등, 유도표지: 2년

② 비상경보설비, 비상조명등, 비상방송설비 및 무선통신보조설비: 2년

③ 옥내소화전설비, 스프링클러설비, 간이스프링클러설비, 자동화재탐지설비: 3년

④ 상수도소화용수설비 및 소화활동설비(무선통신보조설비는 제외한다): 4년

정답 및 해설

31 소방기술자의 배치기준

물분무등소화설비(호스릴 방식의 소화설비는 제외) 또는 제연설비가 설치되는 특정소방대상물의 공사현장에는 행정안전부령으로 정하는 중급기술자 이상의 소방기술자(기계분야 및 전기분야)를 배치하여야 한다.

32 하자보수

상수도소화용수설비 및 소화활동설비(무선통신보조설비는 제외한다): 3년

정답 31 ④ 32 ④

CHAPTER 4 소방기술자

제27조(소방기술자의 의무)

① 소방기술자는 이 법과 이 법에 따른 명령과 소방시설 설치에 관한 법률 및 같은 법에 따른 명령에 따라 업무를 수행하여야 한다.

② 소방기술자는 다른 사람에게 자격증[제28조에 따라 소방기술 경력 등을 인정받은 사람의 경우에는 소방기술 인정 자격수첩(이하 "자격수첩"이라 한다)과 소방기술자 경력수첩(이하 "경력수첩"이라 한다)을 말한다]을 빌려 주어서는 아니 된다.

③ 소방기술자는 동시에 둘 이상의 업체에 취업하여서는 아니 된다. 다만, 제1항에 따른 소방기술자 업무에 영향을 미치지 아니하는 범위에서 근무시간 외에 소방시설업이 아닌 다른 업종에 종사하는 경우는 제외한다.

1. 자격수첩: 소방기술 인정자격수첩
2. 경력수첩: 소방기술 인정자격수첩 + 경력
3. 국가기술자격증: 소방자격증, 위험물자격증

제28조(소방기술 경력 등의 인정 등)

① 소방청장은 소방기술의 효율적인 활용과 소방기술의 향상을 위하여 소방기술과 관련된 자격·학력 및 경력을 가진 사람을 소방기술자로 인정할 수 있다.

② 소방청장은 제1항에 따라 자격·학력 및 경력을 인정받은 사람에게 소방기술 인정 자격수첩과 경력수첩을 발급할 수 있다.

③ 제1항에 따른 소방기술과 관련된 자격·학력 및 경력의 인정 범위와 제2항에 따른 자격수첩 및 경력수첩의 발급 절차 등에 관하여 필요한 사항은 행정안전부령으로 정한다.

④ 소방청장은 제2항에 따라 자격수첩 또는 경력수첩을 발급받은 사람이 다음 각 호의 어느 하나에 해당하는 경우에는 행정안전부령으로 정하는 바에 따라 그 자격을 취소하거나 6개월 이상 2년 이하의 기간을 정하여 그 자격을 정지시킬 수 있다. 다만, 제1호와 제2호에 해당하는 경우에는 그 자격을 취소하여야 한다.

1. 거짓이나 그 밖의 부정한 방법으로 자격수첩 또는 경력수첩을 발급받은 경우
2. 제27조 제2항을 위반하여 자격수첩 또는 경력수첩을 다른 사람에게 빌려준 경우
3. 제27조 제3항을 위반하여 동시에 둘 이상의 업체에 취업한 경우
4. 이 법 또는 이 법에 따른 명령을 위반한 경우

⑤ 제4항에 따라 자격이 취소된 사람은 취소된 날부터 2년간 자격수첩 또는 경력수첩을 발급받을 수 없다.

시행규칙 제24조(소방기술과 관련된 자격·학력 및 경력의 인정 범위 등) ① 법 제28조 제3항에 따른 소방기술과 관련된 자격·학력 및 경력의 인정 범위는 별표 4의2와 같다.

1. 삭제
2. 삭제

3. 삭제

② 협회, 영 제20조 제4항에 따라 소방기술과 관련된 자격 · 학력 및 경력의 인정업무를 위탁받은 소방기술과 관련된 법인 또는 단체는 법 제28조 제1항에 따라 소방기술과 관련된 자격 · 학력 및 경력을 가진 사람을 소방기술자로 인정하려는 경우에는 법 제28조의2 제1항에 따른 소방기술자 양성 · 인정 교육훈련(이하 "소방기술자 양성 · 인정 교육훈련"이라 한다)의 수료 여부를 확인하고 별지 제39호서식의 소방기술 인정 자격수첩과 별지 제39호의2서식에 따른 소방기술자 경력수첩을 발급해야 한다.

③ 제1항 및 제2항에서 규정한 사항 외에 자격수첩과 경력수첩의 발급절차 수수료 등에 관하여 필요한 사항은 소방청장이 정하여 고시한다.

별표 4의2. 소방기술과 관련된 자격 · 학력 및 경력의 인정 범위

1. 공통기준

가. 소방시설 설치 및 관리에 관한 법률 시행령 별표 9 비고 제2호, 소방시설공사업법 시행령 별표 1 제1호 비고 제4호 다목 및 같은 표 제3호 비고 제2호에서 "소방기술과 관련된 자격"이란 다음 어느 하나에 해당하는 자격을 말한다.

1) 소방기술사, 소방시설관리사, 소방설비기사, 소방설비산업기사
2) 건축사, 건축기사, 건축산업기사
3) 건축기계설비기술사, 건축설비기사, 건축설비산업기사
4) 건설기계기술사, 건설기계설비기사, 건설기계설비산업기사, 일반기계기사
5) 공조냉동기계기술사, 공조냉동기계기사, 공조냉동기계산업기사
6) 화공기술사, 화공기사, 화공산업기사
7) 가스기술사, 가스기능장, 가스기사, 가스산업기사
8) 건축전기설비기술사, 전기기능장, 전기기사, 전기산업기사, 전기공사기사, 전기공사산업기사
9) 산업안전기사, 산업안전산업기사
10) 위험물기능장, 위험물산업기사, 위험물기능사

나. 소방시설 설치 및 관리에 관한 법률 시행령 별표 9 비고 제2호, 소방시설공사업법 시행령 별표 1 제1호 비고 제4호 다목 및 같은 표 제3호 비고 제2호에서 "소방기술과 관련된 학력"이란 다음 어느 하나에 해당하는 학과를 졸업한 경우를 말한다.

1) 소방안전관리학과(소방안전관리과, 소방시스템과, 소방학과, 소방환경관리과, 소방공학과 및 소방행정학과를 포함한다)
2) 전기공학과(전기과, 전기설비과, 전자공학과, 전기전자과, 전기전자공학과, 전기제어공학과를 포함한다)
3) 산업안전공학과(산업안전과, 산업공학과, 안전공학과, 안전시스템공학과를 포함한다)
4) 기계공학과(기계과, 기계학과, 기계설계학과, 기계설계공학과, 정밀기계공학과를 포함한다)
5) 건축공학과(건축과, 건축학과, 건축설비학과, 건축설계학과를 포함한다)
6) 화학공학과(공업화학과, 화학공업과를 포함한다)
7) 학군 또는 학부제로 운영되는 대학의 경우에는 1)부터 6)까지에 해당하는 학과

다. 소방시설 설치 및 관리에 관한 법률 시행령 별표 9 비고 제2호, 소방시설공사업법 시행령 별표 1 제1호 비고 제4호 다목 및 같은 표 제3호 비고 제2호에서 "소방기술과 관련된 경력(이하 "소방 관련 업무"라 한다)"이란 다음 어느 하나에 해당하는 경력을 말한다.
  1) 소방시설공사업, 소방시설설계업, 소방공사감리업, 소방시설관리업에서 소방시설의 설계 · 시공 · 감리 또는 소방시설의 점검 및 유지관리업무를 수행한 경력
  2) 소방공무원으로서 다음 어느 하나에 해당하는 업무를 수행한 경력
    가) 건축허가등의 동의 관련 업무
    나) 소방시설 착공 · 감리 · 완공검사 관련 업무
    다) 위험물 설치허가 및 완공검사 관련 업무
    라) 다중이용업소 완비증명서 발급 및 방염 관련 업무
    마) 소방시설점검 및 화재안전조사 관련 업무
    바) 가)부터 마)까지의 업무와 관련된 법령의 제도개선 및 지도 · 감독 관련 업무
  3) 국가, 지방자치단체, 공공기관의 운영에 관한 법률 제4조에 따른 공공기관, 지방공기업법 제49조에 따른 지방공사 또는 같은 법 제76조에 따른 지방공단에서 소방시설의 공사감독 업무를 수행한 경력
  4) 한국소방안전원, 한국소방산업기술원, 협회, 화재로 인한 재해보상과 보험가입에 관한 법률에 따른 한국화재보험협회 또는 소방시설 설치 및 관리에 관한 법률 시행령 제48조 제3항에 따라 소방청장이 고시한 법인 · 단체에서 소방 관련 법령에 따라 소방시설과 관련된 정부 위탁 업무를 수행한 경력
  5) 소방기술사, 소방시설관리사, 소방설비기사 또는 소방설비산업기사 자격을 취득한 사람이 다음의 어느 하나에 해당하는 업무를 수행한 경력
    가) 화재의 예방 및 안전관리에 관한 법률 제24조 제1항 또는 제3항에 따라 소방안전관리자 또는 소방안전관리보조자로 선임되어 소방안전관리 업무를 수행한 경력
    나) 초고층 및 지하연계 복합건축물 재난관리에 관한 특별법 제12조 제1항에 따라 총괄재난관리자로 지정되어 소방안전관리 업무를 수행한 경력
    다) 공공기관의 소방안전관리에 관한 규정 제5조 제1항에 따라 소방안전관리자로 선임되어 소방안전관리 업무를 수행한 경력
  6) 위험물안전관리법 시행규칙 제57조에 따른 안전관리대행기관에서 위험물안전관리 업무를 수행하거나 위험물기능장, 위험물산업기사, 위험물기능사 자격을 취득한 사람이 위험물안전관리법 제15조 제1항에 따른 위험물안전관리자로 선임되어 위험물안전관리 업무를 수행한 경력
  7) 법 제4조 제4항에 따른 요건을 모두 갖춘 기관에서 자체 기술인력으로서 소방시설의 설계 또는 감리 업무를 수행한 경력
  8) 초 · 중등교육법 시행령 제90조에 따른 특수목적고등학교 및 같은 영 제91조에 따른 특성화고등학교에서 초 · 중등교육법 제19조 제1항에 따른 교원 또는 고등교육법 제2조 제1호부터 제6호까지에 따른 학교에서 같은 법 제14조 제2항에 따른 교원으로서 나목 1)에 해당하는 학과에 소속되어 소방 관련 교과목 강의를 담당한 경력

라. 나목 및 다목의 소방기술분야는 다음 표에 따르되, 해당 학과를 포함하는 학군 또는 학부제로 운영되는 대학의 경우에는 해당 학과의 학력·경력을 인정하고, 해당 학과가 두 가지 이상의 소방기술분야에 해당하는 경우에는 다음 표의 소방기술분야(기계, 전기)를 모두 인정한다.

<table>
<tr><th colspan="4" rowspan="2">구분</th><th colspan="2">소방기술분야</th></tr>
<tr><th>기계</th><th>전기</th></tr>
<tr><td rowspan="6">학과·학위</td><td colspan="3">1) 소방안전관리학과(소방안전관리과, 소방시스템과, 소방학과, 소방환경관리과, 소방공학과, 소방행정학과)</td><td>○</td><td>○</td></tr>
<tr><td colspan="3">2) 전기공학과(전기과, 전기설비과, 전자공학과, 전기전자과, 전기전자공학과, 전기제어공학과)</td><td>×</td><td>○</td></tr>
<tr><td colspan="3">3) 산업안전공학과(산업안전과, 산업공학과, 안전공학과, 안전시스템공학과)</td><td rowspan="4">○</td><td rowspan="4">×</td></tr>
<tr><td colspan="3">4) 기계공학과(기계과, 기계학과, 기계설계학과, 기계설계공학과, 정밀기계공학과)</td></tr>
<tr><td colspan="3">5) 건축공학과(건축과, 건축학과, 건축설비학과, 건축설계학과)</td></tr>
<tr><td colspan="3">6) 화학공학과(공업화학과, 화학공업과)</td></tr>
<tr><td rowspan="7">경력</td><td rowspan="4">1) 소방업체에서 소방관련 업무를 수행한 경력</td><td rowspan="3">소방시설설계업
소방시설공사업
소방공사감리업</td><td>전문</td><td>○</td><td>○</td></tr>
<tr><td>일반전기</td><td>×</td><td>○</td></tr>
<tr><td>일반기계</td><td>○</td><td>×</td></tr>
<tr><td colspan="2">소방시설관리업</td><td>○</td><td>○</td></tr>
<tr><td colspan="3">2) 소방공무원으로서 다음 어느 하나에 해당하는 업무를 수행한 경력
가) 건축허가등의 동의 관련 업무
나) 소방시설 착공·감리·완공검사 관련 업무
다) 위험물 설치허가 및 완공검사 관련 업무
라) 다중이용업소 완비증명서 발급 및 방염 관련 업무
마) 소방시설점검 및 화재안전조사 관련 업무
바) 가)부터 마)까지의 업무와 관련된 법령의 제도개선 및 지도·감독 관련 업무</td><td>○</td><td>○</td></tr>
<tr><td colspan="3">3) 국가, 지방자치단체, 공공기관의 운영에 관한 법률 제4조에 따른 공공기관, 지방공기업법 제49조에 따른 지방공사 또는 같은 법 제76조에 따른 지방공단에서 소방시설의 공사감독 업무를 수행한 경력</td><td>○</td><td>○</td></tr>
<tr><td colspan="3">4) 한국소방안전원, 한국소방산업기술원, 협회, 화재로 인한 재해보상과 보험가입에 관한 법률에 따른 한국화재보험협회 또는 소방시설 설치 및 관리에 관한 법률 시행령 제48조 제3항에 따라 소방청장이 고시한 법인·단체에서 소방 관련 법령에 따라 소방시설과 관련된 정부 위탁 업무를 수행한 경력</td><td>○</td><td>○</td></tr>
<tr><td></td><td colspan="3">5) 소방기술사, 소방시설관리사, 소방설비기사 또는 소방설비산업기사 자격을 취득한 사람이 다음의 어느 하나에 해당하는 업무를 수행한 경력</td><td></td><td></td></tr>
</table>

<table>
<tr><td rowspan="4">경력</td><td>가) 화재의 예방 및 안전관리에 관한 법률 제24조 제1항 또는 제3항에 따라 소방안전관리자 또는 소방안전관리보조자로 선임되어 소방안전관리 업무를 수행한 경력
나) 초고층 및 지하연계 복합건축물 재난관리에 관한 특별법 제12조 제1항에 따라 총괄재난관리자로 지정되어 소방안전관리 업무를 수행한 경력
다) 공공기관의 소방안전관리에 관한 규정 제5조 제1항에 따라 소방안전관리자로 선임되어 소방안전관리 업무를 수행한 경력</td><td>○</td><td>○</td></tr>
<tr><td>6) 위험물안전관리법 시행규칙 제57조에 따른 안전관리대행기관에서 위험물안전관리 업무를 수행하거나 위험물기능장, 위험물산업기사, 위험물기능사 자격을 취득한 사람이 위험물안전관리법 제15조 제1항에 따른 위험물안전관리자로 선임되어 위험물안전관리 업무를 수행한 경력</td><td>○</td><td>×</td></tr>
<tr><td>7) 법 제4조 제4항에 따른 요건을 모두 갖춘 기관에서 자체 기술인력으로서 소방시설의 설계 또는 감리 업무를 수행한 경력</td><td>○</td><td>○</td></tr>
<tr><td>8) 초·중등교육법 시행령 제90조에 따른 특수목적고등학교 및 같은 영 제91조에 따른 특성화고등학교에서 초·중등교육법 제19조 제1항에 따른 교원 또는 고등교육법 제2조 제1호부터 제6호까지에 따른 학교에서 같은 법 제14조 제2항에 따른 교원으로서 나목 1)에 해당하는 학과에 소속되어 소방 관련 교과목 강의를 담당한 경력</td><td>○</td><td>○</td></tr>
</table>

2. 소방기술 인정 자격수첩의 자격 구분

<table>
<tr><th colspan="2">구분</th><th colspan="2">자격·학력·경력 인정기준</th></tr>
<tr><td rowspan="2">소방시설
공사업</td><td rowspan="2">기계
분야
보조
인력</td><td rowspan="2">가. 소방기술과 관련된 자격
제1호 가목 1)부터 7)까지, 9) 및 10)의 자격을 취득한 사람
나. 소방기술과 관련된 학력
고등교육법 제2조 제1호부터 제6호까지에 해당하는 학교에서 제1호 나목 3)부터 6)까지를 졸업한 사람</td><td>기계·전기 분야 공통</td></tr>
<tr><td rowspan="2">가. 고등교육법 제2조 제1호부터 제6호까지에 해당하는 학교에서 제1호 나목 1)에 해당하는 학과를 졸업한 사람
나. 4년제 대학 이상 또는 이와 같은 수준 이상의 교육기관을 졸업한 후 1년 이상 제1호 다목에 해당하는 경력이 있는 사람
다. 전문대학 또는 이와 같은 수준 이상의 교육기관을 졸업한 후 3년 이상 제1호 다목에 해당하는 경력이 있는 사람
라. 5년 이상 제1호 다목에 해당하는 경력이 있는 사람
마. 3년 이상 제1호 다목 2)에 해당하는 경력이 있는 사람
바. 제1호 가목에 해당하는 자격으로 1년 이상 같은 호 다목에 해당하는 경력이 있는 사람
사. 초·중등교육법 시행령 제90조 및 제91조에 따른 학교에서 제1호 나목 1)에 해당하는 학과(이하 "고등학교 소방학과"라 한다)를 졸업한 사람</td></tr>
<tr><td>소방시설
설계업</td><td>전기
분야
보조
인력</td><td>가. 소방기술과 관련된 자격
제1호 가목 1) 및 8)의 자격을 취득한 사람
나. 소방기술과 관련된 학력
고등교육법 제2조 제1호부터 제6호까지에 해당하는 학교에서 제1호 나목 2)를 졸업한 사람</td></tr>
</table>

3. 소방기술자 경력수첩의 자격 구분

가. 소방기술자의 기술등급

1) 기술자격에 따른 기술등급

<table>
<tr><th>구분</th><th>기계분야</th><th>전기분야</th></tr>
<tr><td rowspan="2">특급 기술자</td><td colspan="2">· 소방기술사
· 소방시설관리사 자격을 취득한 후 5년 이상 소방 관련 업무를 수행한 사람</td></tr>
<tr><td>· 건축사, 건축기계설비기술사, 건설기계기술사, 공조냉동기계기술사, 화공기술사, 가스기술사 자격을 취득한 후 5년 이상 소방 관련 업무를 수행한 사람
· 소방설비기사 기계분야의 자격을 취득한 후 8년 이상 소방 관련 업무를 수행한 사람
· 소방설비산업기사 기계분야의 자격을 취득한 후 11년 이상 소방 관련 업무를 수행한 사람
· 건축기사, 건축설비기사, 건설기계설비기사, 일반기계기사, 공조냉동기계기사, 화공기사, 가스기능장, 가스기사, 산업안전기사, 위험물기능장 자격을 취득한 후 13년 이상 소방 관련 업무를 수행한 사람</td><td>· 건축전기설비기술사 자격을 취득한 후 5년 이상 소방 관련 업무를 수행한 사람
· 소방설비기사 전기분야의 자격을 취득한 후 8년 이상 소방 관련 업무를 수행한 사람
· 소방설비산업기사 전기분야의 자격을 취득한 후 11년 이상 소방 관련 업무를 수행한 사람
· 전기기능장, 전기기사, 전기공사기사 자격을 취득한 후 13년 이상 소방 관련 업무를 수행한 사람</td></tr>
<tr><td rowspan="2">고급 기술자</td><td colspan="2">소방시설관리사</td></tr>
<tr><td>· 건축사, 건축기계설비기술사, 건설기계기술사, 공조냉동기계기술사, 화공기술사, 가스기술사 자격을 취득한 후 3년 이상 소방 관련 업무를 수행한 사람
· 소방설비기사 기계분야의 자격을 취득한 후 5년 이상 소방 관련 업무를 수행한 사람
· 소방설비산업기사 기계분야의 자격을 취득한 후 8년 이상 소방 관련 업무를 수행한 사람
· 건축기사, 건축설비기사, 건설기계설비기사, 일반기계기사, 공조냉동기계기사, 화공기사, 가스기능장, 가스기사, 산업안전기사, 위험물기능장 자격을 취득한 후 11년 이상 소방 관련 업무를 수행한 사람
· 건축산업기사, 건축설비산업기사, 건설기계설비산업기사, 공조냉동기계산업기사, 화공산업기사, 가스산업기사, 산업안전산업기사, 위험물산업기사 자격을 취득한 후 13년 이상 소방 관련 업무를 수행한 사람</td><td>· 건축전기설비기술사 자격을 취득한 후 3년 이상 소방 관련 업무를 수행한 사람
· 소방설비기사 전기분야의 자격을 취득한 후 5년 이상 소방 관련 업무를 수행한 사람
· 소방설비산업기사 전기분야의 자격을 취득한 후 8년 이상 소방 관련 업무를 수행한 사람
· 전기기능장, 전기기사, 전기공사기사 자격을 취득한 후 11년 이상 소방 관련 업무를 수행한 사람
· 전기산업기사, 전기공사산업기사 자격을 취득한 후 13년 이상 소방 관련 업무를 수행한 사람</td></tr>
</table>

중급 기술자	· 건축사, 건축기계설비기술사, 건설기계기술사, 공조냉동기계기술사, 화공기술사, 가스기술사 · 소방설비기사(기계분야) · 소방설비산업기사 기계분야의 자격을 취득한 후 3년 이상 소방 관련 업무를 수행한 사람 · 건축기사, 건축설비기사, 건설기계설비기사, 일반기계기사, 공조냉동기계기사, 화공기사, 가스기능장, 가스기사, 산업안전기사, 위험물기능장 자격을 취득한 후 5년 이상 소방 관련 업무를 수행한 사람 · 건축산업기사, 건축설비산업기사, 건설기계설비산업기사, 공조냉동기계산업기사, 화공산업기사, 가스산업기사, 산업안전산업기사, 위험물산업기사 자격을 취득한 후 8년 이상 소방 관련 업무를 수행한 사람	· 건축전기설비기술사 · 소방설비기사(전기분야) · 소방설비산업기사 전기분야의 자격을 취득한 후 3년 이상 소방 관련 업무를 수행한 사람 · 전기기능장, 전기기사, 전기공사기사 자격을 취득한 후 5년 이상 소방 관련 업무를 수행한 사람 · 전기산업기사, 전기공사산업기사 자격을 취득한 후 8년 이상 소방 관련 업무를 수행한 사람
초급 기술자	· 소방설비산업기사(기계분야) · 건축기사, 건축설비기사, 건설기계설비기사, 일반기계기사, 공조냉동기계기사, 화공기사, 가스기능장, 가스기사, 산업안전기사, 위험물기능장 자격을 취득한 후 2년 이상 소방 관련 업무를 수행한 사람 · 건축산업기사, 건축설비산업기사, 건설기계설비산업기사, 공조냉동기계산업기사, 화공산업기사, 가스산업기사, 산업안전산업기사, 위험물산업기사 자격을 취득한 후 4년 이상 소방 관련 업무를 수행한 사람 · 위험물기능사 자격을 취득한 후 6년 이상 소방 관련 업무를 수행한 사람	· 소방설비산업기사(전기분야) · 전기기능장, 전기기사, 전기공사기사 자격을 취득한 후 2년 이상 소방 관련 업무를 수행한 사람 · 전기산업기사, 전기공사산업기사 자격을 취득한 후 4년 이상 소방 관련 업무를 수행한 사람

2) 학력 · 경력 등에 따른 기술등급

구분	학력 · 경력자	경력자
특급 기술자	· 박사학위를 취득한 후 3년 이상 소방 관련 업무를 수행한 사람 · 석사학위를 취득한 후 7년 이상 소방 관련 업무를 수행한 사람 · 학사학위를 취득한 후 11년 이상 소방 관련 업무를 수행한 사람 · 전문학사학위를 취득한 후 15년 이상 소방 관련 업무를 수행한 사람	

구분	학력·경력자	경력자
고급 기술자	· 박사학위를 취득한 후 1년 이상 소방 관련 업무를 수행한 사람 · 석사학위를 취득한 후 4년 이상 소방 관련 업무를 수행한 사람 · 학사학위를 취득한 후 7년 이상 소방 관련 업무를 수행한 사람 · 전문학사학위를 취득한 후 10년 이상 소방 관련 업무를 수행한 사람 · 고등학교 소방학과를 졸업한 후 13년 이상 소방 관련 업무를 수행한 사람 · 고등학교[제1호 나목 2)부터 6)까지에 해당하는 학과]를 졸업한 후 15년 이상 소방 관련 업무를 수행한 사람	· 학사 이상의 학위를 취득한 후 12년 이상 소방 관련 업무를 수행한 사람 · 전문학사학위를 취득한 후 15년 이상 소방 관련 업무를 수행한 사람 · 고등학교를 졸업한 후 18년 이상 소방 관련 업무를 수행한 사람 · 22년 이상 소방 관련 업무를 수행한 사람
중급 기술자	· 박사학위를 취득한 사람 · 석사학위를 취득한 후 2년 이상 소방 관련 업무를 수행한 사람 · 학사학위를 취득한 후 5년 이상 소방 관련 업무를 수행한 사람 · 전문학사학위를 취득한 후 8년 이상 소방 관련 업무를 수행한 사람 · 고등학교 소방학과를 졸업한 후 10년 이상 소방 관련 업무를 수행한 사람 · 고등학교[제1호 나목 2)부터 6)까지에 해당하는 학과]를 졸업한 후 12년 이상 소방 관련 업무를 수행한 사람	· 학사 이상의 학위를 취득한 후 9년 이상 소방 관련 업무를 수행한 사람 · 전문학사학위를 취득한 후 12년 이상 소방 관련 업무를 수행한 사람 · 고등학교를 졸업한 후 15년 이상 소방 관련 업무를 수행한 사람 · 18년 이상 소방 관련 업무를 수행한 사람
초급 기술자	· 석사 또는 학사학위를 취득한 사람 · 고등교육법 제2조 제1호부터 제6호까지에 해당하는 학교에서 제1호 나목 1)에 해당하는 학과를 졸업한 사람 · 전문학사학위를 취득한 후 2년 이상 소방 관련 업무를 수행한 사람 · 고등학교 소방학과를 졸업 후 3년 이상 소방 관련 업무를 수행한 사람 · 고등학교[제1호 나목 2)부터 6)까지에 해당하는 학과]를 졸업한 후 5년 이상 소방 관련 업무를 수행한 사람	· 학사 이상의 학위를 취득한 후 3년 이상 소방 관련 업무를 수행한 사람 · 전문학사학위를 취득한 후 5년 이상 소방 관련 업무를 수행한 사람 · 고등학교를 졸업한 후 7년 이상 소방 관련 업무를 수행한 사람 · 9년 이상 소방 관련 업무를 수행한 사람

비고

1. 동일한 기간에 수행한 경력이 두 가지 이상의 자격 기준에 해당하는 경우에는 하나의 자격 기준에 대해서만 그 기간을 인정하고 기간이 중복되지 아니하는 경우에는 각각의 기간을 경력으로 인정한다. 이 경우 동일 기술등급의 자격 기준별 경력기간을 해당 경력기준기간으로 나누어 합한 값이 1 이상이면 해당 기술등급의 자격 기준을 갖춘 것으로 본다.
2. 위 표에서 "학력·경력자"란 제1호 나목의 학과를 졸업하고 소방 관련 업무를 수행한 사람을 말한다.
3. 위 표에서 "경력자"란 제1호 나목의 학과 외의 학과를 졸업하고 소방 관련 업무를 수행한 사람을 말한다.

나. 소방공사감리원의 기술등급

구분	기계분야	전기분야
특급 감리원	소방기술사 자격을 취득한 사람	
	· 소방설비기사 기계분야 자격을 취득한 후 8년 이상 소방 관련 업무를 수행한 사람 · 소방설비산업기사 기계분야 자격을 취득한 후 12년 이상 소방 관련 업무를 수행한 사람	· 소방설비기사 전기분야 자격을 취득한 후 8년 이상 소방 관련 업무를 수행한 사람 · 소방설비산업기사 전기분야 자격을 취득한 후 12년 이상 소방 관련 업무를 수행한 사람
고급 감리원	· 소방설비기사 기계분야 자격을 취득한 후 5년 이상 소방 관련 업무를 수행한 사람 · 소방설비산업기사 기계분야 자격을 취득한 후 8년 이상 소방 관련 업무를 수행한 사람	· 소방설비기사 전기분야 자격을 취득한 후 5년 이상 소방 관련 업무를 수행한 사람 · 소방설비산업기사 전기분야 자격을 취득한 후 8년 이상 소방 관련 업무를 수행한 사람
중급 감리원	· 소방설비기사 기계분야 자격을 취득한 후 3년 이상 소방 관련 업무를 수행한 사람 · 소방설비산업기사 기계분야 자격을 취득한 후 6년 이상 소방 관련 업무를 수행한 사람 · 초급감리원을 취득한 후 5년 이상 기계분야 소방감리업무를 수행한 사람	· 소방설비기사 전기분야 자격을 취득한 후 3년 이상 소방 관련 업무를 수행한 사람 · 소방설비산업기사 전기분야 자격을 취득한 후 6년 이상 소방 관련 업무를 수행한 사람 · 초급감리원을 취득한 후 5년 이상 전기분야 소방감리업무를 수행한 사람
초급 감리원	· 제1호 나목 1)에 해당하는 학사 이상의 학위를 취득한 후 1년 이상 소방 관련 업무를 수행한 사람 · 고등교육법 제2조 제1호부터 제6호까지에 해당하는 학교에서 제1호 나목 1)에 해당하는 학과의 전문학사학위를 취득한 후 3년 이상 소방 관련 업무를 수행한 사람 · 고등학교 소방학과를 졸업한 후 4년 이상 소방 관련 업무를 수행한 사람 · 3년 이상 제1호 다목 2)에 해당하는 경력이 있는 사람 · 5년 이상 소방 관련 업무를 수행한 사람	
	· 소방설비기사 기계분야 자격을 취득한 후 1년 이상 소방 관련 업무를 수행한 사람 · 소방설비산업기사 기계분야 자격을 취득한 후 2년 이상 소방 관련 업무를 수행한 사람 · 제1호 나목 3)부터 6)까지에 해당하는 학과의 학사 이상의 학위를 취득한 후 1년 이상 소방 관련 업무를 수행한 사람	· 소방설비기사 전기분야 자격을 취득한 후 1년 이상 소방 관련 업무를 수행한 사람 · 소방설비산업기사 전기분야 자격을 취득한 후 2년 이상 소방 관련 업무를 수행한 사람 · 제1호 나목 2)에 해당하는 학과의 학사 이상의 학위를 취득한 후 1년 이상 소방 관련 업무를 수행한 사람
	고등교육법 제2조 제1호부터 제6호까지에 해당하는 학교에서 제1호 나목 3)부터 6)까지에 해당하는 학과의 전문학사학위를 취득한 후 3년 이상 소방 관련 업무를 수행한 사람	고등교육법 제2조 제1호부터 제6호까지에 해당하는 학교에서 제1호 나목 2)에 해당하는 학과의 전문학사학위를 취득한 후 3년 이상 소방 관련 업무를 수행한 사람

비고

1. 동일한 기간에 수행한 경력이 두 가지 이상의 자격 기준에 해당하는 경우에는 하나의 자격 기준에 대해서만 그 기간을 인정하고 기간이 중복되지 아니하는 경우에는 각각의 기간을 경력으로 인정한다. 이 경우 동일 기술등급의 자격 기준별 경력기간을 해당 경력기준기간으로 나누어 합한 값이 1 이상이면 해당 기술등급의 자격 기준을 갖춘 것으로 본다.
2. 소방 관련 업무를 수행한 경력으로서 위 표에서 정한 국가기술자격 취득 전의 경력은 그 경력의 50퍼센트만 인정한다.

다. 소방시설 자체점검 점검자의 기술등급

1) 기술자격에 따른 기술등급

구분		기술자격
보조 기술 인력	특급 점검자	· 소방시설관리사, 소방기술사 · 소방설비기사 자격을 취득한 후 8년 이상 소방 관련 업무를 수행한 사람 · 소방설비산업기사 자격을 취득한 후 소방시설관리업체에서 10년 이상 점검업무를 수행한 사람
	고급 점검자	· 소방설비기사 자격을 취득한 후 5년 이상 소방 관련 업무를 수행한 사람 · 소방설비산업기사 자격을 취득한 후 8년 이상 소방 관련 업무를 수행한 사람 · 건축설비기사, 건축기사, 공조냉동기계기사, 일반기계기사, 위험물기능장 자격을 취득한 후 15년 이상 소방 관련 업무를 수행한 사람
	중급 점검자	· 소방설비기사 자격을 취득한 사람 · 소방설비산업기사 자격을 취득한 후 3년 이상 소방 관련 업무를 수행한 사람 · 건축설비기사, 건축기사, 공조냉동기계기사, 일반기계기사, 위험물기능장, 전기기사, 전기공사기사, 전파통신기사, 정보통신기사 자격을 취득한 후 10년 이상 소방 관련 업무를 수행한 사람
	초급 점검자	· 소방설비산업기사 자격을 취득한 사람 · 가스기능장, 전기기능장, 위험물기능장 자격을 취득한 사람 · 건축기사, 건축설비기사, 건설기계설비기사, 일반기계기사, 공조냉동기계기사, 화공기사, 가스기사, 전기기사, 전기공사기사, 산업안전기사, 위험물산업기사 자격을 취득한 사람 · 건축산업기사, 건축설비산업기사, 건설기계설비산업기사, 공조냉동기계산업기사, 화공산업기사, 가스산업기사, 전기산업기사, 전기공사산업기사, 산업안전산업기사, 위험물기능사 자격을 취득한 사람

2) 학력 · 경력 등에 따른 기술등급

구분		학력 · 경력자	경력자
보조 기술 인력	고급 점검자	· 학사 이상의 학위를 취득한 후 9년 이상 소방 관련 업무를 수행한 사람 · 전문학사학위를 취득한 후 12년 이상 소방 관련 업무를 수행한 사람	· 학사 이상의 학위를 취득한 후 12년 이상 소방 관련 업무를 수행한 사람 · 전문학사학위를 취득한 후 15년 이상 소방 관련 업무를 수행한 사람 · 22년 이상 소방 관련 업무를 수행한 사람
	중급 점검자	· 학사 이상의 학위를 취득한 후 6년 이상 소방 관련 업무를 수행한 사람 · 전문학사학위를 취득한 후 9년 이상 소방 관련 업무를 수행한 사람 · 고등학교를 졸업한 후 12년 이상 소방 관련 업무를 수행한 사람	· 학사 이상의 학위를 취득한 후 9년 이상 소방 관련 업무를 수행한 사람 · 전문학사학위를 취득한 후 12년 이상 소방 관련 업무를 수행한 사람 · 고등학교를 졸업한 후 15년 이상 소방 관련 업무를 수행한 사람 · 18년 이상 소방 관련 업무를 수행한 사람
	초급 점검자	고등교육법 제2조 제1호부터 제6호까지에 해당하는 학교에서 제1호 나목에 해당하는 학과 또는 고등학교 소방학과를 졸업한 사람	· 4년제 대학 이상 또는 이와 같은 수준 이상의 교육기관을 졸업한 후 1년 이상 소방 관련 업무를 수행한 사람 · 전문대학 또는 이와 같은 수준 이상의 교육기관을 졸업한 후 3년 이상 소방 관련 업무를 수행한 사람 · 5년 이상 소방 관련 업무를 수행한 사람 · 3년 이상 제1호 다목 2)에 해당하는 경력이 있는 사람

비고

1. 동일한 기간에 수행한 경력이 두 가지 이상의 자격 기준에 해당하는 경우에는 하나의 자격 기준에 대해서만 그 기간을 인정하고 기간이 중복되지 않는 경우에는 각각의 기간을 경력으로 인정한다. 이 경우 동일 기술등급의 자격 기준별 경력기간을 해당 경력기준기간으로 나누어 합한 값이 1 이상이면 해당 기술등급의 자격 기준을 갖춘 것으로 본다.
2. 위 표에서 "학력 · 경력자"란 고등학교 · 대학 또는 이와 같은 수준 이상의 교육기관에서 제1호 나목에 해당하는 학과의 정해진 교육과정을 이수하고 졸업하거나 그 밖의 관계 법령에 따라 국내 또는 외국에서 이와 같은 수준 이상의 학력이 있다고 인정되는 사람을 말한다.
3. 위 표에서 "경력자"란 제1호 나목의 학과 외의 학과를 졸업하고 소방 관련 업무를 수행한 사람을 말한다.

4. 소방시설 자체점검 점검자의 경력 산정 시에는 소방시설관리업에서 소방시설의 점검 및 유지·관리 업무를 수행한 경력에 1.2를 곱하여 계산된 값을 소방 관련 업무 경력에 산입한다.

제25조(자격의 정지 및 취소에 관한 기준) 법 제28조 제4항에 따른 자격의 정지 및 취소기준은 별표 5와 같다.

별표 5. 소방기술자의 자격의 정지 및 취소에 관한 기준

위반사항	근거법령	행정처분기준		
		1차	2차	3차
가. 거짓이나 그 밖의 부정한 방법으로 자격수첩 또는 경력수첩을 발급받은 경우	법 제28조 제4항	자격취소		
나. 법 제27조 제2항을 위반하여 자격수첩 또는 경력수첩을 다른 자에게 빌려준 경우	법 제28조 제4항	자격취소		
다. 법 제27조 제3항을 위반하여 동시에 둘 이상의 업체에 취업한 경우	법 제28조 제4항	자격정지 1년	자격취소	
라. 법 또는 법에 따른 명령을 위반한 경우	법 제28조 제4항			
1) 법 제27조 제1항의 업무수행 중 해당 자격과 관련하여 고의 또는 중대한 과실로 다른 자에게 손해를 입히고 형의 선고를 받은 경우		자격취소		
2) 법 제28조 제4항에 따라 자격정지처분을 받고도 같은 기간 내에 자격증을 사용한 경우		자격정지 1년	자격정지 2년	자격취소

1. **소방기술자 양성:** 한국소방시설협회
2. **소방기술자 교육:** 한국소방안전원

소방기술인력으로 등록된 자의 업무능력 향상을 위하여 새로운 소방관련 기술과 소방에 관한 지식을 정기교육을 통하여 전달함으로써 지속적으로 변화하는 소방환경에 능동적으로 대처할 수 있도록 한다. 소방시설업과 관리업의 발전과 소방기술 향상을 통하여 공공의 안전을 확보하고 국민경제에 이바지한다.

제28조의2(소방기술자 양성 및 교육 등)

① 소방청장은 소방기술자를 육성하고 소방기술자의 전문기술능력 향상을 위하여 소방기술자와 제28조에 따라 소방기술과 관련된 자격·학력 및 경력을 인정받으려는 사람의 양성·인정 교육훈련(이하 "소방기술자 양성·인정 교육훈련"이라 한다)을 실시할 수 있다.

② 소방청장은 전문적이고 체계적인 소방기술자 양성·인정 교육훈련을 위하여 소방기술자 양성·인정 교육훈련기관을 지정할 수 있다.

③ 제2항에 따라 지정된 소방기술자 양성·인정 교육훈련기관의 지정취소, 업무정지 및 청문에 관하여는 소방시설 설치 및 관리에 관한 법률 제47조 및 제49조를 준용한다.

④ 제1항 및 제2항에 따른 소방기술자 양성·인정 교육훈련 및 교육훈련기관 지정 등에 필요한 사항은 행정안전부령으로 정한다.

시행규칙 제25조의2(소방기술자 양성·인정 교육훈련의 실시 등) ① 법 제28조의2 제2항에 따른 소방기술자 양성·인정 교육훈련기관(이하 "소방기술자 양성·인정 교육훈련기관"이라 한다)의 지정 요건은 다음 각 호와 같다.

1. 전국 4개 이상의 시·도에 이론교육과 실습교육이 가능한 교육·훈련장을 갖출 것
2. 소방기술자 양성·인정 교육훈련을 실시할 수 있는 전담인력을 6명 이상 갖출 것
3. 교육과목별 교재 및 강사 매뉴얼을 갖출 것
4. 교육훈련의 신청·수료, 성과측정, 경력관리 등에 필요한 교육훈련 관리시스템을 구축·운영할 것

② 소방기술자 양성·인정 교육훈련기관은 다음 각 호의 사항이 포함된 다음 연도 교육훈련계획을 수립하여 해당 연도 11월 30일까지 소방청장의 승인을 받아야 한다.

1. 교육운영계획
2. 교육 과정 및 과목
3. 교육방법
4. 그 밖에 소방기술자 양성·인정 교육훈련의 실시에 필요한 사항

③ 소방기술자 양성·인정 교육훈련기관은 교육 이수 사항을 기록·관리해야 한다.

1. 4개 이상 시·도: 수도권, 중부권, 호남권, 영남권
2. 전담인력: 6명(강사 4명+교무요원 2명)

제29조(소방기술자의 실무교육)

① 화재 예방, 안전관리의 효율화, 새로운 기술 등 소방에 관한 지식의 보급을 위하여 소방시설업 또는 소방시설 설치 및 관리에 관한 법률 제29조에 따른 소방시설관리업의 기술인력으로 등록된 소방기술자는 행정안전부령으로 정하는 바에 따라 실무교육을 받아야 한다.

② 제1항에 따른 소방기술자가 정하여진 교육을 받지 아니하면 그 교육을 이수할 때까지 그 소방기술자는 소방시설업 또는 소방시설 설치 및 관리에 관한 법률 제29조에 따른 소방시설관리업의 기술인력으로 등록된 사람으로 보지 아니한다.

③ 소방청장은 제1항에 따른 소방기술자에 대한 실무교육을 효율적으로 하기 위하여 실무교육기관을 지정할 수 있다.

④ 제3항에 따른 실무교육기관의 지정방법·절차·기준 등에 관하여 필요한 사항은 행정안전부령으로 정한다.

⑤ 제3항에 따라 지정된 실무교육기관의 지정취소, 업무정지 및 청문에 관하여는 소방시설 설치 및 관리에 관한 법률 제47조 및 제49조를 준용한다.

시행규칙 제26조(소방기술자의 실무교육) ① 소방기술자는 법 제29조 제1항에 따른 실무교육을 2년마다 1회 이상 받아야 한다. 다만, 실무교육을 받아야 할 기간 내에 소방기술자 양성·인정 교육훈련을 받은 경우에는 해당 실무교육을 받은 것으로 본다.

② 영 제20조 제1항에 따라 소방기술자 실무교육에 관한 업무를 위탁받은 실무교육기관 또는 한국소방안전원의 장(이하 "실무교육기관 등의 장"이라 한다)은 소방기술자에 대한 실무교육을 실시하려면 교육일정 등 교육에 필요한 계획을 수립하여 소방청장에게 보고한 후 교육 10일 전까지 교육대상자에게 알려야 한다.

③ 제1항에 따른 실무교육의 시간, 교육과목, 수수료, 그 밖에 실무교육에 관하여 필요한 사항은 소방청장이 정하여 고시한다.

소방기술자 실무교육

1. 교육 실시권자: 소방청장
2. 시기 및 횟수: 2년마다 1회 이상
3. 교육위탁기관: 한국소방안전원, 실무교육기관
4. 절차: 한국소방안전원장, 실무교육기관장 (10일 전까지 통보) → 교육대상자

제27조(교육수료 사항의 기재 등) ① 실무교육기관 등의 장은 실무교육을 수료한 소방기술자의 기술자격증(자격수첩)에 교육수료 사항을 기재 · 날인하여 발급하여야 한다.

② 실무교육기관등의 장은 소방기술자 실무교육수료자 명단을 교육대상자가 소속된 소방시설업의 업종별로 작성하고 필요한 사항을 기록하여 갖춰 두어야 한다.

제28조(감독) 소방방재청장은 실무교육기관 등의 장이 실시하는 소방기술자 실무교육의 계획 · 실시 및 결과에 대하여 지도 · 감독하여야 한다.

제29조(소방기술자 실무교육기관의 지정기준) ① 법 제29조 제4항에 따라 소방기술자에 대한 실무교육기관의 지정을 받으려는 자가 갖추어야 하는 실무교육에 필요한 기술인력 및 시설장비는 별표 6과 같다.

② 제1항에 따라 실무교육기관의 지정을 받으려는 자는 비영리법인이어야 한다.

별표 6. 소방기술자 실무교육에 필요한 기술인력 및 시설장비

1. 조직구성
   가. 수도권(서울, 인천, 경기), 중부권(대전, 세종, 강원, 충남, 충북), 호남권(광주, 전남, 전북, 제주), 영남권(부산, 대구, 울산, 경남, 경북) 등 권역별로 1개 이상의 지부를 설치할 것
   나. 각 지부에는 법인에 선임된 임원 1명 이상을 책임자로 지정할 것
   다. 각 지부에는 기술인력 및 시설 · 장비 등 교육에 필요한 시설을 갖출 것
2. 기술인력
   가. **인원**: 강사 4명 및 교무요원 2명 이상을 확보할 것
   나. 자격요건
      1) 강사
         가) 소방 관련학의 박사학위를 가진 사람
         나) 전문대학 또는 이와 같은 수준 이상의 교육기관에서 소방안전 관련학과 전임 강사 이상으로 재직한 사람
         다) 소방기술사, 소방시설관리사, 위험물기능장 자격을 소지한 사람
         라) 소방설비기사 및 위험물산업기사 자격을 소지한 사람으로서 소방 관련 기관(단체)에서 2년 이상 강의경력이 있는 사람
         마) 소방설비산업기사 및 위험물기능사 자격을 소지한 사람으로서 소방 관련 기관(단체)에서 5년 이상 강의경력이 있는 사람
         바) 대학 또는 이와 같은 수준 이상의 교육기관에서 소방안전 관련학과를 졸업하고 소방 관련 기관(단체)에서 5년 이상 강의경력이 있는 사람
         사) 소방 관련 기관(단체)에서 10년 이상 실무경력이 있는 사람으로서 5년 이상 강의 경력이 있는 사람
         아) 소방경 이상의 소방공무원이나 소방설비기사 자격을 소지한 소방위 이상의 소방공무원
      2) **외래 초빙강사**: 강사의 자격요건에 해당하는 사람일 것
3. 시설 및 장비
   가. **사무실**: 바닥면적이 $60m^2$ 이상일 것
   나. **강의실**: 바닥면적이 $100m^2$ 이상이고, 의자 · 탁자 및 교육용 비품을 갖출 것
   다. **실습실 · 실험실 · 제도실**: 각 바닥면적이 $100m^2$ 이상(실습실은 소방안전관리자만 해당되고, 실험실은 위험물안전관리자만 해당되며, 제도실은 설계 및 시공자만 해당된다)

라. 교육용 기자재

기자재명	규격	수량 (단위: 개)
빔 프로젝터(Beam Projector)		1
소화기(단면절개: 斷面切開)	3종	각 1
경보설비시스템		1
스프링클러모형		1
자동화재탐지설비 세트		1
소화설비 계통도		1
소화기 시뮬레이터		1
소화기 충전장치		1
방출포량 시험기		1
열감지기 시험기		1
수압기	20kgf/cm^2	1
할론 농도 측정기		1
이산화탄소농도 측정기		1
전류전압 측정기		1
검량계	200kgf	1
풍압풍속계(기압측정이 가능한 것)	1~10mmHg	1
차압계(압력차 측정기)		1
음량계		1
초시계		1
방수압력측정기		1
봉인렌치		1
포채집기		1
전기절연저항 시험기(최소눈금이 0.1MΩ이하인 것)	DC 500V	1
연기감지기 시험기		1

제30조(지정신청) ① 법 제29조 제4항에 따라 실무교육기관의 지정을 받으려는 자는 별지 제41호서식의 실무교육기관 지정신청서(전자문서로 된 실무교육기관 지정신청서를 포함한다)에 다음 각 호의 서류(전자문서를 포함한다)를 첨부하여 소방청장에게 제출하여야 한다. 다만, 전자정부법 제36조 제1항에 따른 행정정보의 공동이용을 통하여 첨부서류에 대한 정보를 확인할 수 있는 경우에는 그 확인으로 첨부서류를 갈음할 수 있다.

1. 정관 사본 1부
2. 대표자, 각 지부의 책임임원 및 기술인력의 자격을 증명할 수 있는 서류(전자문서를 포함한다)와 기술인력의 명단 및 이력서 각 1부
3. 건물의 소유자가 아닌 경우 건물임대차계약서 사본 및 그 밖에 사무실 보유를 증명할 수 있는 서류(전자문서를 포함한다) 각 1부
4. 교육장 도면 1부
5. 시설 및 장비명세서 1부

② 제1항에 따른 신청서를 제출받은 담당 공무원은 전자정부법 제36조 제1항에 따라 행정정보의 공동이용을 통하여 다음 각 호의 서류를 확인하여야 한다.

1. 법인등기사항 전부증명서 1부
2. 건물등기사항 전부증명서(건물의 소유자인 경우에만 첨부한다)

제31조(서류심사) ① 제30조에 따라 실무교육기관의 지정신청을 받은 소방청장은 제29조의 지정기준을 충족하였는지를 현장 확인하여야 한다. 이 경우 소방청장은 소방기본법 제40조에 따른 한국소방안전원에 소속된 사람을 현장 확인에 참여시킬 수 있다.

② 소방청장은 신청자가 제출한 신청서(전자문서로 된 신청서를 포함한다) 및 첨부서류(전자문서를 포함한다)가 미비되거나 현장 확인 결과 제29조에 따른 지정기준을 충족하지 못하였을 때에는 15일 이내의 기간을 정하여 이를 보완하게 할 수 있다. 이 경우 보완기간 내에 보완하지 않으면 신청서를 되돌려 보내야 한다.

제32조(지정서 발급 등) ① 소방청장은 제30조에 따라 제출된 서류(전자문서를 포함한다)를 심사하고 현장 확인한 결과 제29조의 지정기준을 충족한 경우에는 신청일부터 30일 이내에 별지 제42호서식의 실무교육기관 지정서(전자문서로 된 실무교육기관 지정서를 포함한다)를 발급하여야 한다.

② 제1항에 따라 실무교육기관을 지정한 소방청장은 지정한 실무교육기관의 명칭, 대표자, 소재지, 교육실시 범위 및 교육업무 개시일 등 교육에 필요한 사항을 관보에 공고하여야 한다.

제33조(지정사항의 변경) 제32조 제1항에 따라 실무교육기관으로 지정된 기관은 다음 각 호의 어느 하나에 해당하는 사항을 변경하려면 변경일부터 10일 이내에 소방청장에게 보고하여야 한다.

1. 대표자 또는 각 지부의 책임임원
2. 기술인력 또는 시설장비 등 지정기준
3. 교육기관의 명칭 또는 소재지

제34조(휴업·재 개업 및 폐업 신고 등) ① 제32조 제1항에 따라 지정을 받은 실무교육기관은 휴업·재개업 또는 폐업을 하려면 그 휴업 또는 재개업을 하려는 날의 14일 전까지 별지 제43호서식의 휴업·재개업·폐업 보고서에 실무교육기관 지정서 1부를 첨부(폐업하는 경우에만 첨부한다)하여 소방청장에게 보고하여야 한다.

② 제1항에 따른 보고는 방문·전화·팩스 또는 컴퓨터통신으로 할 수 있다.

③ 소방청장은 제1항에 따라 휴업보고를 받은 경우에는 실무교육기관 지정서에 휴업기간을 기재하여 발급하고, 폐업보고를 받은 경우에는 실무교육기관 지정서를 회수하여야 한다. 이 경우 소방청장은 휴업·재개업·폐업 사실을 인터넷 등을 통하여 널리 알려야 한다.

제35조(교육계획의 수립·공고 등) ① 실무교육기관 등의 장은 매년 11월 30일까지 다음 해 교육계획을 실무교육의 종류별·대상자별·지역별로 수립하여 이를 일간신문에 공고하고 소방본부장 또는 소방서장에게 보고하여야 한다.

② 제1항에 따른 교육계획을 변경하는 경우에는 변경한 날부터 10일 이내에 이를 일간신문에 공고하고 소방본부장 또는 소방서장에게 보고하여야 한다.

제36조(교육대상자 관리 및 교육실적 보고) ① 실무교육기관 등의 장은 그 해의 교육이 끝난 후 직능별·지역별 교육수료자 명부를 작성하여 소방본부장 또는 소방서장에게 다음 해 1월 말까지 알려야 한다.

② 실무교육기관 등의 장은 매년 1월 말까지 전년도 교육 횟수·인원 및 대상자 등 교육실적을 소방청장에게 보고하여야 한다.

핵심정리 소방기술자의 실무교육

횟수	실무교육을 2년마다 1회 이상
교육 통보	실무교육에 관한 업무를 위탁받은 실무교육기관 또는 한국소방안전협회의 장은 소방기술자에 대한 실무교육을 실시하려면 교육일정 등 교육에 필요한 계획을 수립하여 소방청장에게 보고한 후 교육 10일 전까지 교육대상자 통보

문제로 완성하기

01 **소방시설공사업법 시행규칙상 소방기술과 관련된 자격·학력 및 경력의 인정범위에 관한 내용으로 옳은 것은?** 21. 공채

① 소방공무원으로서 3년간 근무한 경력이 있는 사람은 중급감리원의 업무를 수행할 수 있다.

② 학사학위를 취득한 후 소방 관련 업무를 10년간 수행한 사람은 특급기술자 업무를 수행할 수 있다.

③ 소방시설관리사 자격을 취득한 후 소방 관련 업무를 3년간 수행한 사람은 특급기술자 업무를 수행할 수 있다.

④ 소방설비기사 기계분야 자격을 취득한 후 소방 관련 업무를 8년간 수행한 사람은 해당분야 특급감리원의 업무를 수행할 수 있다.

02 **소방시설공사업법상 소방기술 경력 등의 인정 등에 관한 내용으로 옳은 것은?** 23. 공채·경채

① 소방본부장, 소방서장은 소방기술의 효율적인 활용과 소방기술의 향상을 위하여 소방기술과 관련된 자격·학력 및 경력을 가진 사람을 소방기술자로 인정할 수 있다.

② 소방본부장, 소방서장은 소방기술과 관련된 자격·학력 및 경력을 인정받은 사람에게 소방기술 인정 자격수첩과 경력수첩을 발급할 수 있다.

③ 소방기술과 관련된 자격·학력 및 경력의 인정 범위와 자격수첩 및 경력수첩의 발급 절차 등에 관하여 필요한 사항은 대통령령으로 정한다.

④ 소방청장은 자격수첩 또는 경력수첩을 발급받은 사람이 거짓이나 그 밖의 부정한 방법으로 자격수첩 또는 경력수첩을 발급받은 경우에 그 자격을 취소하여야 한다.

03 소방시설공사업법 시행규칙상 소방기술자 양성 · 인정 교육훈련기관의 지정 요건으로 옳지 않은 것은? 23. 경채

① 교육과목별 교재 및 강사 매뉴얼을 갖출 것

② 소방기술자 양성 · 인정 교육훈련을 실시할 수 있는 전담인력을 6명 이상 갖출 것

③ 전국 2개 이상의 시 · 도에 이론교육과 실습교육이 가능한 교육 · 훈련장을 갖출 것

④ 교육훈련의 신청 · 수료, 성과측정, 경력관리 등에 필요한 교육훈련 관리시스템을 구축 · 운영할 것

정답 및 해설

01 자격, 학력 및 경력의 인정범위

① 소방공무원으로서 3년간 근무한 경력이 있는 사람은 초급감리원의 업무를 수행할 수 있다.

② 학사학위를 취득한 후 소방 관련 업무를 11년간 수행한 사람은 특급기술자 업무를 수행할 수 있다.

③ 소방시설관리사 자격을 취득한 후 소방 관련 업무를 5년간 수행한 사람은 특급기술자 업무를 수행할 수 있다.

02 소방기술 경력 등의 인정

① 소방청장은 소방기술의 효율적인 활용과 소방기술의 향상을 위하여 소방기술과 관련된 자격 · 학력 및 경력을 가진 사람을 소방기술자로 인정할 수 있다.

② 소방청장은 소방기술과 관련된 자격 · 학력 및 경력을 인정받은 사람에게 소방기술 인정 자격수첩과 경력수첩을 발급할 수 있다.

③ 소방기술과 관련된 자격 · 학력 및 경력의 인정 범위와 자격수첩 및 경력수첩의 발급 절차 등에 관하여 필요한 사항은 행정안전부령으로 정한다.

03 소방기술자의 양성 · 인정 교육훈련기관

전국 4개 이상의 시 · 도에 이론교육과 실습교육이 가능한 교육 · 훈련장을 갖출 것

정답 01 ④ 02 ④ 03 ③

CHAPTER 5 소방시설업자협회

1. 한국소방시설협회: 사단법인
2. 한국소방안전원: 재단법인
3. 한국소방산업기술원: 재단법인

제30조의2(소방시설업자협회의 설립)

① 소방시설업자는 소방시설업자의 권익보호와 소방기술의 개발 등 소방시설업의 건전한 발전을 위하여 소방시설업자협회(이하 "협회"라 한다)를 설립할 수 있다.

② 협회는 법인으로 한다.

③ 협회는 소방청장의 인가를 받아 주된 사무소의 소재지에 설립등기를 함으로써 성립한다.

④ 협회의 설립인가 절차, 정관의 기재사항 및 협회에 대한 감독에 관하여 필요한 사항은 대통령령으로 정한다.

시행령 제19조의2(소방시설업자협회의 설립인가 절차 등) ① 법 제30조의2 제1항에 따라 소방시설업자협회(이하 "협회"라 한다)를 설립하려면 법 제2조 제1항 제2호에 따른 소방시설업자 10명 이상이 발기하고 창립총회에서 정관을 의결한 후 소방청장에게 인가를 신청하여야 한다.

② 소방청장은 제1항에 따른 인가를 하였을 때에는 그 사실을 공고하여야 한다.

제19조의3(정관의 기재사항) 협회의 정관에는 다음 각 호의 사항이 포함되어야 한다.

1. 목적
2. 명칭
3. 주된 사무소의 소재지
4. 사업에 관한 사항
5. 회원의 가입 및 탈퇴에 관한 사항
6. 회비에 관한 사항
7. 자산과 회계에 관한 사항
8. 임원의 정원 · 임기 및 선출방법
9. 기구와 조직에 관한 사항
10. 총회와 이사회에 관한 사항
11. 정관의 변경에 관한 사항

제19조의4(감독) ① 소방청장은 법 제30조의2 제4항에 따라 협회에 다음 각 호의 사항을 보고하게 할 수 있다.

1. 총회 또는 이사회의 중요 의결사항
2. 회원의 가입 · 탈퇴와 회비에 관한 사항
3. 그 밖에 협회 및 회원에 관계되는 중요한 사항

제30조의3(협회의 업무)

협회의 업무는 다음 각 호와 같다.

1. 소방시설업의 기술발전과 소방기술의 진흥을 위한 조사 · 연구 · 분석 및 평가
2. 소방산업의 발전 및 소방기술의 향상을 위한 지원
3. 소방시설업의 기술발전과 관련된 국제교류 · 활동 및 행사의 유치
4. 이 법에 따른 위탁 업무의 수행

제30조의4(민법의 준용)

협회에 관하여 이 법에 규정되지 아니한 사항은 민법 중 사단법인에 관한 규정을 준용한다.

핵심정리 소방시설업자협회의 설립

소방시설업자 협회	소방시설업자는 소방시설업자의 권익보호와 소방기술의 개발 등 소방시설업의 건전한 발전을 위하여 소방시설업자협회(이하 "협회"라 한다)를 법인으로 설립
인가자	소방청장
소방시설업자 협회 업무	· 소방시설업의 기술발전과 소방기술의 진흥을 위한 조사 · 연구 · 분석 및 평가 · 소방산업의 발전 및 소방기술의 향상을 위한 지원 · 소방시설업의 기술발전과 관련된 국제교류 · 활동 및 행사의 유치 · 이 법에 따른 위탁 업무의 수행

소방시설업: 신청인(신청서) ⇄ 소방시설업자 협회(제출) ⇄ 시 · 도지사(적합) ⇄ 등록증 등 발급

01 소방시설공사업법 시행령상 시·도지사가 소방시설업자협회에 위탁하는 업무로 옳은 것만을 [보기]에서 고른 것은?

24. 공채·경채

[보기]

ㄱ. 소방시설업 등록신청의 접수 및 신청내용의 확인
ㄴ. 소방시설업 등록사항 변경신고의 접수 및 신고내용의 확인
ㄷ. 시공능력 평가 및 공시에 관한 업무
ㄹ. 소방시설업자의 지위승계 신고의 접수 및 신고내용의 확인
ㅁ. 소방시설업 휴업·폐업 또는 재개업 신고의 접수 및 신고내용의 확인
ㅂ. 방염처리능력 평가 및 공시에 관한 업무

① ㄱ, ㄴ, ㄹ, ㅁ

② ㄱ, ㄴ, ㅁ, ㅂ

③ ㄱ, ㄷ, ㄹ, ㅁ

④ ㄴ, ㄷ, ㄹ, ㅂ

정답 및 해설

01 소방시설업자협회 위탁
ㄷ, ㅂ. 소방청장이 업무를 협회에 위탁한다.

정답 01 ①

CHAPTER 6 보칙

제31조(감독)

① 시·도지사, 소방본부장 또는 소방서장은 소방시설업의 감독을 위하여 필요할 때에는 소방시설업자나 관계인에게 필요한 보고나 자료 제출을 명할 수 있고, 관계 공무원으로 하여금 소방시설업체나 특정소방대상물에 출입하여 관계 서류와 시설 등을 검사하거나 소방시설업자 및 관계인에게 질문하게 할 수 있다.

② 소방청장은 제33조 제2항부터 제4항까지의 규정에 따라 소방청장의 업무를 위탁받은 제29조 제3항에 따른 실무교육기관(이하 "실무교육기관"이라 한다) 또는 소방기본법 제40조에 따른 한국소방안전원(이하 "한국소방안전원"라 한다), 협회, 법인 또는 단체에 필요한 보고나 자료 제출을 명할 수 있고, 관계 공무원으로 하여금 실무교육기관, 한국소방안전원, 협회, 법인 또는 단체의 사무실에 출입하여 관계 서류 등을 검사하거나 관계인에게 질문하게 할 수 있다.

③ 제1항과 제2항에 따라 출입·검사를 하는 관계 공무원은 그 권한을 표시하는 증표를 지니고 이를 관계인에게 보여주어야 한다.

④ 제1항과 제2항에 따라 출입·검사업무를 수행하는 관계 공무원은 관계인의 정당한 업무를 방해하거나 출입·검사업무를 수행하면서 알게 된 비밀을 다른 자에게 누설하여서는 아니 된다.

영철쌤 tip

1. 제1항, 제2항 위반 시 100만 원 이하의 벌금
2. 비밀누설 시 300만 원 이하의 벌금

제32조(청문)

제9조 제1항에 따른 소방시설업 등록취소처분이나 영업정지처분 또는 제28조 제4항에 따른 소방기술 인정 자격취소처분을 하려면 청문을 하여야 한다.

제33조(권한의 위임·위탁 등)

① 소방청장은 이 법에 따른 권한의 일부를 대통령령으로 정하는 바에 따라 시·도지사에게 위임할 수 있다.

② 소방청장은 제29조에 따른 실무교육에 관한 업무를 대통령령으로 정하는 바에 따라 실무교육기관 또는 한국소방안전원에 위탁할 수 있다.

③ 소방청장 또는 시·도지사는 다음 각 호의 업무를 대통령령으로 정하는 바에 따라 협회에 위탁할 수 있다.

1. 제4조 제1항에 따른 소방시설업 등록신청의 접수 및 신청내용의 확인
2. 제6조에 따른 소방시설업 등록사항 변경신고의 접수 및 신고내용의 확인

2의2. 제6조의2에 따른 소방시설업 휴업·폐업 등 신고의 접수 및 신고내용의 확인

3. 제7조 제3항에 따른 소방시설업자의 지위승계 신고의 접수 및 신고내용의 확인

4. 제20조의3에 따른 방염처리능력 평가 및 공시

5. 제26조에 따른 시공능력 평가 및 공시

6. 제26조의3 제1항에 따른 소방시설업 종합정보시스템의 구축 · 운영

④ 소방청장은 제28조에 따른 소방기술과 관련된 자격 · 학력 · 경력의 인정 업무를 대통령령으로 정하는 바에 따라 협회, 소방기술과 관련된 법인 또는 단체에 위탁할 수 있다.

1. 제28조에 따른 소방기술과 관련된 자격 · 학력 및 경력의 인정 업무

2. 제28조의2에 따른 소방기술자 양성 · 인정 교육훈련 업무

⑤ 삭제

시행령 제20조(업무의 위탁) ① 소방청장은 법 제33조 제2항에 따라 법 제29조에 따른 소방기술자 실무교육에 관한 업무를 법 제29조 제3항에 따라 소방청장이 지정하는 실무교육기관 또는 소방기본법 제40조에 따른 한국소방안전원에 위탁한다.

② 소방청장은 법 제33조 제3항에 따라 다음 각 호의 업무를 협회에 위탁한다.

1. 법 제20조의3에 따른 방염처리능력 평가 및 공시에 관한 업무

2. 법 제26조에 따른 시공능력 평가 및 공시에 관한 업무

3. 법 제26조의3 제1항에 따른 소방시설업 종합정보시스템의 구축 · 운영

③ 시 · 도지사는 법 제33조 제3항에 따라 다음 각 호의 업무를 협회에 위탁한다.

1. 소방시설업 등록신청의 접수 및 신청내용의 확인

2. 소방시설업 등록사항 변경신고의 접수 및 신고내용의 확인

2의2. 소방시설업 휴업 · 폐업 또는 재개업 신고의 접수 및 신고내용의 확인

3. 소방시설업자의 지위승계 신고의 접수 및 신고내용의 확인

④ 소방청장은 법 제33조 제4항에 따라 법 제28조에 따른 소방기술과 관련된 자격 · 학력 · 경력의 인정 업무를 협회, 소방기술과 관련된 법인 또는 단체에 위탁한다. 이 경우 소방청장은 수탁기관을 고시 해야 한다.

1. 법 제28조에 따른 소방기술과 관련된 자격 · 학력 및 경력의 인정 업무

2. 법 제28조의2에 따른 소방기술자 양성 · 인정 교육훈련 업무

제20조의2(고유식별정보의 처리) 소방청장(제20조에 따라 소방청장의 업무를 위탁받은 자를 포함한다), 시 · 도지사(해당 권한이 위임 · 위탁된 경우에는 그 권한을 위임 · 위탁받은 자를 포함한다), 소방본부장 또는 소방서장은 다음 각 호의 사무를 수행하기 위하여 불가피한 경우 개인정보 보호법 시행령 제19조 제1호 또는 제4호에 따른 주민등록번호 또는 외국인등록번호가 포함된 자료를 처리할 수 있다.

1. 법 제4조 제1항에 따른 소방시설업의 등록에 관한 사무

1의2. 법 제5조에 따른 등록의 결격사유 확인에 관한 사무

1의3. 법 제6조에 따른 소방시설업의 등록사항 변경신고에 관한 사무

1의4. 법 제7조에 따른 소방시설업자의 지위승계 신고에 관한 사무

2. 법 제9조 제1항에 따른 등록의 취소와 영업정지 등에 관한 사무

3. 법 제10조에 따른 과징금처분에 관한 사무

3의2. 법 제26조에 따른 시공능력 평가 및 공시에 관한 사무

4. 법 제28조 제1항에 따른 소방기술과 관련된 자격 · 학력 및 경력의 인정 등에 관한 사무

4의2. 법 제28조의2 제1항에 따른 소방기술자 양성 · 인정 교육훈련에 관한 사무

5. 법 제29조 제1항에 따른 소방기술자의 실무교육에 관한 사무
6. 법 제31조에 따른 감독에 관한 사무

제20조의3(규제의 재검토) 소방청장은 다음 각 호의 사항에 대하여 다음 각 호의 기준일을 기준으로 3년마다(매 3년이 되는 해의 기준일과 같은 날 전까지를 말한다) 그 타당성을 검토하여 개선 등의 조치를 해야 한다.

1. 제2조 제1항 및 별표 1에 따른 소방시설업의 업종별 등록기준 및 영업범위: 2014년 1월 1일
2. 삭제 ~ 11. 삭제
12. 제12조에 따른 소방시설공사의 시공을 하도급할 수 있는 경우: 2015년 1월 1일

12의2. 삭제

13. 삭제

제34조(수수료 등)

다음 각 호의 어느 하나에 해당하는 자는 행정안전부령으로 정하는 바에 따라 수수료나 교육비를 내야 한다.

1. 제4조 제1항에 따라 소방시설업을 등록하려는 자
2. 제4조 제3항에 따라 소방시설업 등록증 또는 등록수첩을 재발급 받으려는 자
3. 제7조 제3항에 따라 소방시설업자의 지위승계 신고를 하려는 자
4. 제20조의3 제2항에 따라 방염처리능력 평가를 받으려는 자
5. 제26조 제2항에 따라 시공능력 평가를 받으려는 자
6. 제28조 제2항에 따라 자격수첩 또는 경력수첩을 발급받으려는 사람

6의2. 제28조의2 제1항에 따른 소방기술자 양성 · 인정 교육훈련을 받으려는 사람

7. 제29조 제1항에 따라 실무교육을 받으려는 사람

시행규칙 제37조(수수료 기준) ① 법 제34조에 따른 수수료 또는 교육비는 별표 7과 같다.
② 제1항에 따른 수수료는 다음 각 호의 어느 하나에 해당하는 방법으로 납부하여야 한다. 다만, 소방청장 또는 시 · 도지사는 전자정부법 제14조에 따라 정보통신망을 이용하여 전자화폐 · 전자결재 등의 방법으로 이를 납부하게 할 수 있다.

1. 법 제34조 제1호부터 제3호에 따른 수수료: 해당 지방자치단체의 수입증지
2. 법 제34조 제4호 및 제5호에 따른 수수료: 현금

별표7. 수수료 및 교육비

1. 법 제4조 제1항에 따라 소방시설업을 등록하려는 자

가. 전문 소방시설설계업: 4만 원
나. 일반 소방시설설계업: 분야별 2만 원
다. 전문 소방시설공사업: 4만 원
라. 일반 소방시설공사업: 분야별 2만 원
마. 전문 소방공사감리업: 4만 원
바. 일반 소방공사감리업: 분야별 2만 원
사. 방염처리업: 업종별 4만 원

2. 법 제4조 제3항에 따라 소방시설업 등록증 또는 등록수첩을 재발급 받으려는 자: 소방시설업 등록증 또는 등록수첩별 각각 1만 원
3. 법 제7조 제3항에 따라 소방시설업자의 지위승계 신고를 하려는 자: 2만 원
4. 법 제20조의3 제2항에 따라 방염처리능력 평가를 받으려는 자: 소방청장이 정하여 고시하는 금액
5. 법 제26조 제2항에 따라 시공능력 평가를 받으려는 자: 소방청장이 정하여 고시하는 금액
6. 법 제28조 제2항에 따라 자격수첩 또는 경력수첩을 발급받으려는 자: 소방청장이 정하여 고시하는 금액
7. 법 제29조 제1항에 따라 실무교육을 받으려는 사람: 소방청장이 정하여 고시하는 금액

제34조의2(벌칙 적용 시의 공무원 의제)

다음 각 호의 어느 하나에 해당하는 사람은 형법 제129조부터 제132조까지의 규정을 적용할 때에는 공무원으로 본다.

1. 제16조, 제19조 및 제20조에 따라 그 업무를 수행하는 감리원
2. 제33조 제2항부터 제4항까지의 규정에 따라 위탁받은 업무를 수행하는 실무교육기관, 한국소방안전원, 협회 및 소방기술과 관련된 법인 또는 단체의 담당 임원 및 직원

문제로 완성하기

01 소방시설공사업법 시행령상 업무의 위탁에 대한 설명으로 옳지 않은 것은? 18. 하반기 공채

① 시 · 도지사는 소방시설업 등록신청의 접수 및 신청내용의 확인에 관한 업무를 소방시설업자협회에 위탁한다.

② 소방청장은 소방기술과 관련된 자격 · 학력 · 경력의 인정 업무를 소방시설업자협회, 소방기술과 관련된 법인 또는 단체에 위탁한다.

③ 소방청장은 소방시설공사업을 등록한 자의 시공능력 평가 및 공사에 관한 업무를 소방시설업자협회에 위탁한다.

④ 소방청장은 소방기술자 실무교육에 관한 업무를 소방청장이 지정하는 실무교육기관 또는 대한소방공제회에 위탁한다.

02 소방시설공사업법상 행정처분 전에 청문을 하여야 하는 대상으로 옳지 않은 것은? 19. 공채

① 소방시설업의 등록취소처분

② 소방기술 인정 자격취소처분

③ 소방시설업의 영업정지처분

④ 소방기술 인정 자격정지처분

정답 및 해설

01 업무의 위탁
소방청장은 소방기술자 실무교육에 관한 업무를 소방청장이 지정하는 실무교육기관 또는 대한소방공제회에 위탁한다. → 실무교육기관 또는 한국소방안전원에 위탁할 수 있다.

02 청문
소방시설업 등록취소처분이나 영업정지처분 또는 제28조 제4항에 따른 소방기술 인정 자격취소처분을 하려면 청문을 하여야 한다.

정답 01 ④ 02 ④

CHAPTER 7 벌칙

제35조(벌칙)

다음 각 호의 어느 하나에 해당하는 자는 3년 이하의 징역 또는 3천만 원 이하의 벌금에 처한다

1. 제4조 제1항을 위반하여 소방시설업 등록을 하지 아니하고 영업을 한 자
2. 제21조의5를 위반하여 부정한 청탁을 받고 재물 또는 재산상의 이익을 취득하거나 부정한 청탁을 하면서 재물 또는 재산상의 이익을 제공한 자

제36조(벌칙)

다음 각 호의 어느 하나에 해당하는 자는 1년 이하의 징역 또는 1천만 원 이하의 벌금에 처한다.

1. 제9조 제1항을 위반하여 영업정지처분을 받고 그 영업정지 기간에 영업을 한 자
2. 제11조나 제12조 제1항을 위반하여 설계나 시공을 한 자
3. 제16조 제1항을 위반하여 감리를 하거나 거짓으로 감리한 자
4. 제17조 제1항을 위반하여 공사감리자를 지정하지 아니한 자

4의2. 제19조 제3항에 따른 보고를 거짓으로 한 자

4의3. 제20조에 따른 공사감리 결과의 통보 또는 공사감리 결과보고서의 제출을 거짓으로 한 자

5. 제21조 제1항을 위반하여 해당 소방시설업자가 아닌 자에게 소방시설공사등을 도급한 자
6. 제22조 제1항 본문을 위반하여 도급받은 소방시설의 설계, 시공, 감리를 하도급한 자

6의2. 제22조 제2항을 위반하여 하도급받은 소방시설공사를 다시 하도급한 자

7. 제27조 제1항을 위반하여 같은 항에 따른 법 또는 명령을 따르지 아니하고 업무를 수행한 자

300만 원 이하의 벌금
화재예방법, 소방시설법, 화재조사법 밖에 없다.

제37조(벌칙)

다음 각 호의 어느 하나에 해당하는 자는 300만 원 이하의 벌금에 처한다.

1. 제8조 제1항을 위반하여 다른 자에게 자기의 성명이나 상호를 사용하여 소방시설공사등을 수급 또는 시공하게 하거나 소방시설업의 등록증이나 등록수첩을 빌려 준 자
2. 제18조 제1항을 위반하여 소방시설공사 현장에 감리원을 배치하지 아니한 자
3. 제19조 제2항을 위반하여 감리업자의 보완 요구에 따르지 아니한 자

4. 제19조 제4항을 위반하여 공사감리 계약을 해지하거나 대가 지급을 거부하거나 지연시키거나 불이익을 준 자
4의2. 제21조 제2항 본문을 위반하여 소방시설공사를 다른 업종의 공사와 분리하여 도급하지 아니한 자
5. 제27조 제2항을 위반하여 자격수첩 또는 경력수첩을 빌려 준 사람
6. 제27조 제3항을 위반하여 동시에 둘 이상의 업체에 취업한 사람
7. 제31조 제4항을 위반하여 관계인의 정당한 업무를 방해하거나 업무상 알게 된 비밀을 누설한 사람

제38조(벌칙)

다음 각 호의 어느 하나에 해당하는 자는 100만 원 이하의 벌금에 처한다.
1. 제31조 제2항에 따른 명령을 위반하여 보고 또는 자료 제출을 하지 아니하거나 거짓으로 한 자
2. 제31조 제1항 및 제2항을 위반하여 정당한 사유 없이 관계 공무원의 출입 또는 검사 · 조사를 거부 · 방해 또는 기피한 자

제39조(양벌규정)

법인의 대표자나 법인 또는 개인의 대리인, 사용인, 그 밖의 종업원이 그 법인 또는 개인의 업무에 관하여 제35조부터 제38조까지의 어느 하나에 해당하는 위반행위를 하면 그 행위자를 벌하는 외에 그 법인 또는 개인에게도 해당 조문의 벌금형을 과한다. 다만, 법인 또는 개인이 그 위반행위를 방지하기 위하여 해당 업무에 관하여 상당한 주의와 감독을 게을리 하지 아니한 경우에는 그러하지 아니하다.

제40조(과태료)

① 다음 각 호의 어느 하나에 해당하는 자에게는 200만 원 이하의 과태료를 부과한다.
  1. 제6조, 제6조의2 제1항, 제7조 제1항 및 제2항, 제13조 제1항 및 제2항 전단, 제17조 제2항을 위반하여 신고를 하지 아니하거나 거짓으로 신고한 자
  2. 제8조 제3항을 위반하여 관계인에게 지위승계, 행정처분 또는 휴업 · 폐업의 사실을 거짓으로 알린 자
  3. 제8조 제4항을 위반하여 관계 서류를 보관하지 아니한 자
  4. 제12조 제2항을 위반하여 소방기술자를 공사 현장에 배치하지 아니한 자
  5. 제14조 제1항을 위반하여 완공검사를 받지 아니한 자
  6. 제15조 제3항을 위반하여 3일 이내에 하자를 보수하지 아니하거나 하자보수계획을 관계인에게 거짓으로 알린 자
  7. 삭제
  8. 제17조 제3항을 위반하여 감리 관계 서류를 인수 · 인계하지 아니한 자

8의2. 제18조 제2항에 따른 배치통보 및 변경통보를 하지 아니하거나 거짓으로 통보한 자
9. 제20조의2를 위반하여 방염성능기준 미만으로 방염을 한 자
10. 제20조의3 제2항에 따른 방염처리능력 평가에 관한 서류를 거짓으로 제출한 자
10의2. 삭제
10의3. 제21조의3 제2항에 따른 도급계약 체결 시 의무를 이행하지 아니한 자(하도급 계약의 경우에는 하도급 받은 소방시설업자는 제외한다)
11. 제21조의3 제4항에 따른 하도급 등의 통지를 하지 아니한 자
11의2. 제21조의4 제1항에 따른 공사대금의 지급보증, 담보의 제공 또는 보험료등의 지급을 정당한 사유 없이 이행하지 아니한 자
12. 삭제
13. 삭제
13의2. 제26조 제2항에 따른 시공능력 평가에 관한 서류를 거짓으로 제출한 자
13의3. 제26조의2 제1항 후단에 따른 사업수행능력 평가에 관한 서류를 위조하거나 변조하는 등 거짓이나 그 밖의 부정한 방법으로 입찰에 참여한 자
14. 제31조 제1항에 따른 명령을 위반하여 보고 또는 자료 제출을 하지 아니하거나 거짓으로 보고 또는 자료 제출을 한 자

② 제1항에 따른 과태료는 대통령령으로 정하는 바에 따라 관할 시·도지사, 소방본부장 또는 소방서장이 부과·징수한다.

시행령 제21조(과태료의 부과기준) 법 제40조 제1항에 따른 과태료의 부과기준은 별표 5와 같다.

별표 5. 과태료 부과기준

1. 일반기준

가. 위반행위의 횟수에 따른 과태료의 가중된 부과기준은 최근 1년간 같은 위반행위로 과태료 부과처분을 받은 경우에 적용한다. 이 경우 기간의 계산은 위반행위에 대하여 과태료 부과처분을 받은 날과 그 처분 후 다시 같은 위반행위를 하여 적발된 날을 기준으로 한다.

나. 가목에 따라 가중된 부과처분을 하는 경우 가중처분의 적용 차수는 그 위반행위 전 부과처분 차수(가목에 따른 기간 내에 과태료 부과처분이 둘 이상 있었던 경우에는 높은 차수를 말한다)의 다음 차수로 한다. 다만, 적발된 날부터 소급하여 1년이 되는 날 전에 한 부과처분은 가중처분의 차수 산정 대상에서 제외한다.

다. 과태료 부과권자는 위반행위자가 다음의 어느 하나에 해당하는 경우에는 제2호에 따른 과태료 금액의 2분의 1의 범위에서 그 금액을 줄여 부과할 수 있다. 다만, 과태료를 체납하고 있는 위반행위자에 대해서는 그렇지 않다.

1) 위반행위자가 질서위반행위규제법 시행령 제2조의2 제1항 각 호의 어느 하나에 해당하는 경우
2) 위반행위자가 처음 위반행위를 한 경우로서 3년 이상 해당 업종을 모범적으로 영위한 사실이 인정되는 경우
3) 위반행위자가 화재 등 재난으로 재산에 현저한 손실이 발생하거나 사업여건의 악화로 사업이 중대한 위기에 처하는 등의 사정이 있는 경우
4) 위반행위가 사소한 부주의나 오류 등 과실로 인한 것으로 인정되는 경우

5) 위반행위자가 같은 위반행위로 다른 법률에 따라 과태료·벌금 또는 영업정지 등의 처분을 받은 경우
6) 위반행위자가 위법행위로 인한 결과를 시정하거나 해소한 경우
7) 그 밖에 위반행위의 정도, 위반행위의 동기와 그 결과 등을 고려하여 과태료 금액을 줄일 필요가 있다고 인정되는 경우

2. 개별기준

위반행위	근거 법조문	과태료 금액(단위: 만 원)		
		1차 위반	2차 위반	3차 이상 위반
가. 법 제6조, 제6조의2 제1항, 제7조 제3항, 제13조 제1항 및 제2항 전단, 제17조 제2항을 위반하여 신고를 하지 않거나 거짓으로 신고한 경우	법 제40조 제1항 제1호	60	100	200
나. 법 제8조 제3항을 위반하여 관계인에게 지위승계, 행정처분 또는 휴업·폐업의 사실을 거짓으로 알린 경우	법 제40조 제1항 제2호	60	100	200
다. 법 제8조 제4항을 위반하여 관계 서류를 보관하지 않은 경우	법 제40조 제1항 제3호	200		
라. 법 제12조 제2항을 위반하여 소방기술자를 공사 현장에 배치하지 않은 경우	법 제40조 제1항 제4호	200		
마. 법 제14조 제1항을 위반하여 완공검사를 받지 않은 경우	법 제40조 제1항 제5호	200		
바. 법 제15조 제3항을 위반하여 3일 이내에 하자를 보수하지 않거나 하자보수계획을 관계인에게 거짓으로 알린 경우	법 제40조 제1항 제6호			
1) 4일 이상 30일 이내에 보수하지 않은 경우		60		
2) 30일을 초과하도록 보수하지 않은 경우		100		
3) 거짓으로 알린 경우		200		
사. 법 제17조 제3항을 위반하여 감리 관계 서류를 인수·인계하지 않은 경우	법 제40조 제1항 제8호	200		
아. 법 제18조 제2항에 따른 배치통보 및 변경통보를 하지 않거나 거짓으로 통보한 경우	법 제40조 제1항 제8호의2	60	100	200

위반행위	근거 법조문	과태료 금액(단위: 만 원)		
		1차 위반	2차 위반	3차 이상 위반
자. 법 제20조의2를 위반하여 방염성능기준 미만으로 방염을 한 경우	법 제40조 제1항 제9호	200		
차. 법 제20조의3 제2항에 따른 방염처리능력 평가에 관한 서류를 거짓으로 제출한 경우	법 제40조 제1항 제10호	200		
카. 법 제21조의3 제2항에 따른 도급계약 체결 시 의무를 이행하지 않은 경우(하도급 계약의 경우에는 하도급 받은 소방시설업자는 제외한다)	법 제40조 제1항 제10호의3	200		
타. 법 제21조의3 제4항에 따른 하도급 등의 통지를 하지 않은 경우	법 제40조 제1항 제11호	60	100	200
파. 법 제21조의4 제1항에 따른 공사대금의 지급보증, 담보의 제공 또는 보험료등의 지급을 정당한 사유 없이 이행하지 않은 경우	법 제40조 제1항 제11호의2	200		
하. 법 제26조 제2항에 따른 시공능력 평가에 관한 서류를 거짓으로 제출한 경우	법 제40조 제1항 제13호의2	200		
거. 법 제26조의2 제1항 후단에 따른 사업수행능력 평가에 관한 서류를 위조하거나 변조하는 등 거짓이나 그 밖의 부정한 방법으로 입찰에 참여한 경우	법 제40조 제1항 제13호의3	200		
너. 법 제31조 제1항에 따른 명령을 위반하여 보고 또는 자료 제출을 하지 않거나 거짓으로 보고 또는 자료 제출을 한 경우	법 제40조 제1항 제14호	60	100	200

문제로 완성하기

01 **소방시설공사업법상 벌칙 중 1년 이하의 징역 또는 1천만 원 이하의 벌금에 해당하는 자로 옳지 않은 것은?** 20. 공채

① 소방시설업 등록을 하지 아니하고 영업을 한 자

② 영업정지처분을 받고 그 영업정지 기간에 영업을 한 자

③ 소방시설업자가 아닌 자에게 소방시설공사등을 도급한 자

④ 공사감리 결과의 통보 또는 공사감리 결과보고서의 제출을 거짓으로 한 자

정답 및 해설

01 벌칙
①은 3년 이하의 징역 또는 3천만 원 이하의 벌금에 해당한다.

정답 01 ①

MEMO

이영철

약력
서울시립대학교 방재공학 석사
서울시립대학교 재난과학과 박사수료
현 | 해커스소방 소방학개론 강의
현 | 서정대학교 소방안전관리과 겸임교수
현 | 서울시립대학교 소방방재학과 외래교수
현 | 세종사이버대학교 소방방재학과 외래교수
현 | 경희사이버대학교 재난방재과학과 외래교수
현 | 서울소방학교 외래교수
현 | 한국소방안전원 외래교수
현 | 한국장애인 고용공단 BK 심사단
현 | 법무법인 정률 화재조사 위원

저서
해커스소방 이영철 소방관계법규 기본서
해커스소방 이영철 소방학개론 기본서
해커스소방 이영철 소방학개론 필기노트 + OX·빈칸문제
해커스소방 이영철 소방학개론 단원별 기출문제집
해커스소방 이영철 소방학개론 단원별 실전문제집
해커스소방 이영철 소방학개론 실전동형모의고사

2025 대비 최신판

해커스소방 이영철 소방관계법규

기본서 | 2권

초판 1쇄 발행 2024년 5월 10일

지은이	이영철 편저
펴낸곳	해커스패스
펴낸이	해커스소방 출판팀
주소	서울특별시 강남구 강남대로 428 해커스소방
고객센터	1588-4055
교재 관련 문의	gosi@hackerspass.com 해커스소방 사이트(fire.Hackers.com) 교재 Q&A 게시판
학원 강의 및 동영상강의	fire.Hackers.com
ISBN	2권: 979-11-7244-073-2 (14350) 세트: 979-11-7244-071-8 (14350)
Serial Number	01-01-01

해커스 보카

중학 숙어

미니 암기장

DAY 01

001	breathe in	숨을 들이쉬다
002	check in	(호텔) 숙박 수속을 하다, (공항) 탑승 수속을 하다
003	come along	함께 오다, 함께 가다
004	come home	집에 오다, 귀가하다
005	come to	~로 오다
006	each other	(대개 두 명이) 서로
007	for the first time	(난생) 처음으로
008	from time to time	이따금, 때때로
009	introduce A to B	A를 B에게 소개하다
010	laugh at	~을 비웃다, ~를 놀리다
011	make a difference	변화를 가져오다, 차이를 만들다
012	make use of	~을 이용하다, ~을 쓰다
013	need to + 동사원형	~할 필요가 있다, ~해야 한다
014	on one's own	혼자서, 단독으로
015	point out	(문제·실수를) 가리키다, 지적하다
016	pop up	불쑥 나타나다, 톡 튀어 오르다
017	a number of	(수가) 많은
018	the number of	~의 수
019	look + 형용사	~하게 보이다
020	turn + 형용사	~하게 되다, ~해지다

DAY 02

021	a cup of	(~의) 한 잔, (~의) 한 컵
022	at times	가끔씩, 때로는
023	catch one's eye	~의 눈길을 사로잡다
024	come for	~을 하러 오다
025	compare A with B	A를 B와 비교하다
026	complain about	~에 대해 불평하다, ~에 항의하다
027	first of all	우선, 무엇보다도
028	get on	(탈 것에) 탑승하다
029	in trouble	곤경에 처한, 난처한
030	line up	(일렬로) 줄을 서다
031	make a call	전화를 걸다
032	make (a) noise	시끄럽게 하다, 소란을 피우다
033	make fun of	~를 놀리다, ~을 비웃다
034	on the other hand	반면에, 다른 한편으로는
035	pay off	성과가 나다, 성공하다
036	prepare for	~에 대비하다, ~을 준비하다
037	by oneself	혼자서, 단독으로
038	for oneself	혼자 힘으로, 스스로, 직접
039	give A B	A에게 B를 주다
040	make A B	A에게 B를 만들어 주다

DAY 03

041	a lot of	많은
042	cannot help -ing	~하지 않을 수 없다, ~할 수 밖에 없다
043	come down	내려오다, 내리다
044	concentrate on	~에 집중하다, ~에 여념이 없다
045	consist of	~으로 이루어지다
046	fill in	(서류·양식을) 작성하다, (빈칸에) 기입하다
047	get over	~을 이겨내다, ~을 극복하다
048	get rid of	~을 없애다, ~을 제거하다
049	in the middle of	~ (도)중에, ~의 한가운데에서, ~의 중앙에서
050	look around	~을 둘러보다, ~을 돌아다니다
051	look forward to	~을 기대하다, ~을 기다리다
052	major in	~을 전공하다
053	make a promise	약속하다
054	on time	제시간에, 정각에
055	pass out	기절하다, 의식을 잃다, 나누어 주다, 분배하다
056	prevent A from -ing	A가 ~하는 것을 막다
057	be used to + 동사원형	~하는 데 사용되다
058	be used to -ing	~하는 것에 익숙하다
059	ask A to + 동사원형	A에게 ~하라고 요청하다
060	allow A to + 동사원형	A가 ~하게 해 주다

DAY 04

061	according to	~에 따르면
062	be angry at	~에(게) 화가 나다, ~에(게) 화를 내다
063	call up	~에게 전화를 걸다
064	clean up	~을 청소하다, ~을 치우다
065	cooperate with	~와 협력하다
066	do a good job	잘 해내다
067	figure out	~을 알아내다, ~을 이해하다
068	give out	~을 나누어 주다, ~을 지급하다, (소리·빛·냄새 등을) 내다, 발산하다
069	in return (for)	(~에 대한) 보답으로, (~의) 대가로
070	in the past	과거에, 이전에는
071	look like	~처럼 생기다, ~처럼 보이다
072	lose one's temper	(화가 나서) 이성을 잃다, 성질을 부리다
073	make an appointment	예약을 하다
074	on weekends	주말마다
075	out of sight	보이지 않는 곳에 (있는)
076	put A together	A를 합치다, A를 조립하다
077	be concerned about	~에 대해 걱정하다
078	be concerned with	~과 관계가 있다
079	have A + 동사원형	A가 ~하게 하다
080	have A + 과거분사	A가 ~되게 하다, A가 ~당하게 하다

DAY 05

081	A rather than B	(차라리) B보다는 A, B 대신에 A
082	all the time	항상, 늘
083	call out	(큰 소리로) ~를 부르다, ~를 호출하다
084	check over	~을 자세히 살피다, ~을 철저히 점검하다
085	cry out	소리를 지르다, 외치다
086	do exercise	운동하다
087	fall down	무너지다, 넘어지다
088	go away	(떠나) 가다
089	in order to + 동사원형	~하기 위해서
090	in the future	미래에, 앞으로는
091	look down on	~를 낮춰 보다, ~을 경시하다
092	make a decision	결정을 내리다
093	make friends with	~와 친해지다, ~와 친구가 되다
094	once upon a time	옛날 옛적에
095	out of breath	숨이 찬, 숨이 가쁜
096	take A home	A를 집으로 가져가다, A를 집으로 데려가다
097	be good at	~을 잘하다, ~에 능숙하다
098	be good for	~에 좋다, ~에 이롭다
099	help A + (to +) 동사원형	A가 ~하는 것을 돕다
100	see A + 동사원형/-ing	A가 ~하는 것을 보다

DAY 06

101	**arrive at**	~에 도착하다
102	**call for**	~을 요구하다, ~을 필요로 하다
103	**check on**	~를 확인하다, ~을 점검하다
104	**devote oneself to**	~에 헌신하다, ~에 전념하다
105	**fall asleep**	잠들다
106	**go for a walk**	산책하러 가다
107	**in one's opinion**	~의 의견으로는, ~의 생각에는
108	**in the end**	결국에는, 마침내
109	**look back**	뒤돌아보다, (과거를) 되돌아보다, 회고하다
110	**make a living**	생활비를 벌다, 생계를 꾸리다
111	**make it (to)**	(~에) 성공하다, (~에) 진출하다
112	**one day**	(과거·미래의) 어느 날
113	**or so**	~쯤, ~가량
114	**regard A as B**	A를 B로 여기다
115	**show A around**	A에게 구경을 시켜주다, A를 안내하다
116	**try one's best**	최선을 다하다
117	**be made (up) of**	~으로 만들어지다, ~으로 이루어지다
118	**be made from**	~으로 만들어지다
119	**How 형용사(+주어+동사)!**	(-은) 정말 ~하구나!
120	**What a(n) 형용사+명사 (+주어+동사)!**	(-은) 정말 ~한 …구나!

DAY 07

121	at that time	그때(는), 그 당시에(는)
122	by bus	버스로, 버스를 타고
123	change one's mind	생각을 바꾸다, 마음을 바꾸다
124	do harm	피해를 입히다, 손해를 끼치다
125	dream about	~을 꿈꾸다
126	except for	~을 제외하고(는), ~ 외에는
127	go up	~을 올라가다, ~이 오르다, ~이 상승하다
128	in front of	~의 앞에(서)
129	in need	어려움에 처한, 궁핍한
130	live without	~ 없이 살다
131	make a speech	연설을 하다
132	more than	~보다 많은, ~ 이상(의)
133	on the phone	전화로, 통화 중인
134	pass away	돌아가시다, 사망하다
135	run for	~에 출마하다, ~에 입후보하다
136	set A free	A를 풀어주다, A를 석방하다
137	be familiar with	~에 (대해) 익숙하다, ~에 (대해) 정통하다
138	be familiar to	~에게 친숙하다, ~에게 익숙하다
139	how + 주어 + 동사	어떻게 ~인지, 어떻게 ~하는지
140	if + 주어 + 동사	~인지 (아닌지)

DAY 08

141	at the same time	동시에, 함께
142	bring up	(아이를) 기르다, 양육하다
143	change (in)to	~으로 바뀌다, ~으로 변하다
144	do without	~ 없이 해내다, ~ 없이 지내다
145	end in	~으로 끝나다
146	end up -ing	결국 ~하게 되다
147	go wrong	잘못되다, 고장나다
148	in addition	추가로, 게다가
149	in fact	사실, 실제로
150	like to + 동사원형	~하는 것을 좋아하다
151	manage to + 동사원형	간신히 ~하다
152	miss out	(기회·즐거움 등을) 놓치다
153	on earth	지구상에서, 이 세상에서, (의문문에서) 도대체
154	on purpose	일부러, 고의로
155	point to	~을 가리키다, ~을 지적하다
156	send out	~을 내보내다, ~을 발송하다
157	be free of	~이 없다
158	be free to + 동사원형	자유롭게 ~하다, 마음껏 ~하다
159	have + 과거분사	(현재까지) ~해왔다, ~한 적이 있다
160	had + 과거분사	(특정 과거 시점까지) ~해왔었다, ~했었다

DAY 09

161	be about to + 동사원형	막 ~하려 하다
162	be sorry for	~를 안쓰럽게 여기다, ~에 대해 미안하다
163	bring in	~를 데려오다, ~을 들여오다
164	catch a cold	감기에 걸리다
165	dress up	(옷을) 갖추어 입다
166	drop by	잠깐 들르다, 불시에 찾아가다
167	escape from	~에서 탈출하다, ~에(게)서 달아나다
168	hang out (with)	(~와) 어울려 다니다
169	have A in common	A를 공통점으로 갖다
170	hold on	(전화 통화에서) 기다리다
171	leave a message	메시지를 남기다
172	lose by	(~점) 차이로 지다
173	mean to + 동사원형	~할 의도이다, ~할 셈이다
174	on display	전시 중인, 진열된
175	put on	(옷·모자·신발 등을) 입다, 걸치다, (화장품 등을) 바르다
176	set out	(여행을) 시작하다, (일에) 착수하다
177	be known as	~으로(서) 알려지다
178	be known for	~으로 유명하다
179	have been + 과거분사	~되어 왔다, ~된 적이 있다
180	Have + 주어 + (ever) + 과거분사 ~?	(지금껏) ~해 본 적이 있니?

DAY 10

181	be filled with	~으로 가득 차다
182	break into	(건물에) 침입하다
183	catch the train	기차를 잡아 타다
184	day after day	매일, 날마다
185	enjoy oneself	즐거운 시간을 보내다
186	ever since	~ 이후로 줄곧
187	happen to	(일이) ~에게 일어나다
188	have fun	재미있게 놀다, 즐기다
189	in a hurry	서두르는, 바쁜, 급한
190	keep track of	~을 추적하다, ~의 진로를 쫓다, ~을 기록하다
191	leave A behind	A를 남겨 두다, A를 놓고 오다
192	on average	평균적으로, 보통
193	participate in	~에 참가하다, ~에 참여하다
194	put down	(들고 있던 것을) 내려 두다, (보고 들은 것을) 받아 적다
195	run out of	~이 다 떨어지다
196	settle in	~에 정착하다, ~에 적응하다
197	for sale	판매되는, 판매 중인
198	on sale	할인되는, 세일 중인
199	have to + 동사원형	~해야 한다
200	would like to + 동사원형	~하고 싶다

DAY 11

201	be going to + 동사원형	~할 것이다, ~할 예정이다
202	begin with	~으로 시작하다
203	cannot afford to + 동사원형	~할 여유가 없다
204	cut out	~을 잘라내다
205	every time	~할 때마다
206	fail to + 동사원형	~하는 데 실패하다, ~하지 못하다
207	go through	(행동·절차 등을) 거치다, 겪다
208	hand in	(과제물·낼 것 등을) 제출하다, 내다
209	in advance	미리, 사전에
210	keep A in mind	A를 기억하다, A를 명심하다
211	keep one's fingers crossed	행운을 빌(어 주)다
212	no wonder (that)	(~한 것은) 놀랄 일이 아닌, (~한 것은) 당연한
213	pay attention to	~에(게) 주목하다, ~에(게) 주의를 기울이다
214	side by side	나란히
215	slow down	(속도·진행을) 늦추다, 느려지다
216	take a break	(잠시) 휴식을 취하다
217	care about	~에 대해 신경 쓰다, ~에 대해 걱정하다
218	care for	~를 보살피다, ~를 좋아하다
219	had better + 동사원형	~하는 것이 좋다, ~하는 것이 낫다
220	would rather + 동사원형 (+ than)	(-하기보다는) 차라리 ~하겠다

DAY 12

221	be interested in	~에 관심이 있다
222	be worth -ing	~할 가치가 있다, ~할 만하다
223	by the time	~할 때쯤에는, ~할 때까지는
224	cut down on	~을 절감하다, ~을 줄이다
225	expect to + 동사원형	~할 것으로 예상하다
226	fall into	~으로 떨어지다, ~에 빠지다
227	give A a ride	A를 (차로) 태워 주다
228	go back (to)	(~로) 돌아가다
229	go to bed	자다, 잠들다
230	in case of	~의 경우에는, ~ (발생) 시에는
231	keep one's eyes on	~에서 눈을 떼지 않다, ~을 주시하다
232	most of	~의 대부분
233	move around	(여기저기) 돌아다니다
234	pay for	~에 (돈을) 내다, ~에 (값·대가를) 지불하다
235	stand for	~을 의미하다, ~을 상징하다
236	stare at	~를 쏘아보다, ~을 응시하다
237	go out	(밖에) 나가다, 외출하다, (불·전기가) 나가다
238	go off	(알람·경보가) 울리다, (불·전기가) 나가다
239	may as well + 동사원형	~하는 편이 좋(겠)다
240	used to + 동사원형	(한때는) ~이었다, ~하곤 했다

DAY 13

241	be proud of	~을 자랑스러워 하다
242	be similar to	~과 유사하다, ~과 비슷하다
243	be tired of	~에 질리다, ~에 싫증이 나다
244	by now	지금쯤은 (이미), 이제
245	cut down	~을 베다, ~을 쓰러뜨리다, ~을 깎다, ~을 줄이다, ~을 삭감하다
246	face to face	(직접) 대면하여, 마주 보고
247	feed on	~을 먹고 살다
248	give birth (to)	(아이를) 낳다, 출산하다
249	go straight	똑바로 가다, 직진하다
250	in charge of	~을 책임지고 있는, ~을 담당하고 있는
251	keep away from	~을 멀리하다
252	none of	~ 중 아무(것)도 -않는
253	pick out	~을 골라내다, ~을 뽑다
254	stop by	(~에) 잠깐 들르다
255	succeed in	~에(서) 성공하다
256	take a rest	휴식하다, 쉬다
257	go well	(일·계획이) 순조롭게 진행되다, 잘 되다
258	go well with	~과 잘 어울리다, ~과 잘 맞다
259	must have + 과거분사	~했음에 틀림없다
260	should have + 과거분사	~했어야 했나

DAY 14

261	be surprised by	~에 깜짝 놀라다
262	be thankful for	~에 대해 감사하다, ~을 감사히 여기다
263	block out	~을 차단하다, ~을 가리다
264	by no means	결코 ~이 아닌, 결코 ~하지 않은
265	contribute to	~에 공헌하다, ~에 기여하다
266	(every) now and then	가끔씩, 때때로
267	fall behind	뒤떨어지다, 늦어지다
268	feel better	기분이 나아지다, 몸을 회복하다
269	give A a hand	A를 도와주다, A를 거들어주다
270	go by	(시간이) 지나가다, 흐르다
271	in contrast	대조적으로, 반대로
272	just like	꼭 ~처럼, 꼭 ~ 같은
273	make sure (that)	~을 확실하게 하다, 반드시 ~하도록 하다
274	protect A from B	B로부터 A를 보호하다
275	take off	(옷·신발·모자 등을) 벗다, (비행기가) 이륙하다
276	take part in	~에 참여하다, ~에 가담하다
277	hear about	~에 대해 듣다
278	hear from	~에게서 소식을 듣다, ~에게서 연락을 받다
279	be happy to + 동사원형	~하게 되어(서) 기쁘다, ~하게 되어(서) 행복하다
280	decide to + 동사원형	~하기로 결정하다, ~하기로 결심하다

DAY 15

281	be stuck in	~에 갇히다, ~에 끼어서 움직일 수 없다
282	by nature	선천적으로, 본래
283	come to an end	끝나다
284	come true	사실이 되다, 실현되다
285	feel down	(기분이) 우울하다, 낙담하다
286	for example	예를 들면, 예를 들어
287	get up	(잠 등에서) 일어나다
288	give it a try	한 번 해 보다, 시도하다
289	how often	얼마나 자주 (~하는지)
290	in danger	위험에 처한, 위기에 처한
291	It is no use -ing	~하는 것은 소용없다
292	make oneself at home	편하게 쉬다
293	now that	(이제) ~이니까, ~이기 때문에
294	pull out	~을 뽑아내다, ~을 끌어내다
295	take action	행동을 취하다, 조치를 취하다
296	take it easy	마음을 편히 갖다, 쉬엄쉬엄하다
297	look up	~을 올려다 보다, ~을 찾아보다, ~을 검색하다
298	look up to	~를 존경하다
299	seem to + 동사원형	~하게 보이다, ~한 것 같다
300	It's time to + 동사원형	~할 시간이다, ~할 때이다

DAY 16

301	be sold out	품절되다, 매진되다
302	be sorry about	~에 대해 유감이다, ~에 대해 미안하다
303	by hand	(사람의) 손으로, 자필로
304	come over (to)	(~로) 건너오다, (~에) 들르다
305	far (away) from	~에서 멀리 (떨어져) 있는
306	fight for	~을 (얻기) 위해 싸우다
307	get along with	~와 잘 지내다, ~와 어울리다
308	get together	(함께) 모이다
309	in favor of	~에 찬성하여
310	inform A of B	A에게 B에 대해 알리다
311	make money	돈을 벌다, 재산을 모으다
312	on and on	계속해서, 쉬지 않고
313	right now	지금(은), 당장
314	take place	(행사가) 개최되다, (일이) 일어나다
315	the rest of	(~의) 나머지
316	work with	~와 함께 일하다
317	put off	(시간·날짜를) 미루다, 연기하다
318	put out	(불을) 끄다, (밖으로) 내놓다
319	too - to + 동사원형	너무 -해서 ~할 수 없다
320	enough to + 동사원형	~할 정도로 (충분히) -하다

DAY 17

321	be short of	~이 부족하다, ~이 못 미치다
322	by accident	사고로, 뜻밖에, 우연히
323	come back	돌아오다
324	feel like -ing	~할 기분이 나다, ~하고 싶다
325	fill A with B	A를 B로 (가득) 채우다
326	for some time	한동안, 당분간
327	from A to B	(시간) A부터 B까지, (장소) A에서 B로, A에서 B까지
328	from now on	지금부터, 앞으로 (쭉)
329	in other words	다시 말해서, 즉
330	in surprise	(깜짝) 놀라서
331	make an effort	노력하다, 애쓰다
332	on fire	불타는, 불이 난
333	say hello to	~에게 안부를 전해 주다, ~에게 인사말을 건네다
334	talk about	~에 대해 말하다
335	think up	~을 생각해 내다
336	work as	~으로(서) 일하다
337	make up	~을 구성하다, ~을 차지하다, ~을 이루다, (이야기를) 지어내다
338	make up for	~을 보충하다, ~을 보상하다, ~을 만회하다
339	It be 형용사+for A+to+동사원형	~하는 것은 A에게 -하다
340	It be 형용사+of A+to+동사원형	A가 ~하다니 -하다

DAY 18

341	be late for	~에 늦다, ~에 지각하다
342	burst into tears	울음을 터뜨리다
343	check out	(책 등을) 빌리다, 대출하다, (호텔·객실 등에서) 나가다, 퇴실하다
344	fit in with	~와 잘 어울리다, ~와 잘 지내다
345	fly to	~로 날아가다, (비행기를 타고) ~로 가다
346	for a while	잠시 동안, 한동안, 당분간
347	for sure	확실히, 틀림없이
348	generally speaking	일반적으로 (말하면)
349	in particular	특별히, 특히
350	in turn(s)	차례차례로, 결국
351	make a reservation	예약하다
352	on one's way (to)	(~로) 가는 길에, (~로) 가는 중에
353	set off	출발하다, 길을 떠나다
354	thanks to	~ 덕분에
355	throw up	토하다, 게우다
356	wish to+동사원형	~하기를 바라다
357	put up	(천막 등을) 치다, (건물 등을) 세우다, (그림·액자 등을) 걸다
358	put up with	~을 참고 견디다, ~를 참아 주다
359	enjoy -ing	~하는 것을 즐기다
360	start to+동사원형/-ing	~하기 시작하다

DAY 19

361	be harmful to	~에(게) 해롭다
362	burn out	(불이) 다 타버리다, 꺼지다, (에너지를) 다 쓰다, 소진하다
363	call on	~에(게) 들르다
364	for a long time	오랫동안, 장기간
365	for a moment	잠깐 동안
366	for free	무료로
367	for instance	예를 들면, 예를 들어
368	get back to	~로 돌아가다
369	in the same way	같은 방식으로, 마찬가지로
370	invite A to B	A를 B로 초대하다
371	make a plan	계획을 세우다
372	on the spot	그 자리에서, 현장에서, 즉석에서
373	set up	~을 세우다, ~을 설립하다, ~을 설치하다
374	think of	~에 대해 생각하다
375	to be honest	솔직히 말하자면
376	up to	(특수한 수·정도 등) ~까지, ~에(게) 달려 있는
377	result from	~에서 유래하다, ~에서 비롯하다
378	result in	(결과로) ~을 낳다, ~을 야기하다, ~을 초래하다
379	forget to + 동사원형	(미래에) ~할 것을 잊다
380	try to + 동사원형	~하려고 노력하다

DAY 20

381	be eager to + 동사원형	(간절히) ~하고 싶어 하다
382	bump into	~와 부딪치다, ~와 (우연히) 마주치다
383	by mistake	실수로, 잘못해서
384	fill out	(서류 등을) 작성하다, 기입하다
385	focus on	~에 집중하다, ~에 전념하다
386	for a living	생계를 위해, 생계 수단으로
387	get in	(안에) 들어가다, (탈 것을) 타다
388	get out (of)	(~에서) 나가다, (~에서) 벗어나다
389	in the distance	저 멀리(서), 먼 곳에(서)
390	leave for	~로 떠나다, ~로 출발하다
391	lose one's way	길을 잃다, 방황하다
392	out of hand	손 쓸 수 없는, 통제할 수 없는
393	show up	나타나다, 나오다, 도착하다
394	throw away	~을 버리다, ~을 없애다
395	try out for	(선발 등을 위해) ~에 지원하다, ~에 출전하다
396	waste one's time	시간을 허비하다
397	stand up	(일어)서다, 서 있다
398	stand up for	~을 지지하다, ~을 옹호하다
399	It takes + 시간 + to + 동사원형	~하는 데 시간이 걸리다
400	There is[are]	~이 있다

DAY 21

401	be curious about	~에 호기심이 많다, ~을 궁금해 하다
402	brush off	(솔로) ~을 털어내다
403	by chance	우연히, 뜻밖에
404	fall off	~에서 떨어지다
405	find out	~을 찾아내다, ~을 알아내다
406	for fun	재미로, 장난으로
407	get off	(탈 것에서) 내리다
408	give up	포기하다, 그만 두다
409	in the air	공중에(서), 허공에(서)
410	look after	~를 돌보다, ~를 보살피다
411	look through	~을 살펴보다, ~을 훑어보다
412	out of nowhere	난데없이, 갑자기
413	sooner or later	조만간, 머지않아
414	turn away	(반대로) 돌아서다, 외면하다, 거부하다
415	turn down	~을 낮추다, ~을 약하게 하다, ~을 거절하다
416	wash the dishes	설거지를 하다
417	pass by	(옆을) 지나가다, (시간이) 지나다, 경과하다
418	pass through	~을 통과해서 지나가다, ~을 관통하다
419	one ~, the other -	(둘 중에서) 하나는 ~, 나머지 하나는 -
420	some ~, the others -	(셋 이상에서) 몇 개는 ~, 그 외 나머지들은 -

DAY 22

421	be capable of	~할 수 있다
422	break through	~을 뚫고 나가다, ~을 뚫다
423	build up	~을 키우다, ~을 보강하다
424	even though	비록 ~일지라도, 비록 ~이지만
425	fall in love (with)	(~와) 사랑에 빠지다
426	for nothing	공짜로
427	get through	(어려움·시련을) 극복하다, 헤쳐 나가다
428	go -ing	~하러 가다
429	in short	간단히 말하면, 요약하면
430	look into	(안을) 들여다 보다, ~을 자세히 보다, ~을 조사하다
431	make a mistake	실수하다, 잘못 생각하다
432	out of order	고장 난, 상태가 나쁜
433	stick to	~에 붙다, (생각·지침 등을) 굳게 지키다
434	turn in	(서류 등을) 제출하다
435	use up	~을 다 써 버리다, ~을 소모하다
436	walk along	~을 따라 걷다
437	turn off	(전기·기계 등을) 끄다
438	turn out	~으로 드러나다, ~으로 밝혀지다
439	a few + 복수명사	몇 개의, 약간의
440	a little + 불가산명사	약간의, 조금의

DAY 23

441	back and forth	왔다 갔다, 이리저리
442	break down	(기계·차 등이) 고장 나다, 쪼개지다, 분해되다
443	break the rule(s)	규칙을 어기다
444	day and night	밤낮으로, 쉴 새 없이
445	eat out	외식하다
446	for one thing	우선 한 가지 이유는, 우선 한 가지는
447	get well	(건강을) 회복하다, (병이) 나아지다
448	go to a movie	영화를 보러 가다
449	in response to	~에 대한 반응으로, ~에 대한 답변으로
450	look ahead	(앞날을) 내다 보다, (미래를) 생각하다
451	look at	~을 보다
452	practice -ing	~하는 것을 연습하다
453	take away	~을 치우다, ~을 빼앗다
454	turn up	(소리·온도 등을) 높이다, 나타나다
455	vote for	~에(게) (찬성) 투표를 하다
456	wait for	~을 기다리다
457	be anxious about	~에 대해 걱정하다
458	be anxious to + 동사원형	~하기를 열망하다
459	how many + 복수명사	얼마나, 몇 명, 몇 개
460	how much + 불가산명사	얼마(나), 어느 정도

DAY 24

461	ask A a favor	A에게 부탁을 하다
462	be worried about	~에 대해 걱정하다
463	break one's leg	다리가 부러지다
464	come out (of)	(~에서) 나오다
465	each of	(~의) 각각, (~의) 각자
466	from beginning to end	처음부터 끝까지, 시종일관하여
467	give in	항복하다, 굴복하다
468	grow up	자라다, 성장하다
469	in many ways	여러 면에서, 여러모로
470	listen to	~에 귀를 기울이다, ~을 듣다
471	make sense	의미가 통하다, 말이 되다, 이해하다
472	prior to	~에 앞서, ~보다 이전에
473	take turns	차례로 하다, 교대로 하다
474	turn to	~로 돌다, ~에 의존하다, ~에게 의지하다
475	want to + 동사원형	~하기를 원하다, ~하고 싶어하다
476	wash away	(물 등으로) ~을 씻어내다, ~을 휩쓸어 가다
477	in time	제시간에, 늦지 않게
478	in no time	즉시, 당장에
479	as + 원급 + as	−만큼 ~한[~하게], −처럼 ~한[~하게]
480	as + 원급 + as possible	가능한 한 ~한[~하게]

DAY 25

481	account for	~을 차지하다, ~을 설명하다, ~을 해명하다
482	be satisfied with	~에 만족하다
483	break a bad habit	나쁜 습관을 고치다
484	come in	(안으로) 들어오다
485	due to	~ 때문에, ~으로 인해
486	from place to place	이곳저곳으로, 여기저기에
487	go abroad	외국에 가다
488	How about -ing?	~하는 게 어때?
489	instead of	~ 대신에, ~보다는
490	lie down	눕다
491	make up one's mind	결심하다, (마음의) 결정을 내리다
492	promise to + 동사원형	~하기로 약속하다
493	to one's surprise	놀랍게도, 의외로
494	trip over	~에 발이 걸려 넘어지다
495	watch out (for)	(~을) 조심하다
496	what is more	게다가, 더군다나
497	at a time	한 번에, 동시에
498	at any time	아무 때나, 언제든
499	배수사 + as + 원급 + as	-배 더 ~한[~하게]
500	much + 비교급 + than	-보다 훨씬 더 ~한[~하게]

DAY 26

501	a couple of	두어 개의, 몇 개의
502	around the corner	(거리·시간적으로) 임박한, 가까운
503	be related to	~과 관련이 있다
504	blow down	(바람으로) ~을 쓰러뜨리다
505	by the way	그런데, 그나저나
506	do A a favor	A의 부탁을 들어주다, A에게 호의를 베풀다
507	gain weight	체중이 늘다, 살이 찌다
508	go across	~을 건너가다, ~을 횡단하다
509	how to + 동사원형	어떻게 ~하는지, ~하는 방법
510	less than	~보다 적은, ~ 미만(의)
511	look for	~을 찾아보다, ~을 찾다
512	on foot	걸어서, 도보로
513	pull over	(길 한 쪽에) 차를 세우다
514	to make matters worse	설상가상으로
515	try on	(옷을) 입어 보다, (시험 삼아) 해 보다
516	wrap up	(선물 등을) 포장하다, (합의·회의 등을) 마무리 짓다
517	one another	(세 명 이상이) 서로
518	one after another	차례로, 잇따라
519	비교급 + and + 비교급	점점 더 ~한, 점점 더 ~하게
520	The + 비교급 ~, the + 비교급 -	(더) ~할수록 더 -하다

DAY 27

521	a pair of	(~의) 한 쌍, (~의) 한 벌, (~의) 한 켤레
522	be popular with	~에게 인기가 있다
523	believe in	~을 믿다, ~을 신뢰하다
524	blame A for B	B에 대해 A를 탓하다, B에 대해 A를 비난하다
525	bring back	~을 돌려주다, ~을 반납하다
526	depend on	~에 달려 있다, ~에 의존하다
527	get a good grade	좋은 성적을 얻다
528	go over	~을 검토하다, ~을 점검하다
529	how long	얼마나 오래 (~하는지)
530	hundreds of	수백의
531	keep in touch (with)	(~와) 연락하고 지내다, (~와) 연락하다
532	pay back	(받은 것을) 갚다, (당한 것을) 되갚다
533	put aside	~을 따로 두다, ~을 한쪽에 치워 두다, ~을 저축하다
534	think over	~을 곰곰이 생각하다, ~을 심사숙고하다
535	turn around	(몸을) 돌리다, (반대로) 방향을 바꾸다
536	turn into	~으로 변하다, ~으로 바뀌다
537	at that moment	(과거·미래의) 그때, 그 순간에
538	at the moment	(바로) 지금, 당장은
539	no (other) 단수명사 ~ 비교급 + than ...	그 어떤 -도 …보다 ~하지 않다, 가장 ~한 -이다
540	비교급 + than any other + 단수명사	다른 어떤 -보다 더 ~하다, 가장 ~한 -이다

DAY 28

541	agree with	~에(게) 동의하다
542	at the beginning	처음에(는)
543	be located in	~에 위치하다
544	before long	곧, 머지않아
545	believe it or not	믿거나 말거나, 믿기 힘들겠지만
546	deal with	~을 처리하다, ~을 해결하다
547	get a job	일자리를 얻다, 취업하다
548	give off	(냄새·열·빛 등을) 내다, 내뿜다, 방출하다
549	graduate from	~를 졸업하다
550	hold back from -ing	~하는 것을 억제하다, ~하는 것을 망설이다
551	next to	(위치) ~ 옆에, (순서) ~ 다음에
552	play a role	역할을 하다, 한몫을 하다
553	run away (from)	(~에서) 달아나다, (~에서) 도망치다
554	tell A from B	A를 B와 구별하다
555	think back	돌이켜 생각해보다, 회상하다
556	turn over	~을 뒤집다, ~이 뒤집히다
557	on the side of	~의 옆(면)에, ~의 편을 들어
558	on the other side of	~의 반대편에(서)
559	at + 시각	~에
560	on + 요일/날짜	~에

DAY 29

561	ahead of	~보다 앞선, ~의 앞에(서)
562	apply for	~에 지원하다, ~을 신청하다
563	be happy with	~에 행복하다, ~에 만족하다
564	be supposed to + 동사원형	~하기로 되어 있다, ~해야 한다
565	be used as	~으로 사용되다
566	cut off	~을 잘라내다, ~을 차단하다
567	get married (to)	(~와) 결혼하다
568	hand down	(후세에) ~을 물려주다
569	help oneself (to)	(음식을) 마음껏 먹다
570	in spite of	~에도 불구하고
571	one by one	한 개씩, 한 명씩, 차례로
572	plenty of	많은, 다량의
573	set an alarm	알람을 맞추다
574	take out	(밖에) ~을 내놓다, (돈 등을) 인출하다
575	talk behind one's back	뒷담화를 하다, (몰래) 험담하다
576	upside down	(위아래가) 거꾸로
577	the next day	(그) 다음 날에
578	the other day	(과거) 지난번에, 며칠 전에
579	not A but B	A가 아니라 B
580	not only A but (also) B	A뿐만 아니라 B도

DAY 30

581	all day (long)	하루 종일
582	be absent from	~에 결석하다
583	be from	~에서 오다, ~ 출신이다
584	be ready to + 동사원형	~할 준비가 되다
585	cut in (line)	(줄에서) 새치기하다
586	get lost	길을 잃다
587	get off to a good start	좋은 출발을 하다, 잘 시작하다
588	hand in hand	(두 사람이) 서로 손을 잡고, (두 가지가) 서로 밀접하게 연관된, 떼려야 뗄 수 없는
589	have a chance to + 동사원형	~할 기회가 있다
590	in search of	~을 찾아서, ~을 추구하여
591	over and over	반복해서, 거듭
592	prefer A to B	A를 B보다 선호하다, A를 B보다 좋아하다
593	set foot	발을 들여놓다, 들어서다
594	take one's time	여유를 갖다, 천천히 하다
595	the majority of	~의 대다수, ~의 대부분
596	wake up	(잠에서) 깨어나다, 일어나다
597	these days	요즘에(는), 근래에
598	in those days	(과거) 그 당시에는, 그 무렵에는
599	either A or B	A나 B (둘 중 하나)
600	neither A nor B	A도 B도 아닌, A도 B도 없는

DAY 31

601	all of	(~의) 전부
602	be close to	~과 가깝다, ~에 근접하다
603	be divided into	~으로 나누어지다
604	be full of	~으로 가득 차다
605	count on	~를 믿다, ~에(게) 의지하다
606	get hurt	다치다, 부상을 입다
607	get old	(물건이) 낡다, (사람이) 나이가 들다
608	hand out	~을 나누어 주다, ~을 배포하다
609	have difficulty (in) -ing	~하는 데 어려움을 겪다
610	have no idea	(전혀) 모르다
611	in public	사람들 앞에서, 공개적으로
612	pick up	~을 집다, ~을 줍다, ~을 들어 올리다, (차에) ~를 태우다, ~를 태우러 가다, ~을 사다, ~을 구입하다
613	provide A with B	A에게 B를 제공하다
614	take a trip (to)	(~로) 여행을 가다
615	take advantage of	~을 기회로 활용하다, ~을 이용하다
616	thank A for B	B에 대해 A에게 감사하다
617	lead to	~으로 이어지다, ~을 초래하다
618	lead A to B	A를 B로 이끌다, A를 B로 인도하다
619	both A and B	A와 B 둘 다, A와 B 모두
620	whether ~ or not	~인지 아닌지, ~이든 아니든

DAY 32

621	all of a sudden	갑자기, 별안간
622	be considered to + 동사원형	~하다고 여겨지다
623	be different from	~과 다르다
624	be famous for	~으로 유명하다
625	be surrounded by	~에 둘러싸이다
626	come to mind	(갑자기) 생각이 떠오르다
627	get sick	아프게 되다, 병에 걸리다
628	hang on	~에 걸려 있다, ~에 매달리다
629	have no choice but to + 동사원형	~할 수밖에 없다
630	in person	직접, 몸소
631	put away	~을 치우다, ~을 없애다
632	share A with B	B와 A를 공유하다, B와 A를 함께 쓰다
633	such as	(~과) 같은, 예를 들어
634	take a walk	산책하다
635	tend to + 동사원형	~하는 경향이 있다
636	Why don't you + 동사원형?	~하는 게 어때?, ~하지 않을래?
637	keep (on) -ing	계속 ~하다
638	keep A from -ing	A가 ~하는 것을 막다, A가 ~하지 못하게 하다
639	so that	~하기 위해, ~하도록
640	so + 형용사/부사 + (that)	너무 -해서 ~하다

DAY 33

641	all right	(상태가) 괜찮은
642	be busy with	~으로 바쁘다
643	be crowded with	~으로 붐비다, ~으로 복잡하다
644	be disappointed with	~에(게) 실망하다, ~에 낙심하다
645	be sure (that)	~이라고 확신하다
646	come across	~를 우연히 마주치다, ~을 알게 되다, ~을 우연히 발견하다
647	get to	~에 이르다, ~에 가다
648	hang up	전화를 끊다
649	have an effect on	~에 영향을 미치다
650	in harmony with	~과 조화를 이루어, ~와 협력하여
651	regardless of	~에 상관없이
652	sign up for	~에 가입하다, ~을 신청하다, ~에 등록하다
653	take a picture	사진을 찍다
654	take a shower	샤워를 하다
655	talk to	~에게 말을 걸다, ~와 대화를 하다
656	wish A good luck	A에게 행운을 빌어주다
657	catch up with	(능력·수준) ~을 따라잡다, ~을 따라가다, (거리를) 따라잡다
658	keep up with	(능력·수준) ~에 뒤지지 않다, ~을 따라가다, (유행 등을) 따르다
659	명령문, and ~	-해라. 그러면, ~
660	명령문, or ~	-해라. 그렇지 않으면, ~

DAY 34

661	all the way	처음부터 끝까지, 줄곧
662	be aware of	~을 알다, ~을 인지하다, ~을 의식하다
663	be based on	~에 기반하다, ~을 바탕으로 하다
664	be excited about	~에 신이 나다, ~에 들뜨다
665	be sorry (that)	~이라는 사실에 대해 유감이다, ~이라는 사실에 대해 미안하다
666	cheer up	~가 기운을 내다, ~를 격려하다
667	die of	~으로 죽다, ~으로 돌아가시다
668	give a reward	보상금을 주다, 사례를 하다
669	have a seat	자리에 앉다, 착석하다
670	in half	(절)반으로
671	rely on	~에(게) 기대다, ~에(게) 의존하다
672	shake hands (with)	(~와) 악수하다
673	some of	~의 약간, ~의 몇몇, ~의 일부
674	suffer from	~으로 고통받다, ~에 시달리다
675	take care of	~를 돌보다, ~를 보살피다
676	warm up	~을 따뜻하게 하다, (추위를) 녹이다, 몸을 풀다, 준비 운동을 하다
677	go on	(상황 등이) 계속되다, 되어가다, ~을 (하러) 가다
678	move on	(새로운 일·주제로) 나아가다, (다음으로) 넘어가다
679	that + 완전한 절	~이라는 것, ~하는 것
680	what + 불완전한 절	~인 것, ~하는 것, 무엇이 ~하는지, 무엇을 ~하는지

DAY 35

681	along with	~과 함께, ~에 덧붙여
682	be able to + 동사원형	~할 수 있다
683	be ashamed of	~을 부끄러워 하다, ~을 창피해 하다
684	be honest with	~에게 정직하게 하다
685	be scared of	~을 무서워하다
686	bring about	~을 유발하다, ~을 초래하다
687	carry out	~을 완수하다, ~을 수행하다
688	give life to	~에 생명을 주다, ~에 활기를 불어넣다
689	have respect for	~를 존경하다, ~를 공경하다
690	in general	일반적으로, 보통
691	remind A of B	A에게 B를 생각나게 하다, A에게 B를 연상시키다
692	spend A (on) -ing	~하는 데 A를 쓰다
693	step by step	단계적으로, 차근차근
694	take a look (at)	(~을) 보다
695	take responsibility for	~을 책임지다
696	turn on	(전기·가스 등을) 켜다
697	at last	결국, 마침내
698	at least	적어도, 최소한
699	which + 불완전한 절	~하는 (것)
700	where + 완전한 절	~하는 (장소), ~하는 (곳)

DAY 36

701	as a result	결과적으로, 그 결과
702	as well	~ 또한, ~도
703	at first	처음에는, 애초에
704	be important for	~에 (있어) 중요하다
705	be replaced by	~에 의해 대체되다, ~으로 교체되다
706	calm down	흥분을 가라앉히다, 진정하다
707	fall apart	허물어지다, 무너지다
708	give away	~을 나누어 주다, ~을 배분하다
709	go ahead	(이야기를) 계속하다, (일을) 진행하다
710	have to do with	~과 관계가 있다
711	hold on to	~을 계속 잡다, ~을 고수하다
712	in detail	상세하게, 낱낱이
713	run across	(지역 등을) 가로질러 흐르다, ~와 우연히 마주치다, ~을 우연히 발견하다
714	stay away from	~에서 떨어져 있다, ~을 멀리 하다
715	stay up	(늦게까지) 안 자다, 깨어 있다
716	wear out	닳다, (닳아서) 못 쓰게 되다
717	take notes	필기하다, 메모하다
718	take note of	~에 주목하다, ~에 주의하다
719	If + 주어 + 과거동사, 주어 + would + 동사원형	(지금) ~한다면 –할 텐데
720	If + 주어 + had + 과거분사, 주어 + would have + 과거분사	(과거에) ~했다면 –했을 텐데

DAY 37

721	a group of	(~의) 무리, (~의) 집단
722	(all) at once	한꺼번에, 동시에, 갑자기, 즉시
723	and so on	(기타) 등등, ~ 등
724	ask for	~을 요청하다, ~을 요구하다
725	be impressed by	~에 감명받다
726	be open to	~에 개방적이다, ~의 여지가 있다
727	break out	발생하다, 발발하다
728	come up with	(해결책 등을) 생각해 내다, 제시하다
729	go beyond	~을 넘어가다, ~을 초과하다
730	hand over	~을 넘겨주다, ~을 양도하다
731	head for	~을 향해 가다
732	in a row	연이어, 일렬로, 잇달아
733	run after	~을 뒤쫓다, ~을 추적하다
734	stand in line	줄을 서다, 줄 서서 기다리다
735	take a bus	버스를 타다
736	take medicine	약을 먹다, 약을 복용하다
7	stop -ing	~하는 것을 멈추다
	top A from -ing	A가 ~하는 것을 막다, A가 ~하지 못하게 하다
	주어 + 과거동사	마치 ~한 것처럼
	+ 과거동사	~하면 좋을 텐데

37

DAY 38

741	a kind of	(~의) 한 종류, (~의) 일종
742	(a) part of	(~의) 한 부분, (~의) 일부
743	all one's life	일생 동안, 평생
744	as usual	평소처럼, 늘 그렇듯이
745	be afraid of	~을 두려워하다
746	be in good shape	건강하다, 컨디션이 좋다
747	be named after	~의 이름을 따서 이름 지어지다
748	belong to	(사람이) ~에 속하다, (사물이) ~의 소유이다
749	go down	내려가다, 떨어지다, (길 등을) 따라서 가다
750	half of	(~의) 절반
751	help A with B	B에 대해 A를 돕다
752	in a minute	즉시, 금방, 곧
753	run into	~로 뛰어 들어가다, ~에 충돌하다, ~와 우연히 마주치다, ~을 우연히 발견하다
754	sound like	~처럼 들리다
755	take a class	수업을 받다, 수강하다
756	take back	~을 다시 가져가다, ~을 회수하다
757	live with	~와 함께 살다
758	live by	(신념·원칙 등)에 따라 살다
759	So + (조)동사 + 주어	~도 그렇다
760	It is[was] ~ that -	-한 것은 바로 ~이다

DAY 39

761	a long time ago	오래 전에, 먼 옛날에
762	a piece of	(~의) 한 조각
763	add up	(조금씩) 늘어나다, ~을 합계하다
764	around the world	전 세계에(서)
765	be covered with	~으로 덮이다, ~으로 뒤덮이다
766	be kind to	~에게 친절하다
767	be moved by	~에 감동받다, ~에 감명을 받다
768	be willing to + 동사원형	기꺼이 ~하다
769	go off the deep end	자제심을 잃다, 버럭 화를 내다
770	go on a diet	다이어트를 하다
771	here and there	여기저기에(서), 곳곳에(서)
772	millions of	수백만의, 수많은
773	see a doctor	(의사의) 진찰을 받다, 병원에 가다
774	so far	지금까지
775	take A for granted	A를 당연하게 여기다
776	take one's order	~의 주문을 받다
7	above all	무엇보다도, 우선
	fter all	결국에는, 어쨌든
	at all	결코 ~ 않는, 전혀 ~ 않는
	more[longer]	더 이상 ~ 않는, 더는 ~ 않는

39

DAY 40

781	a set of	(~의) 한 세트
782	a variety of	여러 가지(의), 갖가지(의)
783	across from	~의 건너편에 (있는), ~의 맞은편에 (있는)
784	after a while	얼마 후에, 잠시 후에
785	be likely to + 동사원형	~할 것 같다
786	be lucky to + 동사원형	~한 것은 행운이다, ~하게 되어 다행이다
787	be made into	(가공되어) ~으로 만들어지다
788	be responsible for	~에 책임이 있다
789	go to school	학교에 가다, 학교에 다니다
790	go to work	회사에 가다, 출근하다
791	hold up	~을 (위로) 떠받치다, ~에 견디다
792	hope to + 동사원형	~하기를 희망하다, ~하기를 바라다
793	set the table	밥상을 차리다
794	show off	~을 자랑하다, ~을 뽐내다
795	take a message	메시지를 받다
796	take A to B	A를 B로 데려가다, A를 B로 가져가다
797	as long as	(시간) ~만큼 오래, ~하는 한
798	as far as	(거리·범위) ~만큼 멀리, ~까지, ~하는 한
799	not always ~	항상 ~인 것은 아닌
800	not every ~	모든 ~이 -인 것은 아닌

MEMO

MEMO

MEMO